101 ALIMENTS QUI PEUVENT VOUS SAUVER LA VIE !

David W. Grotto, RD, LDN

Traduit de l'anglais par
Renée Thivierge

L'information trouvée dans ce livre est destinée à vous aider à choisir de meilleures habitudes alimentaires. Elle n'est pas destinée à remplacer les services d'un professionnel de la santé. Si vous soupçonnez que vous souffrez d'un problème de santé, veuillez consulter un médecin.

Toute mention d'organisme, de produit, de service, d'entreprise ou de professionnel ne constitue nullement un appui par l'auteur ou par l'éditeur. Le lecteur, et non l'auteur ou l'éditeur, demeure entièrement responsable de tout effet négatif survenant de l'utilisation ou de la mauvaise utilisation de toute information offerte dans ce livre.

Titre original anglais : 101 foods that could save your life

Éditeur : François Doucet
Traduction : Renée Thivierge
Révision linguistique : L. Lespinay
Correction d'épreuves : Nancy Coulombe, Carine Paradis
Typographie et mise en pages : Sébastien Michaud
Graphisme de la page couverture : Matthieu Fortin
Images de la couverture : © 2007 Stockbyte/Getty Images
ISBN 978-2-89565-753-8
Première impression : 2009
Dépôt légal : 2009
Bibliothèque et Archives nationales du Québec
Bibliothèque Nationale du Canada

Éditions AdA Inc.
1385, boul. Lionel-Boulet
Varennes, Québec, Canada, J3X 1P7
Téléphone : 450-929-0296
Télécopieur : 450-929-0220
www.ada-inc.com
info@ada-inc.com

Diffusion

Canada :	Éditions AdA Inc.
France :	D.G. Diffusion Z.I. des Bogues 31750 Escalquens – France Téléphone : 05-61-00-09-99
Suisse :	Transat – 23.42.77.40
Belgique :	D.G. Diffusion – 05-61-00-09-99

Imprimé au Canada

Participation de la SODEC.
Nous reconnaissons l'aide financière du gouvernement du Canada par l'entremise du Programme d'aide au développement de l'industrie de l'édition (PADIÉ) pour nos activités d'édition.
Gouvernement du Québec – Programme de crédit d'impôt pour l'édition de livres – Gestion SODEC.

Catalogage avant publication de Bibliothèque et Archives Canada

Grotto, David W.

101 aliments qui peuvent vous sauver la vie !
Traduction de: 101 foods that could save your life !.
ISBN 978-2-89565-753-8

1. Alimentation. 2. Cuisine santé. 3. Aliments naturels. 4. Diétothérapie. I. Titre. II. Titre: Cent un aliments qui peuvent vous sauver la vie !.

RA784.G7614 2009 613.2 C2008-942487-5

À mon épouse, Sharon, pour son soutien et son amour inébranlables.

À ma mère, Eileen, qui me regarde du haut du Ciel.

TABLE DES MATIÈRES

REMERCIEMENTS ... 9

AVANT-PROPOS DE MARIANNE SMITH EDGE ... 11

INTRODUCTION : Pourquoi 101 aliments ? ... 13

Les 101 aliments : DE L'ABRICOT AU YOGOURT ... 31

- ABRICOT ... 33
- AÇAÏ ... 37
- AGAVE ... 41
- AIL ... 45
- AMANDE ... 49
- AMARANTE ... 55
- ANANAS ... 59
- ARACHIDE ... 64
- ARTICHAUT ... 68
- ASPERGE ... 73
- AUBERGINE ... 77
- AVOCAT ... 81
- AVOINE ... 86
- BAIE DE GOJI ... 91
- BAIE DE SUREAU ... 95
- BANANE ... 99
- BASILIC ... 104
- BETTE À CARDE ... 108
- BLÉ ... 112
- BLEUET ... 116
- BROCOLI ... 121
- CAFÉ ... 126
- CANNEBERGE ... 131
- CANNELLE ... 136
- CARDAMONE ... 140
- CAROTTE ... 144
- CAROUBE ... 149
- CÉLERI ... 153
- CERISE ... 157
- CHAMPIGNON ... 162

CHOCOLAT 166
CHOU 171
CHOU-FLEUR 176
CHOU FRISÉ 180
CITRON 184
CITROUILLE 189
CLOU DE GIROFLE 193
CORIANDRE 198
CUMIN 202
CURCUMA 206
ÉPEAUTRE 211
ÉPINARD 215
FENOUIL 220
FIGUE 224
FRAISE 228
FRAMBOISE 233
FRUIT DE LA PASSION 237
GINGEMBRE 241
GOYAVE 245
GRAINE DE TOURNESOL 249
GRENADE 253
GROSEILLE 257
HARICOT 261
KAKI 266
KIWI 270
LACTOSÉRUM 274
LAITUE ROMAINE 279
LIME 283
LIN 287
MAÏS 292
MANGUE 296
MENTHE 301
MIEL 306
MILLET 311
MÛRE 314
NOISETTE 318
NOIX 322
ŒUFS 326

OIGNON 330
OLIVE 335
ORANGE 339
ORGE 344
ORIGAN 348
PACANE 352
PAMPLEMOUSSE 356
PAPAYE 361
PASTÈQUE 365
PATATE DOUCE 369
PERSIL 373
PISTACHES 377
POIRE 382
POIVRON 386
POMME 390
POMME DE TERRE 394
PRUNE OU PRUNEAU 399
QUINOA 403
RAIFORT OU WASABI 407
RAISIN 413
RIZ BRUN 417
ROMARIN 422
SARDINE 426
SARRASIN 429
SAUMON 433
SEIGLE 437
SÉSAME 441
SORGHO 445
SOYA 449
TEF 454
THÉ 458
TOMATE 463
YOGOURT 468

ANNEXE A : Plan de repas à 2000 calories 473

ANNEXE B : Phytochimiques et éléments nutritifs 477

MENTION DE PROVENANCE DES RECETTES 481

RÉFÉRENCES 483

AU SUJET DE L'AUTEUR 527

INDEX 529

Remerciements

La publication de ce livre n'aurait pu se concrétiser sans l'aide de mes merveilleuses assistantes de recherche : Traci Beierwaltes, RD ; Jessica Colletta, MS, RD ; Katherine Finn, MPH, RD ; Jill Stiens, MS, RD ; et Anne Marie Van Vossen, RD. Merci à Julie Moreshi et Julie Davis, de la Benedictine University, qui m'ont aidé à trouver plusieurs de ces professionnelles talentueuses. Merci à Doris Acosta et à son incroyable équipe de relations publiques, à mes collègues porte-parole, et à tous les membres de l'American Dietetic Association qui m'ont offert leur soutien, leur encouragement, et leur dévouement face au message d'une nutrition saine.

J'éprouve une immense gratitude envers Vicki Dieter, le professeur d'anglais de cinquième année de ma fille, qui a instillé en elle une passion – et en moi en même temps – pour l'écriture ! Merci aussi à mon merveilleux agent littéraire, Rick Broadhead, dont l'approche réputée pour « n'épargner personne » a heureusement permis de mettre ma proposition en forme et l'a guidée dans les mains très talentueuses de mon éditeur, Philip Rappaport, qui avec brio a donné vie à *101 aliments*. Merci aussi à toutes les merveilleuses personnes de Bantam Dell qui ont permis de concrétiser ce livre.

Merci à tous les collègues, amis et membres de la famille, surtout mon père et ma belle-mère, qui ont travaillé en coulisse, et m'ont donné d'extraordinaires conseils et de l'encouragement durant mon voyage inaugural en tant qu'auteur.

À mon épouse Sharon, incroyablement merveilleuse et aimante, qui m'a gentiment permis de réaliser cet ouvrage, qui a roulé ses propres manches tachées de nourriture et est devenue partenaire dans le projet, tout en continuant pendant tout ce temps à garder notre famille heureuse, en santé et bien nourrie ! Je suis également reconnaissant à mes merveilleuses filles, Chloe, Katie et Madison, qui ont été si aimantes et d'un si grand secours durant le processus. Je suis fier de l'extraordinaire patience et de l'enthousiasme qu'elles ont démontrés pendant qu'elles goûtaient, encore et encore, un nombre incroyable de recettes ; et je les remercie d'avoir exprimé leurs opinions les plus honnêtes.

Avant-propos

Des faits sur les aliments, un guide de santé, un livre de recettes, des plans de diète — tout cela sous une seule couverture ! *101 aliments qui peuvent vous sauver la vie* est une véritable bouée de sauvetage. Enfin un livre qui, non seulement dresse une liste d'aliments « super », mais nous entretient aussi de l'histoire de l'aliment, de ses bénéfices pour la santé, et le plus important, comment l'incorporer à votre diète quotidienne pour profiter au maximum de ses éléments nutritifs. L'approche de Dave Grotto, qui met l'emphase sur « quoi manger » plutôt que sur « quoi ne pas manger », est une approche rafraîchissante qui facilite l'adoption de bonnes habitudes alimentaires auxquelles nous espérons nous adonner toute notre vie. En tournant les pages et en découvrant que la liste d'aliments salutaires inclut de fabuleux fruits, herbes et épices, café, et même du chocolat — cet engagement se transforme en une gâterie plutôt qu'en une corvée. Ce livre renforce l'importance d'inclure une variété d'aliments dans notre diète et prouve la justesse de l'aspect scientifique du *2005 Dietary Guidelines* et de MyPyramid qui recommande une consommation accrue de fruits, de légumes et de grains entiers. Tout en nous suggérant de nouvelles façons d'incorporer des aliments traditionnels que nous consommons depuis l'enfance, Dave Grotto nous présente des aliments connus depuis très longtemps, mais relativement nouveaux dans plusieurs de nos diètes.

Comme diététicienne licenciée, je fais l'éloge de mon collègue et ami pour nous avoir présenté une approche novatrice pour une consommation saine. J'ai toujours adhéré à la philosophie que si l'on conçoit le changement des habitudes alimentaires comme le fait de « faire une diète », alors la phrase « abandonner la diète » réapparaîtra bientôt, niant ainsi tous les bénéfices potentiels pour la santé. Dans notre monde d'aujourd'hui où nous observons une escalade des coûts des soins de santé, ainsi que la hausse du nombre de maladies chroniques, chacun de nous doit accepter la responsabilité d'adopter des habitudes préventives pour sa santé personnelle. Dave Grotto, diététicien licencié et porte-parole pour l'*American Dietetic Association*, nous a fourni les conseils et les connaissances nécessaires pour relever le défi. Tout en reconnaissant l'importance de la saveur et du plaisir, il vous enseignera comment ajouter des aliments énergisants « qui peuvent sauver la vie » à votre diète alors qu'il retirera lentement, sans nécessairement les éliminer, les aliments dont les propriétés ne sont pas aussi bénéfiques.

Pendant que vous tournez les pages de ce livre novateur, conservez un cahier de notes près de vous ! Vous dresserez une liste de nouveaux aliments à acheter, de recettes à essayer, et d'astuces santé à suivre. Et je peux vous assurer que lors de votre prochain dîner ou regroupement familial, vous pourrez partager de nombreux trucs santé et faits culinaires. Joignez-vous à moi dans ce périple où l'on mange bien pour vivre bien !

À votre santé !

Marianne Smith Edge, MS, RD, LD
Présidente ; MSE & Associates, LLC
Présidente, American Dietetic Association (2003-2004)

Introduction
Pourquoi 101 aliments ?

Vie; nom commun

1. **La propriété ou qualité qui distingue les organismes vivants des organismes morts...**
2. **Une manière de vivre.**

« Quand vous vous levez le matin et que vos deux pieds touchent le sol, c'est une bonne journée ! » C'est l'expression préférée de mon père de quatre-vingt-sept ans. Je suis tout à fait d'accord avec lui, mais il est certain que la définition de la « vie » comprend beaucoup plus que de se lever et de simplement exister, n'est-ce pas ? Ne s'agit-il pas aussi de pouvoir apprécier une vie où l'on connaît le moins possible de douleurs et de maladies ? *Voilà* une manière vraiment désirable de vivre.

Il semble parfois que nos conversations pendant les fêtes, ou au cours des repas de tous les jours, ne cessent de tourner autour des problèmes de santé qui perturbent continuellement nos vies. George souffre maintenant de la goutte, grand-maman souffre du diabète, Suzy est atteinte du syndrome du côlon irritable, et votre sœur se plaint que même en suivant le régime à la dernière mode, où il lui faut souffrir en se privant continuellement, elle semble incapable de perdre ses cinq derniers kilos (en fait, peut-être dix). Immanquablement, en réaction à ces conversations, quelqu'un autour de la table annonce connaître un remède maison, ou un aliment merveilleux, quelque chose dont un ami lui a parlé et qui à coup sûr guérira l'affection. En effet, tout le monde a l'impression de posséder un certain degré d'expertise dans le domaine de la nutrition. Quant à savoir si les conseils offerts sont sages, ou même sécuritaires, c'est un peu comme de jouer à la roulette russe. Il existe pourtant des aliments qui détiennent de vastes pouvoirs de guérison et d'amélioration de la santé. Il vous suffit de savoir comment les trouver.

Depuis longtemps, de nombreuses cultures à travers le monde ont privilégié la recherche d'interventions simples et l'utilisation d'aliments comme médicaments. Avant l'avènement de la médecine moderne, la première ligne de défense pour préserver la santé d'une famille et son bien-être dépendait de l'intuition de la mère. Celle-ci était équipée de connaissances au sujet des remèdes qui avaient subi l'épreuve du temps. Une visite chez le médecin au premier reniflement, à la première toux, ou face à tout autre signe de détresse constituait habituellement le « plan B » et non pas le « plan A ». Mais alors qu'on utilisait de plus en plus la médecine moderne, on a cessé de dépendre de la nourriture pour traiter nos maux. Alors que l'inclusion d'aliments possédant des propriétés innées de protection pour notre système cardiovasculaire – comme les poissons gras, l'avoine, les amandes et les haricots – était possiblement tout aussi efficace, on a profité de la commodité des médicaments à base de statine pour réduire le cholestérol. Plusieurs des raccourcis de la médecine moderne entraînent aussi des frais importants. En fait, les Américains qui visitent leur médecin à la suite de réactions défavorables aux médicaments comptent pour plus de deux millions des visites médicales chaque année !

Ce livre a pour but de ramener les aliments salutaires dans nos régimes de santé et de ressusciter l'utilisation des vertus curatives traditionnelles des aliments, plusieurs de ces propriétés étant maintenant appuyées par la science moderne.

Mon histoire

Je suis diététicien agréé depuis plus de vingt ans. Mais mon intérêt pour la nutrition a commencé à l'âge de quinze ans. Je me battais contre l'acné, des problèmes de poids, des attaques de panique – et je suis sûr d'avoir eu d'autres problèmes à l'époque – et je me suis alors rendu compte qu'il me faudrait effectuer certains changements si je voulais voir mes seize ans.

Je travaillais alors dans un magasin de produits diététiques, mais ironiquement, je n'avais pas vraiment envie d'essayer les produits que nous vendions pour tenter d'améliorer ma situation (sauf les bonbons « naturels », qui comportaient autant de sucre, de gras et de calories que les autres friandises). J'achetais mon petit déjeuner, mon lunch, et parfois mon dîner, au restaurant à service rapide qui était de l'autre côté de la rue ; de plus, j'avais commencé à fumer. Un client, qui s'était lié d'amitié avec moi, a suggéré que j'essaie d'ajouter quelques légumes, fruits et aliments à grains entiers à ma diète – pas tous en même temps, mais un peu à la fois. Je me suis dit que je n'avais rien à perdre ; j'ai donc effectué quelques-uns des changements suggérés et j'ai rapidement découvert comment on pouvait se sentir quand on est en bonne santé.

Au fil des années, comme ma santé s'améliorait de plus en plus et que j'étais encore plus intrigué par la nutrition, j'ai beaucoup lu sur le sujet. Des clients me demandaient de plus en plus de conseils sur la façon de régler des problèmes de santé qu'ils traitaient médicalement, mais sans résultats. Je donnais des conseils à mes clients, mais je ne possédais pas les antécédents nécessaires pour appuyer mes affirmations. J'ai décidé de poursuivre des études en nutrition et de devenir diététicien.

Depuis les deux dernières décennies, j'ai travaillé avec des nutritionnistes dans des centres de médecine conventionnelle, dans des centres de médecine intégrative, ainsi qu'en pratique privée. J'ai aidé des patients à se rétablir de dépendances multiples ; à inverser le cours de la maladie cardiovasculaire ; à prévenir et à combattre le cancer ; à améliorer le rendement intellectuel, physique ou sexuel, même lorsqu'il y avait des problèmes de maladies – incluant la sclérose en plaques, la maladie de Parkinson et la maladie d'Alzheimer. J'ai aussi aidé des patientes à devenir enceinte, et tout cela au moyen d'approches nutritionnelles positives.

Même si j'aimais beaucoup rencontrer des patients et leurs familles, j'avais toujours désiré diffuser mon message positif sur la santé au plus grand nombre de gens possible. En 1990, on m'a demandé d'animer une émission de radio consacrée à la nutrition, intitulée *Let's Talk Health, Chicago.* Cette émission était diffusée dans quatre États américains et elle a fait partie de la programmation pendant plus de dix ans. Puis, en 2000, on m'a demandé d'être le porte-parole national de l'*American Dietetic Association,* un organisme représentant plus de 67 000 experts en aliments et en nutrition. Comme je possédais à la fois de l'expérience en nutrition traditionnelle et en médecine intégrative, et que j'avais aussi interviewé des centaines d'experts et répondu aux questions de milliers d'auditeurs, il leur semblait que je pourrais aider les consommateurs à mieux comprendre les messages de santé déroutants et souvent contradictoires au sujet des aliments et de la nutrition.

J'avais découvert qu'il est particulièrement difficile pour les hommes de modifier leurs habitudes de nutrition ; j'ai donc été très heureux quand on m'a demandé de faire partie du conseil scientifique consultatif de la revue *Mens's Health.* On m'a souvent demandé d'*expliquer les choses* de façon simple lorsque je m'adresse aux hommes du genre : « Mangez ceci, mais pas cela ». Les célibataires s'organisent bien lorsque les choses sont bien définies, mais une fois mariés, ce processus de prise de décision revient souvent à leur épouse. Non seulement les femmes comprennent-elles l'importance de prendre soin d'elles-mêmes et de consulter régulièrement leur médecin, mais elles ont aussi tendance à s'occuper des hommes qui sont dans leur vie. Mes clients masculins ont découvert qu'une approche plus simple, comme celle des *101 aliments* — qui garde un œil sur le bon goût, avec des portions copieuses — fonctionne mieux pour eux et leur famille. Dans le cadre de mon travail avec des milliers d'individus, j'ai découvert que de se concentrer sur la restriction de choix alimentaires moins sains ne fonctionnait pas toujours lorsque j'essayais d'aider mes patients à effectuer des changements durables. Même si mes patients les plus motivés étaient capables d'abandonner leurs aliments préférés et de suivre une diète « parfaite »... cela ne durait qu'un moment ; ils étaient prêts à faire l'essai de plans diététiques restrictifs, si ces plans leur procuraient une récompense évidente, mais ils finissaient tous par me revenir avec la même question : « Est-ce que je peux tricher juste une fois de temps en temps ? Est-ce que ça me causera vraiment du tort ? » J'ai toujours cru qu'il était préférable d'adopter une méthode tout ou rien, et que des demi-mesures ne profiteraient pas à mes patients. Je supposais que si je leur donnais un doigt, ils me prendraient le bras. La « tricherie » ne pourrait que mener au désastre et ils finiraient par retrouver leurs mauvaises habitudes. Mais aux souvenirs agréables d'aliments laissés pour compte, mes patients ressentaient une nostalgie des jours anciens. Ils se sentaient frustrés et éprouvaient des sentiments négatifs en réalisant qu'ils ne pourraient plus profiter de leurs aliments préférés. Fréquemment, ils me pressaient de leur prouver qu'en ajoutant que quelques-uns de leurs aliments malsains préférés à leur diète, cela ferait dérailler leurs efforts. Souvent, je restais sans réponse.

J'ai fini par comprendre qu'il était possible de limiter les aliments minimalement, mais que ce n'était certainement pas une option de les proscrire de façon permanente du livre de la vie. Non seulement devais-je tenir compte des préférences de goût de mes patients – celles-ci s'étant développées tout au long d'une vie –, mais plusieurs d'entre eux faisaient face à des pressions extérieures, venant des membres de leur famille qui ne possédaient pas la même motivation pour abandonner leurs aliments préférés. Donc, la plupart du temps, ces « insurgés alimentaires », comme les friandises et les frites, n'étaient pas très loin – tapis derrière les portes des placards de la cuisine ou derrière la porte du réfrigérateur ; ou pire encore, établissant une résidence temporaire dans les bouches jubilantes des membres de la famille. Je n'ai pas été surpris de découvrir que mes patients ne voulaient pas admettre que malgré mes avertissements, ils avaient réinséré plusieurs de ces aliments dans leurs diètes.

Les changements se produisaient plus facilement lorsque j'étais plus souple par rapport aux restrictions. Bientôt, on m'a connu sous le nom de « Dave-faisons-un-marché ». Mes patients me prouvaient qu'ils étaient capables de maintenir leurs efforts plus longtemps, de stabiliser leur poids, de maintenir leur tension artérielle dans des écarts acceptables, et de satisfaire une foule d'autres indices de bonne santé, même s'ils se permettaient une gâterie occasionnelle. J'ai commencé à observer un modèle : beaucoup se concentraient sur le fait d'inclure des aliments « aux propriétés étonnantes ou énergisantes » dans leur diète *tout en* diminuant, sans toutefois l'éliminer, la consommation d'aliments peu profitables pour la santé. La réflexion suivante m'est finalement venue à l'esprit : il n'est pas nécessaire que l'alimentation saine soit tout ou rien – l'entre-deux fonctionne tout aussi bien !

Ironiquement, pendant que j'écrivais ce livre, au cours de l'été 2006, je suis devenu mon propre patient. Pendant plus d'une année, j'avais mis tant d'énergie à écrire sur les louanges et les vertus d'une saine alimentation, accompagnée d'un effort d'exercice adéquat, que lentement mais sûrement, j'ai glissé vers l'abandon d'un style de vie sain. Il me semblait qu'avec chaque touche tapée sur le clavier, mon ventre et mon derrière augmentaient de volume ! Et j'étais en train de donner des conseils pour que ceux des autres deviennent plus petits ! La révélation s'est produite au moment où l'on m'a demandé de donner une formation à des pompiers de Chicago, dans un programme de réduction du cholestérol. J'ai découvert que les pompiers avaient autant de risque de mourir d'une attaque cardiaque qu'ils en avaient de mourir en éteignant des incendies ; j'étais donc trop heureux de les aider. Dans un geste de solidarité, j'ai fait mesurer mon propre taux de cholestérol. J'ai fini par découvrir que ma propre alarme de situation d'urgence circulait dans mes veines – un taux de cholestérol de 238 ! C'était tout ce qu'il me fallait ! Mais au lieu de ma précédente « approche restrictive radicale » par rapport à la nutrition, j'ai décidé de lentement modifier ma diète en y ajoutant les aliments sur lesquels vous lirez tout au long de ce livre. Après trente jours de changements simples, sans aucune aide de médication pour abaisser le taux de cholestérol ni diète radicale, mon taux de cholestérol s'est réduit à 168 – un écart de soixante-dix points – en seulement trente jours. Et pardessus le marché, j'ai perdu quatre kilos et demi.

Je commence chaque matin par un grand bol de gruau d'avoine sur lequel je saupoudre des amandes hachées, des figues, des canneberges et des cerises, le tout nageant dans du lait de soya. Je mange du saumon et des sardines et je bois du café et du thé vert. J'ai commencé à faire de l'exercice trente minutes par jour et j'ai continué ce programme depuis.

J'ai découvert de nombreux aliments qui ont eu de profonds effets sur ma santé et sur la santé de mes patients. Ces aliments offrent l'espoir de réduire, éventuellement, ou même de remplacer les thérapies à base de médicaments chez les gens qui souffrent de symptômes comme l'hypertension, un taux élevé de lipides dans le sang, et même de diabète. J'ai vu des troubles digestifs, des performances sexuelles insatisfaisantes, une fonction cognitive diminuée, de faibles niveaux d'énergie, et plusieurs autres problèmes — une liste interminable de problèmes de santé — s'améliorer grâce à des aliments simples, mais thérapeutiques. Il y a des aliments qui non seulement sauvent des vies, mais sont aussi délicieux et excellents.

Plusieurs des aliments salutaires mis en vedette dans ce livre sont des aliments de tous les jours que vous pouvez avoir consommés toute votre vie en tenant pour acquis leur contribution à votre santé. Vous avez peut-être d'abord fait connaissance avec ces aliments quand votre mère vous encourageait à manger tous vos légumes — parce qu'ils vous aideraient à vous développer et à être grand et fort. Ou peut-être avez-vous découvert qu'elle se servait d'un peu d'ail supplémentaire dans l'espoir que les propriétés curatives de cet aliment vous permettraient d'éviter les rhumes et la grippe. Mais votre mère avait aussi l'ultime tâche de confectionner des aliments qui soient bons pour vous, tout en étant savoureux. Elle savait bien que sans la saveur, vous risquiez de ne pas continuer à consommer votre « médicament ». Mon objectif, comme le sien, est de vous enseigner comment intégrer des aliments sains dans votre diète, de telle sorte qu'un régime alimentaire nutritif soit aussi facile à respecter qu'il est délicieux.

La science des « demi-mesures »

Des changements minimes, qui ne comportent pas un remaniement complet de votre style de vie ou de votre diète peuvent avoir un impact significatif sur la qualité de votre vie quotidienne. Des actions simples qui affirment votre désir de vivre une vie saine, comme marcher un peu plus, avoir des pensées positives et incorporer des aliments de valeur optimale dans vos habitudes alimentaires, ne sont que quelques-uns des choix éclairés que nous pouvons tous effectuer pour lutter contre les problèmes de santé d'aujourd'hui. Oui, cela semble trop beau pour être vrai, mais il existe des chercheurs reconnus qui ont documenté ces affirmations, comme Barbara Rolls, de la Penn State University, chercheuse renommée dans le domaine de l'obésité et auteure de *Volumetrics*. Dans une étude portant sur 200 femmes et hommes qui avaient un surplus de poids ou qui étaient obèses, la Dre Rolls a découvert que ceux qui ajoutaient deux portions consistantes de soupe aux légumes, faibles en calories, à leur diète perdaient jusqu'à cinquante pour cent plus de poids que les sujets qui consommaient une collation moins nutritive avec le même apport calorique que la soupe. L'inclusion d'aliments comme des céréales à grains entiers et d'autres aliments à grains entiers est aussi associée au fait de conserver sa santé et sa taille. Et les exemples pourraient se multiplier.

Les 101 aliments

Peut-être vous demandez-vous comment j'en suis venu à choisir ces 101 aliments. Pour commencer, je me suis tourné en partie vers le concept de « densité nutritionnelle ». Adam Drewnowski, qui est le directeur du *Center for Public Health Nutrition* de l'Université de Washington, fait partie des nombreux chercheurs qui se sont attaqués au problème du développement d'une méthode destinée aux consommateurs, dans le but d'indiquer clairement quels sont les aliments les plus sains. Il a mis au point une méthode basée sur la valeur nutritive par calorie des aliments, c'est-à-dire une liste des aliments qui contiennent le plus d'éléments nutritifs pour le moins de calories. Le Dr Drewnowski a étudié plus de 360 aliments et a attribué à chacun une marque NNR (naturellement riche en aliments nutritifs) basée sur le contenu de quatorze éléments nutritifs clés. Par contre, sa méthode ne tient pas compte de la densité phytochimique. Les substances phytochimiques sont des composés végétaux qui offrent d'importants bénéfices pour la santé, mais ne sont pas considérés comme étant des « éléments nutritifs » : comme les vitamines et les minéraux. J'ai aussi incorporé la densité phytochimique dans mon analyse. Un tableau explicatif, à l'Annexe B, présente les substances phytochimiques que vous verrez souvent mentionnées lorsque j'étudie les bienfaits de chacun des 101 aliments. Finalement, j'ai passé en revue la documentation scientifique portant sur les nouvelles recherches au sujet des propriétés curatives des aliments. Même si on a démontré qu'un aliment améliorait la santé, sans tenir compte de son contenu nutritionnel ou phytochimique, je l'ai inclus dans la liste des 101 aliments. Comprenez bien aussi que je ne prétends pas que ce sont les 101 aliments par excellence, ou les seuls aliments, qui peuvent vous sauver la vie. La science nutritionnelle évolue constamment, et nous découvrons continuellement de nouvelles propriétés bienfaisantes aux aliments — mais soyez assurés que les 101 aliments que j'ai choisi de vous présenter dans ce livre valent la peine de se trouver dans votre panier d'épicerie et dans votre estomac !

Étant donné que la science de la nutrition progresse sans cesse, j'ai décidé de ne pas simplement limiter mes critères aux standards d'évaluation des essais cliniques chez les humains. J'ai plutôt choisi de les étendre à tous les niveaux de recherche. Je suis un adepte convaincu des pratiques nutritionnelles basées sur l'expérience clinique. Mais malheureusement, dans le domaine de l'étude de la nutrition, les recherches chez les humains à travers des études randomisées, des essais croisés, des essais contrôlés et des méta-analyses (analyses combinant les résultats tirés de plusieurs études) se font rares. Par exemple, en 2007, une méta-analyse réunissant 149 000 participants a été publiée dans le journal *Nutrition, Metabolism & Cardiovascular Diseases* et a démontré le lien entre la consommation quotidienne de 2,5 portions de grains entiers et une réduction de vingt et un pour cent du risque de maladie cardiovasculaire. Une nouvelle emballante ! En se basant sur ces nouveaux éléments de preuves, le principal chercheur a suggéré que les responsables des politiques, les scientifiques et les cliniciens redoublent d'efforts pour répandre la bonne nouvelle. Si l'on considère que la maladie cardiovasculaire est le tueur numéro un chez les Américains, cela semble une bonne idée. Mais mes patients veulent savoir ce qu'ils peuvent faire maintenant pour sauver leur vie. Si j'avais attendu l'arrivée d'une méta-analyse pour « redoubler d'efforts » et promouvoir les bénéfices d'une diète saine, je soupçonne que beaucoup de mes patients ne seraient plus ici aujourd'hui. Je ne veux pas qu'ils hésitent un seul instant pour décider d'ajouter plus de fruits, de légumes, de noix ou de grains entiers à leur diète. Pourquoi attendre ? La possibilité d'aujourd'hui peut être la probabilité de demain, et il n'y a certainement pas d'inconvénients à consommer des aliments sains !

Vous pouvez écrire votre propre prescription en vous servant des 101 aliments

TOUT D'ABORD, MANGEZ DE FAÇON OPTIMALE...

Avant même d'écrire le premier mot de ce livre, il était important pour moi que cet ouvrage constitue une ressource valable d'aliments extraordinaires, plutôt qu'un autre « livre diététique » dictant la privation. D'après les dernières études, une chose est éminemment évidente : vous êtes las de vous faire dire quoi faire, et je ne peux vous en blâmer ! Vous ne trouverez nulle part dans ce livre des phrases comme « Ne faites pas ceci ou ne faites pas cela ». Cet ouvrage célèbre la nourriture. Je laisserai à d'autres la diabolisation d'une protéine ou d'un produit laitier particulier. Mais ne vous méprenez pas, j'ai un but ultime en tête : vous encourager à manger et à vivre de façon « optimale ». Je définis la part nutritionnelle optimale pour une vie saine comme une diète qui gère ses calories, qui est abondante en fruits et légumes variés aux couleurs vives, qui met l'accent sur les grains entiers, qui contient des niveaux et des types appropriés de lipides ; une diète qui privilégie les produits laitiers à faible teneur en gras et la réduction de la consommation de protéines animales, tout en augmentant les protéines plus saines à base de végétaux comme les haricots.

Peu importe la nature de vos problèmes, ce livre devrait être pour vous un point de départ vers l'amélioration de votre santé. D'après le Dr James Hill de l'Université du Colorado, chercheur de pointe dans le domaine de l'obésité, même si votre but ultime consiste à perdre du poids, le seul fait de stabiliser votre poids est un début extraordinaire. Essayez d'introduire de nouveaux aliments pendant la première semaine. Les suggestions pour établir un menu, à la fin de ce livre, illustrent comment vous pouvez facilement ajouter des aliments délicieux à votre régime alimentaire. Pour personnaliser votre diète, sur le plan des calories, vous pouvez mesurer les portions de la façon la plus optimale pour vous. Faites l'essai d'autres aliments nouveaux la semaine suivante, et de même la semaine d'après. Après un moment, vous découvrirez que plusieurs de vos nouveaux aliments ont remplacé des aliments moins bénéfiques. Vous réussirez alors à concevoir un programme durable construit sur ma simple équation : *faisabilité + goût = durabilité.*

Si vous voulez vraiment « mettre le gaz à fond » et maximiser les bienfaits nutritifs des 101 aliments, vous devez saisir le pouvoir de la synergie. Comme vous l'avez découvert en lisant ma propre histoire, vous pouvez efficacement abaisser votre taux de cholestérol en consommant un bol de céréales d'avoine par jour. Mais, si vous lui ajoutez des amandes, des noix ou des pistaches, ainsi que quelques canneberges et quelques cerises, le tout submergé dans un peu de lait de soya, vos céréales atteignent alors un tout autre niveau nutritionnel. Si vous ajoutez ce bol à une diète incluant des protéines et des produits laitiers à faible teneur en gras, ainsi que des légumes, et que vous voyez à limiter les aliments contenant des gras saturés comme le bacon, la saucisse et le beurre, et si de plus vous incluez une activité physique modérée à votre routine, le pouvoir de réduction du cholestérol sera impressionnant !

101 ALIMENTS QUI FONT LA DIFFÉRENCE

Votre corps a besoin d'éléments variés — des hydrates de carbone, des protéines, des gras, des vitamines, des minéraux, des enzymes, et des phytochimiques. Vous pourriez acheter des suppléments alimentaires et faire de votre mieux pour reproduire ce que comprend une diète saine. Mais n'est-il pas plus simple de consommer des aliments qui possèdent naturellement tous les éléments de base nécessaires à une bonne santé ; et cela n'a-t-il pas meilleur goût ? Le fait est qu'aucun supplément diététique sur le marché ne contient les attributs qui s'approchent des propriétés salutaires des 101 aliments. L'ajout de suppléments appropriés peut jouer un rôle important dans le maintien ou l'amélioration de la santé, mais cela ne se compare pas à la capacité et au pouvoir guérisseur des aliments eux-mêmes ! Chaque groupe d'aliments remplit une fonction importante dans le corps, contribuant ainsi à votre force et à votre santé.

Carbo le magnifique : les hydrates de carbone nous donnent de l'énergie. C'est l'essence qui fait fonctionner le corps humain. Les fruits, les légumes et les grains entiers que je fais figurer dans ce livre sont très efficaces pour procurer à votre corps la bonne quantité et le bon type d'hydrates de carbone qu'il exige.

Utilisez des sources de protéines faibles en gras : les protéines permettent de réparer les tissus de notre corps. En général, la diète américaine fournit plus que ce qu'il faut de protéines pour combler nos besoins nutritifs. Les fèves, le soya, le poisson et le lactosérum sont les protéines vedettes présentées dans ce livre. Vous pouvez vous demander : « Des coupes maigres de bœuf, de poulet, de porc et ainsi de suite conviennent-elles à ce programme ? » Certainement ! À vrai dire, les ingrédients de certaines des recettes contiennent quelques-unes de ces sources de protéines animales. Mais je voulais vous présenter des sources de protéines un peu différentes pour deux raisons : nous ne consommons pas suffisamment de ces aliments, et ces aliments riches en protéines contiennent des attributs à valeur ajoutée que je décrirai plus tard.

Le gras à manger : tous les gras n'ont pas la même valeur. Certains contribuent à la maladie cardiovasculaire et d'autres sont efficaces pour la combattre, contribuant même à s'attaquer à d'autres maladies. Le gras offre du goût et de la satisfaction, tout en vous procurant une impression de satiété. Il constitue aussi un véhicule pour transporter les vitamines liposolubles, comme les vitamines A, D, E et K, qui renforcent et protègent votre système immunitaire, forment des os solides, et régularisent le flot sanguin dans vos cellules.

Tout le reste : les vitamines, les minéraux, les enzymes, et les substances phytochimiques (produits chimiques végétaux) sont aussi importants pour votre corps que les glucides, les protéines et les lipides. La nourriture fournit ces éléments nutritifs dans de justes proportions.

Combinez le tout : pour les Américains, la meilleure référence la plus crédible pour la consommation d'une diète solide est le *USDA Dietary Guidelines*. Ces directives présentent une icône diététique connue sous le nom de « MyPyramid ». Cette nouvelle icône indique que tous les groupes alimentaires sont importants dans une diète équilibrée.

Ce que vous trouverez dans ce livre

101 aliments qui peuvent vous sauver la vie vous révélera que plusieurs des aliments délicieux que nous réservons souvent à des occasions spéciales, comme les canneberges et les patates douces, doivent être conviés à notre menu sur une base plus régulière. On vous présentera aussi d'autres aliments moins familiers, par exemple des grains super nutritifs comme le tef, le quinoa et l'amarante, et des fruits riches en antioxydants comme les baies d'açaï du Brésil, et les baies de goji de Chine. Il existe un univers important d'aliments sains et délicieux parmi lesquels il vous est possible de choisir. Chaque entrée d'aliments inclut les sections décrites plus bas pour vous aider à décider quels aliments constituent les meilleurs ajouts à votre diète.

EN BREF

Chaque aliment vedette possède son histoire. Vous découvrirez d'intéressants renseignements contextuels, incluant la catégorie de plantes à laquelle appartient cet aliment, où se trouve son habitat naturel, et quelle est la façon courante de le consommer. Aussi, des anecdotes amusantes accompagnent chaque entrée, comme : Saviez-vous que... les Indiens d'Amazonie utilisaient le fruit du goyave pour soigner les maux de gorge, les problèmes de digestion, le vertigo, ainsi que pour régulariser les périodes menstruelles ?

SON ORIGINE

Ne vous êtes-vous jamais demandé d'où provenaient les grains de café ? Vous seriez peut-être surpris d'apprendre que l'Amérique du Sud, d'où provient maintenant la majorité des grains de café, n'était pas son lieu d'origine. Cette section répond à des questions comme « Comment le kiwi est-il passé de la vallée de la rivière Yanze Jiang, au nord de la Chine, jusqu'à la Nouvelle-Zélande et aux États-Unis ? », « Quelles escales a-t-il faites le long de sa route ? » et « Quels sont les principaux fournisseurs de nos jours ? »

POURQUOI DEVRAIS-JE EN MANGER ?

Cette section commence par la valeur nutritionnelle, une raison parmi d'autres, tout aussi importantes, d'ajouter ces aliments énergisants à votre diète. Je couvrirai ensuite les vitamines proéminentes et les minéraux particuliers contenus dans l'aliment vedette, et j'expliquerai de quelle façon il peut améliorer votre santé.

REMÈDES MAISON

Nos mères n'avaient-elles pas raison ? Bien longtemps avant que la science n'en ait appuyé l'efficacité, les mères donnaient du jus de canneberge à leurs enfants pour les aider à combattre les infections des voies urinaires. Tout ce qu'elles savaient, c'était que ça fonctionnait ! Cette section présente plusieurs constats des propriétés curatives des 101 aliments. Certaines de ces propriétés n'ont peut-être pas encore été étudiées de manière exhaustive… pas encore !

PROPRIÉTÉS ÉTONNANTES !

Cette section se réfère à plusieurs rapports de recherche : des études sur les cellules aux études sur les animaux, jusqu'à l'ancêtre de toutes ces méthodes – les essais cliniques chez les humains. Certaines des études montrent que les 101 aliments comportent des propriétés uniques. D'autres recherches soutiennent à quel point il est précieux de combiner un aliment avec d'autres aliments lorsque ceux-ci partagent un élément nutritif, ou un groupe d'éléments nutritifs. Il vous est aussi possible de réunir les aliments de l'index qui rencontrent un défi commun pour la santé. Vous serez alors sur la voie d'une approche personnalisée !

CONSEILS PRATIQUES

Les chercheurs de la compagnie *Gerber Foods* ont découvert qu'un nombre substantiel de bébés ne consomment AUCUN fruit et légume, mais qu'ils reçoivent sans problème leur part de friandises, de frites et de hot dogs. Ce n'est pas très surprenant. Mais cette constatation soulève cette question : « Hé… qui décide ici ? » Je sais ce que vous me direz : « J'ai essayé plusieurs fois d'amener mes enfants à consommer des fruits et des légumes, mais ils ne les mangent tout simplement pas. » Le conseil que je vous donne, c'est d'essayer et d'essayer encore ! Ces mêmes chercheurs ont découvert qu'un nouvel aliment doit être réintroduit aussi souvent que dix-sept fois avant qu'un enfant ne l'inclue dans son groupe d'aliments préférés. N'abandonnez pas ! Mais pour vous faciliter la vie, j'ai inclus des astuces utiles et savoureuses, ainsi que des recommandations importantes pour la sélection, l'entreposage et la sécurité des aliments. J'espère ainsi vous aider à maximiser l'expérience de votre famille dans la consommation des 101 aliments.

LA RECETTE

Pour vous aider à faire le saut dans les 101 aliments, j'ai inclus une excellente recette pour chacun d'eux. Les recettes proviennent de chefs qui ont reçu des prix pour leur cuisine, et qui savent combiner goût extraordinaire et bon pour la santé. J'ai aussi réuni des recettes de diététiciens éminents, de célébrités, de famille et d'amis. La plupart des recettes ont été spécialement conçues dans le but de produire des mets qui soient attrayants pour les enfants, et elles ont été testées auprès de ma famille et de mes voisins. Je privilégie surtout le fabuleux goût naturel des aliments énergisants et la facilité de la préparation.

CHAQUE PORTION CONTIENT

Chaque recette a été analysée du point de vue des calories, des lipides, des gras saturés, des glucides, du sucre, des fibres, du sodium et des protéines, en utilisant un programme informatique d'analyse de recettes de premier ordre : Food Processor par ESHA. Toutes les recettes contiennent pratiquement zéro gramme d'acide gras trans synthétiques.

Comment et où faire ses emplettes pour les 101 aliments

Sur mon site Internet, www.101FoodsThatCouldSaveYourLife.com, j'ai inclus une liste de suggestions de produits pour que vous en fassiez l'essai. Cette liste s'intitule « Daves's Raves », et je la mettrai souvent à jour pour que vous puissiez être au courant des différentes façons savoureuses et commodes d'apprécier les *101 aliments.* Ce sont des aliments que soit ma famille ou mes patients ont essayés et appréciés. Il ne s'agit pas d'une liste exhaustive, mais c'est certainement un bon début ! Vous pouvez aussi consulter les sites Internet que j'ai trouvés utiles dans mes recherches sur les origines, l'histoire et les bienfaits des aliments énergisants. Ces sites sont inclus dans la section Références, à la page 483. J'ai aussi inclus un échantillon de plan de menus d'une semaine (Annexe A) pour vous aider à commencer.

Il se peut que les deux plus grands dilemmes que vous ayez à affronter lors de votre découverte des 101 aliments soient de savoir quel aliment essayer en premier et l'endroit où conserver ce livre ! Le rangerez-vous parmi les livres de cuisine ? Les livres de santé et de diète ? Les guides de ressources ? Sur votre table à café pour que tous en profitent ? Peu importe l'endroit que vous choisirez, j'espère que vous consulterez souvent ce livre… lorsque vous préparerez votre prochain repas, par exemple, ou lorsque vous créerez le menu pour votre prochain festin des Fêtes.

Les 101 aliments

DE L'ABRICOT AU YOGOURT

Abricot (*Prunus armeniaca L.*)

ABRICOT OU NON?

Saviez-vous que... les abricots qui poussent en Asie centrale et autour de la Méditerranée ont des graines si sucrées qu'il arrive souvent qu'on les substitue aux amandes?

En bref

L'abricot appartient à la famille des rosacées. Cette famille inclut d'autres fruits d'arbre, comme la pomme, la poire et la pêche. Il existe une quarantaine de variétés d'abricots, dont les tailles varient de un à plus de cinq centimètres, et dont les couleurs vont du jaune au rouge orangé. Les variétés les plus courantes sont les Patterson, Blenheim, Tilton et Castlebrite. Près de la moitié des récoltes d'abricots sont mises en conserve et le reste est divisé parmi les confitures et les formes séchées ou fraîches. Si l'on s'en remet aux effets de la nature, les abricots orangés deviennent bruns quelques jours après qu'on les ait récoltés. Les abricots conservent leur couleur orangée lorsqu'on les traite au dioxyde de soufre, un agent de conservation. À moins que vous ne soyez allergique au dioxyde de soufre, cet agent de conservation ne pose habituellement pas de risques pour la santé. Vous pouvez vous procurer les versions non sulfurées (brunes) à votre magasin de produits naturels.

Son origine

La culture des abricots date de plus de 3 000 ans. Leur nom scientifique suggère que le fruit est originaire de l'Arménie, mais il semble qu'en réalité sa véritable origine se situe quelque part entre le nord-est de la Chine, près de la Grande Muraille, et la Russie. Les abricots se sont rendus en Arménie, avant de se répandre sur une plus grande échelle, jusqu'en Occident, en passant par l'Europe. Des colons anglais ont apporté les abricots dans l'est des États-Unis et les missionnaires espagnols les ont implantés en Californie.

Où le cultive-t-on ?

Les abricots sont produits commercialement dans soixante-trois pays. La Turquie est responsable de plus de vingt pour cent de la production mondiale, suivie respectivement par l'Iran, l'Italie, la France, le Pakistan, l'Espagne, la Syrie, Monaco, la Chine et les États-Unis.

Pourquoi devrais-je en manger ?

Surtout sous leur forme séchée, les abricots sont l'une des meilleures sources de vitamine A et de bêta-carotène. Une seule poignée d'abricots compte facilement pour la totalité de la ration de bêta-carotène quotidiennement recommandée. Selon la variété, le contenu en caroténoïde dans seulement trois abricots frais peut atteindre plus de 16 000 microgrammes. Le bêta-carotène, la cryptoxanthine et le gamma-carotène sont les caroténoïdes prépondérants. Les abricots sont aussi une bonne source de potassium, de vitamine C et de fibres, et contiennent une abondance de phytochimiques, comme l'acide D-glucarique, l'acide chlorogénique, le géraniol, la quercétine et le lycopène.

Remèdes maison

À une époque aussi lointaine que l'an 502 avant notre ère, on rapportait que la graine d'abricot, qu'on appelle souvent amande, était efficace dans le traitement du cancer. De nos jours, de nombreuses personnes croient encore que le cyanure, une toxine produite naturellement dans les graines d'abricot, peut être utile. Les amandes d'abricots sont utilisées pour fabriquer le médicament alternatif contre le cancer appelé Laetrile. Il y a plus de vingt-cinq ans, le *National Cancer Institute* a déclaré que le Laetrile était inefficace dans le traitement du cancer ; pourtant, de nombreuses personnes qui cherchent des traitements alternatifs contre le cancer se rendent jusqu'au Mexique, où il est toujours possible de trouver du Laetrile. Au XVIIe siècle, on disait que l'huile d'abricot était utilisée en Angleterre pour guérir les ulcères. Dans *Le songe d'une nuit d'été* de Shakespeare, Titania louange les propriétés aphrodisiaques de l'abricot.

Propriétés étonnantes !

VISION : Riche en vitamine A, un antioxydant puissant qui prévient les dommages radicaux aux tissus oculaires, les abricots peuvent aider à favoriser une bonne vue. Des chercheurs, qui ont examiné plus de 50 000 infirmières, ont découvert que celles qui consommaient le plus de vitamine A réduisaient de près de quarante pour cent le risque de développer des cataractes.

CANCER : L'*American Cancer Society* affirme que les abricots et d'autres aliments riches en carotène peuvent diminuer le risque du cancer du larynx, de l'œsophage et des poumons.

SANTÉ CARDIOVASCULAIRE : Les patients qui ont un faible taux sanguin en bêta-carotène ont presque deux fois plus de risque de subir une attaque cardiaque que ceux qui ont un taux plus élevé. Ceux qui consomment le plus de bêta-carotène ont environ trois fois moins de risque de subir une attaque cardiaque et la moitié moins de risque d'en mourir, s'ils ont une attaque.

Conseils pratiques

SÉLECTION ET ENTREPOSAGE :

- Cherchez des abricots frais qui ont une riche couleur orangée et qui sont légèrement tendres.
- Pour éviter les calories supplémentaires, choisissez les abricots en conserves gardés dans du jus plutôt que dans du sirop sucré.
- Les abricots séchés sont soit orangés (sulfurés) ou bruns (non sulfurés).
- Étant donné que leur durée de conservation est courte, conservez les abricots frais au réfrigérateur. Lorsqu'ils sont mûrs, consommez-les en quelques jours.

SUGGESTIONS POUR PRÉPARER ET SERVIR :

- Si vous désirez les utiliser dans la cuisson ou les préparer pour les mettre en conserve, mettez les abricots complets dans l'eau bouillante pendant environ trente secondes, pelez et dénoyautez-les et coupez-les en moitiés ou en tranches.
- Il est possible de fabriquer du vin ou du brandy d'abricot.
- Ajoutez des abricots tranchés à des céréales chaudes ou froides, ou même à de la pâte à crêpes.
- Les abricots séchés donnent une saveur moyen-orientale aux ragoûts de poulet ou de légumes.

Glace aux abricots, canneberges et mangues

Courtoisie du *Cranberry Institute*

Portions : 8 • Temps de préparation, de cuisson et de congélation : 4½ heures

Les cinq ingrédients contenus dans cette recette sont des aliments énergisants.

INGRÉDIENTS :

375 ml (1½ tasse) de nectar d'abricot
375 ml (1½ tasse) de canneberges séchées
500 ml (2 tasses) de grosses mangues, pelées, dénoyautées, et mises en purée
85 ml (⅓ tasse) de jus de citron
30 ml (2 c. à soupe) de nectar d'agave

PRÉPARATION :

Dans un petit poêlon, portez le nectar d'abricot et les canneberges à ébullition. Réduisez la température et faites cuire à feu doux jusqu'à ce que les canneberges soient ramollies. Déposez le mélange de canneberges, le jus de citron et le nectar d'agave dans le robot culinaire et réduisez en purée jusqu'à l'obtention d'une consistance uniforme. Mettez la purée du mélange de canneberges dans un petit bol. Déposez la purée de mangues dans un bol séparé. Retirez 170 ml (⅔ tasse) de purée de canneberges et 170 ml (⅔ tasse) de purée de mangue et mélangez-les dans un bol séparé ; remuez avec une cuiller jusqu'à ce que le tout soit uniforme. Une cuiller à soupe à la fois, étalez dans un gobelet en papier de 85 ml (3 oz), en couches successives : le mélange canneberges et mangues, la purée de mangues, la purée de canneberges, la purée de mangues, la purée de canneberges, et enfin le mélange canneberges et mangues. Insérez un bâtonnet de bois au centre du mélange. Répétez l'opération pour fabriquer 7 autres sucettes glacées. Congelez au moins 4 heures – jusqu'à ce que les glaces soient fermes. Coupez le côté du gobelet pour retirer la sucette glacée.

CHAQUE PORTION CONTIENT :
Calories : 150; Lipides : 0 g; Gras saturés : 0 g; Cholestérol : 0 mg; Sodium : 0 mg; Glucides : 38 g; Fibres : 2 g; Sucre : 34 g; Protéines : 0 g.

Açaï (*Euterpe oleracea*)

L'ORAC ATTAQUE !

Saviez-vous que... la capacité antioxydante ou valeur « ORAC* » pour une portion de 115 g (4 oz) de baies d'açaï est de 6,576 ? Cette valeur est plus élevée que la valeur d'ORAC des bleuets, des fraises et du vin rouge combinés !

En bref

Les petites baies d'açaï sont produites par un palmier qui pousse dans la région des plaines inondées du fleuve Amazone, au Brésil. Leur saveur est unique – on dirait des petits fruits sauvages avec un soupçon de chocolat légèrement amer – délicieux ! Environ de la même taille qu'un bleuet, le petit fruit est composé à quatre-vingt-quinze pour cent d'une graine. On se débarrasse de la graine, pour ne conserver que la chair, avec laquelle on produit les aliments à base de baies d'açaï.

*N.d.T. : Acronyme pour Oxygen Radical Absorbance Capacity : capacité d'absorption des radicaux oxygénés.

Son origine

En Amazonie, les palmiers açaï recouvrent un secteur dont la superficie équivaut à la moitié du territoire de la Suisse. L'açaï est un aliment de base des communautés résidant dans la région du fleuve Amazone. On le sert comme boisson et il constitue une partie principale des repas — tout comme le pain ou le riz dans d'autres cultures. Dans la ville de Belém, au Brésil, on boit une plus grande quantité de boisson à base de ce fruit que de lait — on estime qu'une population de 1,3 million d'habitants consomme quotidiennement environ 200 000 litres de jus d'açaï.

Où le cultive-t-on ?

L'açaï est propre aux forêts tropicales humides du Brésil, et la production commerciale du petit fruit se fait principalement près de la ville de Belém.

Pourquoi devrais-je en manger ?

Fait étonnant pour un fruit, la vaste majorité des calories proviennent du gras : une portion de 115 g (4 oz) de baies d'açaï pures contient environ 100 calories et 6 g de gras. Elles sont riches en acides gras oméga-9 anti-inflammatoires, et leur contenu en sucre est très faible. Les baies d'açaï contiennent des acides gras essentiels, du fer, du calcium, des fibres, de la vitamine A, et d'autres antioxydants.

Des savants ont découvert que l'açaï est riche en anthocyanes, un groupe spécial de phytochimiques que l'on croit être bénéfiques pour la santé. En fait, une portion d'açaï contient dix fois plus d'anthocyanes qu'une portion égale de vin rouge. Les anthocyanes de l'açaï constituent seulement dix pour cent du total des antioxydants contenus dans cet étonnant petit fruit.

L'açaï contient aussi du phytostérol, une substance d'origine végétale connue pour réduire le cholestérol, traiter les symptômes associés à l'hyperplasie prostatique bénigne (enflure de la prostate), et aider à protéger le système immunitaire du stress physique.

Remèdes maison

PERFORMANCE SEXUELLE : L'açaï combiné au sirop de guarana est une boisson populaire du Brésil. On rapporte que la consommation de cette mixture contribue à l'amélioration de la performance sexuelle.

BEAUTÉ : Le Dr Nicholas Perricone mentionne dans ses livres contre le vieillissement que les baies d'açaï possèdent des propriétés d'embellissement.

Propriétés étonnantes !

CANCER : Dans une étude menée en laboratoire, des chercheurs de l'Université de la Floride ont découvert des composantes antioxydantes puissantes dans l'açaï : celles-ci ont pour effet de réduire considérablement la prolifération des cellules et d'augmenter l'apoptose (autodestruction cellulaire) dans les cellules leucémiques humaines.

Conseils pratiques

SÉLECTION ET ENTREPOSAGE :

- Les baies d'açaï se trouvent sous forme de jus, de pulpe surgelée, de smoothies et en poudre. Ces produits se trouvent facilement dans la plupart des magasins de produits diététiques et dans les épiceries. Parce qu'ils sont facilement périssables, les petits fruits d'açaï frais ne sont disponibles qu'au Brésil.
- Cherchez des produits d'açaï traités par la méthode de pasteurisation instantanée qui préserve les antioxydants et leur superbe couleur violet.

SUGGESTIONS POUR PRÉPARER ET SERVIR :

- Chauffer l'açaï peut causer une diminution des effets de certains de ses antioxydants.
- L'açaï peut être utilisé dans la fabrication de sauces et de confitures.

- La pulpe de ce petit fruit peut être ajoutée aux boissons fouettées ou à toute autre boisson. On peut en verser sur des céréales, l'ajouter au yogourt, ou la manger seule.

Bol d'açaï style brésilien

par Royce Gracie

Portions : 2 • Temps de préparation : 5 minutes

Royce Gracie est une vedette internationale du sport du jiu-jitsu. Sa famille utilise l'açaï depuis longtemps pour améliorer ses performances. Carlos, le grand-père de Royce, a ouvert la première académie de jiu-jitsu au Brésil, et a commencé à incorporer l'açaï à sa propre diète et à celle de ses élèves, il y a déjà bien des années. Notre famille aime cette recette avec du yogourt, des glaces, des crêpes… tout ce que vous voulez ! Les quatre ingrédients sont tous des aliments énergisants.

INGRÉDIENTS :

2 paquets de 100 g (3,5 oz) de pulpe d'açaï
120 ml (4 oz) de jus de pommes bio
1 banane bio
5 ml (1 c. à thé) de miel bio

PRÉPARATION :

Mélangez tous les ingrédients dans un malaxeur jusqu'à épaississement. Saupoudrez de granola et d'un peu de miel bio au goût.

CHAQUE PORTION CONTIENT :

Calories : 190; Lipides : 5 g; Gras saturés : 1 g; Cholestérol : 0 mg; Sodium : 10 mg; Glucides : 44 g; Fibres : 2 g; Sucre : 34 g; Protéines : 3 g.

Agave (*Agavaceae*)

¿DÓNDE ESTÁ, AGAVE?

Saviez-vous... qu'au tournant de ce siècle, la production de tequila avait augmenté de façon si spectaculaire que l'agave bleu (aussi utilisé dans la fabrication du nectar d'agave) était en voie de disparition ?

En bref

Il y a plus de 300 espèces de plants d'agave. Le *Tequilana*, ou agave bleu, est le plus répandu et le mieux connu. Le nom *agave* est d'origine grecque et signifie « noble » ou « illustre ». L'agave porte plusieurs autres noms, incluant le maguey, le mescal, l'ixtle, les racines ou bulbes d'agave, et l'agave d'Amérique. Même si plus de 200 millions de plants d'agave bleu poussent dans différentes régions du Mexique, on n'en utilise qu'un petit pourcentage pour produire le nectar.

On se réfère souvent au cœur du plant comme au « piña » ou ananas ; cette partie contient le jus naturellement sucré, utilisé autant pour la production de tequila que pour celle du nectar. Le jus peut devenir « foncé », « ambré » ou « clair » selon la méthode utilisée. La saveur de l'agave foncé non filtré est plus forte, tandis que la variété claire, d'où l'on a retiré les éléments solides, a une saveur plus raffinée. Tout comme on fait chauffer la sève de l'érable pour produire le sirop d'érable, le liquide extrait est chauffé pour fabriquer un sirop concentré, d'une consistance un peu plus fluide que celle du miel.

Son origine

Depuis des siècles, les agaves ont été cultivés par les Amérindiens. Au XVIIe siècle, les Portugais et les Espagnols avaient apporté les agaves de l'Amérique jusqu'en Europe. En fait, on attribue aux Espagnols l'application de la fermentation du jus de l'agave, d'où fut créée ce que nous connaissons maintenant comme la tequila. Une boisson fermentée, appelée *pulque*, était fabriquée par les Amérindiens à partir de l'agave et était utilisée pendant les cérémonies religieuses. Aux États-Unis, l'utilisation du nectar d'agave comme édulcorant pour remplacer le sucre devient de plus en plus populaire.

Où les cultive-t-on ?

Les plants d'agaves poussent entre les régions arides, au sud des États-Unis, et les régions tropicales, situées au nord de l'Amérique du Sud, ainsi qu'à travers les Caraïbes. L'agave a longtemps été cultivé dans les régions montagneuses du Mexique.

Pourquoi devrais-je en manger ?

Le sirop (ou nectar) d'agave est composé d'environ quatre-vingt-dix pour cent de fructose, une forme de sucre naturel que l'on retrouve dans les fruits. Le fructose n'a pas d'effets aussi dramatiques sur le glucose sanguin (glycémie) que les autres édulcorants comme le sucre de canne. Encore mieux, étant donné que le fructose est plus sucré que le sucre de table, vous n'êtes pas obligé d'en utiliser autant dans vos recettes. L'agave contient aussi une forme complexe de fructose appelé *inuline.* Une bactérie bénéfique, appelée *bifidobacterium,* digère l'inuline pour produire des acides gras à chaîne courte qui ont démontré être en mesure de combattre le cancer du côlon. L'agave contient aussi de la *sapogénine*, qui possède des propriétés anti-inflammatoires et anticancéreuses.

Remèdes maison

Le folklore mexicain révérait l'agave et le considérait comme étant sacré à cause de son pouvoir de purification du corps et de l'âme. Les Éthiopiens se sont servis des branches d'agave comme brosses à dents naturelles, alors que les Aztèques traitaient les blessures infectées avec de la sève concentrée.

Propriétés étonnantes !

ANTI-INFLAMMATOIRE : Une étude expérimentale sur des animaux a démontré que ceux que l'on traitait avec un extrait de feuilles d'agave, par voie orale ou par voie topique, montraient moins d'inflammation que ceux qui faisaient partie du groupe contrôle.

ANTIMICROBIEN : On a découvert que l'agave contenait des substances spéciales qui réduisaient considérablement la croissance de levure, de moisissure et de bactéries nuisibles.

DÉTRUIT LES CELLULES CANCÉREUSES : Des études sur les cellules humaines ont démontré que la saponine, ainsi que d'autres composantes de l'agave, peut interrompre le cycle de vie des cellules cancéreuses.

Conseils pratiques

SÉLECTION ET ENTREPOSAGE :

- Cet édulcorant porte parfois le nom de « nectar » et parfois celui de « sirop ». C'est la même et unique chose.
- Le sirop d'agave est vendu en bouteilles, en version claire, ambrée ou foncée.
- La durée de conservation du sirop d'agave dans une bouteille non ouverte est d'environ trois ans.

SUGGESTIONS POUR PRÉPARER ET SERVIR :

- Pour cuisiner, utilisez environ vingt-cinq pour cent de moins de ce nectar que vous n'utiliseriez de sucre de table. Environ 190 ml (¾ tasse) de nectar d'agave devrait égaler 250 ml (1 tasse) de sucre de table. Cette règle est valable pour la plupart des recettes.
- Réduisez la température de votre four de 25 degrés.
- Lorsque vous substituez cet édulcorant dans les recettes, réduisez légèrement la quantité de liquide, parfois par autant qu'un tiers de moins.
- On peut combiner le nectar d'agave avec des édulcorants artificiels pour diminuer leur arrière-goût.
- On peut le substituer au miel tout comme au sucre.

Sauce aux petits fruits de Sharon

par Sharon Grotto

Portions : 4 • Temps de préparation et de cuisson : 35 minutes

Nos enfants adorent verser cette sauce aux petits fruits sur leurs gaufres ou sur leurs crêpes. Ils aiment aussi l'utiliser comme moyen facile d'ajouter des fruits et du sucré à leurs smoothies. Simple à préparer et si délicieux ! Cette recette contient deux ingrédients énergisants.

INGRÉDIENTS :

1 paquet de 280 g (10 oz) de petits fruits mélangés bio
65 ml (¼ tasse) de sirop d'agave
125 ml (½ tasse) d'eau
5 ml (1 c. à thé) d'extrait de vanille

PRÉPARATION :

Combinez les petits fruits congelés, le sirop d'agave, l'extrait de vanille et l'eau dans une casserole. Faites cuire à feux doux jusqu'à ce que les petits fruits soient décongelés. Portez ensuite à ébullition. Laissez cuire à feu doux jusqu'à ce que la sauce épaississe – environ 20 à 30 minutes. Servez sur des crêpes, des gaufres, du pain perdu, ou tout ce que vous voulez, pour que ce soit délicieux.

CHAQUE PORTION CONTIENT :

Calories : 95 ; Lipides : 0 g ; Gras saturés : 0 g ; Cholestérol : 0 mg ; Sodium : 75 mg ; Glucides : 24 g ; Fibres : 1 g ; Sucre : 21 g ; Protéines : 0 g.

Ail (*Allium sativum*)

VOUS ÊTES «ODO-RABLE»!

Saviez-vous que... l'ail est universellement connu sous le nom de «rose puante»?

En bref

L'ail est un membre de la famille des lis et il est étroitement lié à l'oignon, l'échalote et le poireau. Il existe deux catégories de classification de l'ail : l'ail blanc ou l'ail rosé (ou ail d'automne et ail de printemps). La première inclut les variétés Roja, German Red et Valencia; la seconde comprend les variétés Silverskin, Artichaut et Italienne.

Son origine

Même s'il n'existe pas beaucoup d'informations sur l'histoire de la domestication de l'ail, des inscriptions sur la pyramide de Khéops en Égypte illustrent les merveilles de cette plante. Il y a quelque 5000 ans, les Indiens faisaient déjà des références à l'ail; et les Babyloniens l'utilisaient aussi il y a 4500 ans. D'anciens écrits datant de 4500 ans parlent de l'utilisation de l'ail en Chine. On croit que l'ail est originaire du centre d'une région qui s'étend de la Chine à l'Inde.

Où le cultive-t-on?

La Chine et les États-Unis sont les principaux producteurs de l'ail qui est destiné à la consommation intérieure. L'ail pousse à l'état sauvage en Asie centrale, principalement au Kirghizstan, au Tadjikistan, au Turkménistan, et en Ouzbékistan. On se réfère souvent à Gilroy, en Californie, comme à la capitale mondiale de l'ail et chaque année, un festival de l'ail y est célébré.

Pourquoi devrais-je en manger?

Même si l'ail contient plusieurs nutriments, il vous faudrait en consommer une grande quantité pour réaliser un niveau de nutrition appréciable. Mais ce qui manque à l'ail en valeur nutritionnelle est compensé par la valeur en phytochimiques ; ceux-ci aident à protéger votre corps des éléments nuisibles. L'ail contient entre autres l'allicine, qui élimine les bactéries ; la saponine, qui réduit le cholestérol ; et l'acide coumarique, qui aide dans la lutte contre le cancer – pour n'en nommer que quelques-uns.

Remèdes maison

L'ail est le combattant original contre le mal ! Il combat les vilains à l'intérieur et à l'extérieur du corps – à partir des vampires jusqu'au menaçant « œil du mal » (*malocchio,* en italien), en passant par le rhume ordinaire.

On donnait de l'ail aux esclaves égyptiens pour qu'ils puissent maintenir leur force, et les soldats romains mangeaient de l'ail comme source d'inspiration et de courage.

Propriétés étonnantes !

AGENT ANTIMICROBIEN/ANTIFONGIQUE : Lors d'expériences en laboratoire, Louis Pasteur a démontré comment l'ail tuait les bactéries et pouvait donc être utilisé comme un antibactérien efficace. Dans deux études récentes, on a découvert que la quantité d'allicine contenue dans une gousse d'ail après l'avoir hachée s'avérait efficace pour tuer l'*Entérocoque* – résistant à la vancomycine –, et le *Staphylococcus aureus* – résistant à la méthicilline.

SANTÉ CARDIOVASCULAIRE : Une étude sur échantillon aléatoire à double insu, effectuée chez les humains, a démontré qu'après 12 semaines d'administration de suppléments d'ail, on a pu réduire de onze pour cent la lipoprotéine à faible densité du cholestérol (LDL-C). Dans une autre étude incluant 261 patients, ceux qui ont consommé de l'extrait d'ail pendant seize semaines ont vu diminuer leur niveau de cholestérol de douze pour cent et leur niveau de triglycérides de dix-sept pour cent. Une étude de dix mois a évalué l'effet d'extrait d'ail vieilli (AGE) sur les profils lipidiques d'hommes qui présentaient un niveau de cholestérol modérément élevé. On a constaté une réduction d'environ trente pour cent d'agrégation plaquettaire et du facteur fibrinogène (ces facteurs augmentent la faculté d'agrégation du sang – augmentant le risque de caillots), chez les sujets qui consommaient de l'AGE.

RÉDUCTION DU RISQUE DE PRÉ-ÉCLAMPSIE DURANT LA GROSSESSE : Des chercheurs de Londres ont découvert que l'ail pouvait aider à augmenter le poids des bébés à la naissance et à diminuer les complications dues à la toxémie pré-éclamptique lors de l'accouchement.

CANCER : Près de trente études ont démontré que l'ail présentait certains effets préventifs contre le cancer. La preuve est particulièrement solide pour démontrer un lien entre l'ail et la prévention des cancers de la prostate et de l'estomac.

Conseils pratiques

SÉLECTION ET ENTREPOSAGE :

- Un « bulbe » comprend habituellement entre dix et vingt gousses d'ail individuelles. L'ail frais devrait être charnu et ferme avec une peau serrée.
- Il est aussi possible de se procurer de l'ail sous forme de poudre, de flocons et d'huile, aussi bien qu'en version hachée et en purée.
- Entreposez l'ail dans un endroit frais et sombre – ne pas le réfrigérer !
- Congélation : l'ail peut être pelé, réduit en purée et congelé pour un entreposage prolongé.

SUGGESTIONS POUR PRÉPARER ET SERVIR :

- En pelant, en écrasant ou en coupant l'ail, on augmente le nombre et la variété des composantes actives que nous fournit l'ail – incluant une enzyme appelée alliinase, qui produit le bisulfure de diallyle (DADS). Ne cuisinez pas immédiatement avec l'ail que vous tranchez ! Les spécialistes en nutrition recommandent d'attendre

15 minutes entre l'épluchage et la cuisson pour permettre à la réaction d'alliinase de se produire.

- L'ail peut brûler facilement, donc cuisez-le avec soin.
- Pour l'éplucher aisément, pressez une gousse avec le côté plat d'un grand couteau, jusqu'à ce que la pelure se détache ; on pourra ensuite la retirer plus facilement.
- Grillé : déposez simplement des têtes d'ail non pelées dans une rôtissoire, aspergez d'huile d'olive et de romarin et faites griller à 180°C (350°F) pendant 30 à 40 minutes. Les gros bulbes sont délicieux lorsqu'on les prépare de cette façon.
- Ail et salades : frottez le bol à salade avec une gousse d'ail coupée en deux avant d'y déposer les feuilles de salade.

Tartinade sicilienne

par Mary Corlett

Portions : 8 • Temps de préparation : 15 minutes

Cette recette contient cinq aliments énergisants.

INGRÉDIENTS :

480 g (16 oz) de tomates séchées dans l'huile, égouttées et rincées, hachées grossièrement

1 filet d'anchois, réduit en purée avec un peu de la tomate

125 ml (½ tasse) d'olives de Kalamata, hachées grossièrement

4 gousses d'ail, émincées

65 ml (¼ tasse) de câpres, hachées grossièrement

PRÉPARATION :

Mélangez les ingrédients et servez sur des craquelins. C'est aussi une extraordinaire pâte à tartiner que l'on peut servir avec du pain. Vous ne vous apercevrez même pas que cette préparation contient de l'anchois !

CHAQUE PORTION CONTIENT :

Calories : 80; Lipides : 5 g; Gras saturés : 0,5 g; Cholestérol : 0 mg; Sodium : 330 mg; Glucides : 8 g; Fibres : 2 g Sucre : 0 g; Protéines : 2 g.

Amande (*Prunus dulcis*)

DES AMANDES POUR LE BONHEUR CONJUGAL

Saviez-vous que... le petit cadeau traditionnel de cinq amandes glacées (amandes du Jourdain) que l'on offre dans les mariages tire son origine de l'Italie et date des années 1350 ? Ces amandes représentent les cinq attributs d'un heureux mariage : la santé, la richesse, le bonheur, la fertilité et la longévité.

En bref

Les amandes sont les fruits d'un arbre fruitier de la famille des rosacées. La plupart des amandiers cultivés commercialement sont greffés aux souches des pêchers (porte-greffe), leur procurant plus de résistance contre les insectes nuisibles. *Prunus dulcis,* qui signifie « amande douce », est la version couramment consommée des amandes. L'amande « amère » contient un produit toxique, nommé acide cyanhydrique, qui peut être mortel pour les humains si on consomme ces amandes crues. Lorsque ces amandes sont chauffées, ce produit chimique est détruit, permettant ainsi de manger l'amande amère sans danger. Les amandes douces, les noix les plus consommées aux États-Unis, comptent pour soixante-deux pour cent du marché des noix.

Son origine

Les amandes sont originaires de l'Asie centrale et ont été cultivées dans la Méditerranée depuis les temps bibliques. La Bible parle du bâton d'Aaron qui fleurissait et d'où poussaient des amandes, faisant de ce bâton un symbole de l'approbation divine. L'amande a aussi symbolisé la virginité et l'on s'en est souvent servi comme d'une bénédiction pour le mariage. Les Égyptiens ont déposé des amandes dans la tombe du roi Toutankhamon pour lui permettre de se nourrir dans sa vie de l'Au-delà. En 1700, les pères franciscains ont apporté l'amandier en Californie à partir de l'Espagne. Au tournant du

XXe siècle, l'industrie de l'amande était fermement implantée dans les régions californiennes de Sacramento et de San Joaquin.

Où les cultive-t-on ?

La Californie produit la plus grande partie de l'approvisionnement en amandes pour le pays, alors que les États-Unis fournissent quatre-vingt-huit pour cent de la production mondiale d'amandes. L'Espagne, la Turquie, la Grèce et l'Italie sont aussi productrices d'amandes.

Pourquoi devrais-je en manger ?

Une petite poignée d'amandes (28 g ou 23 amandes) contient 160 calories et elles sont une bonne source de protéines et de fibres. La même quantité fournit trente-cinq pour cent de la valeur quotidienne (VQ) de vitamine E et vingt-cinq pour cent de la VQ de magnésium ; c'est aussi une bonne source de calcium et de fer. Les amandes contiennent une variété d'antioxydants incluant des flavonoïdes et du camphérol qui peuvent empêcher la croissance des cellules cancéreuses et l'oxydation du LDL (« mauvais » cholestérol) auquel on attribue un risque accru de maladie cardiovasculaire.

Remèdes maison

Les amandes ont été utilisées dans l'espoir de guérir le cancer, les ulcères et les cors, et pour la réduction des symptômes associés à la consommation excessive d'alcool.

Propriétés étonnantes !

OBÉSITÉ : Une étude menée en 2004 et publiée dans l'*American Journal of Clinical Nutrition* a démontré que les niveaux de cholécystokinine (une hormone associée à la satiété et qui est libérée lorsque l'on prend des aliments qui contiennent du gras) dans les organismes des participants qui avaient consommé une portion d'amandes étaient plus élevés chez les femmes qu'ils ne l'étaient chez les hommes. En termes concrets, cela signifie qu'alors que les amandes peuvent procurer une sensation de « satisfaction » aux hommes comme aux femmes, cette sensation de satiété dure plus longtemps dans le cas des femmes. Les recherches en cours étudient les effets de la mastication sur la libération de l'hormone de la satiété. Par exemple, des chercheurs du King's College de Londres ont découvert que les amandes semblent bloquer l'absorption de leur propre gras, ainsi que celle d'hydrates de carbone, et améliorent la satiété autant chez les hommes que chez les femmes. Selon une étude menée en 2003, qu'on a publiée dans l'*International Journal of Obesity*, les sujets qui ont ajouté 84 g (environ trois poignées) d'amandes à un régime faible en calories ont connu une perte de poids plus importante et plus durable que les sujets qui suivaient un régime faible en gras et en calories sans inclure les mêmes portions d'amandes.

SANTÉ CARDIOVASCULAIRE : Une étude publiée dans l'*American Journal of Clinical Nutrition* (AJCN) a démontré que l'on peut aider à réduire les niveaux de LDL, ou « mauvais » cholestérol, en ajoutant des amandes à une diète saine, aussi bien qu'un médicament stabilisateur du cholestérol. L'université de Loma Linda, en Californie, a été la première à démontrer que la consommation d'amandes fait augmenter les niveaux de vitamine E dans le système sanguin. Les participants qui ont consommé des amandes ont réduit de cinq pour cent leur cholestérol total, et leur LDL, ou « mauvais » cholestérol, a été réduit de près de sept pour cent. En 2003, la *Food and Drug Administration* a approuvé une allégation relative aux effets de la consommation des amandes sur la santé, affirmant que la consommation d'amandes peut réduire le risque de maladie cardiaque. Le Dr David Jenkins, de l'Université de Toronto, a découvert qu'une diète saine qui inclut des amandes réduit l'inflammation presque autant que le fait le Lovastatin — un médicament statine populaire prescrit pour combattre la maladie cardiaque. Non seulement la diète riche en amandes réduit-elle le taux de cholestérol, mais elle diminue aussi la quantité de protéines réactives de type C, un marqueur principal de l'inflammation et un facteur de risque indépendant de la maladie cardiovasculaire.

MALADIE D'ALZHEIMER : Des souris souffrant d'une maladie semblable à la maladie d'Alzheimer ont été nourries avec une diète riche en amandes. Après quatre mois, les animaux qui ont adopté ce type de diète ont mieux réussi dans des tests de mémoire que ceux qui avaient été nourris avec une alimentation ordinaire. La diète a aussi réduit la quantité de dépôts reliés à la maladie dans les cerveaux des souris.

CANCER DU CÔLON : Une étude de l'Université de Californie, à Davis, a découvert que les amandes ont un effet significatif dans la prévention du cancer du côlon chez les rats.

Conseils pratiques

SÉLECTION ET ENTREPOSAGE :

UN GRAIN DE VÉRITÉ ?

Consommateurs, soyez prudents ! Assurez-vous d'acheter « l'authentique ». Plusieurs amandes importées ne sont pas du tout des amandes – ce sont des noyaux d'abricots ! Ils peuvent ressembler aux amandes, mais le goût et les bienfaits pour la santé que procurent les véritables amandes sont sans égal.

- Si vous achetez des amandes en écailles, cherchez celles qui ne font pas de bruit lorsque vous les secouez. Le bruit peut être un indice que les amandes ne sont pas fraîches.
- Les amandes fraîches sont toutes blanches. Une amande qui est jaune ou qui ressemble à un nid d'abeille signifie que la noix a tourné au rance.
- Les amandes vertes sont disponibles pendant trois semaines, au printemps. Elles ont une coque verte velue et un centre qui a une texture de gelée. Elles sont délicieuses en salade ou en solitaire, avec une touche de sel de mer.
- Regardez dans l'allée des produits de boulangerie, l'allée des collations, et la section des produits frais

pour trouver plusieurs types d'amandes. Cherchez les paquets de collations de 28 g (1 oz) d'amandes entières, ou tout autre contenant d'amandes préparées, prêtes à emporter. Choisissez des amandes en lamelles, tranchées, moulues ou brutes, pour les utiliser dans des recettes.

- Rangez-les dans un endroit frais, sec et sombre.
- Lorsque les contenants ne sont pas encore ouverts, on peut conserver les amandes jusqu'à deux ans au réfrigérateur ou dans un garde-manger frais. Une fois ouverts, on devrait les garder hermétiquement fermés et consommer les amandes à l'intérieur d'une période de trois mois.

SUGGESTIONS POUR PRÉPARER ET SERVIR :

- Si vous rôtissez les amandes avant de les servir, vous ferez ressortir leur riche saveur.
- Pour le petit-déjeuner, ou pour une collation santé à n'importe quel moment de la journée, saupoudrez des amandes tranchées sur des granolas, des céréales froides, ou du yogourt.
- Appliquez du beurre d'amandes sur un muffin ou une rôtie. Vous trouverez du beurre d'amandes en pot dans la section du beurre d'arachides, des confitures et des gelées, dans plusieurs supermarchés et magasins de produits diététiques.
- Utilisez le lait d'amandes dans les boissons fouettées ou sur les céréales. Vous le trouverez en carton, non réfrigéré, tout près de la section du lait de soya, au supermarché.
- Savourez un mélange d'amandes et de fruits secs pour la collation.
- Faites griller des amandes complètes avec du sel casher et une variété de fines herbes, comme le romarin, le thym, la poudre de cari, la cannelle ou la cardamome, pour un effet intéressant.

- Ajoutez des amandes en lamelles au riz, au couscous, à tout plat de grains et aux pâtes.
- Utilisez des amandes brutes broyées pour une chapelure santé que vous utiliserez pour enrober le poisson ou la volaille.

Pizza aux petits fruits et aux amandes

Courtoisie du *Almond Board of California*

Portions : 2 • Temps de préparation et de cuisson : 15 minutes

Les cinq ingrédients de cette recette sont des aliments énergisants.

INGRÉDIENTS :

1 pita de blé entier de 15 cm (6 po)
45 ml (3 c. à soupe) de beurre d'amandes
85 ml (⅓ tasse) de petits fruits frais
15 ml (1 c. à soupe) d'amandes en lamelles ou tranchées, rôties
5 ml (1 c. à thé) de sirop d'agave ou de miel

PRÉPARATION :

Faites rôtir le pita. Tartinez-y du beurre d'amandes et saupoudrez des petits fruits frais et des amandes. Versez un filet de sirop d'agave ou de miel sur le dessus. Coupez en deux et servez.

CHAQUE PORTION CONTIENT :

Calories : 280; Lipides : 17 g; Gras saturés : 1,5 g; Cholestérol : 0 mg; Sodium : 170 mg; Glucides : 29 g; Fibres : 5 g; Sucre : 7 g; Protéines : 8 g.

Amarante (*Amaranthus*)

GRAIN « IDOLE »

Saviez-vous que... les Aztèques fabriquaient des idoles avec de l'amarante, du miel et du sang humain, pour ensuite les manger ? Cortés, pensant que cette pratique était une abomination, a brûlé leurs champs d'amarante au ras du sol. L'amarante avait alors presque disparu et n'a pas été redécouverte avant plusieurs siècles.

En bref

L'amarante, aussi connue comme *épinard chinois* ou *herbe à cochon*, est une plante herbacée que l'on apprécie pour ses propriétés culinaires tout autant que cosmétiques. De nos jours, il existe environ soixante variétés de plants d'amarante. Les graines d'amarante sont assez petites, à peu près de la taille des graines de sésame, et leur couleur varie généralement de jaune à crème. La saveur des graines d'amarante est une combinaison de sucré et de goût de noisette, avec une texture quelque peu croquante lorsqu'elles sont cuites. Les variétés comestibles des feuilles d'amarante ont un goût assez semblable à celui des épinards.

Son origine

On se réfère souvent à l'amarante comme à « une ancienne semence cultivée par les Aztèques » et elle existe depuis environ 8000 ans. On croit que c'était le principal grain consommé par les Aztèques avant qu'ils ne soient conquis par l'Espagne. On révérait l'amarante pour sa supériorité nutritionnelle et on proclamait qu'elle constituait l'énergie des guerriers. Pour ses capacités extraordinaires de nutrition et de guérison, elle représentait une offrande agréable et recherchée pour l'empereur aztèque Montezuma.

Où la cultive-t-on ?

La Chine est aujourd'hui le plus grand producteur de grain d'amarante. On cultive aussi l'amarante au Mexique, en Amérique centrale, et depuis quelques années, dans des régions des États-Unis comme le Colorado, l'Illinois et le Nebraska.

Pourquoi devrais-je en manger ?

De toutes les céréales, l'amarante est celle qui offre le plus de protéines par portion et l'un des niveaux les plus élevés en fibres. Elle contient de la lysine, un acide aminé essentiel, qui se trouve en quantité insuffisante dans toutes les autres céréales. Lorsqu'on l'ajoute à d'autres céréales, l'amarante complète leur taux insuffisant de protéines. De toutes les céréales, seul le quinoa compte plus de fer que l'amarante. C'est aussi une bonne source de calcium, de magnésium et d'acide folique. Elle contient un agent phytochimique, la squalène, reconnu pour abaisser le taux de cholestérol et pour combattre le cancer.

Remèdes maison

Au Pérou, on se sert des fleurs du plant d'amarante pour traiter les maux de dents et les fièvres. En Équateur, une boisson populaire au rhum, appelée « aguardiente », est fabriquée de fleurs d'amarante ; on croit qu'elle aide à « nettoyer le sang » et à régulariser le cycle menstruel.

Propriétés étonnantes !

CANCER : La squalène est un antioxydant que l'on retrouve naturellement dans l'amarante et qui peut empêcher le sang de nourrir les tumeurs. L'huile de requin, une source de squalène plus fréquemment utilisée, ne contient qu'un pour cent de squalène, alors que l'huile d'amarante en contient huit pour cent.

PRÉVENTION DU CANCER DU SEIN : La recherche a découvert qu'une composante de la graine d'amarante peut empêcher la prolifération des cellules cancéreuses d'une tumeur au sein.

MALADIE CARDIOVASCULAIRE : Même si on ne semble pas contester les vertus de l'avoine pour abaisser le taux de cholestérol, l'amarante semble être aussi efficace pour abaisser le taux de cholestérol LDL, et peut être une alternative valable pour ceux qui sont allergiques à l'avoine ou qui ne l'aiment pas tout simplement.

DIABÈTE : On a découvert que l'amarante aide à la prévention de l'hyperglycémie et peut soulager les complications dues au diabète. Dans une étude portant sur des rats diabétiques, l'amarante a diminué de façon significative le glucose sérique, a augmenté les taux d'insuline sérique, et a normalisé les indicateurs surélevés des fonctions du foie.

Conseils pratiques

SÉLECTION ET ENTREPOSAGE :

- L'amarante vient sous forme de farine pour utilisation dans la boulangerie. Pour préparer une pâte à pain, combinez la farine d'amarante en proportions égales avec de la farine de blé.
- On peut entreposer les graines d'amarante dans un pot ou dans un contenant hermétique, au réfrigérateur, jusqu'à six mois.

SUGGESTIONS POUR PRÉPARER ET SERVIR :

- Étant donné que les graines d'amarante sont si petites, on doit les rincer à l'eau froide avec une passoire à mailles fines ou une passoire doublée d'une étamine. Il est aussi possible de rôtir les graines ou de les cuire à la vapeur.
- Les graines d'amarante ont meilleur goût si elles sont cuites dans des liquides goûteux, comme du jus de tomates.
- On utilise les feuilles comme légume bouilli ou frit.
- L'amarante est un excellent épaississeur pour les soupes.

- Faites mijoter ou cuire l'amarante en même temps qu'une autre céréale dans du jus de pommes. Servez ensuite ce mélange avec un fruit frais.
- Faites sauter des graines d'amarante, à faible teneur en gras, comme une solution de rechange au riz.
- En rôtissant des grains d'amarante dans un poêlon, ils éclatent comme du maïs soufflé. L'amarante soufflée fait une excellente chapelure pour le poisson ou la viande, ou une garniture croustillante pour les soupes, les salades et les ragoûts.
- Lorsqu'elle est bouillie, l'amarante prend une consistance gélatineuse que l'on peut utiliser pour préparer des confitures aux fruits sans pectines et avec très peu d'édulcorant.

Crêpes d'amarante aux petits fruits

par le chef Kyle Shadix

Portions : 8 • Temps de préparation et de cuisson : 25 minutes

Cette préparation contient quatre aliments énergisants.

INGRÉDIENTS :

125 ml (½ tasse) de farine d'amarante
125 ml (½ tasse) de farine de blé
125 ml (½ tasse) de farine tout usage
10 ml (2 c. à thé) de levure chimique
4 ml (3/4 c. à thé) de bicarbonate de soude
500 ml (2 tasses) de babeurre ou de lait de riz
2 gros oeufs
65 ml (¼ tasse) d'huile de colza
600 ml (2½ tasses) de petits fruits frais, comme des bleuets ou des fraises

PRÉPARATION :

Mélangez tous les ingrédients secs dans un bol. Dans un bol séparé, mélangez le babeurre, les œufs et l'huile, et fouettez jusqu'à ce que ce que vous obteniez une texture lisse. Laissez reposer 5 minutes. Mélangez les ingrédients secs et humides ensemble. Ajouter 125 ml (½ tasse) de petits fruits. Si la pâte est trop épaisse pour la verser facilement, ajouter de l'eau, une cuiller à soupe à la fois, pour la délayer. Faites cuire les crêpes dans un poêlon ou sur une plaque chauffante, et servez avec des petits fruits.

CHAQUE PORTION CONTIENT :
Calories : 220; Lipides : 10 g; Gras saturés : 2 g; Cholestérol : 55 mg; Sodium : 323 mg; Glucides : 26 g; Fibres : 4 g; Sucre : 6 g; Protéines : 8 g.

Ananas (*Ananas comosus*)

PRÉPARATION AUTOMATIQUE

Saviez-vous que... même si on vendait déjà l'ananas en conserves en 1901, il n'était pas facile de se le procurer sous cette forme jusqu'en 1911 ? L'ingénieur Henry Ginaca a alors inventé une machine qui pouvait enlever l'écorce, le trognon et les deux extrémités de 100 ananas en moins de soixante secondes.

En bref

Malgré son nom anglais de « pineapple » (pin et pomme), l'ananas ne s'apparente pas du tout au pin, à la pomme de pin, ou à la pomme. L'ananas est le seul membre comestible de la famille des broméliacées. Les termes espagnols *nana* et *piña* sont aussi employés pour faire référence à l'ananas. Les ananas prennent un bon dix-huit mois à croître et doivent être cultivés à partir des couronnes ou des têtes d'autres ananas, et ne peuvent être cueillis que lorsqu'ils sont mûrs. Les variétés populaires incluent le Cayenne Lisse, le Red Spanish, l'ananas bouteille, et le Pernambouco, dont la chair est jaune doré avec un goût plus sucré que toutes les autres variétés.

Son origine

L'ananas est originaire du sud du Brésil et du Paraguay. Ce sont des explorateurs européens qui lui ont donné le nom anglais de « pineapple », car ils avaient l'impression que le fruit ressemblait à un croisement entre la pomme de pin et la pomme. Christophe Colomb a été le premier à introduire les ananas en Europe après les avoir découverts à la Guadeloupe, en 1493.

Où les cultive-t-on ?

À part Hawaï, l'ananas est aussi cultivé au Costa Rica, au Honduras, au Brésil, au Mexique, en République Dominicaine, au El Salvador, en Équateur, au Nicaragua, aux Philippines, en Thaïlande et en Chine.

Pourquoi devrais-je en manger ?

Les ananas sont une bonne source de vitamine C, de vitamine B6, de manganèse et de cuivre. Ils contiennent aussi un groupe d'enzymes digestives appelées broméline. Ces enzymes possèdent des propriétés anti-inflammatoires.

Remèdes maison

En adoucissant et en décomposant les peaux mortes, l'écorce d'ananas peut être efficace pour enlever les cors. Cette propriété est probablement due à l'activité de la broméline, une enzyme qui digère les protéines. Mais aucune recherche n'a été menée sur ce sujet.

Propriétés étonnantes !

Une grande partie de la recherche entourant l'ananas a vraiment été concentrée sur l'enzyme broméline. Celle-ci est naturellement contenue dans l'ananas et possède la qualité de digérer les protéines. Les propriétés de la broméline incluent aussi :

- L'interférence avec la croissance des cellules malignes et des tumeurs
- L'inhibition de l'agrégation plaquettaire
- L'activité fibrinolytique
- L'action anti-inflammatoire
- Des propriétés de débridement de la peau
- L'absorption améliorée des médicaments (amoxilline)

Le docteur Andrew Weil, considéré comme le « père de la médecine alternative », rapporte que la broméline est un traitement efficace pour les ecchymoses et les hématomes graves et peut favoriser la guérison des blessures en réduisant la douleur et l'enflure. Il ajoute aussi que la broméline :

- Réduit l'enflure postopératoire
- Aide à soulager les symptômes associés à la sinusite
- Lorsqu'on la combine aux antibiotiques et à la trypsine (une enzyme), elle peut aussi aider à contrôler les symptômes des infections des voies urinaires
- Peut aider à soulager les symptômes de l'arthrite rhumatoïde

Les résultats de différents essais cliniques indiquent que la broméline agit comme un anticoagulant et peut aider à soulager les symptômes de l'angine et de la thrombophlébite.

PRÉVENTION DU CANCER : Des savants de l'université de Cornell ont découvert que la consommation d'ananas réduit la formation de nitrosamines (possiblement cancérigènes) chez les humains.

Conseils pratiques

SÉLECTION ET ENTREPOSAGE :

- Cherchez un ananas qui est lourd pour sa taille, sans taches blanches et sans ecchymoses, et qui a un parfum sucré que l'on peut sentir du côté de la tige.
- La plupart des ananas en conserve sont accompagnés de leur propre jus ; il n'est donc pas nécessaire de chercher l'ananas préservé dans un sirop sucré ou encore un « sirop léger ».
- On peut les laisser à la température de la pièce pendant un à deux jours ou dans un sac de plastique au réfrigérateur pendant trois à cinq jours.

- Si l'ananas est déjà coupé, entreposez-le dans un contenant hermétiquement fermé accompagné d'une petite quantité de son jus pour qu'il reste plus frais.

SUGGESTIONS POUR PRÉPARER ET SERVIR :

- Pour préparer un ananas, servez-vous d'abord d'un couteau pour enlever la base et la couronne. Coupez-le en quartiers, enlevez le trognon et faites des tranches dans chacun des quartiers en coupant du centre vers l'écorce ; séparez ensuite le fruit de l'écorce.
- Il est aussi possible d'utiliser un vide-ananas.
- Le jus d'ananas est une excellente base pour la plupart des marinades. À cause des propriétés digestives de protéine de la broméline, le jus d'ananas est aussi un excellent attendrisseur de viande.
- Salades de fruits — l'ananas est un ajout extraordinaire aux salades, surtout à celles qui contiennent d'autres fruits tropicaux.
- Le jus d'ananas et l'eau gazéifiée combinés vous offrent un breuvage rafraîchissant.

Filet de porc avec chutney d'ananas grillé, sur lit de mesclun

par le chef Dave Hamlin

Portions : 4 • Temps de préparation et de cuisson : 35 minutes

Cette recette contient douze aliments énergisants.

INGRÉDIENTS POUR LE CHUTNEY :

65 ml (¼ tasse) de poivron rouge, coupé en petits dés
65 ml (¼ tasse) de poivron vert, coupé en petits dés
65 ml (¼ tasse) d'oignon rouge, coupé en petits dés
250 ml (1 tasse) d'ananas frais, coupé en petits dés (réservez le restant de l'ananas)
3 ml (½ c. à thé) de gingembre
3 ml (½ c. à thé) d'ail frais, haché finement
2 échalotes, hachées
5 ml (1 c. à thé) de coriandre, hachée finement
3 ml (½ c. à thé) de poudre de chili
1 ml (¼ c. à thé) de cumin
45 ml (3c. à soupe) de vinaigre de vin de riz

INGRÉDIENTS POUR LE FILET DE PORC :

455 g (1 lb) de filet de porc
5 ml (1. c. à thé) d'huile d'olive extra vierge
4 tranches d'ananas (2,5 cm / 1 po)
750 ml (3 tasses) de mesclun
3 ml (½ c. à thé) de poudre de chili
Sel et poivre, au goût

PRÉPARATION :

Mélangez tous les ingrédients du chutney ensemble et réservez. Préparez le chutney pendant que le gril est en train de se réchauffer. Enduisez les filets de porc d'un peu d'huile d'olive. Assaisonnez de sel et de poivre et saupoudrez de poudre de chili. Coupez la partie de l'ananas réservée en tranches de 7 mm (¼ po) d'épaisseur. Faites griller le filet de porc de chaque côté, à une température moyennement haute, jusqu'à une température interne de 70ºC (150ºF), environ 10 à 12 minutes. Pendant que le filet est en train de griller, faites revenir les tranches d'ananas. Retirez l'ananas et le porc du gril et laissez reposer pendant environ 5 minutes.

PRÉSENTATION :

Faites un nid avec les feuilles de mesclun. Étagez les morceaux d'ananas par-dessus le mesclun. Tranchez le porc sur le biais, en tranches de 7 mm (¼ po), et disposez-les au centre du plat, tout contre l'ananas grillé. Déposez du chutney sur les tranches de porc à l'aide d'une cuiller.

CHAQUE PORTION CONTIENT :

Calories : 350; Lipides : 11 g; Gras saturés : 3,5 g; Cholestérol : 105 mg; Sodium : 240 mg; Glucides : 27 g; Fibres : 3 g; Sucre : 21 g; Protéines : 36 g.

Arachide (*Arachis hypogaea*)

CE N'EST PAS DES « PEANUTS » !

Saviez-vous que... chaque année, on consomme 2,4 milliards de livres d'arachides aux États-Unis – et qu'environ la moitié de celles-ci sont consommées sous forme de beurre d'arachides ?

En bref

L'arachide n'est pas vraiment une noix. Techniquement, l'arachide est une légumineuse : comme ses cousins les haricots et les pois – ils appartiennent tous à la famille des *Leguminosae.* Les légumineuses sont des graines comestibles enfermées dans des cosses. Les arachides poussent dans le sol, contrairement aux noix qui poussent dans les arbres – comme les noix, les amandes et les pistaches. Les arachides Virginias, Runners et Spanish sont les trois principales variétés cultivées aux États-Unis. Les Virginias (arachides qu'on sert avec les cocktails) sont plus volumineuses. Les arachides de taille moyenne sont appelées Runners, et les arachides de petite taille sont nommées Spanish. Un quatrième type, les arachides Valencia, caractérisées par trois ou quatre petites arachides dans une longue coquille, sont cultivées moins fréquemment aux États-Unis.

Son origine

L'arachide est cultivée principalement dans les régions tropicales et subtropicales à travers le monde, mais on croit qu'elle est originaire de l'hémisphère occidental, plus probablement du Brésil ou du Pérou. Les Espagnols ont rapporté l'arachide en Europe ; les explorateurs portugais l'ont transplantée en Afrique et de là, on l'a ramenée dans les Amériques. Pendant la Guerre civile, les soldats consommaient des arachides comme source de protéines bon marché. George Washington Carver, considéré par plusieurs comme le père de l'industrie de l'arachide, a été celui qui a suggéré aux fermiers d'effectuer une rotation de leur plantation de coton pour cultiver les arachides. Il a aussi développé plus de 300 façons d'utiliser les arachides, allant des usages alimentaires aux applications industrielles.

Où la cultive-t-on ?

La Chine et l'Inde sont les plus grands producteurs d'arachides. Dans ces deux pays, la plupart des noix sont traitées en vue de la production d'huile d'arachide et sont vendues localement. Les États-Unis, l'Argentine, le Soudan, le Sénégal et le Brésil sont les principaux producteurs exportateurs. Aux États-Unis, les arachides sont principalement cultivées en Géorgie, au Texas, en Alabama, en Caroline du Nord, en Floride, en Virginie et en Oklahoma.

Pourquoi devrais-je en manger ?

Des savants de l'Université de la Floride ont découvert que les arachides rivalisent avec les fruits pour leurs niveaux d'antioxydants. Les chercheurs floridiens ont identifié, dans les arachides, des concentrations élevées de polyphénols, surtout l'acide p-coumarique. En les grillant, on peut augmenter le degré de polyphénols, accroissant le contenu global des antioxydants jusqu'à vingt-deux pour cent. Les arachides sont une excellente source de bêta-sitostérol, connu pour posséder des propriétés anticancéreuses. Elles sont aussi une bonne source de resvératrol, un antioxydant que l'on retrouve aussi dans le vin rouge et qui peut aider à combattre la maladie cardiaque.

Remèdes maison

POUR ENLEVER LA GOMME : En étalant du beurre d'arachides dans des cheveux où de la gomme s'est collée, elle s'enlèvera plus facilement.

DISSOLVANT : Même truc – enduire simplement les surfaces tachées d'encre ou de colle provenant d'autocollants de beurre d'arachides, et le tout devrait s'enlever aisément !

Propriétés étonnantes !

SANTÉ CARDIOVASCULAIRE : Le *U.S. Food and Drug Administration* a approuvé une affirmation restrictive au sujet des arachides, en 2003 : « Une preuve scientifique suggère, sans le prouver, qu'en consommant 45 g (1½ oz)de la plupart des sortes de noix – comme les arachides –, dans une diète à faible teneur en gras saturés et en cholestérol, il est possible de réduire le risque de maladie cardiovasculaire. » Une étude publiée dans le *Journal of the American College of Nutrition* a démontré que la consommation régulière d'arachides abaissait les triglycérides et améliorait la qualité de la diète en augmentant les éléments nutritifs associés à la prévention de la maladie cardiovasculaire.

DIABÈTE DE TYPE 2 : On a constaté que ceux qui avaient consommé une demi-portion de beurre d'arachides, ou une pleine portion d'arachides, cinq fois ou plus par semaine, ont vu réduire de vingt-sept pour cent le risque de développer le diabète de type 2.

GESTION DU POIDS : Une enquête menée par la USDA a découvert que la consommation d'arachides était une bonne façon de satisfaire les besoins de vitamine A et E, d'acide folique, de calcium, de magnésium, de zinc, de fer et de fibres. L'IMC (indice de masse corporelle – une mesure utilisée pour déterminer l'obésité) des participants à cette étude était moins élevé que celui de ceux qui ne consommaient pas d'arachides.

CANCER DU COLÔN : Une étude a découvert que les femmes qui consommaient fréquemment des arachides et des produits de l'arachide avaient réduit leur risque de cancer colorectal.

Conseils pratiques

SÉLECTION ET ENTREPOSAGE :

- Tous les produits de l'arachide sont bons : avec ou sans écale, sous forme d'huile, de beurre d'arachides (avec ou sans additifs, comme le sucre et le sel ; crémeux, croquant et autres), ou comme ingrédient dans la confiserie et dans les sauces.
- Les arachides peuvent rancir rapidement, essayez d'en goûter une avant de les acheter.
- Les arachides décortiquées peuvent être entreposées jusqu'à trois mois au réfrigérateur et jusqu'à six mois au congélateur.

SUGGESTIONS POUR PRÉPARER ET SERVIR :

- Préparez votre propre beurre d'arachides en vous servant d'un robot culinaire.
- Saupoudrez des arachides hachées sur une salade.
- Utilisez de l'huile d'arachides dans un sauté végétarien.
- Faites l'essai d'un sandwich au beurre d'arachides et aux bananes pour un goût différent.

Arachides aztèques piquantes au cacao

par le chef J. Hugh McEvoy

Portions : 18 • Temps de préparation et de cuisson : 18 minutes

Cette recette possède un goût vraiment relevé, avec une légère saveur de cacao, sans être trop sucrée. C'est une collation extraordinaire à servir comme telle ; mais c'est aussi une garniture exceptionnelle sur les salades, pour les rendre plus croustillantes. *Truc savoureux :* omettez le piment de Cayenne et substituez un mélange de cacao pour chocolat chaud à la poudre de cacao foncée ; cela plaira encore plus aux enfants. Cette recette contient quatre aliments énergisants.

INGRÉDIENTS :

455 g (1 lb) d'arachides rôties à sec
30 ml (2 c. à soupe) de sucre granulé
30 ml (2 c. à soupe) de blancs d'œufs
3 ml (½ c. à thé) de sel de mer
1 ml (¼ c. à thé) de piment de Cayenne (facultatif)
45 ml (3 c. à soupe) de poudre de cacao foncée

PRÉPARATION :
Battez les blancs d'œufs, le piment de Cayenne, le sel et le sucre dans un petit bol à mélanger. Ajoutez-y les arachides et enrobez-les de façon uniforme. Versez le mélange en une couche uniforme sur une plaque allant au four, préalablement graissée ou tapissée de papier aluminium. Faites rôtir le mélange d'arachides à 180°C (350°F) pendant 4 minutes. Retirez du four, remuez et enrobez à nouveau de façon uniforme. Retournez au four pour 4 minutes (ne faites pas trop griller). Laissez refroidir les arachides au moins 15 minutes. Mélangez pour bien séparer les noix. Saupoudrez les arachides d'un mélange de cacao sans sucre ajouté. Remuez et saupoudrez encore. Servez avec une boisson rafraîchissante.

CHAQUE PORTION CONTIENT :
Calories : 160; Lipides : 13 g; Gras saturés : 2 g; Cholestérol : 0 mg; Sodium : 70 mg; Glucides : 7 g; Fibres : 2 g; Sucre : 3 g; Protéines : 6 g.

Artichaut (*Cynara scolymus L.*)

LA REINE DES ARTICHAUTS

Saviez-vous que… en 1948, Marilyn Monroe a été couronnée reine du Festival des artichauts, à Castroville, « pays des artichauts », en Californie ?

En bref

En réalité, les artichauts sont les jeunes fleurs d'une plante de type chardon. Les feuilles et les bourgeons de la fleur sont comestibles, mais le centre ne l'est pas. Il existe plusieurs variétés d'artichauts, et leur couleur peut varier de violet foncé à vert pâle. Parmi ces variétés se trouvent l'artichaut breton, l'artichaut commun, le Big Heart et l'Imperial Star. L'« artichaut de Jérusalem » est un tubercule nutritif, apprécié pour son goût qui ressemble à celui de l'artichaut. En réalité, l'artichaut de Jérusalem fait partie de la famille des magnolias et il n'est pas du tout relié au *Cynara scolymus L.*

Son origine

Il est fort probable que l'artichaut provienne de la Méditerranée, possiblement de la Sicile, en Italie. Dans les textes de l'Égypte ancienne, on voit les artichauts comme des symboles de sacrifice et de fertilité. On les mentionne déjà dans la littérature grecque et romaine datant de l'an 77 avant notre ère. Dans l'Europe du XVIe siècle, l'artichaut était un aliment favori chez la royauté. On croit que c'est l'une des plus anciennes plantes médicinales. Ce sont les Espagnols qui l'ont apporté en Californie en 1600, mais il ne s'est répandu, chez les Américains, que dans les années 1920.

Où le cultive-t-on ?

Les plus grands producteurs commerciaux d'artichauts se trouvent en France, en Espagne, en Italie et aux États-Unis. La Californie produit presque cent pour cent de la récolte d'artichauts des États-Unis. Castroville, dans le cœur de la région agricole de la côte centrale de la Californie, se nomme elle-même « le centre mondial des artichauts ». C'est à cet endroit que l'on trouve le seul centre de traitement des artichauts des États-Unis.

Pourquoi devrais-je en manger ?

Les artichauts offrent une source importante de vitamine C, d'acide folique, de fibres diététiques, de magnésium et de potassium. Les artichauts contiennent de la cynarine qui aide à la digestion en stimulant la production de bile et qui peut aussi augmenter l'appétit. Les artichauts contiennent de la silymarine, que l'on retrouve aussi chez un parent de l'artichaut, le chardon Marie. On croit que la silymarine confère un soutien protecteur au foie et protège de la maladie cardiovasculaire en empêchant le cholestérol LDL de se transformer en une forme plus nuisible, oxydative. D'après une étude menée en 2004 par le *U.S. Food and Drug Administration* (USDA), les artichauts se classent en septième position parmi les aliments contenant le plus d'antioxydants.

Remèdes maison

À travers l'Histoire, les Égyptiens et les Européens ont cru que l'artichaut améliorait la performance sexuelle et favorisait la conception. Les Grecs et les Romains se sont servis des artichauts pour favoriser la régularité et pour soulager les problèmes d'estomac. On prétendait que la consommation d'artichauts aidait à « nettoyer » le sang en désintoxiquant le foie et la vésicule biliaire. On l'a aussi utilisé pour le traitement des morsures de serpent, de l'anémie, de l'œdème (enflure), de l'arthrite et des démangeaisons.

Propriétés étonnantes !

RÉDUIT LE CHOLESTÉROL : Les chercheurs ont découvert que l'extrait de feuilles d'artichaut peut réduire le taux de cholestérol chez les humains.

CIRCULATION : Dans des études sur des rats, les chercheurs ont découvert que les artichauts sauvages restaurent les veines et les artères où le flot de la circulation est insuffisant.

DIGESTION : Des études menées sur des cobayes ont révélé que les éléments chimiques contenus dans les artichauts peuvent arrêter les perturbations des voies gastrointestinales. Ces éléments chimiques bloquent les mouvements spasmodiques des intestins. Des études sur les humains ont aussi trouvé que l'extrait de feuilles d'artichaut peut réduire de façon importante les symptômes du syndrome du colon irritable et de la dyspepsie (douleur au centre de la région abdominale).

Conseils pratiques

SÉLECTION ET ENTREPOSAGE :

- Lorsque vous choisissez des artichauts, prenez les plus lourds, de couleur vert foncé, et dont les feuilles sont bien fournies et serrées.
- Réfrigérez les artichauts dans un sac de plastique et utilisez-les quatre jours ou moins après l'achat.

SUGGESTIONS POUR PRÉPARER ET SERVIR :

- Lavez bien les artichauts.
- Coupez la tige à environ 2,5 à 4 cm (1-1 ½ po) si désiré. La tige est comestible et il n'est pas nécessaire de la couper. Retirez les feuilles endommagées.
- Même si on peut les cuire à la vapeur, la méthode de cuisson habituelle est de les déposer dans une casserole et de les couvrir avec de l'eau en ajoutant une cuiller à soupe d'huile d'olive. Amenez l'eau à ébullition, couvrez la casserole et réduisez à feu doux. Cuire pendant 25 à 30 minutes.
- Pour les manger, trempez l'extrémité de la feuille cuite dans une mayonnaise ou dans une combinaison d'huile d'olive, de sel et de poivre. Raclez la pulpe d'artichaut en glissant la partie tendre de la feuille entre vos dents. Ensuite, raclez les fibres fines qui reposent au creux du cœur d'artichaut et enlevez toute peau extérieure pour révéler le « cœur ». Tranchez et trempez les cœurs dans la même sauce… Savourez !
- Utilisez des artichauts en conserve ou en pot dans les pâtes ou dans une salade pour un repas rapide et facile.

- Insérez une combinaison de miettes de pain, d'ail et de beurre entre les feuilles, et cuisez au four pendant 20 à 25 minutes à 180°C (350°F).
- Préparez une trempette chaude d'artichauts, en combinant artichauts, mayonnaise, sel, poivre et châtaignes d'eau.
- Les cœurs d'artichaut sont délicieux dans les salades, comme composante d'une sauce, ou servis seuls. Versez un filet d'huile d'olive, du poivre noir concassé et un peu de sel sur des cœurs cuits à la vapeur.

Artichauts vapeur avec aïoli à la coriandre

par le chef J. Hugh McEvoy

Portions : 12 • Temps de préparation et de cuisson : 35 minutes

Cette recette contient cinq aliments énergisants.

INGRÉDIENTS :

250 ml (1 tasse) de mayonnaise à base d'huile de colza
65 ml (¼ tasse) de coriandre fraîche, hachée
15 ml (1 c. à soupe) de jus de lime frais
1 gousse d'ail fraîche, hachée fin
Une pincée de poivre de Cayenne
Une pincée de poivre noir
Une pincée de sel de mer
6 artichauts frais

PRÉPARATION :
Mélangez les cinq premiers ingrédients dans un bol non réactif. Conservez ce mélange au réfrigérateur jusqu'à ce que vous en ayez besoin. Faites cuire les artichauts à la vapeur dans une grande casserole, en utilisant une marguerite ou un panier troué. Cuisez jusqu'à ce qu'ils soient tendres lorsque vous les percez avec une fourchette — environ 25 minutes. Retournez les artichauts cuits à la vapeur sur un treillis métallique pour égoutter l'eau des feuilles avant de les servir. Servez la sauce d'aïoli à la coriandre à une température bien fraîche. Salez et poivrez au goût.

CHAQUE PORTION CONTIENT :
Calories : 147 ; Lipides : 15 g ; Gras saturés : 2 g ; Cholestérol : 7 mg ; Sodium : 205 mg ; Glucides : 3 g ; Fibres : 3 g ; Sucre : 18 g ; Protéines : 2 g.

Asperge (*Asparagaceae*)

VERTES OU BLANCHES – UN DÉLICE !

Saviez-vous que… les asperges blanches et vertes proviennent du même plant ? Lorsque les pointes émergent du sol, les rayons du soleil colorent les pointes en vert en produisant la chlorophylle.

En bref

L'asperge est membre de la famille des liliacées. Il existe environ trois cents variétés d'asperges, dont environ une vingtaine sont comestibles. Le nom asperge vient du grec et signifie « pousse » ou « turion ». L'espèce la mieux connue est le légume asperge, qui vient en vert, en blanc ou en violet.

Son origine

Les Égyptiens ont laissé des écrits concernant les asperges qui, croit-on, tirent leur origine de la région méditerranéenne, il y a plus de 2000 ans. Les Grecs et les Romains appréciaient l'asperge à cause de sa saveur unique, sa texture et ses qualités médicinales alléguées. L'Empire romain disposait même d'une « flotte chercheuse d'asperges » : ces bateaux avaient pour tâche précise de ramasser les meilleurs plants d'asperges au monde. Au XVIe siècle, l'asperge a gagné en popularité en France et en Angleterre, et à partir de là, les premiers colons l'ont apportée en Amérique.

Où les cultive-t-on ?

Les asperges sauvages poussent dans des endroits aussi variés que l'Angleterre, le centre du Wisconsin, la Russie et la Pologne. En 2004, les quatre plus importants producteurs d'asperges étaient la Chine, le Pérou, les États-Unis et le Mexique.

Pourquoi devrais-je en manger ?

L'asperge est une excellente source d'acide folique, qui peut aider à maîtriser l'homocystéine, un facteur de risque pour la maladie cardiaque, le cancer et les dysfonctions cognitives. L'acide folique peut aussi contribuer à la réduction des malformations à la naissance. L'asperge est une bonne source de vitamine C, de thiamine et de vitamine B6. Elle contient aussi un taux élevé de rutine, un flavonoïde qui semble posséder des propriétés anti-inflammatoires. La rutine peut renforcer les vaisseaux sanguins et protéger contre les dommages oxydatifs.

L'asperge contient aussi une grande quantité de glutathion, un antioxydant qui protège des dommages cellulaires. La protodioscine est un élément chimique végétal que l'on retrouve dans l'asperge. On a découvert que la protodioscine réduit la perte osseuse, augmente le désir sexuel, améliore l'érection, et peut tuer les cellules cancéreuses de différentes formes de cancer. Les asperges violettes fraîches ont une saveur fruitée et possèdent un taux élevé du phytochimique anthocyane.

Remèdes maison

Les Grecs et les Romains appréciaient l'asperge pour ses usages médicinaux comme le traitement des piqûres d'abeilles, des affections cardiaques, de l'hydropisie et des maux de dents. On raconte que le jus frais de l'asperge, consommé en petites doses, agit comme un diurétique et un laxatif. Les herboristes chinois se servent des racines de l'asperge pour traiter plusieurs maux comme l'arthrite et l'infertilité. Madame de Pompadour créait un aphrodisiaque composé d'asperges, de blancs d'œuf, de vanille et de truffes. Historiquement, on a utilisé l'asperge pour traiter les problèmes d'enflures comme ceux qui sont causés par l'arthrite et par le rhumatisme. L'asperge peut aussi être utile pour diminuer la rétention d'eau reliée au syndrome prémenstruel.

Propriétés étonnantes !

DIGESTION : L'asperge contient de l'*inuline*, un hydrate de carbone non digestible qui favorise les bonnes bactéries dans le gros intestin. Il contient aussi des fructo-oligosaccharides (FOS) qui favorisent la croissance de bonnes bactéries dans le colon. L'*asparagine*, un phytochimique de l'asperge, lui donne un effet diurétique.

DIABÈTE : Une étude menée en 2006 et publiée dans le *British Journal of Medicine* a présenté des nouvelles prometteuses pour le soin du diabète. La recherche a démontré qu'un extrait d'asperge augmente significativement l'action de l'insuline, en produisant une augmentation de l'ingestion de glucose dans les cellules adipeuses de quatre-vingt-un pour cent.

SANTÉ CARDIOVASCULAIRE : Lorsque les niveaux d'acide folique sont bas, les niveaux sanguins d'homocystéine peuvent augmenter. Une augmentation d'homocystéine peut accroître de façon importante le risque de maladie cardiaque en favorisant l'athérosclérose. Une seule portion d'asperges fournit presque soixante pour cent de la dose quotidienne recommandée d'acide folique.

Conseils pratiques

SÉLECTION ET ENTREPOSAGE :

- Choisissez une asperge vert clair avec des pointes fermées, compactes et fermes.
- Si les extrémités sont légèrement fanées, rafraîchissez-les en les trempant dans l'eau froide.
- Voyez à ce que les asperges fraîches demeurent humides jusqu'à ce que vous les utilisiez.
- Il est possible de congeler les asperges, mais alors, il est préférable de ne pas les décongeler avant de les cuire.
- Lorsque vous apportez des asperges à la maison et que vous n'avez pas l'intention de vous en servir immédiatement, taillez les extrémités et entreposez-les vertica-

lement dans un contenant avec un peu d'eau. Pour un entreposage plus long, enveloppez les pointes dans une serviette de papier ou un torchon à vaisselle humide, puis entreposez-les dans un sac en plastique dans le bac à légumes de votre réfrigérateur pendant cinq jours.

SUGGESTIONS POUR PRÉPARER ET SERVIR :

- Pour des purées, soupes ou salades, brisez ou coupez les pointes d'asperges dans la partie tendre et utilisez les bouts taillés dont vous vous débarrasseriez autrement.
- Si votre recette demande des asperges froides, plongez les tiges dans de l'eau froide immédiatement après les avoir cuites, puis retirez-les rapidement ; si vous les laissez tremper trop longtemps, elles pourraient ramollir.
- Essayez des asperges fraîches avec du jus de citron.
- Des épices comme la ciboulette, le persil, le cerfeuil, l'estragon, et autres épices mélangées au beurre, créent un mélange délicieux lorsque vous en arrosez les asperges.
- Utilisez les asperges en purée dans les soupes, les ragoûts, les plats à la crème, ou les sauces.

Asperges avec vinaigrette au citron frais et amandes grillées

par le chef Cheryl Bell

Portions : 6 • Temps de préparation et de cuisson : 10 minutes

Cette recette contient cinq aliments énergisants.

INGRÉDIENTS :

30 ml (2 c. à soupe) d'amandes, tranchées
680 g - 1 kg (1½ -2 lb) de pointes d'asperges, lavées et taillées
1 ml (¼ c. à thé) de zeste d'orange fraîchement râpé
15 ml (1 c. à soupe) de jus d'orange
5 ml (1 c. à thé) de jus de citron frais
30 ml (2 c. à soupe) d'huile d'olive pure
Sel casher et poivre noir fraîchement moulu, au goût

PRÉPARATION :
Préchauffez le four à 190°C (375°F). Faites griller les amandes dans un petit plat peu profond allant au four, jusqu'à ce qu'elles deviennent dorées, 4 à 5 minutes. Faites cuire les asperges à la vapeur jusqu'à ce qu'elles soient croustillantes et tendres, environ 4 à 5 minutes. Transférez les asperges chaudes dans un bol ou une assiette de service. Dans un petit bol, fouettez ensemble le zeste d'orange, le jus d'orange, le jus de citron, l'huile d'olive, avec du sel et du poivre au goût. Versez la sauce sur les asperges à l'aide d'une cuiller et saupoudrez d'amandes.

CHAQUE PORTION CONTIENT :
Calories : 90; Lipides : 6 g; Gras saturés : 1 g; Cholestérol : 0 mg; Sodium : 10 mg; Glucides : 5 g; Fibres : 2 g; Sucre : 2 g; Protéines : 3 g.

Aubergine (*Solanum melongena L.*)

AMOUR FOU

Saviez-vous que... les Espagnols nommaient l'aubergine *berengenas*, « les pommes de l'amour » ; alors que d'autres Européens lui donnaient le nom de *mala insana*, « pommes folles », parce qu'ils croyaient qu'elle causait la folie.

En bref

Tout comme les pommes de terre, les tomates et les poivrons, l'aubergine fait partie de la famille des solanacées. Les aubergines sont attachées à des vignes, sur un plant, un peu comme le sont les tomates. On rencontre plusieurs variétés d'aubergines : entre autres, la classique (forme ovale de teinte violette), la variété italienne (petite, violette avec des bandes blanches), la variété japonaise (blanche avec des bandes violettes), l'aubergine rose et l'aubergine verte. L'aubergine peut avoir la forme d'un œuf, d'un ovale, ou d'un ballon avec l'extrémité en forme de poire. Son goût est quelque peu amer et sa texture est spongieuse.

Son origine

On croit que l'aubergine tire son origine du sud-est de l'Inde, près d'Assam, et d'une région avoisinante connue à l'époque sous le nom de Birmanie. Au début du Moyen-Âge, elle a été apportée par des marchands du Moyen-Orient à partir de l'Asie du Sud-Est jusqu'en Méditerranée. Les Maures ont introduit l'aubergine en Espagne au XIIe siècle, et ce légume s'est ensuite rapidement répandu à travers l'Europe. Quatre cents ans plus tard, des commerçants espagnols ont apporté l'aubergine en Amérique.

Aux États-Unis, ce n'est que depuis cinquante ans que l'aubergine est considérée comme un aliment admissible ; car plusieurs croyaient qu'elle causait la folie, la lèpre et le cancer.

Où la cultive-t-on ?

La majorité de la culture de l'aubergine se fait en Chine. L'Italie, la Turquie et l'Égypte produisent aussi d'importantes moissons du légume. Aux États-Unis, la Floride est le plus important producteur d'aubergine ; comptant pour plus de trente pour cent de la production américaine. Le New Jersey est le deuxième État le plus productif, suivi par la Californie. Pendant l'hiver, le Mexique exporte de l'aubergine aux États-Unis.

Pourquoi devrais-je en manger ?

L'aubergine est riche en potassium, en cuivre, en acide folique, en magnésium et en fibres. Elle contient des flavonoïdes et des phénols, comme l'acide caféique et l'acide chlorogénique, qui peuvent combattre le cancer, des virus, et des bactéries nuisibles, de même que protéger contre les dommages aux cellules.

Remèdes maison

En Asie, on emploie souvent les racines des plants d'aubergines pour traiter les rhumes, la mucosité, et les maux de gorge. On croit que la santé buccale sera favorisée en appliquant une mixture d'aubergine qui a été cuite au four, noircie et écrasée sur les dents et les gencives. On dit aussi que cette mixture fait cesser les saignements des gencives ainsi que les saignements du nez. On s'est servi de l'aubergine comme antidote à l'empoisonnement par les champignons, pour la réduction des hémorroïdes, l'apaisement des brûlures, et le soulagement des boutons de fièvre.

Propriétés étonnantes !

SANTÉ CARDIOVASCULAIRE : Au Japon, une étude sur des animaux a démontré qu'une anthocyanine unique aux pelures d'aubergine avait des attributs qui pouvaient contrer la maladie cardio vasculaire. Des lapins présentant un niveau élevé de cholestérol ont été nourris à l'aubergine ; leur poids a diminué, ainsi que leur cholestérol total, leur cholestérol LDL et leurs triglycérides.

DÉTOXIFIANT : Une étude sur des cellules a démontré que l'aubergine stimule les enzymes qui détoxifient le corps humain et éliminent les médicaments et autres substances chimiques nuisibles dans le corps.

CANCER DU FOIE : Une étude in vitro a permis de découvrir qu'un composé de l'aubergine appelé glyco-alcaloïde tuait les cellules cancéreuses du foie chez les humains.

Conseils pratiques

SÉLECTION ET ENTREPOSAGE :

- Cherchez des aubergines qui ont la peau ferme, brillante, douce et violet foncé. Évitez celles dont la peau est craquée ou ratatinée, et ne choisissez pas les aubergines brunes, bleues, ou jaunes.
- Il est préférable d'utiliser l'aubergine immédiatement, mais on peut la conserver dans le bac à légumes du réfrigérateur jusqu'à une semaine.

SUGGESTIONS POUR PRÉPARER ET SERVIR :

- On peut peler la peau de l'aubergine avec un éplucheur ; sinon, on peut laisser la peau.

- Pour attendrir l'aubergine et enlever un peu de la saveur amère, saupoudrez l'aubergine de sel, laissez-la reposer pendant 30 minutes, puis lavez-la pour enlever le sel.
- L'aubergine peut être cuite au four, grillée, cuite à la vapeur, frite ou sautée. L'aubergine est prête lorsqu'il est facile de la percer avec une fourchette.
- Retirez un peu de la chair du centre de l'aubergine, remplissez le creux créé avec des légumes et du fromage et faites-la cuire au four.
- Ajoutez de l'aubergine à un sauté, une lasagne ou autres plats de pâtes.
- Réduisez l'aubergine en purée et ajoutez-y du jus de citron, de l'ail et de l'huile d'olive pour confectionner une pâte à tartiner pour le pain ou une trempette aux légumes.

Spaghetti fromagé d'Elisa aux aubergines et tomates

par Elisa Zied

Portions : 8 • Temps de préparation et de cuisson : 50 minutes

Ce plat délicieux contient six aliments énergisants.

INGRÉDIENTS :

1 boîte de spaghetti fin de blé entier
60 ml (4 c. à soupe) d'huile d'olive extra vierge
1 aubergine, coupée en cubes
500 ml (2 tasses) de tomates, coupées en moitiés
15 ml (1 c. à soupe) de poudre d'oignon
15 ml (1 c. à soupe) de poudre d'ail
240 g (8 oz) de mozzarella frais
190 ml (¾ tasse) de fromage parmesan, râpé

PRÉPARATION :

Préparez le spaghetti en suivant les directives de préparation et réservez. Dans un large poêlon antiadhésif, ajoutez 30 ml (2 c. à soupe) d'huile d'olive et réglez le feu à moyen. Lavez l'aubergine et coupez-la en cubes. Réservez. Lavez les tomates et coupez-les en moitiés. Déposez l'aubergine et les tomates dans un grand sac plastique. Ajoutez-y la poudre d'oignon et la poudre d'ail. Ajoutez l'huile restante au sac ; fermez et secouez vigoureusement jusqu'à ce que tous les ingrédients soient mélangés. Versez le mélange d'aubergine et de tomates dans le poêlon et diminuez le feu à moyen-doux. Toutes les deux minutes, remuez le mélange d'aubergine et de tomates pour que le tout cuise uniformément. Faites cuire environ 20 minutes ou jusqu'à ce que l'aubergine soit tendre. En même temps, égouttez les pâtes cuites et remettez-les dans la marmite dans laquelle elles ont été cuites. Lorsque le mélange d'aubergine et de tomates est bien cuit, versez-le dans un grand bol doublé d'essuie-tout, pour enlever l'excédent d'huile. Ajoutez l'aubergine et les tomates au spaghetti. Coupez le fromage mozzarella en cubes et ajoutez au mélange de pâtes. Diminuez le feu. Remuez le tout pendant environ 5 minutes, jusqu'à ce que le fromage soit fondu. Ajoutez du fromage parmesan râpé et servez.

CHAQUE PORTION CONTIENT :
Calories : 370 ; Lipides : 15 g ; Gras saturés : 6 g ; Cholestérol : 20 mg ; Sodium : 300 mg ; Glucides : 43 g ; Fibres : 8 g ; Sucre : 4 g ; Protéines : 13 g.

Avocat (*Persea Americana*)

FORME EN POIRE ET PEAU VERTE !

Saviez-vous que… l'avocat est aussi appelé « poire alligator » à cause de sa forme et de sa peau verte ?

En bref

« Avocat » provient du mot aztèque « Ahuacuatl » qui signifie « arbre aux testicules ». La signification se rattache à la forme du fruit (et non, ce n'est pas un légume) et aux propriétés aphrodisiaques qu'il est censé posséder. Plus de 500 variétés d'avocats sont cultivées à travers le monde, mais seulement sept sont produites commercialement en Californie. Dans la majorité des épiceries des États-Unis, on trouve principalement les Bacon, Fuerte, Gwen, Pinkerton, Reed, Zutano et Hass. Un pourcentage minime des avocats consommés aux États-Unis est importé du Mexique, du Chili et des Caraïbes. D'autres encore proviennent des États de la Floride, d'Hawaï, de la Louisiane et du Texas. Mais plus de quatre-vingt-dix pour cent de toute la consommation d'avocats (surtout le Hass) en Amérique est fournie par la Californie.

Son origine

L'avocat provient du centre-sud du Mexique, quelque part entre 7000 et 5000 avant notre ère. Au Pérou, des archéologues ont découvert des graines d'avocats enterrées dans des tombes incas ; celles-ci semblent dater de l'an 750 avant notre ère. On croyait que ce type de graine offrirait des propriétés aphrodisiaques dans la vie après la mort. Il existe des preuves que l'on cultivait les avocats au Mexique aussi tôt qu'en 500 avant notre ère. Autour de 1833, la Floride a été le premier des États américains où sont apparus les avocats. En 1871, les avocats sont devenus une partie importante de la production agricole en Californie. Rudolf Hass y a planté le fruit qui porte son nom à La Habra, où cette culture continue de prospérer.

Où le cultive-t-on ?

Le Mexique, le Chili et les États-Unis sont les plus grands producteurs d'avocats. Le Mexique est responsable d'un tiers de toute la production d'avocats. Le comté de San Diego, qui produit quarante pour cent de tous les avocats qui proviennent de la Californie, est souvent appelé la capitale des avocats du pays.

Pourquoi devrais-je en manger ?

L'avocat contient principalement des matières grasses mono-insaturées qui sont excellentes pour la santé cardiovasculaire. Si on les compare à tout autre fruit, les avocats contiennent plus de protéines, de potassium, de magnésium, d'acide folique, de vitamines B, E et K. Ils sont aussi riches en phytochimiques : comme le bêta-sitostérol, possédant des propriétés qui aident à diminuer le cholestérol, qui peut aider à réduire le volume de la prostate et qui peut aussi lutter contre le cancer de la prostate ; la lutéine, un phytochimique qui aide à combattre la dégénérescence maculaire et empêche la croissance du cancer de la prostate ; et les caroténoïdes, qui aident le corps à absorber les substances nutritives liposolubles et à protéger contre le cancer, les problèmes oculaires et la maladie cardiaque.

Remèdes maison

Chaque partie de l'avocat a été utilisée à un moment ou à un autre pour s'attaquer à certains inconvénients de la vie. Aux Caraïbes, au Mexique et en Amérique du Sud, on s'est servi de l'avocat de façon originale : une poudre fabriquée du noyau de l'avocat a été utilisée pour éliminer les pellicules. Certaines personnes ont mâché des noyaux pour réduire les maux de dents, et on s'est même servi de la peau comme antibiotique contre des parasites intestinaux et la dysenterie. La chair a été longtemps utilisée pour traiter les cheveux secs et comme crème à raser adoucissante.

Propriétés étonnantes !

GINGIVITE ET AUTRES MALADIES DES GENCIVES : Des études en éprouvette, menées sur les tissus de la gencive humaine, ont révélé que l'avocat aidait à diminuer l'apparition de la gingivite et autres parodontopathies.

PROBLÈMES DE PEAU : Une étude publiée en 2001 dans le *Journal of Dermatology* a découvert qu'une crème contenant de la vitamine B12 et de l'huile d'avocats retarde le déclenchement des symptômes du psoriasis plus efficacement qu'une crème ordinaire à base de vitamine D. Les crèmes composées d'avocats et de vitamine B12 sont disponibles sans prescription.

CHOLESTÉROL : On a soumis des patients, dont le taux de cholestérol était élevé, à un régime riche en avocats pendant sept jours. Ces patients ont présenté une diminution significative du cholestérol total, du cholestérol LDL («mauvais») et des triglycérides. Ces patients ont aussi manifesté une augmentation importante du «bon» cholestérol HDL.

DIABÈTE : Une étude sur des échantillons humains pris au hasard a découvert que lorsqu'on les comparait à des sujets qui consommaient une diète faible en gras et élevée en hydrates de carbone, les sujets diabétiques qui consommaient une diète riche en matières grasses mono-insaturées, composée principalement d'avocats, contrôlaient beaucoup mieux leur glycémie et leurs triglycérides (les triglycérides élevés contribuent à la maladie cardiovasculaire).

ARTHRITE : Un supplément diététique composé d'une combinaison de fèves de soya et d'huile d'avocat peut soulager les symptômes de l'arthrose. Quatre études bien contrôlées ont vérifié l'efficacité de cette combinaison d'huile.

CANCER DE LA PROSTATE : Le Dr David Heber, directeur du *UCLA Center for Human Nutrition*, a démontré que lorsqu'on introduisait de l'extrait d'avocats aux cellules cancéreuses, on réduisait de soixante pour cent la croissance des cellules.

Conseils pratiques

SÉLECTION ET ENTREPOSAGE :

- Choisissez des avocats qui sont tendres au toucher, mais pas trop mous.
- Les avocats Hass noircissent lorsqu'ils sont mûrs.
- D'autres variétés requièrent de les presser légèrement pour déterminer s'ils sont mûrs.
- On devrait conserver les avocats mûrs au réfrigérateur.
- Lorsqu'on achète un avocat qui n'est pas mûr, on peut placer le fruit dans un sac en papier jusqu'à ce qu'il mûrisse, ou l'entreposer à la température ambiante pendant quelques jours.

SUGGESTIONS POUR PRÉPARER ET SERVIR :

- Tranchez l'avocat en deux sur le sens de la longueur et tournez les deux moitiés pour les séparer. Pour enlever le noyau, insérez la pointe du couteau dans le noyau et enlevez-le en tournant. Pour enlever la chair, évidez-la avec une cuiller.
- Si l'avocat n'est pas utilisé immédiatement, ajouter un peu de jus de citron ou de lime pour l'empêcher de brunir.
- Placez des avocats en dés dans les salades.
- Ajoutez des tranches d'avocat à un sandwich ou mettez-les sur des craquelins avec du fromage.
- Tartinez sur du pain comme substitut au beurre ou à la mayonnaise.
- Les Brésiliens ajoutent de l'avocat aux glaces.
- Les Philippins préparent une boisson faite de purée d'avocats, de sucre et de lait.

Guacamole riche

Adapté de *Mexican Everyday,* par Rick Bayless

Portions : 6 • Temps de préparation : 15 minutes

J'ai essayé cette recette pour la première fois dans le restaurant de Rick Bayless, le Frontera Grill, à Chicago. Tout simplement paradisiaque! Cette recette contient six aliments énergisants.

INGRÉDIENTS :

2 avocats mûrs
1 gousse d'ail, hachée finement ou écrasée au presse-ail
3 ml (½ c. à thé) de sel (plus ou moins, au goût)
¼ d'un petit oignon blanc, finement haché
½ tomate moyenne, coupée en petits cubes
1 piment Serrano ou ½ à 1 piment Jalapeño, haché finement (facultatif)
Coriandre fraîche; pour la garniture

PRÉPARATION :

Coupez les avocats en moitiés. Enlevez le noyau et évidez la chair de l'avocat dans un bol de taille moyenne. Faites une purée d'avocat en utilisant une grande fourchette ou un pilon. Ensuite, rincez l'oignon haché pour empêcher le goût de l'oignon de supplanter tous les autres ingrédients du guacamole. Tapotez bien l'oignon avec un essuie-tout pour enlever le surplus d'eau. Intégrez l'oignon à l'avocat avec l'ail, le sel, le poivre et la tomate. Si vous ne vous en servez pas immédiatement, couvrez-le d'un film plastique pressé directement sur le guacamole et réfrigérez – préférablement pas plus de quelques heures.

CHAQUE PORTION CONTIENT :

Calories : 120; Lipides : 10 g; Gras saturés : 2 g; Cholestérol : 0 mg; Sodium : 230 mg; Glucides : 8 g; Fibres : 6 g; Sucre : 1 g; Protéines : 2 g.

Avoine (*Avena sativa*)

PEU IMPORTE LA FORME...

Saviez-vous que... toutes les formes d'avoine, que ce soit de l'avoine traditionnelle à cuisson rapide ou instantanée, tombent sous la définition de grains entiers ? Étant donné que toutes les parties du grain sont préservées durant la mouture – peu importe la variété –, elles fournissent toutes la même quantité d'éléments nutritifs. En fin de compte, c'est une question de goût et de texture ! Consommez la forme qui convient le mieux à votre goût et à votre style de vie.

En bref

Normalement, quand on parle d'avoine, on fait référence à la graine qui provient du plant d'avoine. Après avoir enlevé la coque non comestible, il reste un « flocon » d'avoine. Plusieurs produits de l'avoine proviennent du flocon, comme l'avoine épointée (que l'on connaît sous le nom d'avoine irlandaise), l'avoine traditionnelle, l'avoine à cuisson rapide, l'avoine à cuisson instantanée, la farine d'avoine et le son d'avoine. L'avoine a généralement une texture farineuse, crémeuse et douce.

Son origine

L'avoine est l'une des plus anciennes céréales cultivées par les humains. Plusieurs croient que l'avoine est originaire d'Eurasie et qu'on la consommait dans la Chine ancienne depuis aussi longtemps que 7000 avant notre ère. Les anciens Grecs ont été les premières personnes connues à avoir fabriqué du gruau à partir de flocons d'avoine (céréale). En Angleterre, on considérait que l'avoine était un grain de qualité inférieure, alors qu'en Irlande et en Écosse, on s'en servait dans une variété de bouillies à base de flocons d'avoine et de produits de boulangerie. Au début des années 1600, les premiers immigrants britanniques ont apporté l'avoine en Amérique. En fait, ce sont les quakers britanniques qui ont inspiré le nom de « Quaker Oats » ; et cette compagnie demeure le principal fournisseur d'avoine aux États-Unis de nos jours.

Où la cultive-t-on ?

Les dix principaux producteurs de ce grain sont la Russie, le Canada, les États-Unis, la Pologne, la Finlande, l'Australie, l'Allemagne, la Biélorussie, la Chine et l'Ukraine. En Amérique du Nord, le Minnesota, le Wisconsin, le Dakota du Sud, l'Iowa et le centre du Canada en sont les principaux producteurs.

Pourquoi devrais-je en manger ?

L'avoine contient d'importantes quantités de vitamine E, plusieurs vitamines B, du calcium, du magnésium et du potassium, ainsi que des traces de sélénium, de cuivre, de zinc, de fer et de manganèse. Elle est riche en phytochimiques 1,3-béta-glucanes et en avénanthramides. L'avoine fournit des fibres solubles et insolubles. Les fibres insolubles sont bénéfiques au système digestif. Les fibres solubles que l'on trouve dans l'avoine fonctionnent comme une éponge en cherchant le cholestérol et en le retirant avant qu'il n'ait la chance de bloquer les artères et de conduire à la maladie cardiovasculaire.

Remèdes maison

Lorsque l'avoine est arrivée dans les colonies américaines, on s'en servait pour guérir le mal d'estomac et les troubles digestifs. On a aussi rapporté que l'avoine possédait des propriétés antispasmodiques, anti-inflammatoires, diurétiques et stimulantes, et qu'on s'en était aussi servi comme remède traditionnel pour traiter les tumeurs. En usage externe, depuis des siècles, les gens ont pris des bains d'avoine pour calmer les démangeaisons, l'eczéma et autres problèmes de peau.

Propriétés étonnantes !

SANTÉ CARDIOVASCULAIRE : Il existe plus de quarante études cliniques, effectuées sur une période de quarante ans, qui confirment la capacité de l'avoine à abaisser non seulement le cholestérol total, mais aussi le cholestérol LDL nuisible, qui sont tous les deux des constituants importants des risques de maladie cardiovasculaire. En 1997, la *U.S. Food and Drug Administration* a approuvé la publication d'affirmations se rapportant spécifiquement à un aliment et à ses effets sur la santé, sur l'emballage des produits à base d'avoine, et dans les publicités sur ces produits. On a démontré qu'en consommant douze onces de fibres solubles provenant de l'avoine dans une diète à faible teneur en gras et en cholestérol, on abaissait le cholestérol sanguin et les lipoprotéines de faible densité (LDL), les particules qui transportent le cholestérol dans vos artères. Dans une étude publiée dans le *Australian Journal of Nutrition and Dietetics*, des chercheurs ont découvert qu'une substance contenue dans l'avoine, appelée béta-glucane, réduit le mauvais cholestérol LDL de façon considérable.

HYPERTENSION : Dans une étude publiée dans le *Journal of Family Practice*, des groupes d'hommes et de femmes souffrant d'hypertension ont ajouté de l'avoine à leur diète et ont vu réduire considérablement leur pression sanguine ainsi que leur besoin de médicaments antihypertenseurs. Cet ajout a aussi contribué à l'amélioration des taux de lipides et de glucose sanguin.

CONTRÔLE DU POIDS : La recherche démontre qu'en commençant la journée avec une diète nutritive riche en fibres, il vous sera plus facile de maintenir un poids santé. On a découvert que l'avoine possédait le coefficient de satiété le plus élevé de tous les aliments servis au petit-déjeuner.

DIABÈTE : Plusieurs études à long terme démontrent que les personnes qui consomment une grande quantité de grains entiers ont vingt-huit à soixante et un pour cent moins de risque de développer le diabète de type 2, par rapport à ceux qui en consomment moins.

Conseils pratiques

SÉLECTION ET ENTREPOSAGE :

- Cherchez des boîtes ou contenants hermétiquement fermés. Évitez les grains de céréale en vrac : les grains conservés dans des boîtes ouvertes peuvent être exposés à la moisissure et à la contamination par les insectes.
- Conservez l'avoine dans un contenant hermétiquement fermé, à l'épreuve de l'humidité, pour empêcher les insectes d'y entrer et la moisissure de s'y former.
- Entreposés convenablement dans un endroit sec, les flocons d'avoine peuvent être conservés pendant aussi longtemps qu'une année.

SUGGESTIONS POUR PRÉPARER ET SERVIR :

- L'avoine peut être préparée d'une multitude de façons. On peut s'en servir dans les céréales et les collations, elle peut être transformée en bière, et entrer dans la composition des biscuits, des muffins et des pains.
- Pour une avoine plus crémeuse, portez à ébullition l'avoine et le lait, le lait de soya ou l'eau, puis laissez mijoter.

- Les garnitures les plus populaires pour la céréale d'avoine en bouillie (le gruau) sont : le lait, le sucre, et les fruits comme les raisins et les bananes.
- Faites l'essai des flocons d'avoine dans le pain de viande et les boulettes de viande, ou pour enrober le poulet et le poisson.
- L'avoine à cuisson rapide, ou l'avoine traditionnelle, peut remplacer jusqu'à un tiers de la farine exigée dans les recettes pour muffins, biscuits, crêpes, pains éclairs, brioches, pains au levain et barres tendres.
- En dehors de son utilisation dans les céréales, l'avoine est principalement utilisée dans les biscuits à l'avoine.

Crêpes d'avoine aux grains entiers d'Ina

par Ina Pinkney

Portions : 12 crêpes • Temps de préparation : 8 heures ou plus ; l'avoine doit être réfrigérée toute la nuit Temps de cuisson : 5 minutes

J'ai préparé ces crêpes pour mon épouse le jour de la fête des Mères. Elle s'est exclamée d'emblée qu'elle n'avait jamais goûté d'aussi bonnes crêpes ! Ina Pinkney, chef et propriétaire du restaurant *Ina's Kitchen,* à Chicago, en est la conceptrice. Ina dit que pour tester une bonne crêpe, il faut y goûter sans artifice, par elle-même. Je ne peux être plus d'accord ! Ces crêpes à l'avoine aux grains entiers sont fameuses lorsqu'on les mange nature, mais elles ont aussi un goût extraordinaire si on leur ajoute des tranches de bananes ou quelques bleuets avant de les tourner. Un simple filet de sirop d'érable versé sur le dessus fait ressortir les riches saveurs contenues dans cette crêpe ! Cette recette contient trois aliments énergisants.

INGRÉDIENTS :

190 ml (¾ tasse) de flocons d'avoine
500 ml (2 tasses) de babeurre, à faible teneur en gras
65 ml (¼ tasse) de crème à fouetter, légère
1 œuf
30 ml (2 c. à soupe) de cassonade
30 ml (2 c. à soupe) d'huile de colza
125 ml (½ tasse) de farine de blé entier
125 ml (½ tasse) de farine tout usage
3 ml (½ c. à thé) de sel
5 ml (1 c. à thé) de bicarbonate de soude

PRÉPARATION :

Combinez les flocons d'avoine, le babeurre et la crème dans un bol à mélanger, couvrez et réfrigérez toute la nuit. Le jour suivant, battez les œufs avec la cassonade et l'huile dans un bol à mélanger. Dans un autre bol, combinez les farines, le sel et le bicarbonate de soude. Incorporez le mélange d'œufs avec l'avoine trempée dans le babeurre et la crème. La pâte à crêpe sera épaisse. Enduisez un grand poêlon antiadhésif avec de l'aérosol à cuisson. Ajoutez la pâte à crêpe, soit 65 ml (¼ tasse) pour chaque crêpe. Les crêpes devraient mesurer environ 10 cm (4 po) de diamètre. Faites cuire pendant 3 à 4 minutes sur le premier côté, jusqu'à ce que de minuscules bulles apparaissent et que la surface perde son lustre. Retournez. Faites cuire le second côté, 2 à 3 minutes, jusqu'à ce que la crêpe soit entièrement cuite. Répétez jusqu'à l'utilisation complète de la pâte à crêpes.

CHAQUE PORTION CONTIENT :

Calories : 120; Lipides : 5 g; Gras saturés : 1,5 g; Cholestérol : 30 mg; Sodium : 250 mg; Glucides : 15 g; Fibres : 2 g; Sucre : 5 g; Protéines : 4 g.

Baie de goji (*Lycium, Wolfberries*)

GOJI OU LYCIET ?

Saviez-vous que... le terme « goji » fait uniquement référence à la variété tibétaine de la baie du Lyciet qui est originaire des régions tibétaines et mongoliennes ?

En bref

Il existe plus de quarante espèces de baies de goji, aussi connues sous le nom de « lyciet de Barbarie ». La variété de baies de goji la plus consommée est la *Lycium barbarum*. Les baies, petites et de couleur orange à rouge clair, sont remplies de graines. Leur goût se situe entre celui de la canneberge et celui de la cerise. Elles sont séchées à l'ombre avant d'être emballées. On peut manger les baies de goji crues ou cuites, on peut les consommer en jus, sous forme de vin ou de thé, ou les utiliser pour fabriquer des teintures.

Son origine

Les vignes où poussent les baies de goji sont originaires de la région située entre le Tibet et la Mongolie intérieure et elles sont présentes dans les traditions médicinales orientales et chinoises depuis 3000 ans. L'utilisation des baies de goji a été d'abord décrite dans le *Materia Medica* chinois, publié il y a près de 2000 ans.

Où le cultive-t-on ?

Les Chinois cultivent le goji depuis des milliers d'années et le plant continue de pousser en Chine et au Tibet. Ningxia, située dans le nord-ouest de la Chine près du Fleuve Jaune, est souvent considérée comme la capitale mondiale du goji. À cet endroit, il y a même un festival annuel de deux semaines pour honorer la baie de goji. Elle est aussi cultivée sous forme de plant à travers l'Asie, le Moyen-Orient, la Grande-Bretagne et l'Amérique du Nord.

Pourquoi devrais-je en consommer ?

Même si le goji contient une grande variété de nutriments et d'oligominéraux, cette baie n'est pas particulièrement riche en vitamines ou en minéraux. Par contre, sa concentration en composés chimiques végétaux comme le bêta-carotène et la zéaxanthine compense pour son manque de densité nutritionnelle.

Remèdes maison

Utiles, quel que soit le mal qui vous afflige ! On s'est servi des baies de goji pour traiter les inflammations, les irritations de la peau, les saignements de nez et les douleurs. En médecine chinoise, on recommande le goji pour de nombreux bienfaits : une longue vie, une vision claire, des fonctions hépatiques saines, pour augmenter la production de sperme et pour améliorer la circulation.

Propriétés étonnantes !

SANTÉ CARDIOVASCULAIRE : On a constaté, chez des lapins qui avaient consommé des extraits du fruit de goji pendant dix jours, une réduction importante du glucose sanguin, du cholestérol total et des triglycérides. Cependant, on a aussi remarqué une augmentation sensible des niveaux de « bon » cholestérol à lipoprotéine à haute densité.

RÉSISTANCE À L'INSULINE : Des rats diabétiques, qu'on a traités avec des baies de goji pendant trois semaines, ont vu diminuer de façon considérable leurs triglycérides, leur poids et leur niveau de cholestérol ; ils ont aussi augmenté leur sensibilité à l'insuline.

CANCER : Dans une étude in vitro, un extrait de goji a arrêté la propagation et favorisé la mort de cellules cancéreuses du foie. Une autre étude in vitro a démontré que le goji bloquait les cellules cancéreuses de la leucémie ; et une étude sur des souris a prouvé que le goji augmentait l'effet de destruction des cellules cancéreuses de la radiothérapie.

Conseils pratiques

SÉLECTION ET ENTREPOSAGE :

- On peut acheter les baies de goji dans les épiceries chinoises, dans les boutiques spécialisées, ainsi que dans les magasins d'alimentation diététique.
- Les baies de goji se présentent sous plusieurs autres formes : en jus, en poudre et sous forme de fruits séchés.
- Conservez-les dans un endroit frais et sec.

SUGGESTIONS POUR PRÉPARER ET SERVIR :

- Les baies de goji peuvent être consommées directement de la grappe.
- Lavez, puis trempez les baies de goji séchées pendant quinze minutes avant de les manger.
- On peut manger les baies de goji séchées, seules en collation, ou comme un ajout à un mélange de noix.
- Jetez une poignée de baies dans un smoothie.

- Agrémentez de baies de goji les céréales chaudes ou froides, les aliments préparés, les pains ou les barres de céréales..

Pudding au riz aux baies de goji

par le chef J. Hugh McEvoy

Portions : 6 • Temps de préparation et de cuisson : 90 minutes (refroidir 2 heures à l'avance)

Cette recette contient sept aliments énergisants.

INGRÉDIENTS :

90 g (3 oz) de baies de goji séchées
90 g (3 oz) de raisins dorés sans pépins
125 ml (½ tasse) de riz brun instantané
250 ml (1 tasse) d'eau
750 ml (3 tasses) de lait 2% ou de lait de soya
65 ml (¼ tasse) de sirop d'agave ou de miel
3 œufs oméga-3
5 ml (1 c. à thé) d'extrait de vanille
5 ml (1 c. à thé) de sel de mer
Une pincée de cannelle moulue

PRÉPARATION :

En vous servant d'une grande casserole épaisse, amenez l'eau à ébullition. Ajoutez le sel et le riz. Couvrez, réduisez la chaleur et faites cuire le riz complètement, environ 15 à 20 minutes. Ajoutez le lait et le sucre en remuant. Couvrez et faites cuire à feu doux pendant environ une heure. Le mélange devrait ressembler à de la bouillie de flocons d'avoine plutôt liquide. Fouettez les œufs pour les faire mousser. Ajoutez la vanille et la cannelle. Ajoutez lentement environ 180 ml (6 oz) de mélange chaud au mélange d'œufs battus pour tempérer les œufs. Mélanger jusqu'à texture lisse. Ajoutez ensuite le mélange d'œufs au riz chaud en remuant constamment. Mélangez jusqu'à l'obtention d'une texture lisse. Sur un feu doux, faites cuire jusqu'à ce que le mélange épaississe, environ 2 minutes. Ajoutez les baies de goji et les raisins. Remuez le tout jusqu'à l'obtention d'une consistance uniforme. Retirez immédiatement du feu. Divisez en six portions, dans des assiettes à dessert en pyrex ou en céramique. Réfrigérez au moins deux heures ou toute la nuit. Servez en garnissant de feuilles de menthe fraîches et de cannelle en poudre.

CHAQUE PORTION CONTIENT :
Calories : 217; Lipides : 4 g; Gras saturés : 2 g; Cholestérol : 77 mg; Sodium : 174 mg; Glucides : 39 g; Fibres : 1 g; Sucre : 28 g; Protéines : 6 g.

Baie de sureau (*Sambucus nigra*)

POUR TOUS LES MAUX

Saviez-vous que... le buisson de sureau a été nommé « l'armoire à pharmacie des gens ordinaires » ?

En bref

De nos jours, il existe plus de vingt espèces de buissons de sureau. Même si l'on croyait autrefois qu'elle faisait partie de la famille des chèvrefeuilles caprifoliacées, la baie de sureau est maintenant classée dans la famille des adoxacées. Depuis des siècles, en médecine traditionnelle, on se sert des feuilles, des fleurs, des fruits, de l'écorce et des racines de ce buisson. Les baies entrent dans la composition du vin de sureau, du brandy et de la boisson populaire Sambuca – fabriquée en infusant des baies de sureau et de l'anis dans de l'alcool. Lorsqu'elle est cuite, on peut employer la baie de sureau pour confectionner des tartes et des confitures. Les baies de sureau crues contiennent de l'acide cyanhydrique (cyanure) et l'alcaloïde sambucine, qui peuvent causer de la diarrhée et des nausées. Il est possible de désactiver leurs effets nuisibles simplement en faisant cuire les petits fruits.

Son origine

La baie de sureau tire son nom anglais (elderberry) du mot anglo-saxon « aeld » qui signifie « feu », faisant peut-être référence à ses branches rougeoyantes auxquelles sont attachés les petits fruits. Fait intéressant, les Égyptiens se servaient des fleurs pour soigner les brûlures. Plusieurs tribus amérindiennes utilisaient les baies de sureau, et leurs variantes, dans les thés et autres boissons. Au Moyen-âge, la légende voulait que ce buisson ait été le refuge des sorcières; on disait que de le couper provoquerait la colère de ceux qui habitaient dans ses branches. Déjà au XVIIe siècle, les Britanniques étaient reconnus pour leur vin maison et leurs cordiaux, que l'on consommait pour différents problèmes de santé, incluant la lutte contre le rhume ordinaire. Pendant les derniers siècles, on peut trouver des références aux avantages médicinaux de la baie de sureau dans une variété de pharmacopées, et cela à travers la plus grande partie de l'Europe.

Où les cultive-t-on?

Les baies de sureau sont cultivées commercialement en Russie et à travers l'Europe, surtout en Pologne, en Hongrie, au Portugal et en Bulgarie. Sur une plus petite échelle, on les cultive aussi en Amérique du Nord, en Nouvelle-Écosse et dans les États de New York, de l'Ohio et de l'Oregon.

Pourquoi devrais-je en manger?

À part le fruit de l'églantier (le cynorhodon) et les groseilles noires, ces petits fruits contiennent plus de vitamine C que tout autre fruit. Les baies de sureau contiennent aussi de la vitamine A et des caroténoïdes, des flavonoïdes, des tanins, des polyphénols, et des anthocyanines. On a démontré que plusieurs de ces phytochimiques étaient de puissants antioxydants dotés de propriétés anti-inflammatoires, antiulcéreuses, antivirales, et anticancéreuses.

Remèdes maison

Hippocrate et d'autres guérisseurs utilisaient la baie de sureau comme anti-inflammatoire, antirhumatismal, diurétique et agent laxatif, aussi bien que pour le traitement de la dysenterie, les problèmes d'estomac, le scorbut et les affections des voies urinaires. Le vin chaud de baie de sureau est un remède pour traiter le mal de gorge et la grippe, et il provoque une transpiration qui permet de renverser les effets ressentis lorsqu'on a pris froid. Le jus des petits fruits est un remède traditionnel contre les rhumes ; on dit aussi qu'il soulage l'asthme et la bronchite. Les infusions du fruit sont bénéfiques pour les troubles nerveux et les douleurs au dos et elles ont été utilisées pour réduire l'inflammation des voies urinaires et de la vessie.

Propriétés étonnantes !

GRIPPE : De nombreuses recherches ont étudié l'efficacité de la baie de sureau pour tuer les souches A et B de la grippe. Dans une étude, soixante patients présentant des symptômes de la grippe depuis moins de deux jours ont été choisis au hasard dans une étude à double insu et à essai contrôlé. Ceux qui ont reçu l'extrait de baies de sureau ont eu besoin de moins de médicaments, et les symptômes ont été soulagés, en moyenne, quatre jours plus tôt que ceux qui avaient reçu le placebo. Dans une autre étude sur un groupe traité avec de la baie de sureau, plus de quatre-vingt-treize pour cent des participants ont connu des soulagements considérables – incluant l'absence de fièvre – en seulement deux jours.

COLITE : Des rats souffrant de colite ont reçu un extrait de baies de sureau pendant un mois. En comparaison avec les rats du groupe contrôle, ceux du groupe nourri aux baies de sureau ont vu une réduction de cinquante pour cent des dommages au côlon.

Conseils pratiques

SÉLECTION ET ENTREPOSAGE :

- Évitez de choisir des petits fruits trop mûrs. Lavez-les bien et retirez les fruits des tiges en utilisant une fourchette.
- Les baies de sureau peuvent être conservées au réfrigérateur pendant plus d'une semaine.

SUGGESTIONS POUR PRÉPARER ET SERVIR :

- Elles peuvent être congelées, mises en conserves et aussi servir de garniture à tarte.
- On peut ajouter des baies de sureau aux tartes aux pommes et aux confitures de groseilles.

Tarte à la glace aux baies de sureau du 4 juillet

par Sharon, Chloe, Katie et Madison Grotto

Portions : 8 • Temps de préparation et de cuisson : 30 minutes

Congelez jusqu'à ce que la glace soit ferme : 3-4 heures

Ce plat délicieux contient deux aliments énergisants.

INGRÉDIENTS :

POUR LA CROÛTE :

375 ml (1½ tasse) de miettes de biscuits Graham

30 ml (2 c. à soupe) de miel

30 ml (2 c. à soupe) de beurre, fondu

POUR LA GARNITURE :

336 g (12 oz) de baies de sureau

65 ml (¼ tasse) de miel

5 ml (1 c. à thé) d'extrait de vanille

125 ml (⅓ tasse) d'eau

15 ml (1 c. à soupe) de fécule de maïs

500 ml (2 tasses) de glace à la fraise ou de yogourt glacé aux fraises

500 ml (2 tasses) de glace à la vanille ou de yogourt glacé à la vanille à faible teneur en gras

PRÉPARATION (CROÛTE) :

Déposez les miettes de biscuits Graham, le miel et le beurre dans une assiette à tarte de 23 cm (9 po). Mélangez et pressez fermement le mélange pour former une croûte à tarte. Déposez dans le congélateur pendant 30 minutes.

PRÉPARATION (GARNITURE):

Pendant que la croûte est au congélateur, dissolvez la fécule de maïs dans l'eau et mélangez aux baies de sureau, au miel et à l'extrait de vanille dans un poêlon de taille moyenne ; faites ensuite bouillir le mélange jusqu'à ce qu'il ait épaissi (environ deux minutes). Laissez refroidir la sauce complètement.

Déposez la glace à la fraise ramollie sur la croûte de tarte gelée. Déposez la moitié de la sauce aux petits fruits sur la glace, puis ajoutez la glace à la vanille sur la sauce aux petits fruits. Versez ensuite ce qui reste de sauce aux petits fruits sur la glace. Enveloppez dans un emballage plastique et congelez 3 à 4 heures ou jusqu'à ce que le tout soit ferme.

CHAQUE PORTION CONTIENT :

Calories : 260; Lipides : 8 g; Gras saturés : 3,5 g; Cholestérol : 15 mg; Sodium : 160 mg; Glucides : 48 g; Fibres : 3 g; Sucre : 30 g; Protéines : 4 g.

Banane (*Musa sp.*)

« HERBALEMENT » VÔTRE !

Saviez-vous que... la banane n'est pas vraiment un fruit, mais plutôt la plus grande herbe au monde ?

En bref

On attribue aux vendeurs d'esclaves arabes d'avoir donné à la banane son nom populaire. En arabe, *Banan* signifie « doigt ». Il existe plus de 100 types de bananes, et trois espèces distinctes : les bananes douces (ou comestibles), les bananes plantains (appelées aussi bananes à cuire) et les bananes non comestibles.

Son origine

On raconte que la toute première culture de bananes provient de Malaisie, il y a de cela plus de 7 000 ans. Puis, les bananes ont voyagé vers l'Inde, où elles ont été découvertes par Alexandre le Grand en 327 avant notre ère. Elles ont continué à se déplacer à travers le Moyen-Orient, pour finalement arriver en Afrique.

En 1516, un moine franciscain portugais a apporté des racines de banane aux Îles Canaries et, peu après, elles ont fait leur chemin jusque dans l'hémisphère occidental. Au début des années 1900, on a commencé à importer des bananes aux États-Unis, à partir de Cuba. Le terme *République bananière* se référait aux pays dont l'économie dépendait largement du commerce des bananes.

Où les cultive-t-on ?

Plus de 130 pays contribuent à la quatrième plus importante production au monde. La vaste majorité de la production mondiale de bananes provient des pays de l'Amérique latine, suivi de l'Asie du sud-est et de l'Afrique, qui apporte une contribution moins volumineuse.

Pourquoi devrais-je en manger ?

Les bananes sont une bonne source de vitamine C, de vitamine B6, et de fibres. Les bananes vertes sont une excellente source d'amidon résistant, qui tend à être digéré plus lentement, et ainsi ne provoque pas de montée de glucose sanguin. L'amidon résistant peut réduire le risque de plusieurs types de cancer, surtout le cancer du côlon. Les bananes rouges contiennent plus de vitamine C, de bêta-carotène et d'alpha-carotène que les bananes jaunes. Elles sont une excellente source de potassium, fournissant environ 300 à 400 milligrammes par banane moyenne. La *U.S. Food and Drug Administration* (FDA) recommande de consommer des aliments à teneur élevée en potassium et à faible teneur en sodium ; ces aliments peuvent aider à réduire le risque d'hypertension et d'accident vasculaire cérébral.

Remèdes maison

De nombreuses cultures utilisent la pelure de banane pour éliminer les verrues et aussi pour calmer les piqûres de moustiques. Après une piqûre d'insecte, essayez de vous frotter la peau avec une pelure de banane pour réduire l'enflure, la démangeaison et l'irritation résultant de la piqûre. Le secret peut être dans le fait que les enzymes à l'intérieur de la pelure sont utiles pour réduire l'inflammation. À tout le moins, la pelure froide contre la peau chaude nous procure une très agréable sensation.

Propriétés étonnantes !

ULCÈRES : La recherche zootechnique a découvert que les bananes stimulent les cellules de la paroi interne de l'appareil digestif à produire une barrière protectrice plus épaisse contre l'acide. On a aussi découvert que les bananes contiennent un composé nommé inhibiteur de protéase ; ce composé aide à détruire les bactéries nuisibles comme la *H. Pylori,* que l'on croit aujourd'hui responsable de la plupart des ulcères d'estomac.

DIARRHÉE : Des chercheurs ont fait passer des tests à trois différents groupes d'enfants qui souffraient de diarrhée. Un groupe a été traité avec une diète incluant des bananes ; un deuxième groupe a reçu de la pectine ; et au troisième groupe, on a donné du riz nature. Le « groupe des bananes » est celui qui a le mieux réussi : quatre-vingt-deux pour cent d'entre eux se sont rétablis en quatre jours.

RÉDUCTION DU RISQUE DU CANCER DU REIN : Une étude portant sur une large population a découvert que les femmes qui mangeaient des bananes quatre à six fois par semaine réduisaient leur risque de développer le cancer du rein de cinquante pour cent, par rapport aux femmes qui n'en consommaient pas.

Conseils pratiques

SÉLECTION ET ENTREPOSAGE :

- Choisissez des bananes bien jaunes si vous voulez les manger en quelques jours.
- Utilisez des bananes complètement mûres, avec des tachetures sur la pelure, pour la boulangerie, pour

mélanger dans des smoothies, ou dans des recettes qui spécifient des bananes en purée.

- Gardez les bananes dans un bol à fruits, à la température de la pièce.
- Si vous voulez que les bananes mûrissent plus rapidement, placez-les au soleil ou faites-les mûrir dans un sac de papier brun avec un morceau de pomme ou une tomate pendant toute la nuit.
- La maturation des bananes conservées au réfrigérateur sera retardée, mais leur pelure noircira.

SUGGESTIONS POUR PRÉPARER ET SERVIR :

- Lorsque vous pelez et tranchez des bananes qui ne sont pas servies immédiatement, trempez-les dans du jus de citron, de lime ou d'orange pour ralentir le brunissement.
- On améliore le goût et l'odeur des bananes lorsqu'on les chauffe. Des fruits qui ne sont pas tout à fait mûrs sont excellents pour la cuisson, étant donné qu'ils conservent mieux leur forme.
- Mangez-les crues, cuites ou congelées. On peut ajouter des bananes à des aliments cuits, des céréales chaudes ou froides et aux desserts.

Pain aux bananes et aux bleuets

par Nicki Anderson

Portions : 12 • Temps de préparation et de cuisson : 60 minutes

Rien ne sent aussi bon ni n'a aussi bon goût que du pain aux bananes fraîchement cuit. Mes filles adorent le pain aux bananes de Nicki, même lorsqu'on en rôtit les tranches. Cette recette contient cinq aliments énergisants.

INGRÉDIENTS :

375 ml (1½ tasse) de bananes en purée
190 ml (¾ tasse) de bleuets (si congelés, faire dégeler et bien égoutter)
170 ml (⅔ tasse) de cassonade légère
65 ml (¼ tasse) d'huile de colza
1 blanc d'œuf de gros calibre
1 œuf de gros calibre
250 ml (1 tasse) de farine tout usage
190 ml (¾ tasse) de farine de blé entier
4 ml (1¼ c. à thé) de crème de tartre
4 ml (¾ c. à thé) de bicarbonate de soude
3 ml (½ c. à thé)de cannelle
1,5 ml (¼ c. à thé) de muscade
3 ml (½ c. à thé) de sel
Enduit à cuisson antiadhésif

PRÉPARATION :

Préchauffez le four à 180°C (350°F). Combinez la banane, la cassonade, l'huile et les œufs dans un grand bol et mélangez jusqu'à ce que le tout soit uniforme. Combinez la farine, la crème de tartre, le bicarbonate de soude, la cannelle, la muscade et le sel dans un autre bol et mélangez bien. Ajoutez le mélange de farine au mélange de banane, en remuant jusqu'à ce que vous obteniez une consistance moelleuse. Ajoutez les bleuets. Versez la pâte avec une cuiller dans un moule à pain de 20 x 10 cm (8 X 4 po) généreusement graissé d'enduit à cuisson antiadhésif. Cuisez pendant 40 minutes ou jusqu'à ce qu'un cure-dent inséré au centre en sorte propre. Laissez refroidir pendant 15 minutes avant de démouler, puis laissez refroidir complètement sur une grille.

CHAQUE PORTION CONTIENT :

Calories : 132; Lipides : 5 g; Gras saturés : 0,5 g; Cholestérol : 18 mg; Sodium : 19 mg; Glucides : 20 g; Fibres : 1 g; Sucre : 13 g; Protéines : 2 g

Basilic (*Ocimum*)

EN QUÊTE D'AMOUR ?

Saviez-vous que... dans certaines régions de l'Italie, les hommes portent encore un brin de basilic au revers de leur veston lorsqu'ils sont à la recherche d'une compagne ?

En bref

Le basilic est une herbe appartenant à la famille de la menthe, lamiacée. Son nom est d'origine grecque et signifie « royauté ». On peut trouver de nombreuses variétés de basilic variant en forme, taille et couleur. Les variétés les plus utilisées dans la cuisine sont le basilic romain avec de larges feuilles douces, le basilic des buissons aux feuilles minuscules, le basilic thaï, le citron et le bleu africain.

Son origine

On peut retrouver les origines du basilic en Inde, il y a environ 4 000 ans. Les Anciens Grecs nommaient le basilic « herbe royale ». On en a aussi trouvé en Asie, en Égypte et autour de la Méditerranée. Certaines personnes croient que du basilic, qui poussait autour de la tombe du Christ, a été transporté jusqu'à Rome et dispersé à travers l'Europe. La feuille est devenue populaire dans l'Angleterre du XVIe siècle et a été apportée en Amérique du Nord par des explorateurs anglais.

Où le cultive-t-on ?

Le basilic est cultivé commercialement en Yougoslavie, en Inde, au Mexique, en Italie, en Israël, au Maroc et aux États-Unis. Dans ce dernier pays, la Californie en est le principal producteur.

Pourquoi devrais-je en manger ?

Le basilic est riche en acide rosmarinique et en acide caféique ; ces composés phénoliques possèdent de fortes propriétés antioxydantes. D'autres phytochimiques contenus dans le basilic incluent l'orientine et la vicénine – des flavonoïdes qui préviennent les dommages aux cellules ; des huiles volatiles comme le camphre et le 1,8-cinéol, qui possèdent des propriétés antibactériennes ; et des caroténoïdes comme le bêta-carotène.

Remèdes maison

De nombreuses préparations simples sont faites à partir du basilic. Une feuille posée sur un ulcère de la bouche peut calmer la douleur causée par l'irritation. Essayez de traiter une douleur aux gencives en préparant un thé avec huit feuilles de basilic dans une tasse d'eau bouillante. Rincer la bouche fréquemment avec le thé. Traitez un mal d'oreilles en utilisant le jus de dix feuilles de basilic : avec un compte-gouttes, déposez une goutte ou deux dans le conduit auditif externe. Pour traiter la perte de cheveux ou les pellicules, massez le cuir chevelu avec de l'huile de basilic. Une heure plus tard, lavez-vous les cheveux à l'eau froide. Deux ou trois feuilles de basilic écrasées, mélangées à de l'eau et du sel marin peuvent soulager une indigestion. Vous pouvez boire cette boisson froide ou chaude. Une pleine cuillérée d'un mélange de jus de feuilles de basilic et de miel peut aider à soulager une voix enrouée. À tout le moins, vous dégusterez une boisson délicieuse. Le jus de basilic peut aussi soulager les démangeaisons. Le basilic est un excellent répulsif contre les insectes !

Propriétés étonnantes !

SANTÉ CARDIOVASCULAIRE : Une étude menée sur des lapins a découvert que lorsqu'ils ingèrent du basilic, mêlé à de l'alcool et à de l'eau, les corps gras de leurs cellules ne sont pas endommagés aussi facilement suite à une exposition au stress. Cela permet une meilleure circulation sanguine et réduit le risque de maladie cardiovasculaire. Une autre étude portant sur des animaux a découvert que lorsqu'on traitait des rats qui avaient subi une crise cardiaque avec du basilic, leurs tissus cardiaques étaient moins endommagés que ceux des rats ayant subi une crise cardiaque, mais qui n'avaient pas reçu de traitement au basilic.

ANTI-ADHÉSION : On a démontré que le basilic rendait les plaquettes – une composante des globules rouges – moins « collantes » – un processus qui peut réduire le risque de formation des caillots sanguins.

RÉACTION IMMUNITAIRE : Des rats, à qui on a administré du basilic, ont montré une diminution de leur réaction immunitaire aux allergènes.

PROPRIÉTÉS ANTIBACTÉRIENNES : On a démontré que l'huile de basilic comportait de fortes propriétés antibactériennes, même avec des types de bactéries qui étaient résistantes aux antibiotiques. On a découvert que le basilic était particulièrement efficace pour tuer des bactéries nuisibles, trouvées dans les produits alimentaires. La prochaine fois que vous commanderez une salade, demandez qu'on la parsème de basilic.

Conseils pratiques

SÉLECTION ET ENTREPOSAGE :

- Choisissez des feuilles vert clair et sans taches brunes ou jaunes.
- Le basilic ne se conserve que quelques jours au réfrigérateur.
- Placez des tiges coupées dans l'eau et gardez-les sur le rebord d'une fenêtre. Les brins se conserveront frais une semaine ou plus.
- Disposez le basilic en couches entre des feuilles de papier ciré et congelez-les. Les feuilles fonceront, mais elles retiendront leur arôme et leur saveur.
- Les feuilles de basilic frais peuvent être recouvertes d'huile d'olive dans un contenant hermétique et entreposées au réfrigérateur jusqu'à deux mois.
- Lorsqu'il est entreposé dans un endroit frais, sombre et sec, le basilic séché peut durer jusqu'à six mois.

SUGGESTIONS POUR PRÉPARER ET SERVIR :

- Dans la cuisson, n'ajoutez les feuilles que durant les toutes dernières minutes.
- Lavez le basilic frais sous l'eau froide courante pour enlever les saletés.
- Hachez les feuilles en les roulant serrées, sous forme de cigares, et hachez-les selon la consistance désirée.
- Déposez du fromage mozzarella et une feuille de basilic frais sur le dessus d'une tranche de tomate pour une salade simple et savoureuse.
- Ajoutez du basilic à une sauce tomate, à des aliments sautés, ou à des pâtes, peu avant de les servir.
- On peut ajouter du basilic à du vinaigre et de l'huile d'olive en bouteille, pour ajouter de la saveur à une vinaigrette.

Pesto au basilic et aux pistaches

par le chef J. Hugh McEvoy

Portions : 20 (30 ml [⅛ tasse] chaque) • Temps de préparation : 10 minutes

Cette recette contient quatre aliments énergisants.

INGRÉDIENTS :

250 ml (1 tasse) d'huile d'olive extra vierge
250 ml (1 tasse) de fromage parmesan, râpé
190 ml (¾ tasse) de pistaches sèches, rôties
5 gousses d'ail fraîches
3 ml (½ c. à thé) de sel
5 ml (1 c. à thé) de poivre noir
2 L (8 tasses) de basilic frais, haché

PRÉPARATION :

Réfrigérez tous les ingrédients. Combinez tous les ingrédients, sauf le fromage, le sel et le poivre, dans un malaxeur ou un robot culinaire ; mélangez jusqu'à ce que vous obteniez une sauce lisse. Ajoutez le fromage râpé, mélangez jusqu'à ce que vous obteniez une consistance lisse. Ajoutez le sel et le poivre au goût. Garnissez de feuilles complètes de basilic frais. Servez immédiatement. Bien que la couleur et la saveur diminuent avec le temps, ce mélange peut être conservé au réfrigérateur.

CHAQUE PORTION CONTIENT :
Calories : 150; Lipides : 15 g; Gras saturés : 3 g; Cholestérol : 3 mg; Sodium : 75 mg; Glucides : 3 g; Fibres : 1 g; Sucre : 0 g; Protéines : 3 g**
**165 ml (⅔ tasse) de pâtes cuites + 30 ml (⅛ tasse) de pesto = 320 calories.*

Bette à carde (*Beta vulgaris*)

UN SUISSE RATÉ ?

Saviez-vous que... même si le nom anglais de ce légume est « swiss chard », il ne provient pas du tout de la Suisse ? Il provient plutôt de la Sicile. Un botaniste l'a nommé ainsi parce qu'il s'agissait de son pays natal.

En bref

La bette à carde fait partie de la famille des betteraves, mais elle ne produit pas de bulbe comestible. Il existe plusieurs variétés de bettes, comme la Fordhook, bette épinard, bette blanche commune, frisée à carde blanche. La Fordhook est la variété la plus populaire que l'on produit aux États-Unis ; d'autres variétés courantes sont réunies sous l'étiquette « bette à carde multicolore ». Le goût de la bette à carde se situe quelque part entre ceux de l'épinard et des betteraves.

Son origine

On peut remonter à la Babylonie ancienne pour retrouver les origines de la bette à carde. On rencontre la bette dans les écrits d'Aristote qui datent du IVe siècle avant notre ère. Au Moyen-Âge, des voyageurs venant d'Italie l'ont apportée dans les territoires du nord et du centre de l'Europe. De là, la bette a voyagé vers l'Extrême-Orient et la Chine. De nos jours, la bette est particulièrement populaire dans le sud de la France, en Catalogne, en Espagne et en Sicile.

Où la cultive-t-on ?
La bette à carde pousse en Italie, en France, en Espagne, en Hollande, en Suisse et aux États-Unis. Dans ce dernier pays, la Californie, le Texas et l'Arizona en sont les principaux producteurs.

Pourquoi devrais-je en manger ?
La bette à carde est une bonne source de fibres et constitue une excellente source de vitamines A, C et K. C'est une bonne source de vitamine E, de magnésium, de potassium, de fer et de manganèse. La bette à carde contient des caroténoïdes, zéaxanthine et lutéine, qui sont bénéfiques pour la vision.

Remèdes maison
On a utilisé la bette à carde pour le traitement des ulcères, des tumeurs, de la leucémie et autres cancers. En Afrique du Sud, on boit du jus de bête à carde pour soulager l'inconfort des hémorroïdes. On s'est aussi servi du jus de bette à carde comme décongestionnant et pour neutraliser l'acidité de l'estomac.

Propriétés étonnantes !

CANCER : On a découvert que des composés de la bette empêchent la prolifération des cellules cancéreuses humaines. Une étude menée sur des cellules cancéreuses de tumeurs aux seins a découvert que les flavonoïdes présents dans la bette ont empêché la croissance et la reproduction de l'ADN des cellules cancéreuses.

DIABÈTE ET MALADIE CARDIOVASCULAIRE : Plusieurs études menées sur des rats diabétiques ont découvert qu'en les nourrissant de bette à carde, il était possible de maîtriser leur taux de glycémie et de renverser, de stabiliser ou de prévenir des effets négatifs du diabète comme des atteintes nerveuses et la maladie cardiovasculaire.

Conseils pratiques

SÉLECTION ET ENTREPOSAGE :

- Choisissez des bettes à carde dont les feuilles sont d'un vert clair et dont les tiges sont fermes. Évitez d'acheter des bettes dont les feuilles sont brunâtres ou jaunâtres, ou qui ont de petits trous.
- Vous pouvez conserver la bette non lavée dans un sac de plastique, en la rangeant dans le bac à légumes de votre réfrigérateur. Elle y restera fraîche jusqu'à trois jours.

SUGGESTIONS POUR PRÉPARER ET SERVIR :

- On devrait bien laver la bette à carde sous l'eau froide pour enlever les saletés ou le sable. Il faut ensuite tailler l'extrémité de la tige et couper les feuilles en morceaux d'environ 2,5 cm (1 po).
- Évitez de faire cuire la bette dans une casserole en aluminium ; les oxalates qu'elle contient modifieront la couleur de la casserole.
- Utilisez la bette pour remplacer l'épinard dans la lasagne ou dans les salades. On peut substituer la tige de la bette au brocoli.
- Ajoutez de la bette à carde aux œufs ou aux pâtes pour obtenir plus d'éléments nutritifs.

Tacos garnis de bette, oignon caramélisé, fromage et chili

Tiré de *Mexican Everyday,* par Rick Bayless

Portions : 6 (2 tacos chacun) • Temps de préparation et de cuisson : 30 minutes

Cette idée innovatrice de farce pour taco est fantastique ! Ne vous inquiétez pas de l'énorme volume de bette exigé dans la recette ; ce légume réduit considérablement lors de la cuisson. Cette recette contient sept aliments énergisants.

INGRÉDIENTS :

1 paquet de 360 gr (12 oz) de bette à carde (on peut remplacer la bette par tout autre légume vert)
23 ml (1½ c. à soupe) d'huile d'olive
1 gros oignon blanc, ou rouge, coupé en tranches de 64 mm (¼ po) d'épaisseur
3 gousses d'ail, pelées et écrasées au presse-ail
5 ml (1 c. à thé) de flocons de piment rouge
125 ml (½ tasse) d'eau ou de bouillon de poulet faible en sodium
3 ml (½ c. à thé) de sel
12 tortillas de maïs chaudes
250 ml (1 tasse) de feta ou fromage de chèvre en miettes, au goût
190 ml (¾ tasse) de chili ou de salsa piquante

PRÉPARATION :

Coupez la bette de biais, en morceaux d'environ 1,25 cm (½ po). Dans un grand poêlon, faites chauffer l'huile sur un feu à température moyenne. Ajoutez l'oignon et faites chauffer, en remuant fréquemment, jusqu'à ce que l'oignon soit brun doré, mais encore croustillant, environ 4 à 5 minutes. Ajoutez l'ail et les flocons de piment rouge et remuez pendant quelques secondes, jusqu'à ce qu'un arôme s'en dégage. Ajoutez le bouillon ou l'eau, le sel et les bettes. Réduisez le feu à moyen-doux, couvrez la casserole. Laissez cuire jusqu'à ce que les bettes soient presque tendres, environ 5 minutes. Retirez le couvercle, augmentez le feu à moyen-élevé, et faites cuire, en remuant continuellement, jusqu'à ce que le mélange soit presque sec. Goûtez la préparation et ajoutez du sel si nécessaire. Servez avec des tortillas chaudes, de la salsa et parsemez de fromage.

CHAQUE PORTION CONTIENT :

Calories : 240; Lipides : 9 g; Gras saturés : 3 g; Cholestérol : 15 mg; Sodium : 610 mg; Glucides : 35 g; Fibres : 5 g; Sucre : 3 g; Protéines : 10 g.

Blé (*Triticum spp.*)

C'EST LE GRAIN « ENTIER » QUI FAIT LA DIFFÉRENCE
Saviez-vous que... les Américains ne consomment qu'un tiers de la quantité minimale de grains entiers recommandée par les directives alimentaires américaines ?

En bref

Le blé est une herbe qui contient un grain comestible, ou « fruit-graine », et qui se classe en seconde place des grains les plus produits internationalement, juste derrière le maïs. Certains produits dérivés du blé entier incluent le bulgur, le blé concassé, les flocons de blé, les fruits-graines de blé, le germe de blé et le son de blé. Pour se qualifier comme « grain entier », tout le grain doit être moulu avec toutes ses parties intactes : le germe, l'endosperme et le son. Avant l'arrivée des moulins à grain automatisés et mécaniques, les grains entiers étaient moulus entre deux larges pierres ; on obtenait ainsi une farine qui contenait les trois composantes du grain entier.

Son origine

On consomme le blé depuis plus de 12 000 ans et on croit qu'il est originaire de l'Asie du sud-ouest. Dans les mythologies romaine, sumérienne et grecque, on vénérait les dieux et les déesses du blé. De nos jours, dans certaines parties de la Chine, on considère toujours le blé comme un grain sacré. Il a été introduit dans l'hémisphère occidental au XVe siècle lorsque Colomb est arrivé dans le Nouveau Monde. Le blé n'a pas été cultivé aux États-Unis avant la fin du XIXe siècle. Environ un tiers de la population mondiale dépend du blé pour se nourrir.

Parallèlement au progrès de la technologie moderne, le raffinement du blé entier s'est amélioré. Le pain blanc est devenu un symbole de statut chez les Grecs et les Romains. Vers l'an 40, la farine tamisée était produite sur une large échelle dans la plupart des pays méditerranéens. Le pain à grain entier est devenu la nourriture des paysans, des esclaves et des athlètes. À Rome, il était connu sous le nom de *panis sordidus* (pain sale). En 1873, le moulin à cylindres a été présenté à l'Exposition universelle de Vienne. La farine pouvait maintenant être mieux raffinée, et cela à un coût moindre. Mais certains soutiennent que nous en avons depuis « payé le prix » !

Où le cultive-t-on ?

Les plus importants producteurs de blé sont les États-Unis, la Russie, la Chine, la France, le Canada et l'Inde.

Pourquoi devrais-je en consommer ?

Aucune comparaison n'est possible — si on le compare au blé traité, le blé entier est doté de quantités supérieures d'antioxydants, incluant les phénoliques et les lectines. Des études cas-témoin sur les humains ont prouvé que ces antioxydants, plutôt que d'être digérés et éliminés, s'accrochaient aux membranes des cellules cancéreuses, empêchant la croissance de tumeur et provoquant l'apoptose (mort cellulaire programmée).

Remèdes maison

Hippocrate recommandait la farine de blé entier pour favoriser la régularité des intestins. On a ajouté du germe de blé à la diète pour traiter l'acné. La vitamine E contenue dans le germe de blé peut soulager la fréquence et la gravité des bouffées de chaleur. On a démontré qu'en utilisant du jus d'herbe de blé comme rince-bouche, on diminuait la douleur associée au mal de dents.

Propriétés étonnantes !

LONGÉVITÉ : La consommation de grains entiers est associée à la longévité et à une diminution du risque de plusieurs types de maladie chez la femme.

SANTÉ CARDIOVASCULAIRE : Plusieurs études montrent une réduction du cholestérol et des triglycérides lorsque des grains entiers, par opposition aux grains raffinés, sont inclus dans la diète.

ARTHRITE RHUMATOÏDE : Une étude sur des patients atteints d'arthrite rhumatoïde – auxquels on avait administré un extrait de germe de blé fermenté en plus de leurs thérapies aux stéroïdes – a constaté une amélioration significative par rapport à l'usage des stéroïdes seulement.

CANCER : Une méta-analyse a révélé qu'il existe une relation inverse entre la consommation de grain entier et les cancers colorectaux, gastriques et de l'endomètre.

DIABÈTE : Les gens qui consomment au moins trois portions par jour d'aliments contenant des grains entiers ont moins de risques de développer le diabète de type 2 que ceux qui en consomment moins. Dans une étude sur près de 3000 adultes d'âge moyen, la consommation de grains entiers a été associée à des niveaux plus faibles de cholestérol total et de cholestérol LDL et à une amélioration de la sensibilité à l'insuline. Par rapport aux personnes qui consommaient des grains raffinés, les niveaux d'insuline à jeun étaient plus faibles de dix pour cent chez les gens qui consommaient des grains entiers.

OBÉSITÉ : D'après une étude publiée dans le *American Journal of Clinical Nutrition*, les gens qui consommaient le plus de grains entiers avaient un index de masse corporelle (IMC) plus bas.

Conseils pratiques

SÉLECTION ET ENTREPOSAGE :

- Il y a fondamentalement six classes à partir desquelles choisir :
  - Blé dur – utilisé pour faire de la semoule de blé pour les pâtes.
  - Blé de force roux de printemps – blé à haute teneur en protéines, utilisé dans la boulangerie.

  - Blé de force rouge d'hiver – blé à haute teneur en protéines, utilisé dans la boulangerie et comme ajout à d'autres farines pour augmenter les protéines dans la farine à pâtisserie pour faire les croûtes de tarte.
  - Blé tendre rouge d'hiver – blé à faible teneur en protéines, utilisé dans les gâteaux, les croûtes de tarte, les biscuits et les muffins.
  - Blanc durable – blé à teneur moyenne en protéines, utilisé dans le pain et dans la fabrication de la bière.
  - Tendre blanc – blé doux, à très faible teneur en protéines, utilisé dans les croûtes de tarte et les pâtisseries.
- Les fruits-graines de blé devraient être conservés dans un contenant hermétiquement fermé dans un endroit sombre, frais et sec.
- La farine, le bulgur, le son et le germe devraient être conservés dans un contenant hermétiquement fermé au réfrigérateur pour éviter qu'ils ne deviennent rances.

SUGGESTIONS POUR PRÉPARER ET SERVIR :

- Rincez les fruits-graines de blés sous l'eau froide avant de vous en servir.
- Choisissez des produits de grains entiers lorsqu'ils sont offerts – comme du pain, des pâtes ou des craquelins de blé entier.
- Utilisez des pousses de blé germé dans les salades de légumes.

Salade estivale de couscous

par Sharon Grotto

Portions : 8 (250 ml [1 tasse]) • Temps de préparation et de cuisson : 20 minutes

Cette salade de couscous est légère, simple à préparer et goûte encore meilleure le jour suivant. Cette recette contient dix éléments énergisants.

INGRÉDIENTS :

750 ml (3 tasses) de couscous de grains entiers, précuit
125 ml (½ tasse) de basilic frais, haché
3 ml (½ c. à thé) de sel
3 ml (½ c. à thé) de poivre noir
125 ml (½ tasse) d'oignons verts, hachés finement
125 ml (½ tasse) de poivron rouge, haché
125 ml (½ tasse) de poivron vert, haché
2 gousses d'ail, émincées
1 grosse tomate épépinée, tranchée finement
1 petit concombre épépiné, tranché finement
5 ml (1 c. à thé) de jus de citron frais
30 ml (2 c. à soupe) d'huile d'olive extra vierge
8 olives noires (facultatif)

PRÉPARATION :
Déposez le couscous cuit dans un grand bol. Mélangez tous les autres ingrédients, et incorporez-les au couscous. Couvrez et réfrigérez au moins une heure ou préférablement pendant toute la nuit. Mélangez à la fourchette et garnissez de tranches d'olives noires, si désiré.

CHAQUE PORTION CONTIENT :
Calories : 120; Lipides : 4 g; Gras saturés : 0,5 g; Cholestérol : 0 mg; Sodium : 150 mg; Glucides : 20 g; Fibres : 4 g; Sucre 1 g; Protéines : 4 g

Bleuet*

(*Vaccinium angustifolium [sauvages] & Vaccinium corymbosum [cultivés]*)

AVOIR «LES BLEUS»

Saviez-vous que... les Amérindiens croyaient que les bleuets étaient dotés de pouvoirs magiques et ils racon-

*N.d.T. : Aussi appelé myrtille et airelle des bois.

taient que le Grand Esprit envoyait des « bleuets étoilés » pour nourrir les enfants durant les périodes de famine ?

En bref
Les bleuets appartiennent à un groupe de plantes à fleurs. Les différentes espèces sont originaires de l'Amérique du Nord et de l'Asie orientale. Les deux principales sortes que l'on trouve aux États-Unis sont les bleuets sauvages (nains) et les bleuets cultivés (géants). Les bleuets sauvages font partie des seuls trois petits fruits qui sont indigènes en Amérique du Nord ; les autres sont les canneberges et les raisins Concord.

Son origine
Pendant des générations, les Amérindiens ramassaient les bleuets dans les bois et dans les marais. Ils ont été les premiers à confectionner des confitures de bleuets et à se servir du jus de bleuets pour teindre les vêtements. Ce sont les Indiens Wampanoag qui ont enseigné aux colons comment sécher les bleuets. Le jus de bleuets a été un important produit de base pour protéger les soldats contre le scorbut pendant la guerre de Sécession.

Pourquoi devrais-je en manger ?
Comme les bleuets sauvages contiennent moins d'eau et sont plus petits que la variété géante, à volumes égaux, les aliments nutritifs y sont généralement plus denses. Dans 1,1 L (½ kg), on peut compter 1600 bleuets sauvages ou 500 bleuets cultivés. Les bleuets frais ont une valeur d'*Oxygen Radical Absorption Capacity* (ORAC) de 2400 par 100 grammes. Les bleuets sont riches en phytochimiques : comme l'acide phénolique, les anthocyanines (les pigments qui donnent la couleur bleue aux bleuets), et l'acide ellagique – un composant naturel qui peut empêcher la croissance de tumeurs. Les bleuets frais et les bleuets congelés contiennent de grandes quantités d'anthocyanines, mais on en retrouve très peu dans les formes séchées.

Remèdes maison

Les Amérindiens ont découvert que les bleuets aidaient à réduire la nausée, la toux et les maux de tête. Les feuilles des bleuetiers ont servi à fabriquer du thé, et on croyait qu'elles purifiaient le sang.

Propriétés étonnantes !

FONCTIONS COGNITIVES ET MÉMOIRE : La recherche sur des animaux a montré des résultats prometteurs dans l'utilisation d'extraits de bleuets pour l'amélioration de l'équilibre, de la coordination, et de la mémoire ; et cela, même chez des sujets souffrant de la maladie d'Alzheimer.

CANCER : Plusieurs études ont rapporté que les composantes des bleuets indiquaient des résultats prometteurs en tant qu'inhibiteurs efficaces du cancer. On a découvert que les bleuets sauvages, autant que les bleuets cultivés, sont efficaces pour entraver la progression d'un cancer de la prostate androgéno sensible.

ANTIBACTÉRIEN : Comme les canneberges, les bleuets contiennent des composés qui empêchent la bactérie responsable des infections des voies urinaires de s'attacher aux parois de la vessie.

SANTÉ CARDIOVASCULAIRE : Des savants de l'Université de la Californie, à Davis, de l'Université du Maine, à Orono, et de la Faculté de médecine de l'Université de Louisville, au Kentucky, ont découvert que les bleuets peuvent aider à protéger contre les maladies cardiovasculaires. D'après des chercheurs de l'Université de l'Île du Prince-Édouard, au Canada, les rats dont les diètes contenaient des bleuets sauvages pendant six semaines ont connu une diminution des dommages cérébraux causés par un ACV.

Conseils pratiques

SÉLECTION ET ENTREPOSAGE :

- Les bleuets frais devraient être bleu profond et couverts d'un éclat blanc craie.
- Examinez bien les petits fruits pour voir s'ils ne sont pas humides, moisis ou pourris.
- Les bleuets congelés devraient se mouvoir librement dans le sac. S'ils sont figés en un seul morceau, il est probable qu'ils ont été dégelés et recongelés.
- Les bleuets dureront de sept à dix jours s'ils sont réfrigérés.
- Ne lavez pas les bleuets avant de les réfrigérer.
- Pour les congeler, étendez les petits fruits non lavés sur une plaque à biscuits et déposez-les dans le congélateur jusqu'à ce qu'ils soient congelés ; transférez-les ensuite dans un sac de congélation en plastique. Ils se conserveront pendant une année.

SUGGESTIONS POUR PRÉPARER ET SERVIR :

- Rincez les bleuets frais et séchez-les en les tapotant.
- Il n'est pas nécessaire de laver les petits fruits congelés avant de les manger. Laissez-les décongeler à la température de la pièce avant de les ajouter aux plats non cuits.
- Lorsque vous ajoutez des petits fruits frais à de la pâte, saupoudrez-les de farine pour les empêcher de descendre au fond.
- Ajoutez-en quelques-uns dans une salade ou sur des céréales, mangez-les comme collation, ou confectionnez une tarte aux bleuets !

Pudding au pain et aux bleuets

par le chef Cheryl Bell

Portions : 12 • Temps de préparation et de cuisson : 90 minutes

Cette recette contient six aliments énergisants.

INGRÉDIENTS :

750 ml (3 tasses) de lait faible en gras
3 gros œufs
1,5 l (5 à 6 tasses) de cubes de pain à grains entiers (vieux d'un jour)
125 ml (½ tasse) de sucre granulé
65 ml (¼ tasse) de miel
1 ml (¼ c. à thé) d'extrait d'amandes
5 ml (1 c. à thé) d'extrait de vanille
3 ml (½ c. à thé) de zeste de citron ou d'orange (facultatif)
500 g (2 tasses) de bleuets frais (on peut aussi utiliser des bleuets congelés)
45 ml (3 c. à soupe) de farine de blé entier

PRÉPARATION :

Chauffez le four à 180°C (350°F). Vaporisez un moule à pain de 28 x 18 cm (7 x 11 po). Fouettez ensemble le lait, les œufs, le sucre, les assaisonnements, et le zeste. Ajoutez le pain et laissez reposer pendant 10 à 15 minutes. Dans un bol séparé, saupoudrez de la farine sur les bleuets et enlevez l'excès de farine. Ajoutez les bleuets au mélange de pain. Versez le tout dans le plat allant au four. Déposez ce plat dans un contenant plus grand dans lequel vous versez environ 1 litre (4 tasses) d'eau chaude pour créer un bain de vapeur pour le pudding. Faites cuire au four pendant 1 heure ou jusqu'à ce que le pudding au pain soit prêt et qu'il soit légèrement bruni sur le dessus. Servez chaud avec du rhum, ou une sauce au caramel ou au citron. Il est aussi sensationnel quand on le couvre de fruits frais ou qu'on le sert tel quel.

SAUCE AU CITRON (facultatif)

65 ml (¼ tasse) de sucre granulé
65 ml (¼ tasse) de miel
15 ml (1 c. à soupe) de fécule de maïs
0,5 ml (⅛ c. à thé) de sel
1,25 ml (¼ c. à thé) de muscade
250 ml (1 tasse) d'eau bouillante
5 ml (1 c. à thé) de beurre
5 ml (1 c. à thé) de zeste de citron
Jus de 1 citron

PRÉPARATION :

Dans une grande casserole, ajoutez le sucre, le miel, la fécule de maïs, le sel et la muscade. Incorporez graduellement l'eau bouillante, en remuant. Faites mijoter à feu doux, en remuant doucement jusqu'à ce que la sauce épaississe. Retirez du feu ; incorporez le beurre, le zeste de citron et le jus de citron en remuant. Versez en filet sur le pudding au pain.

CHAQUE PORTION CONTIENT :

*Calories : 230**; Lipides : 3 g; Gras saturés : 0 g; Cholestérol : 45 mg; Sodium : 170 mg; Glucides : 46 g; Fibres : 2 g; Sucre : 30 g; Protéines : 6 g *Avec la sauce au citron.*

BROCOLI (*Brassica oleracea Italica*)

L'AUTHENTIQUE

Saviez-vous que... le brocoli italien, ou rapini, n'est pas vraiment du brocoli ? Il provient plutôt de la famille des navets.

En bref

Le brocoli fait partie de la famille des crucifères *Brassica oleracea,* spécifiquement de la culture *Italica,* et est étroitement relié au chou, au chou-fleur, au chou frisé, aux feuilles de chou vert et aux choux de Bruxelles. Il existe deux principaux types de brocoli, le chou-brocoli et la variété branchue. La variété branchue est de loin la plus courante. Vous reconnaîtrez le chou-brocoli au fait que les fleurons poussent directement d'un trognon.

Son origine

Le brocoli existe depuis au moins 2000 ans. On l'a vu pour la première fois dans la région de l'Asie Mineure, que l'on connaît maintenant sous le nom de Turquie. À partir de l'Asie Mineure, il s'est retrouvé en Italie et en Grèce et a fini par se répandre dans toute l'Europe.

Où le cultive-t-on ?

Le Canada, le Japon, Hong Kong, le Mexique et les États-Unis sont les plus importants producteurs de brocoli. Le brocoli des États-Unis provient à quatre-vingt-dix pour cent de Salinas Valley et de Santa Maria, en Californie. Pendant les mois d'hiver, le légume peut provenir de l'Arizona, du Texas, de la Floride ou de l'État de Washington.

Pourquoi devrais-je en manger ?

Le brocoli est une excellente source de vitamine C et une bonne source de vitamine A, principalement sous forme de bêta-carotène. Le brocoli contient aussi de l'acide folique, du calcium, et du chrome. Il est riche en plusieurs éléments d'origines végétales comme les indoles et les isothiocyanates, dont on a démontré les propriétés anticancéreuses. Les germes de brocoli sont l'une des sources les plus concentrées d'un antioxydant nommé glucosinolate de sulforaphane. Des savants ont découvert qu'une poignée de germes de brocoli de trois jours contient vingt à cinquante fois plus de glucosinolate de sulforaphane que 114 lb (52 kg) de brocoli ordinaire !

Remèdes maison

Pour traiter les infections aux sinus, il est avantageux d'obtenir de la vitamine C à partir d'aliments frais. Le brocoli, comme d'autres aliments (par exemple les petits fruits et les agrumes), est riche en vitamine C ; il est donc consommé autant pour traiter que pour prévenir les problèmes de sinus. Utilisé comme base dans différents mélanges de jus, le brocoli a souvent été recommandé pour soulager les symptômes des poussées d'herpès. Les chercheurs de l'Université de Northeastern, en Ohio, ont testé des cellules humaines et des cellules de singe, et ont découvert qu'un composé naturellement présent dans le brocoli (et dans d'autres légumes comme le chou et les choux de Bruxelles), appelé indole-3-carbinol (I3C), peut empêcher la reproduction du virus de l'herpès.

La consommation d'aliments riches en calcium, comme le brocoli, peut aussi aider à prévenir les maux de tête et les crampes du cycle menstruel.

Propriétés étonnantes!

SANTÉ CARDIOVASCULAIRE : Des recherches chez les êtres humains ont montré que les gens qui montrent des niveaux de « mauvais » cholestérol LDL qui varient de bas à modéré et qui présentent des risques élevés de problèmes cardiovasculaires, présentent une diminution des niveaux de LDL lorsqu'ils ont consommé une boisson contenant du jus de brocoli et de chou-fleur.

CANCER : Il existe plus de 300 études cherchant à connaître les effets des composés contenant du soufre – comme les glucosinolates de sulforaphane – dans la lutte contre les cancers du sein et de la prostate. On trouve ces composés dans le brocoli, et en quantités encore plus élevées dans les germes de brocoli. Des études ont démontré que le sulforaphane stoppait la croissance des cellules cancéreuses dans les cancers du sein et de la prostate.

On a pu ralentir la croissance de cellules cancéreuses de la thyroïde et du goitre lorsqu'on les a traitées avec les substances appelées indole-3-carbinol et diindolyméthane (DIM), qui contiennent du soufre et que l'on trouve dans le brocoli.

ULCÈRES : Le sulforaphane, que contient le brocoli, peut empêcher la croissance de la bactérie *H. pylori,* à laquelle on impute souvent la responsabilité des ulcères d'estomac et d'autres affections. Des souches de bactéries résistantes aux antibiotiques ont même été efficacement réduites en présence de brocoli.

Conseils pratiques

SÉLECTION ET ENTREPOSAGE :

- Cherchez des tiges fermes et des têtes compactes vert foncé.
- Déposez le brocoli non lavé dans un sac ouvert dans le réfrigérateur, ou dans le bac à légumes.
- Pour un meilleur goût, utilisez le brocoli à l'intérieur d'un ou deux jours après l'achat.

SUGGESTIONS POUR PRÉPARER ET SERVIR :

- Coupez la tige épaisse. Si l'extérieur fibreux de la couche extérieure ne vous intéresse pas, vous pouvez vous servir d'un éplucheur de légumes pour l'enlever jusqu'aux fleurons. Coupez les fleurons et les tiges en pointes.
- En faisant cuire le brocoli, on peut augmenter ses propriétés anticancérigènes. Des chercheurs de l'Université de l'Illinois ont découvert que lorsqu'on chauffait le brocoli, on augmentait le nombre de sulforaphanes – éléments susceptibles de combattre le cancer.
- Faites cuire le brocoli à la vapeur jusqu'à ce qu'il soit tendre, mais encore croustillant. Il devrait être vert brillant.
- Faites sauter le brocoli avec des carottes, des pois mange-tout, du poulet (ou toute autre protéine animale ou végétale – comme le tofu), et de la sauce soya.
- Mangez-les crus, accompagnés de votre trempette préférée, ou dans une salade pour ajouter de la saveur.

Frittata au brocoli préférée de la famille

par Nicki Anderson

Portions : 8 • Temps de préparation et de cuisson : 75 minutes

Si vos enfants ne sont pas trop portés sur le brocoli, ce plat les fera certainement changer d'avis. Rempli de saveur, c'est un plat que même les plus difficiles adoreront ! Cette recette contient six aliments énergisants.

INGRÉDIENTS :

15 ml (1 c. à soupe) d'huile d'olive extra vierge
125 ml (½ tasse) d'oignon, haché
3 gros blancs d'œuf
1 gros œuf
250 ml (1 tasse) de lait écrémé
3 ml (½ c. à thé) de sel d'ail, au goût
3 ml (½ c. à thé) d'ail, émincé
1 ml (¼ c. à thé) de poivre noir
1 paquet de 450 gr (16 oz) de brocoli congelé, dégelé et égoutté
125 ml (½ tasse) de chapelure à grains entiers
190 ml (¾ tasse) de fromage fort râpé, faible en gras

PRÉPARATION :

Préchauffez le four à 180°C (350°F). Faites sauter l'oignon et l'ail dans l'huile jusqu'à ce que l'oignon soit tendre ; gardez en réserve. Combinez les blancs d'œuf, l'œuf, le lait, le sel et le poivre dans un grand bol. Ajoutez le brocoli dégelé, la chapelure, le fromage et l'oignon au mélange d'œufs et mélangez bien. Ajoutez tous les ingrédients restants, sauf 65 ml (¼ tasse) du fromage, et encore une fois, mélangez bien. Versez soigneusement tout le mélange dans un moule à pain en verre de 23 x 12 cm (9 x 5 po). Saupoudrez le fromage qui reste sur le dessus et faites cuire pendant une heure, ou jusqu'à ce qu'un couteau inséré au centre en sorte propre. Laissez refroidir pendant 5 à 10 minutes, tranchez en tranches minces et servez.

CHAQUE PORTION CONTIENT :

Calories : 200 ; Lipides : 12 g ; Gras saturés : 6 g ; Cholestérol : 60 mg ; Sodium : 398 mg ; Glucides : 13 g ; Fibres : 3 g ; Sucre : 5 g ; Protéines : 11 g.

Café (*Coffea arabica, C. robusta*)

COMPTER LES GRAINS

Saviez-vous que... tout de suite après l'huile, le café est en seconde place parmi les produits les plus échangés internationalement ?

En bref

Le café provient d'un arbre toujours vert qui produit les fruits du caféier ; ces fruits sont aussi appelés « cerises ». Le procédé de traitement débute en enlevant la peau de la cerise pour révéler une « fève » de café verte. Les fèves de café deviennent brunes après avoir été séchées et rôties.

La majorité du café consommé provient des variétés de fèves arabica ou robusta. La variété arabica compte pour soixante-dix pour cent de la production mondiale de café. Sa saveur est douce et aromatique. Le café robusta provient de l'Asie du sud-est et du Brésil. Son goût est un peu plus amer et il contient environ cinquante pour cent plus de caféine que l'arabica.

Son origine

On croit que le café est originaire du centre de l'Éthiopie et qu'il date d'environ 850 ans avant notre ère. De là, on l'a apporté au Yémen, où on en fait la culture depuis l'an 1000. Jusqu'à l'époque où les gens ont commencé à le consommer comme boisson chaude, il y a environ un millier d'années, le café servait surtout à des fins médicinales. Cette boisson, fortement appréciée au Moyen-Orient, n'a pas tout de suite atteint la même renommée en Europe. De prime abord, les chrétiens croyaient que le café était maléfique jusqu'à ce qu'un pape y goûte, le trouve délicieux et le bénisse. Cette approbation a marqué le début des cafés bistrots qui se sont rapidement répandus de l'Italie en France, en Angleterre et dans les Amériques.

Où le cultive-t-on ?

On cultive le café dans plus de cinquante-trois pays à travers le monde. Ces pays ont en commun leur latitude australe ; ils sont tous situés le long de l'équateur, entre les tropiques du Cancer et du Capricorne ; cette région est aussi connue sous le nom de « ceinture de cacao ». Le Brésil est le plus important producteur de café, suivi par la Colombie, le Mexique, le Guatemala, la République du Costa Rica, le Kenya, l'Indonésie, le Yémen, et le Vietnam. Hawaï et Porto Rico cultivent et produisent aussi du café.

Pourquoi devrais-je en consommer ?

> **Saviez-vous que... une consommation modérée de café (trois tasses par jour) fournit la même valeur d'hydratation qu'une quantité égale d'eau ? C'est particulièrement vrai pour les buveurs assidus de café.**

Le café ne contient pas de quantités considérables de vitamines ou de minéraux ; pourtant, ses propriétés antioxydantes vont bien au-delà des normes. Parmi toutes les boissons consommées à travers le monde, le café fait partie de celles qui contiennent le plus d'antioxydants. Le café contient des substances phytochimiques comme l'acide chlorogénique, qui offre des propriétés antioxydantes semblables à celles que l'on retrouve dans les fruits et les légumes, et qui sont susceptibles d'améliorer le métabolisme du glucose (sucre). Une tasse moyenne de café ordinaire contient environ 60 à 130 mg de caféine. La caféine est un stimulant qui peut favoriser la vigilance et améliorer la performance athlétique ; mais un excès de café peut causer de la nervosité et de l'irritabilité.

Remèdes maison

On s'est servi des feuilles et des racines du caféier pour fabriquer des mixtures utilisées dans le traitement des fièvres, des rhumes et de la pneumonie. Plusieurs croient que l'administration d'un lavement au café désintoxique le foie tout en nettoyant le colon — en effet, pour de nombreux individus, le café a des effets laxatifs.

Propriétés étonnantes !

MALADIE DE PARKINSON : Dans une étude portant sur plus d'un million de personnes, on a associé la consommation de caféine à un risque réduit de la maladie de Parkinson chez les hommes (mais pas chez les femmes).

SANTÉ CARDIOVASCULAIRE : Même si la consommation de café a été associée à l'hypertension et à une élévation de l'homocystéine, une étude qui a suivi 41 836 femmes au cours de la post-ménaupose, pendant quinze ans, a démontré que la consommation de café diminuait le risque de maladie cardiovasculaire et autres conditions inflammatoires.

PROTECTION DU FOIE : Une étude menée sur plus de 125 000 sujets révèle qu'une tasse de café par jour coupe le risque de cirrhose alcoolique de vingt pour cent. Quatre tasses par jour réduisent le risque de quatre-vingts pour cent !

PERTE DE MÉMOIRE : Une étude portant sur des hommes âgés a démontré que ceux qui buvaient trois tasses de café par jour présentaient moins de pertes de mémoire que ceux qui n'en buvaient pas. Dans une autre étude, où l'on a observé une population âgée, des chercheurs de l'Université de l'Arizona ont découvert que le rendement de la mémoire des buveurs de café décaféiné diminuait à mesure que la journée avançait, mais que ce n'était pas le cas des buveurs de café avec caféine.

DIABÈTE DE TYPE 2 : Une étude de onze ans, effectuée auprès des femmes, a découvert que celles qui consomment du café (surtout la variété décaféinée) présentent moins de risque de développer le diabète de type 2. En passant en revue quinze études sur le café et le diabète de type 2, *The Journal of the American Medical Association* a découvert que les gens qui buvaient régulièrement du café présentaient moins de risque de développer cette maladie.

CANCER DU SEIN : Les cellules cancéreuses du sein chez les humains ont réagi positivement à un traitement utilisant l'acide caféique et l'acide chlorogénique du café.

Conseils pratiques

SÉLECTION ET ENTREPOSAGE :

- Pour choisir les grains de café qui ont le plus de goût, assurez-vous qu'ils sont fraîchement rôtis et moulus. Les grains devraient être odorants et sans fissures.
- Plus le grain de café est torréfié, plus il est foncé, et plus la saveur est corsée et amère.
- Vous avez mal à l'estomac quand vous buvez du café ? Ce sont les phénols, et non les acides phénoliques, qui peuvent en être responsables. Des cafés réduits en acides sont maintenant offerts.
- Conservez le café dans un contenant hermétiquement fermé dans un endroit frais et sec. Réfrigérez le café moulu pour un entreposage de plus d'une semaine, mais ne gardez pas le café au congélateur, car des moisissures pourraient s'y former et des odeurs indésirables pourraient y être absorbées.

SUGGESTIONS POUR PRÉPARER ET SERVIR :

- Moulez les grains de café juste avant de vous en servir. Un moulage plus fin est infusé plus rapidement.
- Pour un café fort, utilisez 30 ml (2 c. à soupe) de café pour chaque tasse d'eau.
- Vous maximiserez la saveur des fèves de café moulue si vous vous servez d'eau froide.
- Quelques fois par mois, faites fonctionner votre cafetière avec un mélange d'une partie de vinaigre et une partie d'eau. Ceci élimine l'accumulation d'huiles oxydées qui sont susceptibles de donner un goût plus amer à votre café.

- Pour plus de saveur, servez-vous de café noir fort comme ingrédient dans les gâteaux et autres desserts.
- On peut utiliser les restes de café moulu dans une marinade pour les viandes.

Tourbillon moka-banane

Gracieuseté de Folgers

Portions : 2 • Temps de préparation : 10 minutes

On peut essayer cette recette avec n'importe quel café préparé ; mais le Folgers est un café non acide plus doux pour l'estomac. Cette recette contient cinq aliments énergisants.

INGRÉDIENTS :

250 ml (1 tasse) de café Folgers, froid
250 ml (1 tasse) de lait sans gras
25 ml (5 c. à thé) comble de poudre de cacao noire
30 ml (2 c. à soupe) de sirop d'agave
1 grosse banane, tranchée
125 ml (½ tasse) de cubes de glace

PRÉPARATION :

Combinez tous les ingrédients dans un mélangeur jusqu'à ce que le tout soit mousseux. Versez dans des verres et servez immédiatement.

CHAQUE PORTION CONTIENT :

Calories : 190; Lipides : 1 g; Gras saturés : 0,5 g; Cholestérol : 0 mg; Sodium : 70 mg; Glucides : 70 mg; Fibres : 3 g; Sucre : 36 g; Protéines : 6 g.

Canneberge (*Vaccinium macrocarpon*)

LA GRUE ET LE BUISSON

Saviez-vous que... les pèlerins américains ont donné le nom anglais de « craneberry » aux canneberges, parce que la floraison printanière du buisson rappelait la forme de la grue (crane) ? Un peu plus tard, on a raccourci le mot en « cranberry ».

En bref

La canneberge (aussi appelée atoca) est l'un des trois fruits indigènes des États-Unis et du Canada. On la cultive dans des bassins appelés tourbières. La façon la plus courante de récolter les canneberges consiste à inonder les bassins et à « battre » les plants à l'aide d'une batteuse mécanique pour en détacher les fruits. Les fruits flottants sont ensuite ramassés et chargés sur des camions pour être transportés jusqu'à une station de réception.

Son origine

Historiquement, les canneberges étaient utilisées par les Amérindiens autant comme ingrédient culinaire que comme médicament. Elles ont ensuite été popularisées dans notre culture durant la Guerre de l'Indépendance : c'est en 1816 qu'un vétéran de la guerre, Henry Hall, a planté les premiers lits de canneberge dans un but commercial, à Dennis, au Massachusetts. De nos jours, la culture des canneberges occupe près de 40 000 acres dans le nord des États-Unis et au Canada. En 2004, plus de 300 millions de livres (135 millions de kilos) de ces petits fruits ont été vendus pour être consommés sous forme de produits frais, congelés, en jus, séchés, en gelée, en sauce et même « en pilules ».

Où les cultive-t-on ?

Elles sont principalement cultivées commercialement au Wisconsin, au Massachusetts, au New Jersey, en Oregon et dans l'État de Washington, ainsi que dans les provinces canadiennes de la Colombie-Britannique et du Québec.

Pourquoi devrais-je en manger ?

Les canneberges sont riches en fibres et sont une excellente source de vitamine C et de phytonutrients, comme les flavonoïdes et les proanthocyanidines (PAC). D'après une étude publiée dans le *Journal of Agriculture and Food Chemistry*, ils contiennent plus d'antioxydants phénoliques que dix-neuf des fruits que l'on consomme le plus de nos jours.

Remèdes maison

Une grande partie des premiers travaux sur les canneberges, surtout en ce qui concerne leur rôle dans la lutte contre les infections des voies urinaires, était basée sur des anecdotes qui faisaient partie des recommandations de nos mères, car en fait, elle connaissait l'efficacité du petit fruit. Maintenant la recherche est en train de confirmer que nos mères avaient tout à fait raison ! Au *National Institutes of Health*, douze études sont en cours cherchant principalement à mieux définir l'activité des canneberges dans le combat contre les infections des voies urinaires.

D'après le Dr Martin Star, conseiller scientifique du Cranberry Institute, les canneberges sont non seulement nutritives, mais elles possèdent aussi des propriétés antiagrégantes et antibactériennes que l'on ne rencontre pas dans d'autres fruits.

On a effectué de multiples études cliniques en utilisant le jus de canneberges et il s'avère que la canneberge possède des propriétés antiagrégantes uniques qui empêchent certaines bactéries nuisibles de s'attacher aux cellules de notre corps. Ce nouveau concept de substances s'opposant à l'agrégation des plaquettes n'est pas simplement limité aux infections des voies urinaires, mais il est aussi possible que les canneberges s'attaquent à d'autres types de bactéries nuisibles, incluant les bactéries responsables des ulcères d'estomac et des affections gingivales.

Propriétés étonnantes !

CANCER : De multiples études ont découvert que les composés flavonoïdes incluant les anthocyanines, les flavonols et les proanthocyanidines, que l'on retrouve naturellement dans les canneberges, peuvent combattre la leucémie, les cancers du sein, du poumon, du côlon, et potentiellement plusieurs autres types de cancers.

SANTÉ CARDIOVASCULAIRE : Les flavonoïdes peuvent aussi réduire le risque d'athérosclérose. On a démontré que les composés flavonoïdes et phénoliques présents dans les canneberges réduisaient le « mauvais » cholestérol LDL, un facteur de risque connu de l'athérosclérose, alors qu'il augmente potentiellement le cholestérol HDL qui est protecteur. Étonnamment, il peut être aussi efficace de se servir du jus de canneberges au lieu de la canneberge entière pour lutter contre la maladie cardiovasculaire !

DIGESTION : On a démontré que le jus de canneberges freinait l'action de la bactérie *H. pylori* associée aux ulcères peptiques. Même si la plupart des ulcères ne sont pas extrêmement graves, on a associé la bactérie *H. pylori* au cancer de l'estomac, au reflux gastrique et à la gastrite. On a aussi démontré les propriétés des canneberges pour aider à apaiser les symptômes de la diarrhée.

PARODONPATHIE : Dans une étude publiée dans le *Journal of the American Dental Association*, on a démontré qu'un élément du jus de canneberges pouvait empêcher les bactéries d'adhérer aux dents et aux gencives, réduisant ainsi la plaque dentaire et la parodonpathie.

Conseils pratiques

SÉLECTION ET ENTREPOSAGE :

- Achetez des canneberges préemballées dans les sacs de plastique. Cherchez des fruits charnus, fermes et brillants.
- Outre les canneberges crues, vous pouvez aussi acheter des canneberges séchées (habituellement sucrées), du jus (sucré et non sucré), de la sauce, de la gelée et même des suppléments de canneberges.
- Entreposez les canneberges dans leur sac original, dans le bac à légumes du réfrigérateur, pendant environ quatre semaines, ou dans le congélateur jusqu'à six mois.

SUGGESTIONS POUR PRÉPARER ET SERVIR :

- Seul, le jus de canneberges non sucré peut avoir un goût amer ; il est donc préférable de le mélanger avec des parties égales de jus de pommes ou d'autres jus sucrés de votre choix. On le retrouve aussi dans la forme « cocktail », sucré ou sucré artificiellement.
- Pour obtenir ce goût « sucré acide » délicieux, agrémentez un bol de céréales d'une petite poignée de canneberges, mettez-en dans une salade, ou incluez-les pour créer un plat d'accompagnement intéressant, comme un pilaf aux canneberges.

Salade de kamut et canneberges

par le chef J. Hugh McEvoy

Portions : 6 • Temps de préparation et de cuisson : 60 minutes

Ce plat est une excellente solution alternative aux céréales du petit-déjeuner. Cette recette contient six aliments énergisants.

INGRÉDIENTS :

- *360 g (12 oz) de grains de kamut biologique*
- *120 g (4 oz) d'oignons Vidalia, hachés*
- *10 ml (2 c. à thé) d'huile d'olive extra vierge*
- *10 ml (2 c. à thé) de beurre, non salé*
- *5 ml (1 c. à thé) de gousses d'ail, hachées finement*
- *30 g (1 oz) de canneberges séchées sucrées*
- *60 g (2 oz) de noix de pécan, non salées et rôties*
- *Sel kasher et poivre noir au goût*

PRÉPARATION :

Dans une grande casserole d'eau bouillante salée, faites cuire les grains de kamut jusqu'à ce qu'ils soient tendres, environ 45 à 50 minutes. Égouttez le grain cuit et réservez pour les prochaines étapes.

En vous servant de la casserole dans laquelle vous avez fait cuire les grains, faites sauter l'oignon haché dans l'huile d'olive extra vierge et le beurre jusqu'à ce que l'oignon soit légèrement doré. Ajoutez l'ail, faites sauter jusqu'à ce qu'il soit tendre, puis ajoutez les grains de kamut, les noix et les canneberges. Faites mijoter le mélange. Assaisonnez de sel et de poivre noir au goût. Retirez du feu et servez immédiatement.

CHAQUE PORTION CONTIENT :

Calories : 261 ; Lipides : 10 g ; Gras saturés : 2 g ; Cholestérol : 3 mg ; Sodium : 60 mg ; Glucides : 42 g ; Fibres : 7 g ; Sucre : 15 g ; Protéines : 8 g.

Cannelle (*Cinnamomum zeylanicum ou cassia*)

BON POUR LES MOMIES !
Saviez-vous que... dans l'Égypte ancienne, on se servait de cannelle pour embaumer les morts ?

En bref

Il existe en fait quatre types de cannelle. La *Cinnamomum zeylanicum,* plus couramment connue comme « cannelle de Ceylan », et considérée comme la « vraie cannelle ». Les autres sortes de cannelle sont parentes de cette première ; la plus populaire étant la *cinnamomum cassia,* aussi connue sous le nom de cannelle de Chine ou de casse. Les deux variétés proviennent de l'écorce d'un arbre toujours vert de l'Asie. L'écorce est pelée et on la laisse sécher pour former un rouleau — le bâton de cannelle que nous connaissons de nos jours. Même si les goûts de chacune de ces cannelles se rapprochent, la cannelle de Ceylan a un goût légèrement plus riche et plus sucré. La majorité de la cannelle achetée aux États-Unis est la variété casse, qui est moins dispendieuse.

Son origine

La cannelle possède une longue histoire. La cannelle de Ceylan tire son origine de l'île du Sri Lanka. Des écrits chinois, qui datent de l'an 2700 avant notre ère, ont documenté l'utilisation de la cannelle. Vers l'an 1000 avant notre ère, l'Asie occidentale, l'Europe et l'Afrique ont importé la cannelle de l'Inde et c'est ainsi que l'épice a commencé à se propager. La cannelle est devenue vraiment populaire en Europe à l'époque des Croisades, et de là, elle s'est répandue à travers le monde.

Où la cultive-t-on ?

Les principaux pays producteurs de cannelle de Ceylan sont l'Inde, le Sri Lanka, Madagascar et le Brésil. La cannelle de

Chine est principalement cultivée en Chine, au Vietnam et en Indonésie.

Pourquoi devrais-je en consommer ?

La cannelle est une source de manganèse, de fer, de calcium et de fibres. Elle contient du cinnamaldéhyde, de l'acétate de cynnamyle et de l'alcool cynnamique, des substances qui servent d'antioxydants dans le corps. Le cinnamaldéhyde réduit l'adhésivité des plaquettes.

Remèdes maison

Les Chinois croyaient que la consommation de cannelle pouvait améliorer le teint et donner une apparence de jeunesse. Le peuple de l'Inde pense que la mastication d'un bâton de cannelle favorise la régularité du cycle menstruel, et leurs sages-femmes et médecins se servent de cette épice pour soulager la douleur durant l'accouchement. Pour combattre la mauvaise haleine, on peut se gargariser avec un mélange d'une cuiller à thé chacun de cannelle et de miel mêlé à de l'eau chaude.

Propriétés étonnantes !

ARTHRITE : Des recherches de l'Université Nanjing, en Chine, ont évalué 122 herbes pour leur efficacité à réduire l'acide urique, le déclencheur des poussées de goutte et d'arthrite. On a ainsi démontré que l'extrait de cannelle casse était le plus efficace pour freiner l'action de l'enzyme responsable de la production d'acide urique.

SANTÉ CARDIOVASCULAIRE : On a prouvé que la cannelle réduisait les lipides et possédait des propriétés anti-inflammatoires et un effet positif au niveau de l'agrégation plaquettaire. Les résultats d'une étude ont démontré que la consommation quotidienne de petites quantités de cannelle (pas plus de 6 g ou ⅕ oz) a réduit le glucose sérique, les triglycérides, le cholestérol LDL et le cholestérol total chez les personnes souffrant de diabète de type 2.

DIABÈTE DE TYPE 2 : Dans une étude expérimentale sur des animaux, on a constaté que les taux de glycémie étaient plus faibles chez des rats mâles auxquels on avait administré un extrait de cannelle. Une étude effectuée chez les humains a découvert qu'en donnant de l'extrait de cannelle à des diabétiques de type 2, on réduisait considérablement leur taux de glycémie.

TENSION ARTÉRIELLE : Dans une étude, on a administré à des rats une solution sucrée pour augmenter leur tension artérielle. Puis, on leur a donné de la cannelle moulue, de l'extrait de cannelle ou un placebo. Chez les rats qui avaient reçu de la cannelle moulue ou de l'extrait de cannelle, la tension artérielle a été réduite.

Conseils pratiques

SÉLECTION ET ENTREPOSAGE :

- La cannelle est offerte sous forme moulue et en bâton.
- Pour vérifier sa fraîcheur, sentez la cannelle. La cannelle fraîche a une odeur sucrée.
- Lorsque vous achetez de la cannelle, vous devez être prudent, car la cannelle de Ceylan et la cannelle de Chine sont souvent étiquetées de la même manière. Si vous voulez la « vraie » cannelle de Ceylan, essayez de l'acheter dans un magasin d'épices ou dans un marché d'alimentation orientale.
- On doit conserver la cannelle dans un contenant fermé hermétiquement et le placer dans un endroit sombre. La cannelle moulue commencera à perdre sa saveur après six mois. Les bâtons de cannelle dureront une année.
- Même s'il peut être tentant d'acheter le contenant de cannelle de grand format économique, le mieux est d'en acheter de petites quantités pour en préserver la fraîcheur, le goût et le contenu en phytochimiques.

SUGGESTIONS POUR PRÉPARER ET SERVIR :

- Pour moudre les bâtons de cannelle, vous pouvez vous servir d'un broyeur à café ou d'une râpe à fromage.
- Employez la cannelle dans des desserts comme le pudding au riz, les tartes et les gâteaux.
- Servez-vous de l'épice pour parfumer les viandes. La cannelle, le cumin, le curcuma et le gingembre forment une combinaison classique pour parfumer les plats de viande et de volaille du Moyen-Orient et de l'Afrique du Nord.
- Mélangez de la cannelle au café et buvez cette boisson chaude.
- Tartinez un peu de beurre sur des rôties à grains entiers, et saupoudrez-y un peu de cannelle et de sucre. Quel délice !

Pain doré aux bananes et à la cannelle

par Sharon Grotto

Portions : 4 • Temps de préparation et de cuisson : 15 minutes

Cette recette contient quatre aliments énergisants.

INGRÉDIENTS :

2 grosses bananes
8 tranches de pain italien à grains entiers
2 œufs
2 blancs d'œufs
250 ml (1 tasse) de lait de soya à la vanille
250 ml (1 tasse) de lait écrémé
5 ml (1 c. à thé) de cannelle
5 ml (1 c. à thé) d'extrait de vanille
Une pincée de muscade, fraîchement moulue

PRÉPARATION :

Déposez tous les ingrédients, sauf le pain, dans un robot culinaire et mélangez bien. Transférez dans un bol à mélanger peu profond. Prenez une tranche de pain à la fois et trempez-la dans le mélange pendant une minute. Vaporisez un poêlon antiadhésif d'huile végétale et chauffez sur feu moyen-élevé.

Déposez le pain dans le poêlon et cuisez chaque côté pendant 3 minutes ou jusqu'à ce qu'il soit brun doré. Retirez de la poêle à frire et garnir au choix de sirop d'érable, de miel, de fruits frais ou de confiture.

CHAQUE PORTION CONTIENT :
Calories : 310; Lipides : 19 g; Gras saturés : 3 g; Cholestérol : 80 mg; Sodium : 380 mg; Glucides : 9 g; Fibres : 2 g; Sucre : 2 g; Protéines : 25 g.

Cardamome (*Elettaria, Amomum, Aframomum*)

BON POUR LES DENTS

Saviez-vous que... longtemps avant les brosses à dents, les anciens Égyptiens mâchaient de la cardamome pour nettoyer leurs dents?

En bref

Le nom cardamome fait référence à trois variétés de la famille du gingembre : *Elettaria*, connue couramment comme la cardamome verte ou vraie cardamome; *Amomum*, connue comme la cardamome noire; et l'*Aframomum*, que l'on trouve et utilise principalement en Afrique et à Madagascar. Toutes les espèces de cardamome ont été utilisées soit en cuisine ou dans des buts de guérison. La cardamome possède un goût fort et unique, avec un arôme très intense. On s'en sert souvent dans les produits de boulangerie, mais on peut la retrouver à travers le monde dans des plats comme la masala, le pain de viande, les saucisses, les currys, et dans des boissons comme le chai, le café et différents thés. La cardamome est particulièrement populaire dans le monde arabe.

Son origine

On croit que la cardamome provient de l'Inde et de l'Asie du sud-est. Il est possible qu'on l'ait apportée en Europe il y a environ 800 ans; le commerce l'aura ensuite introduite dans le reste du monde.

Où la cultive-t-on ?

La cardamome est cultivée principalement en Inde, mais étant donné la pression des demandes intérieures, seule une petite partie de sa production est exportée. Le Guatemala, le Népal, le Sri Lanka, le Mexique, la Thaïlande, et l'Amérique Centrale sont les principaux exportateurs de cardamome.

Pourquoi devrais-je en manger ?

La cardamome est remplie d'huiles essentielles dont les propriétés antioxydantes sont élevées.

Remèdes maison

En Inde, la cardamome verte est utilisée pour traiter des maladies comme les infections parodontaires, les maux de gorge, les congestions pulmonaires, la tuberculose, l'inflammation et les troubles de la digestion. On rapporte aussi qu'on l'utilise comme antidote aux venins du serpent et du scorpion.

L'espèce *Amomum* est abondamment utilisée en médecine indienne traditionnelle. La médecine traditionnelle chinoise utilise la cardamome pour traiter les maux d'estomac, la constipation, la diarrhée et autres problèmes digestifs. Traditionnellement, on s'est servi de la cardamome comme d'un antispasmodique.

Propriétés étonnantes !

DIGESTION : La cardamome possède l'habileté de tuer la bactérie nuisible *H. pylori*, associée aux ulcères. Elle exerce aussi un effet apaisant sur le reste du tube digestif et elle a été utilisée pour traiter la dyspepsie et la gastrite.

ANTI-INFLAMMATOIRE : Une étude portant sur des animaux a découvert que des souris Swiss Albino, auxquelles on a administré quotidiennement de l'extrait de cardamome pendant huit semaines, ont connu des réductions importantes dans plusieurs marqueurs d'inflammation. On a aussi observé une augmentation de la destruction de cellules cancéreuses du côlon dans le groupe qui a reçu de l'extrait de cardamome.

Conseils pratiques

SÉLECTION ET ENTREPOSAGE :

- La cardamome est vendue sous deux formes : moulue de haute qualité, ou fraîche dans sa cosse, surtout dans les variétés vertes et noires.
- Il est préférable d'entreposer la cardamome en cosses, parce qu'une fois que les graines sont exposées à l'air ou moulues, elles perdent rapidement leur saveur.
- Conservez de la cardamome moulue dans un endroit frais et sec dans un contenant hermétique.

SUGGESTIONS POUR PRÉPARER ET SERVIR :

- Pour des recettes qui requièrent des cosses de cardamome entières, on a généralement établi que 10 cosses égalent 1 ½ cuiller à thé de cardamome moulue.
- La cardamome verte est traditionnellement mélangée aux grains de café rôtis pour fabriquer le café arabe appelé *Gahwa.*
- Ajoutez de la cardamome moulue aux quiches, aux puddings au riz ou aux céréales chaudes du petit déjeuner. Ajoutez de la cardamome entière au thé avec du lait ou aux boissons chai.
- Dans les restaurants indiens, la cardamome est traditionnellement offerte après le souper comme purificateur d'haleine.

Tofu frit dans une sauce au curry

par Dave Grotto

Portions : 8 • Temps de préparation et de cuisson : 25 minutes

Si vous le désirez, vous pouvez substituer du poulet ou du poisson au tofu. Étonnamment, cette recette contient dix aliments énergisants.

INGRÉDIENTS :

1 kg (2 lb) de tofu ferme coupé en tranches de 1,25 cm (½ po)
15 ml (1 c. à soupe) d'huile d'olive
2 gros oignons, pelés et coupés en quatre
1 gros piment vert, tranché en lanières de 5 cm (2 po)
5 ml (1 c. à thé) d'ail, écrasé
5 ml (1 c. à thé) de gingembre, fraîchement râpé
15 ml (3 c. à thé) de poudre de curry
1 boîte de 450 ml (15 oz) de sauce tomate, en conserve
1 boîte de 300 ml (10 oz) de lait de noix de coco, en conserve
15 ml (1 c. à soupe) de clous de girofle, entiers
5 ml (1 c. à thé) de cardamome, moulue
1 bâton de cannelle
Sel et poivre

PRÉPARATION :

Faites chauffer l'huile d'olive dans un grand poêlon à une chaleur moyenne-élevée. Faites sauter les morceaux de tofu jusqu'à ce qu'ils soient croustillants et dorés. Retirez le tofu du poêlon et réservez. Faites sauter l'oignon et le piment vert dans le poêlon jusqu'à ce que l'oignon soit translucide. Ajoutez le gingembre et l'ail et faites cuire pendant 2 à 3 minutes, jusqu'à ce que le parfum commence à être libéré, puis incorporez la poudre de curry en remuant. Remettez le tofu dans le poêlon et ajoutez la sauce tomate, le lait de noix de coco, les clous de girofle, la cardamome et le bâton de cannelle. Assaisonnez de sel et de poivre au goût, et remuez le tout. Réduisez la température de cuisson à feu doux et laissez mijoter pendant environ 15 minutes.

CHAQUE PORTION CONTIENT :

Calories : 210 ; Lipides : 12 g ; Gras saturés : 7 g ; Cholestérol : 0 mg ; Sodium : 430 mg ; Glucides : 17 g ; Fibres : 3 g ; Sucre : 11 g ; Protéines : 11 g.

Carotte (*Ceratonia siliqua*)

NE PAS SI M'ÉPRENDRE !

Saviez-vous que… la plupart des mini-carottes étaient autrefois des carottes plus longues qui ont été taillées en morceaux ? Les véritables mini-carottes sont retirées du sol avant maturation.

En bref

Les carottes appartiennent à un groupe de légumes variés appelés « racines pivotantes ». Leur croissance est originale en ce sens qu'elles poussent vers le bas, dans le sol, plutôt que de monter vers le soleil. On trouve des carottes sous plusieurs formes et plusieurs tailles, mais la couleur la plus appréciée est l'orange et la taille la plus répandue est de 17 à 23 cm (7 à 9 po) de longueur. Plus de quarante pigmentations sont offertes sur le marché, et chacune d'elles contient différents types de substances phytochimiques. Mais la majorité des carottes cultivées sont orange, mauve, jaunes ou blanches. Elles tombent toutes dans deux principales catégories : carottes orientales (asiatiques) ou occidentales (carotène).

Son origine

La culture des carottes date de plusieurs milliers d'années. Originaires d'Asie centrale et du Moyen-Orient, les carottes se sont rapidement répandues dans la région méditerranéenne. L'Inde, la Chine et le Japon avaient établi la production agricole vivrière des carottes dès le XIIIe siècle. Mais en Europe, ce n'est qu'au moment de la Renaissance que les carottes ont connu la faveur populaire. Durant le XVIIe siècle, les fermiers ont commencé à cultiver différentes variétés de carottes, incluant la variété orange que nous connaissons aujourd'hui.

Où les cultive-t-on ?

La Chine est le plus grand producteur de carottes, suivie des États-Unis, de la France, de l'Angleterre, de la Pologne et du Japon.

Pourquoi devrais-je en manger ?

Les carottes sont une excellente source de carotène, particulièrement de bêta-carotène. Une tasse de carottes tranchées fournit environ 686,3 pour cent de l'ANR* en vitamine A. Les carottes sont aussi une bonne source de fibres, de manganèse, de niacine, de potassium, de vitamine B6 et de vitamine C.

Remèdes maison

Il y a longtemps, les Grecs utilisaient les carottes pour guérir les affections d'estomac, et les Romains en mangeaient pour améliorer leur vie amoureuse. Les carottes ont aussi d'autres « racines » traditionnelles. Par exemple, durant Roch Hachana – le Nouvel An juif – on les sert sous forme de pièces de monnaie, comme symbole de prospérité future.

Propriétés étonnantes !

SANTÉ CARDIOVASCULAIRE : De multiples études ont examiné le lien entre les diètes à haute teneur en caroténoïde et la réduction des risques de maladie cardiaque. L'une de ces études, publiée il y a plus de dix ans dans une revue prestigieuse, a suivi 1 300 personnes âgées qui ont consommé au moins une portion de carottes ou de courge quotidiennement. En comparant ce groupe à un autre, où les individus consommaient moins d'une portion de ces légumes chaque jour, on a trouvé une réduction de soixante pour cent des risques d'attaque cardiaque chez les gens qui consommaient le plus de carottes ou de courges.

CANCER : La consommation élevée en caroténoïde a été liée avec une diminution de vingt pour cent des risques de cancer du sein chez les femmes en postménopause, et jusqu'à cinquante pour cent de diminution au niveau des cancers de la

*N.d.T. : Apport nutritionnel recommandé.

vessie, du col de l'utérus, de la prostate, du côlon, du larynx et de l'œsophage. Des études approfondies chez les humains ont suggéré qu'une diète incluant aussi peu qu'une carotte par jour pouvait diminuer de moitié le taux de cancer du poumon. Les lésions précancéreuses du côlon chez les animaux auxquels on avait prescrit des diètes contenant des carottes ou du falcarinol (un phytochimique naturel trouvé dans les carottes) étaient beaucoup moins importantes que celles des animaux du groupe contrôle. De plus, un nombre moins important de lésions ont progressé pour se transformer en tumeurs.

Même si une étude nommée CAROT, menée sur une large population, a montré que les fumeurs qui ingéraient des suppléments de bêta-carotène étaient plus enclins au cancer du poumon, une étude du *National Cancer Institute* a découvert que la fréquence du cancer du poumon était plus élevée chez les hommes dont la diète ne comportait pas une consommation saine d'alpha-carotène.

DIABÈTE : La recherche chez les humains suggère que la consommation d'aliments riches en caroténoïdes, comme les carottes, peut aider à augmenter l'efficacité de l'insuline, et ainsi améliorer le contrôle de la glycémie.

EMPHYSÈME : Une recherche sur des animaux, menée à l'Université d'État du Kansas, a démontré que les diètes riches en vitamine A réduisaient l'inflammation des poumons et la fréquence de l'emphysème.

VISION : Le bêta-carotène aide à protéger la vision, particulièrement la vision de nuit. Les actions puissantes antioxydantes du bêta-carotène aident à fournir une protection contre la dégénérescence maculaire et le développement des cataractes – la cause principale de cécité chez les personnes âgées.

Conseils pratiques

SÉLECTION ET ENTREPOSAGE :

- Les carottes orange foncé sont celles qui contiennent le plus de bêta-carotène.
- Évitez les carottes fendillées, ratatinées, molles, ou flétries.
- Il est préférable de réfrigérer les carottes dans le bac à légumes de votre réfrigérateur, mais ne les entreposez pas avec des fruits. Ceux-ci produisent du gaz éthylène en mûrissant. Ce gaz diminuera la vie des carottes entreposées.

SUGGESTIONS POUR PRÉPARER ET SERVIR :

- Si vous pelez les carottes, elles auront probablement une plus belle apparence, mais en général c'est inutile. De plus, les carottes pelées perdent certaines de leurs vitamines.
- La cuisson à la vapeur, à l'étouffée, le rôtissage, et la grillade sont les méthodes préférées pour préparer les carottes. Lorsqu'on les fait bouillir, la perte d'éléments nutritifs est plus importante. En cuisant les carottes dans un four à micro-ondes, vous économiserez peut-être du temps, mais vous réduirez aussi le contenu en bêta-carotène.
- Assaisonnez les carottes crues ou les carottes cuites avec de l'aneth, de l'estragon, du gingembre, du miel, de la cassonade, du persil, du citron ou du jus d'orange.

Soupe aux carottes et courges grillées

par le chef J. Hugh McEvoy

Portions : 12 • Temps de préparation et de cuisson : 60 minutes

Cette recette contient sept aliments énergisants.

INGRÉDIENTS :

455 g (1 lb) de mini-carottes fraîches
455 g (1 lb) de courges fraîches, en cubes
375 ml (1½ tasse) d'oignons Vidalia, hachés
1 litre (4 tasses) de bouillon de poulet faible en sodium
45 ml (3 c. à soupe) d'huile d'olive
1 gousse d'ail frais
12 bâtons de cannelle
1 brindille de thym frais
1 ml (¼ c. à thé) de muscade entière râpée
12 feuilles de menthe fraîche
1 feuille de laurier entière, séchée

PRÉPARATION :

Préchauffez le four à 185°C (375°F). Faites griller les carottes et la courge au four jusqu'à ce qu'elles soient tendres, environ 20 minutes. Dans une grande marmite, faites sauter les oignons et l'ail dans l'huile d'olive, jusqu'à ce qu'ils soient translucides. Ajoutez la courge, les carottes, le bouillon de poulet, la feuille de laurier et le thym. Portez à ébullition, diminuez la chaleur et laissez mijoter pendant 15 minutes. Retirez la feuille de laurier et le thym. En vous servant d'un robot culinaire, mélangez jusqu'à ce que la préparation soit très lisse. Assaisonnez de sel et de poivre selon votre goût. Servez dans de grands bols. Garnissez avec un bâton de cannelle, de la muscade fraîchement râpée, et déposez une feuille de menthe sur le dessus.

CHAQUE PORTION CONTIENT :

Calories : 80; Lipides : 3 g; Gras saturés : 2 g; Cholestérol : 8 mg; Sodium : 56 mg; Glucides : 12 g; Fibres : 2 g; Sucre : 4 g; Protéines : 3 g

Caroube (*Ceratonia siliqua*)

SON PAIN QUOTIDIEN

Saviez-vous que... la caroube est aussi connue sous le nom de « sauterelle » ou de « pain de saint Jean » ? En effet, les « sauterelles » dont se nourrissait Jean-Baptiste dans la Bible étaient en réalité des cosses de caroube.

En bref

La caroube appartient à la famille des pois. Le fruit de la caroube se trouve à l'intérieur d'une cosse longue et rougeâtre qui croît jusqu'à 30 cm (12 po) de long. Parmi les variétés les plus populaires, on trouve les Clifford, Santa Fe, Tylliria, Amele et Casuda. La gomme de caroube est un extrait tiré des grains de caroube ; elle est utilisée comme stabilisateur dans plusieurs aliments sur le marché. C'est surtout ainsi que la caroube est utilisée.

Son origine

La caroube provient le plus probablement du Moyen-Orient, où elle a été cultivée depuis les 4000 dernières années. Elle est devenue populaire dans la région méditerranéenne, et de là s'est répandue à travers l'Europe. Les Espagnols ont introduit la caroube au Mexique et en Amérique du Sud, alors que les Anglais l'ont apportée en Afrique du Sud, en Inde et en Australie. En 1854, la caroube est arrivée en Amérique du Nord, et en 1873, les premières semences ont été plantées en Californie.

Où la cultive-t-on ?

La plus grande partie de la production de caroube provient toujours de la région méditerranéenne. La Sicile, Chypre, Malte, l'Espagne et la Sardaigne sont les principaux producteurs dans cette région. Aux États-Unis, la Californie est le plus grand producteur de caroube.

Pourquoi devrais-je en manger?

La caroube est une bonne source de fibres et de protéines, ainsi que de minéraux comme le magnésium, le calcium, le fer et le potassium et de vitamines A, D et B. Elle contient les polyphénols catéchine, acide gallique et quercétine – qui sont tous des antioxydants puissants. La caroube contient aussi des acides tanniques qui fonctionnent comme antioxydants et qui sont bénéfiques pour l'appareil digestif.

Remèdes maison

Une boisson fabriquée avec 15 ml (1 c. à soupe) de poudre de caroube, mélangée à une tasse de liquide, comme de l'eau ou du lait d'avoine, d'amandes ou de riz, est un remède populaire pour les problèmes de digestion (diarrhée, nausée, vomissements). Les feuilles et l'écorce moulues du caroubier ont été utilisées pour traiter ou réduire les symptômes de la syphilis et autres maladies vénériennes. Des produits chimiques appelés acides tanniques, contenus dans la caroube, peuvent se lier et empêcher la croissance des mauvaises bactéries.

Propriétés étonnantes!

SANTÉ CARDIOVASCULAIRE : On a démontré que les sujets qui avaient des taux élevés de cholestérol présentaient des taux plus faibles de cholestérol LDL et de triglycérides et qu'ils amélioraient leur rapport LDL/HDL lorsqu'ils consommaient de la pulpe de caroube – riche en fibres insolubles.

CONTRÔLE DU POIDS : Une autre étude sur les bienfaits de la pulpe de caroube a démontré que ce fruit possédait des propriétés efficaces dans le métabolisme des graisses.

DIABÈTE : Une étude effectuée sur des rats a démontré que les sujets ont ralenti leur taux de digestion d'aliments, ont amélioré leur sensibilité à l'insuline et empêché le rebond de l'hypoglycémie – un abaissement anormal de la glycémie – lorsque leurs repas étaient accompagnés de gomme de caroube.

Conseils pratiques

SÉLECTION ET ENTREPOSAGE :

- La caroube est offerte sous forme de poudre, de pépites et de sirop. Les différentes formes sont trouvées préemballées ou en vrac dans plusieurs magasins de produits diététiques.
- Une fois qu'on a apporté la caroube du magasin à la maison, on doit la ranger dans un endroit frais et sec où il est possible de la conserver jusqu'à douze mois. Si vous achetez de la caroube sous forme de poudre ou en morceaux, tamisez la poudre dans une tamiseuse à farine ou dans un égouttoir avant de l'utiliser.

SUGGESTIONS POUR PRÉPARER ET SERVIR :

- Si vous utilisez la poudre de caroube comme substitut à la poudre de cacao, mélangez une partie de cacao avec 1 ½ à 2 parties de caroube. N'oubliez pas que la poudre de caroube est similaire quant au goût, mais pas aussi savoureuse que le chocolat.
- Poudre : utilisez-la dans les gâteaux, les biscuits, les bonbons ou les crêpes.
- Pépites : substituez-les à des morceaux de chocolat dans les muffins et les biscuits.
- Ajoutez du sirop ou de la poudre de caroube à du lait chaud, pour obtenir un substitut au chocolat chaud.

Gâteau aux noix et au caroube

par le chef J. Hugh McEvoy

Portions : 32 • Temps de préparation et de cuisson : 60 minutes

Cette recette contient cinq aliments énergisants.

INGRÉDIENTS :

1 sac de 360 g (12 oz) de pépites de caroube
1 bâtonnet (65 ml [¼ tasse]) de margarine
250 ml (1 tasse) de cassonade
125 ml (½ tasse) de farine à grains entiers
125 ml (½ tasse) de farine blanche non traitée
240 g (8 oz) de noix séchées en moitiés
4 œufs moyens oméga-3
65 ml (¼ tasse) de poudre de cacao, non sucrée
10 ml (2 c. à thé) d'extrait de vanille
3 ml (½ c. à thé) de levure chimique
5 ml (1 c. à thé) de sel de mer
125 ml (½ tasse) de sucre en poudre

PRÉPARATION :

Préchauffez le four à 180°C (350°F). Faites fondre les pépites de caroube dans une casserole à double fond. Réservez. Travaillez la cassonade et la margarine en crème dans un grand bol. Incorporez lentement les œufs, en mélangeant. Ajoutez les pépites de caroube fondues et la vanille en mélangeant bien. Tamisez la poudre de cacao, la farine, le sel et la levure chimique. Mélangez jusqu'à ce que le mélange soit lisse. Incorporez les noix. Versez la pâte dans un moule à gâteau tapissé d'un papier graissé. Mettez le gâteau au four jusqu'à ce qu'il soit prêt, approximativement 35 à 40 minutes. Laissez refroidir sur une grille et saupoudrez de sucre en poudre.

CHAQUE PORTION CONTIENT :

Calories : 160; Lipides : 8 g; Gras saturés : 1 g; Cholestérol : 25 mg; Sodium : 120 mg; Glucides : 22 g; Fibres : 2 g; Sucre : 8 g; Protéines : 8 g.

Céleri (*Apium graveolens*)

MÂCHER LE GRAS ?

Saviez-vous que… certains croient qu'il faut plus de calories pour digérer le céleri que l'on en consomme en le mangeant? Ceci reste à être prouvé, mais une chose est claire – le céleri est un élément fantastique dans toute diète !

En bref

Le nom du céleri provient d'un mot celtique qui signifie « eau ». Le céleri est de la même famille que les carottes, le fenouil, le persil et l'aneth. Il existe trois principaux types de céleri cultivé : le céleri chinois, qui ressemble beaucoup au céleri sauvage ; le céleri rave, principalement populaire en Europe, est connu pour son goût doux et sucré ; et le *var dulce* (signifiant « sucré »), une variété que l'on retrouve communément en Amérique du Nord. Les tiges tendres du centre en sont le cœur.

Son origine

Le céleri a d'abord été cultivé dans la région méditerranéenne, il y a environ 3000 ans. On l'offrait aux vainqueurs des jeux athlétiques en Grèce, tout comme on offre aujourd'hui des bouquets de fleurs. Comme ingrédient culinaire, le céleri a d'abord servi d'assaisonnement. Le premier document imprimé mentionnant son utilisation comme aliment provient de France et remonte à 1623. Dès le Ve siècle, les Chinois ont commencé à s'adonner aussi à la culture du céleri.

Où le cultive-t-on ?

Le céleri-rave est principalement cultivé en Europe. La France, l'Allemagne, la Hollande et la Belgique en sont les principaux producteurs ; cinquante pour cent de la récolte est réservé à l'industrie des marinades. La variété de céleri *var dulce* pousse toute l'année aux États-Unis, surtout en Californie, au Michigan, au Texas et en Ohio. Chaque année, la plus grande récolte aux États-Unis est nommée « la récolte de l'Action de grâces », à cause de l'utilisation du céleri dans la préparation de la farce pour la dinde traditionnelle.

Pourquoi devrais-je en manger ?

Le céleri est une bonne source de vitamine A — plus le vert est foncé, plus le niveau de vitamine A est élevé. Le céleri contient aussi les vitamines C, B1 et B2, du calcium, du fer, du magnésium, du phosphore et du potassium. Les feuilles contiennent plusieurs de ces éléments nutritifs et sont un bon substitut au persil. Le céleri contient des phtalides, qui peuvent aider à réduire le taux de cholestérol, et de la coumarine, possiblement utile dans la prévention du cancer.

Remèdes maison

Au Moyen-Âge, on utilisait le céleri sauvage comme plante médicinale. Les gens s'en servaient pour « traiter » des symptômes comme l'anxiété, l'insomnie, le rhumatisme, la goutte et l'arthrite. On croyait aussi que le céleri sauvage donnait de la force et purifiait le sang. Les Romains portaient des guirlandes de céleri sauvage comme antidote aux effets enivrants du vin et au mal de tête qui s'en suivait. Au Vietnam, on s'est servi du céleri comme remède pour réduire la tension artérielle. Le céleri est aussi un aphrodisiaque réputé. L'huile de céleri-rave possède un effet apaisant, est utile comme diurétique, et constitue un remède traditionnel pour les problèmes de peau et de rhumatisme.

Propriétés étonnantes !

CHOLESTÉROL : Dans une étude portant sur des animaux, le jus de céleri a réduit de façon remarquable le taux de cholestérol total, en augmentant la sécrétion de l'acide biliaire.

PRÉVENTION DU CANCER : On a prouvé que l'alcool périllique, présent dans l'huile essentielle tirée des graines de céleri, avait des propriétés anticancéreuses. Le *National*

Cancer Institute est en train de mener des essais cliniques chez des humains avec de l'alcool périllique. On cherche à étudier son efficacité dans l'interruption de la progression du cancer du sein. Des études sur des animaux ont mené à des résultats positifs dans la régression de tumeurs au pancréas, aux glandes mammaires et au foie. On peut espérer voir des effets dans la prévention et le traitement de plusieurs autres types de cancer.

ANTIBACTÉRIEN ET CHAMPIGNONS (MOISISSURE) : Le céleri contient des polyacétylènes : substances hautement toxiques pour les champignons et les bactéries. Ce composé possède aussi des effets anti-inflammatoires et augmente la fluidité sanguine.

Conseils pratiques

SÉLECTION ET ENTREPOSAGE :

- Les feuilles des tiges de céleri devraient être d'un vert clair et non flétries. Pressez doucement le milieu de la tige : si vous entendez un léger grincement, le céleri est frais.
- Le céleri-rave (racine du céleri) est offert en deux variétés : un format plus petit est vendu au début de l'automne, et un format plus volumineux est vendu plus tard dans la saison.
- Rincez le céleri et déposez-le dans un sac de plastique. Aspergez ou ajoutez de l'eau au sac de plastique pour maintenir la fraîcheur du céleri. Conservez au réfrigérateur dans le bac à légumes, où il devait durer environ deux semaines.

SUGGESTIONS POUR PRÉPARER ET SERVIR :

- Si vous n'avez pas rincé le céleri avant de l'entreposer, assurez-vous de le rincer à fond pour enlever le sable et la terre des tiges avant de l'utiliser.
- Coupez les tiges juste avant de les servir. Si vous devez les préparer bien à l'avance, trempez les tiges de céleri

coupées dans l'eau glacée jusqu'à une heure avant de les servir.

- Remplissez le céleri avec du beurre d'arachides ou du fromage à la crème faible en gras, ou trempez-le dans une sauce santé en remplacement des croustilles.
- Faites sauter le céleri et ajoutez-le à une soupe ou à votre ragoût préféré. Ajoutez du céleri frais à n'importe quelle salade.

Salade crue au céleri

Tiré de *Charting a Course to Wellness,* par Treena et Graham Kerr

Portions : 4 • Temps de préparation : 10 minutes

Cette recette contient six aliments énergisants.

INGRÉDIENTS :

1 L (4 tasses) de céleri, haché
250 ml (1 tasse) de carottes, râpées
125 ml (½ tasse) d'oignon jaune, haché
125 ml (½ tasse) de poivron rouge, haché
125 ml (½ tasse) de raisins
65 ml (¼ tasse) de mayonnaise à l'huile de colza
65 ml (¼ tasse) de yogourt nature sans gras
30 ml (2 c. à soupe) de vinaigre de cidre de pomme
15 ml (1 c. à soupe) de moutarde de Dijon

PRÉPARATION :
Combinez le céleri, les carottes, les oignons, le poivron rouge et les raisins dans un grand bol. Dans un petit bol, mélangez la mayonnaise, le yogourt, le vinaigre et la moutarde, et battez au fouet jusqu'à ce que le mélange soit lisse. Versez la vinaigrette sur les légumes et mélangez bien.

CHAQUE PORTION CONTIENT :
Calories : 163; Lipides : 5 g; Gras saturés : 1 g; Cholestérol : 6 mg; Sodium : 342 mg; Glucides : 27 g; Fibres : 4 g; Sucre : 19 g; Protéines : 3 g.

Cerise (*Prunus cerasus L. et Prunus avium L.*)

UN CALMANT NATUREL

Saviez-vous que… les cerises soulagent naturellement la douleur ? Des chercheurs de l'Université du Michigan ont identifié deux pigments végétaux qui existent dans les cerises et qui bloquent une enzyme (COX-2) que l'on croit être à l'origine de la douleur.

En bref

La cerise fait partie de la famille des roses. Elle est classée parmi les drupes ; cela signifie qu'il s'agit d'un fruit qui contient un noyau recouvert de chair comestible. Les deux principaux types sont les cerises douces et les cerises acides (aussi connues sous le nom de griottes). La cerise douce comprend plusieurs variétés dont la Bing (aussi appelée « cerise de France »), burlat, napoléon, amarelle, merise. Aux États-Unis, la Bing est la variété la plus demandée. La cerise Montmorency est la cerise acide la plus souvent utilisée dans les tartes. Un cerisier peut produire assez de cerises pour fabriquer vingt-huit tartes.

Son origine

Les cerises douces proviennent de deux endroits : le Caucase et la Turquie. La cerise acide provient de l'Europe orientale et de l'Europe centrale. Durant l'invasion normande en 1066, on a apporté la cerise en Angleterre. Au XVIIe siècle, les colons britanniques et français ont apporté les cerises en Amérique du Nord. Les cerises sauvages (aussi connues sous le nom de cerises de Virginie) sont indigènes de l'Amérique du Nord et ont été répandues dans tout le pays par les Amérindiens. Dans les colonies du Midwest, on plantait des cerisiers pour créer des jardins de style français.

Où les cultive-t-on ?

Les cerises douces sont cultivées à travers l'Europe et l'Amérique du Nord. L'Espagne, la France, l'Italie, la Russie et l'Allemagne sont les grands producteurs européens. Les cerises acides sont cultivées aux États-Unis, en Russie, en Allemagne et en Europe de l'Est. L'Allemagne, suivie des États-Unis, est le plus important producteur de cerises. Aux États-Unis, on cultive les cerises douces en Idaho, en Oregon, dans l'État de Washington et en Californie. Les cerises acides sont cultivées dans les États du Michigan, de New York et du Wisconsin.

Pourquoi devrais-je en manger ?

Les cerises contiennent des vitamines A, C, et B, des minéraux comme du calcium, du fer et du potassium, et des fibres. Les cerises sont une source importante de plusieurs phytochimiques : le bêta-sitostérol, un stérol végétal lié à la réduction des niveaux de cholestérol dans le sang ; des anthocyanines qui donnent à la cerise sa couleur rouge et peuvent aussi réduire l'inflammation et la douleur ; la quercétine pouvant aider à prévenir la maladie cardiovasculaire ; l'amygdaline qui peut réduire la croissance et la taille d'une tumeur ; l'acide ellagique utile pour combattre les infections bactériales et le cancer ; l'alcool périllique qui est un antioxydant ayant une activité antitumorale. Les cerises acides possèdent plus de composés phénoliques que les cerises douces et sont aussi une source naturelle de phagocytes de radicaux libres nommés superoxyde dismutase (SOD).

Remèdes maison

Les Amérindiens ont utilisé les cerises sauvages (cerises de Virginie) pour supprimer la toux. On se servait des noyaux chauds de cerises pour réchauffer les lits durant les nuits fraîches. On a utilisé les cerises acides pour soigner la carie dentaire et pour prévenir les varices et les maux de tête. On reconnaît que les cerises ont des effets laxatifs et peuvent soulager la constipation.

Propriétés étonnantes !

CANCER : Des études sur les cerises acides suggèrent qu'elles contiennent des substances qui pourraient réduire de façon substantielle la formation d'acides aminés aromatiques hétérocycliques (AAH) — produits chimiques carcinogènes qui proviennent de la calcination de la viande. Une étude sur des souris a découvert que les anthocyanines — substance phytochimique contenue dans les cerises acides — réduisent la croissance des cellules cancéreuses du côlon.

MAUX DE TÊTE : D'après des chercheurs de l'Université d'État du Michigan, la consommation d'une vingtaine de cerises par jour peut aider à diminuer les maux de tête.

DOULEURS MUSCULAIRES : Dans une étude, les hommes qui avaient bu du jus de cerises acides, après avoir pratiqué des exercices d'entraînement, ont ressenti moins de douleurs musculaires et ont perdu moins de force. (Les femmes peuvent aussi en bénéficier, mais cette étude portait exclusivement sur des hommes.)

GOUTTE, ARTHRITE, DOULEUR INFLAMMATOIRE : Les cerises noires et les cerises Bing possèdent toutes les deux des propriétés antioxydantes et anti-inflammatoires. Ces propriétés sont surtout dues à la substance appelée cyanidine, qui peut arrêter la douleur causée par les cristaux d'acide urique. Dans une étude, des hommes et des femmes en santé ont consommé des cerises Bing pendant vingt-huit jours. Les marqueurs d'inflammation ont été réduits et sont demeurés faibles pendant des jours, même après avoir interrompu la consommation de cerises. L'inclusion des cerises dans la diète peut constituer un outil pour prévenir les maladies inflammatoires avant qu'elles ne deviennent douloureusement apparentes.

SANTÉ CARDIOVASCULAIRE : Une étude effectuée sur des hommes et des femmes a découvert qu'en consommant des cerises Bing, la présence de certains marqueurs de maladie cardiovasculaire a diminué chez ces sujets.

DIABÈTE : On a découvert que les anthocyanines contenus dans les cerises acides augmentent de cinquante pour cent la production d'insuline dans les cellules pancréatiques animales.

SOMMEIL : Les cerises acides Montmorency sont riches en antioxydant mélatonine qui peut aider à favoriser le sommeil.

Conseils pratiques

SÉLECTION ET ENTREPOSAGE :

- Choisissez des cerises sans entailles ou décoloration. Une cerise gâtée risque d'entraîner la détérioration des autres rapidement.
- Assurez-vous que les cerises que vous choisissez sont mûres à votre goût. Elles ne mûrissent plus après avoir été cueillies.
- Les cerises non lavées se conservent bien dans le réfrigérateur jusqu'à une semaine.

SUGGESTIONS POUR PRÉPARER ET SERVIR :

- Pour congeler les cerises, équeutez-les et congelez-les sur une plaque à biscuits. Vous pouvez les conserver au congélateur jusqu'à 10 mois.
- Pour dénoyauter une cerise, coupez-la en moitié avec un couteau à légumes et retirez le noyau.
- Si les cerises ont taché vos mains, pressez du jus de citron frais sur vos mains et rincez-les à l'eau chaude.
- Mangez des cerises nature ou sur une glace, une salade ou des céréales.
- Mélangez-les à de la pâte à biscuits ou à muffins, ou même dans une sauce accompagnant la viande ou le poisson.
- Utilisez des cerises congelées pour fabriquer une tarte aux cerises.

Gruau aux cerises cuit au four

Adaptée d'une recette du *Cherry Marketing Institute*

Portions : 4 • Temps de préparation et de cuisson : 50 minutes

Cette recette contient cinq aliments énergisants.

INGRÉDIENTS :

125 ml (½ tasse) de cerises acides, séchées
125 ml (½ tasse) de céréales d'avoine minute, non cuites
65 ml (¼ tasse) de sirop d'agave
3 ml (½ c. à thé) de sel
500 ml (2 tasse) de lait écrémé ou de soya
65 ml (¼ tasse) de substitut d'œuf
3 ml (½ c. à thé) d'extrait d'amande

PRÉPARATION :

Combinez les cerises, l'avoine, le sirop d'agave et le sel dans un bol de taille moyenne. Ajoutez le lait, le substitut d'œuf et l'extrait d'amandes en remuant. Vaporisez un enduit à cuisson antiadhésif sur quatre ramequins et versez le mélange à part égale. Déposez les ramequins sur une plaque à cuisson. Faites cuire dans un four préchauffé à 180ºC (350ºF) pendant 30 à 40 minutes ou jusqu'à ce que les centres soient légèrement tendres. Servez chaud.

CHAQUE PORTION CONTIENT :

Calories : 210; Lipides : 3,5 g; Gras saturés : 0 g; Cholestérol : 0 mg; Sodium : 330 mg; Glucides : 39 g; Fibres : 3 g; Sucre : 27 g; Protéines : 7 g.

Champignon (*Basidiomycota*)

ENTREPRISE RISQUÉE !

Saviez-vous que... pour un œil inexpérimenté, il n'y a pas de différence notable entre les champignons vénéneux et les champignons comestibles ? La méthode « infaillible » de ma grand-mère consistait à faire goûter à mon grand-père les champignons sauvages qu'elle avait cueillis : s'il n'était pas malade, elle en nourrissait alors toute la famille.

En bref

Les champignons sont à vrai dire les « fruits » de moisissures appelées *mycélium,* poussant dans le sol, le bois ou la matière en décomposition. Il existe des milliers de variétés de champignons, variant en taille, forme, texture et couleur. Certains types plus populaires incluent la fausse corne d'abondance, les chanterelles, les oreilles de Judas, les champignons Lobster, les morilles, les champignons d'huître, les bolets, les champignons de Paris, les shiitakes, les truffes, les champignons de couche, et les champignons noirs. Les champignons nous permettent de connaître une cinquième saveur primaire du goût, appelée *unami* en japonais, traduit par « savoureux » ou « substantiel ». Ce ne sont pas tous les champignons comestibles qu'on utilise en cuisine ; certains sont destinés à des usages médicinaux et sont vendus sous forme de suppléments.

Son origine

Les champignons, qu'importe la variété, ont tous été à l'origine de la végétation sur la planète. Depuis des milliers d'années, les cultures orientales ont employé les champignons tant pour l'alimentation que pour la médecine. Dans l'Égypte ancienne, on croyait que la consommation de champignons rendait immortel. La France a été l'un des premiers pays renommés pour la culture des champignons. Après le règne du roi Louis XIV, la culture des champignons a acquis de la popularité en

Angleterre. À la fin du XIXe siècle, les champignons cultivés sont arrivés aux États-Unis.

Où les cultive-t-on ?

La Chine compte pour trente-deux pour cent de la production mondiale, tandis que les États-Unis en cultivent seize pour cent.

Pourquoi devrais-je en consommer ?

Même si, en général, on ne croit pas que ces légumes soient très nutritifs, plusieurs champignons destinés à la cuisine contiennent d'importantes quantités de sélénium — à vrai dire, plus que tout autre produit agricole. Les champignons sont aussi une bonne source de vitamine B — comme la riboflavine et l'acide pantothénique. Les champignons blancs, les criminis et les champignons de Paris sont d'excellentes sources de potassium. Les champignons à tête blanche s'avèrent également une bonne source de vitamine D, mais si on les expose à la lumière ultraviolette pendant seulement cinq minutes après la cueillette, une simple portion contiendra un punch énergisant de 869 pour cent de la valeur quotidienne en vitamine D ! On étudie présentement les avantages de ce niveau de vitamine D. Ce sont les polyphénols qui contribuent principalement à l'activité antioxydante des champignons. Un autre antioxydant, nommé ergothionéine et connu pour ses propriétés anticancéreuses, se trouve en plus forte quantité que nulle part ailleurs dans les champignons.

Remèdes maison

Au cours des dernières années, les ethnobotanistes et les chercheurs en médecine ont fait une étude intensive sur de nombreuses espèces de champignons et de moisissures qui étaient utilisées depuis des milliers d'années par la médecine traditionnelle. On les utilisait pour soigner toutes sortes de maux — de la prévention du cancer jusqu'au combat contre la maladie cardiovasculaire.

Propriétés étonnantes !

CANCER DU SEIN : Une étude technique a révélé que parmi sept extraits de légumes testés, l'extrait de champignon blanc était le plus efficace pour inhiber l'aromatase – une enzyme associée à la croissance des tumeurs du cancer du sein.

CANCER DE LA PROSTATE : Dans des études in vivo, un extrait de champignon à tête blanche a supprimé la croissance de cellules cancéreuses dans un cancer de la prostate androgéno-indépendant, et la taille de la tumeur a diminué d'une manière proportionnelle à la dose administrée.

AMÉLIORATION DU SYSTÈME IMMUNITAIRE : Les champignons contiennent des béta-glucanes et d'autres substances qui peuvent aider le système immunitaire à reconnaître et à engloutir les cellules anormales qui causent la maladie.

MIGRAINES : Actuellement, on mène une étude intensive sur la psilocybine (originellement un extrait de certains champignons psychédéliques) dans le traitement des migraines, de même que pour les troubles obsessivo-compulsifs.

Conseils pratiques

SÉLECTION ET ENTREPOSAGE :

- On peut trouver les champignons sauvages de façon saisonnière. On retrouve des morelles au printemps, des chanterelles au milieu de l'été, et des bolets à l'automne.
- Dans le cas des champignons communs, choisissez ceux dont la texture est ferme et la couleur égale, avec des têtes bien fermées.
- Entreposez les champignons partiellement couverts dans le bac à légumes de votre réfrigérateur. Servez-vous-en à l'intérieur de trois jours.

- Entreposez les champignons séchés dans un contenant hermétiquement fermé.

SUGGESTIONS POUR PRÉPARER ET SERVIR :

- Les champignons séchés doivent être trempés dans l'eau chaude ou dans une partie du liquide de cuisson de la recette pendant environ une heure avant l'utilisation. On peut se servir du liquide pour ajouter de la saveur.
- Essuyez doucement les champignons avec un linge humide, ou une brosse douce, pour enlever les traces de sphaignes. Ou rincez-les à l'eau froide et séchez-les en les tapotant légèrement avec un essuie-tout.
- Les champignons peuvent être frits, sautés, on peut les servir seuls comme plat d'accompagnement, ou les servir comme garniture sur une entrée.
- On peut employer les champignons dans les salades, les soupes, les sautés, les plats de viande et autres repas principaux.

Champignons farcis et crevettes tigrées

par le chef J. Hugh McEvoy

Portions : 6 • Temps de préparation et de cuisson : 35 minutes

Pour un plat végétarien, utilisez du bouillon de poulet « sans poulet » au lieu du bouillon ordinaire, et omettez les crevettes. Cette recette contient six aliments énergisants.

INGRÉDIENTS :

6 gros champignons de Paris
6 grosses crevettes tigrées
190 ml (¾ tasse) de chapelure de grains entiers
60 g (2 oz) de fromage parmesan, râpé
85 ml (⅓ tasse) de poivron rouge doux, haché
85 ml (⅓ tasse) d'échalote, hachée
45 ml (3 c. à soupe) de basilic frais, finement haché
45 ml (3 c. à soupe) de coriandre fraîche, finement hachée
190 ml (¾ tasse) de bouillon de poulet, faible en sel
45 ml (3 c. à soupe) d'huile d'olive extra vierge
Sel et poivre, au goût

PRÉPARATION :

Enlevez les tiges des champignons et réservez. Dans une sauteuse à fond épais, faites sauter les têtes de champignon dans l'huile d'olive jusqu'à ce qu'elles soient légèrement dorées. Retirez du feu et réservez. Faites sauter le poivron, l'échalote et les tiges de champignon hachées dans l'huile d'olive jusqu'à ce que le tout soit légèrement doré. Incorporez la chapelure et chauffez un peu plus longtemps. Ajoutez le bouillon de poulet et remuez jusqu'à ce que le tout soit bien mélangé. Retirez du feu. Ajoutez les herbes fraîchement hachées et le fromage au mélange ; bien mélangez et réservez. Faites cuire à la vapeur les crevettes tigrées dans leur carapace. Décortiquez et déveinez les crevettes, et réservez. Remplissez chaque tête de champignon aux trois quarts avec la garniture de poivron, d'échalote et de tiges de champignon. Ne remplissez pas trop. Recouvrez chaque champignon farci avec une crevette en la courbant dans le chapeau. Avec du beurre fondu, badigeonnez chaque champignon farci. Dans un plat peu profond pour le four, faites dorer les champignons farcis sous le gril. Assaisonnez de sel et de poivre, au goût. Garnissez chaque chapeau avec une feuille de basilic frais. Servez immédiatement.

CHAQUE PORTION CONTIENT :

Calories : 200 ; Lipides : 12 g ; Gras saturés : 3 g ; Cholestérol : 20 mg ; Sodium : 35 mg ; Glucides : 14 g ; Fibres : 3 g ; Sucre : 3 g ; Protéines : 9 g.

Chocolat (*Theobroma cacao*)

MALHEUREUSEMENT, PAS POUR TOI, FIDO !

Saviez-vous que... le chocolat peut être un aliment sain pour les humains ? Mais l'antioxydant théobromine, que l'on retrouve dans le chocolat, peut être toxique pour les chiens, les chats, les perroquets et les chevaux.

En bref

Le chocolat provient des fèves du cacaoyer (*cacao* est le terme aztèque pour désigner le chocolat). Les fèves contiennent des graines qui se transforment en une pâte que l'on nomme liqueur de chocolat. Cette liqueur entre dans la fabrication de plusieurs des produits qui sont à base de chocolat. On peut trouver trois grands groupes de chocolat sur le marché : Criollo, Forastero (amazonien) et Trinitario. Le Forastero compte pour près de quatre-vingts pour cent de la production mondiale de chocolat.

Son origine

D'après les légendes mayas et aztèques, le cacao a été découvert par les dieux dans une montagne d'Amérique du Sud. On croit que le cacaoyer provient de la région des Andes, en Amazonie, et de l'Amérique du Sud. De là, les Mayas ont apporté le cacaoyer en Amérique centrale. Le premier envoi commercial de grains de cacao à avoir été documenté a eu lieu en l'an 1585 entre Veracruz, au Mexique, et Séville, en Espagne. En Italie, en 1606, on a servi pour la première fois, à l'extérieur de l'Amérique du Sud et de l'Amérique Centrale, une boisson au cacao. Peu après, le cacao s'est répandu dans l'ensemble de l'Europe. Les Espagnols ont ensuite introduit le cacaoyer aux Philippines, et finalement, en Inde occidentale et aux États-Unis.

Où le cultive-t-on ?

Les plus grands producteurs sont la Côte d'Ivoire, le Ghana et l'Indonésie. On trouve la variété Criollo en Équateur, au Nicaragua, au Guatemala et au Sri Lanka. Le Forastero – signifiant « étranger » en espagnol – est maintenant la variété principalement cultivée en Afrique.

Pourquoi devrais-je en manger ?

Les fèves de cacao contiennent des minéraux comme le magnésium, le calcium, le fer, le zinc, le cuivre, le potassium et le manganèse. Elles contiennent aussi des vitamines A, B1, B2, B3, C,

E et de l'acide pantothénique. Le cacao contient plus de substances phytochimiques phénoliques, et possiblement une capacité antioxydante plus élevée que tout autre aliment – incluant le thé vert, le thé noir, le vin rouge et les bleuets. Les flavonoïdes rencontrés dans le chocolat incluent les flavonols, notamment l'épicatéchine, la cachétine et le proanthocyanidine. C'est aussi une riche source de l'antioxydant théobromine. De nombreux produits au chocolat noir, qui contiennent un pourcentage élevé (70 %) de cacao, renferment des quantités importantes de ces antioxydants ; mais ce n'est pas toujours garanti. Le traitement du cacao peut occasionner des pertes substantielles de ses éléments nutritifs ; recherchez donc des produits au cacao qui vantent leur contenu en flavonols. Le cacao contient également de la caféine. Une portion de 224 g (8 oz) de cacao ne fournit pas plus que 5 à 10 mg de caféine ; moins que ce que l'on trouve dans le café, le thé noir ou le cola ; ces produits en contiennent habituellement entre 20 et 120 mg par portion.

Remèdes maison

De tous les temps, le beurre de cacao a été favorisé pour réduire l'apparence des vergetures. Les Aztèques ont été les premiers à utiliser le cacao médicalement pour traiter les problèmes d'estomac et d'intestins. Les Amérindiens se servaient du cacao pour faire diminuer les fièvres. En 1672, on notait que le chocolat pouvait guérir les « pustules ou les enflures » chez les marins qui avaient mangé des aliments dont la fraîcheur laissait à désirer.

Propriétés étonnantes !

AMÉLIORATION DE LA PEAU : Même si on accuse souvent le chocolat de contribuer aux problèmes de peau, une étude a démontré que la peau de femmes qui consommaient régulièrement une boisson de cacao contenant un pourcentage élevé de flavonols était beaucoup mieux hydratée, moins rude et moins écaillée.

DIARRHÉE : Une étude menée par les chercheurs du *Children's Hospital & Research Center* à Oakland, en Californie, a découvert que les flavonoïdes des fèves de cacao pouvaient combattre la diarrhée.

SANTÉ CARDIOVASCULAIRE : Plusieurs études menées chez des humains ont montré que le chocolat noir, riche en flavonoïdes, améliorait la fonction endothéliale et réduisait le taux de (« mauvais ») cholestérol LDL, diminuant ainsi le risque de maladie cardiovasculaire. Des études ont indiqué que les personnes qui ajoutent du chocolat à leur diète connaissent une réduction de la tension artérielle par rapport aux personnes qui ne consomment pas de chocolat.

DIABÈTE : Une étude faite chez des humains a découvert que les flavonols du chocolat noir augmentaient l'oxyde nitrique chez les sujets testés ; cette réaction améliorait la sensibilité à l'insuline et le flot sanguin et abaissait la tension artérielle.

TOUX : Une équipe de chercheurs a découvert que la théobromine — un dérivé contenu dans le cacao — est presque un tiers plus efficace que la codéine pour faire cesser les toux persistantes. La codéine est actuellement considérée comme étant le meilleur médicament contre la toux. L'utilisation de la théobromine comme antitussif est toujours à l'étude.

CANCER DU CÔLON : Les chercheurs de l'Université de Barcelone, en Espagne, ont découvert que les antioxydants contenus dans le cacao sont efficaces pour supprimer les gènes qui stimulent la croissance des cellules cancéreuses du côlon.

FONCTION COGNITIVE : Le Dr Bryan Raudenbush, chercheur à l'Université Wheeling Jesuit de Virginie-Occidentale, a découvert que la mémoire verbale et visuelle était significativement plus élevée chez les sujets qui consommaient du chocolat au lait par opposition au chocolat noir.

Conseils pratiques

SÉLECTION ET ENTREPOSAGE :

- On trouve le chocolat sous plusieurs formes : la poudre de cacao ; le chocolat noir, aussi connu comme « aigre-doux » ; le chocolat au lait et le chocolat pour la cuisson. Le chocolat blanc *n'est pas* du chocolat.
- Évitez d'acheter du chocolat qui présente une apparence grisâtre, des taches blanches sur la surface, ou des petits trous.
- Le chocolat se conservera pendant plusieurs mois à la température de la pièce, réfrigéré ou congelé.

SUGGESTIONS POUR PRÉPARER ET SERVIR :

- Lorsque vous faites fondre le chocolat, prenez soin de conserver sa température sous 50°C (120°F), car une surchauffe altérerait sa saveur.
- Confectionnez une fondue au chocolat et trempez-y des fraises, des mangues, du melon d'eau, ou n'importe quel autre fruit auquel vous pensez.
- Dans les recettes espagnoles et mexicaines, on se sert du chocolat pour aromatiser les sauces accompagnant les fruits de mer et la volaille.

Petits gâteaux au lait de soya de Giselle

par Giselle Ruecking

Portions : 24 • Temps de préparation et de cuisson : 25 minutes

Ma filleule, Giselle, a combattu un asthme sévère toute sa vie. Dans son cas, les produits laitiers étaient un puissant déclencheur de crise. Cela signifiait qu'elle ne pouvait pas consommer de nombreux aliments que nous tenions pour acquis, comme le gâteau d'anniversaire habituel. Donc, ses parents ont conçu cette recette délicieuse que Giselle et sa famille apprécient depuis quatorze ans. Cette recette contient trois aliments énergisants et elle peut représenter « une bénédiction » pour les personnes qui sont allergiques aux produits laitiers.

INGRÉDIENTS :

375 ml (1 ½ tasse) de farine de blé entier
375 ml (1 ½ tasse) de farine blanche tout usage
190 ml (¾ tasse) de sucre
10 ml (2 c. à thé) de soda à pâte
125 ml (½ tasse) de poudre de cacao
10 ml (2 c. à thé) de vinaigre blanc
190 ml (¾ tasse) d'huile de colza
3 ml (½ c. à thé) de sel
10 ml (2 c. à thé) d'extrait de vanille
250 ml (1 tasse) de lait de soya à la vanille
250 ml (1 tasse) d'eau froide

PRÉPARATION :
Déposez tous les ingrédients dans un grand bol et mélangez-les pendant trois minutes. Versez le mélange dans des moules à petis gâteaux et remplissez-les aux deux tiers. Faites cuire à 180ºC (350ºF), pendant 12 à 15 minutes. Vérifiez à l'aide d'un cure-dent si les petits gâteaux sont bien cuits.

CHAQUE PORTION CONTIENT :
Calories : 150 ; Lipides : 8 g ; Gras saturés : 5 g ; Cholestérol : 0 mg ; Sodium : 160 mg ; Glucides : 19 g ; Fibres : 2 g ; Sucre : 6 g ; Protéines : 2 g.

Chou (*Brassica oleracea capitata*)

QUE TROUVE-T-ON DANS LES CHOUX ?

Saviez-vous que... dans certaines cultures, on sert un bol de soupe aux choux aux nouveaux mariés le matin après leur mariage ? Cela fait partie d'un rituel de fertilité. Peut-être est-ce de là que vient l'idée que « les bébés naissent dans les choux » !

En bref

Le chou appartient à la famille des *Brassicaceae* (moutarde). Cette famille inclut d'autres légumes comme les choux de Bruxelles, le brocoli, le chou-fleur et le chou frisé. La tête feuillue du chou est la seule partie comestible. On peut la manger crue, cuite ou en conserve. Il existe plus de quatre cents différentes variétés de choux. Les variétés favorites incluent le chou vert, le chou rouge, le chou de Savoie, ainsi que des variétés chinoises comme le chou chinois, le pak choy et le chou nappa.

Son origine

On cultive le chou depuis plus de 4000 ans, et son utilisation est répandue depuis plus de 2 500 ans. Ce sont des soldats de Chine et de Mongolie qui ont créé la première version de chou au vinaigre, soit un chou conservé dans de la saumure. On raconte aussi que les bâtisseurs de la Grande Muraille de Chine ne consommaient que du chou pour plus d'énergie et d'endurance. Ce sont les guerriers Huns et Mongols qui ont apporté de l'Orient jusqu'en Europe le chou fermenté et macéré dans du vinaigre. La culture du chou s'est propagée dans le nord de l'Europe pour se rendre en Allemagne, en Pologne et en Russie, où il est devenu un légume très populaire dans les habitudes alimentaires locales. La variété du chou de Savoie a trouvé ses premiers admirateurs en Italie. Durant de longs voyages d'exploration, les navigateurs hollandais n'ont pratiquement vécu que de choucroute, un plat fabriqué de chou fermenté. La teneur élevée en vitamine C de la choucroute les a aidés à prévenir le scorbut. Le chou et la recette traditionnelle de la choucroute ont été introduits aux États-Unis par les premiers colons allemands.

Où le cultive-t-on?

La Chine, l'Inde, la Russie, la Corée du Sud, le Japon et les États-Unis sont, dans cet ordre, les producteurs de choux les plus importants. L'État de New York est le principal producteur aux États-Unis.

Pourquoi devrais-je en manger?

Le chou est une bonne source de vitamine C et de fibres. Le chou rouge contient aussi des anthocyanines – phytochimiques que l'on retrouve aussi dans les bleuets, les betteraves et les oignons des Bermudes. La choucroute est une excellente source de vitamines K et C, et une bonne source d'acide folique, de potassium, de fer et de fibres. La choucroute est également riche en *lactobacillus acidophilus* — bactérie bénéfique. Cependant, sa teneur en sodium est assez élevée, alors que ce n'est pas le cas du chou non apprêté.

Remèdes maison

Les civilisations anciennes, grecques et romaines, accordaient beaucoup d'importance au chou : on croyait que ce légume pouvait traiter plusieurs problèmes de santé. Les Romains avaient mis au point un onguent fabriqué de lard et de cendres de choux brûlés pour désinfecter les blessures. On vend souvent le jus de chou dans les magasins de produits diététiques, comme remède maison populaire pour le traitement des ulcères.

Propriétés étonnantes !

CONTRE LE CANCER : Les aliments que l'on trouve dans la famille des crucifères sont riches en phytochimiques appelés glucosinolates. Ces éléments peuvent protéger contre le cancer. Le chou, particulièrement la choucroute crue (la cuisson du chou semble réduire ces phytochimiques utiles), est riche en composés anticancéreux tels que le indole-3-méthanole (I3C), les isothiocyanates (un composé bénéfique trouvé dans les légumes *Brassica*), et le sulforaphane. Ces composés aident à activer et à stabiliser les mécanismes antioxydants et les mécanismes de désintoxication du corps, ce qui en retour élimine les substances cancérigènes. On a relié la consommation du chou à une plus faible incidence des cancers du côlon, du poumon, du col de l'utérus, et du sein.

CANCER DU SEIN : Une étude sur la santé des femmes polonaises incluait des centaines de Polonaises vivant aux États-Unis, qu'elles soient nées en Pologne ou aux États-Unis. L'étude a révélé que les femmes qui consommaient chaque semaine trois portions ou plus de chou cru, légèrement cuit, ou fermenté (choucroute), avaient soixante-douze pour cent moins de risques de développer le cancer du sein, contrairement aux femmes qui ne consommaient qu'une portion et demie par semaine.

VIRUS : Les savants de l'Université de Séoul, en Corée du Sud, ont donné un extrait de kimchi — une version coréenne, plus épicée, de la choucroute — à treize poulets infectés par la grippe aviaire. Une semaine plus tard, onze des treize poulets commençaient à se rétablir.

ULCÈRES : Dans une étude de petite envergure, des participants souffrant d'ulcères d'estomac ont bu pendant dix jours de suite un litre de jus de choux frais. À la fin des dix jours, tous les ulcères étaient guéris !

Conseils pratiques

SÉLECTION ET ENTREPOSAGE :

- Les têtes de choux doivent être grosses et compactes, sans veines décolorées.
- Vérifiez que les tiges sont d'apparence saine, bien taillées, et qu'elles ne sont pas sèches ou craquées.
- Il n'est peut-être pas avantageux d'acheter du chou coupé à l'avance, étant donné que les feuilles pourraient avoir perdu leur contenu en vitamine C.
- Entreposez la tête de chou entière dans un sac de plastique au réfrigérateur. Essayez d'utiliser le chou qui reste à l'intérieur d'un intervalle de deux jours.

SUGGESTIONS POUR PRÉPARER ET SERVIR :

- On peut préparer le chou de nombreuses façons : on peut le faire à la vapeur, bouilli, braisé ou cuit au four.
- On peut se servir du chou cuit ou cru dans différents plats : à partir du boeuf salé au chou, en passant pas les soupes et les bouillis, jusqu'aux plats froids, comme la salade de chou.

- En ajoutant de la choucroute à un hot dog, il est possible de réduire certains des effets nuisibles des nitrates et des nitrites trouvés dans les viandes traitées. Essayez d'en ajouter à un sandwich à la dinde avec de la moutarde, ou sur une salade de pâtes.

CHOUCROUTE :

- La choucroute renferme une haute teneur en sodium, mais on peut facilement la diminuer en rinçant la choucroute dans une passoire, sous l'eau froide.
- Essayez de trouver de la choucroute fraîche. Le contenu en bonnes bactéries est beaucoup plus élevé que dans les pots pasteurisés. Une fois le pot ouvert, on devrait utiliser la choucroute dans un intervalle de trois jours.

Cigares au chou polonais végétariens

par Ma Tomich

Portions : 6 • Temps de préparation et de cuisson : 90 minutes

Cette recette contient huit aliments énergisants.

INGRÉDIENTS POUR LA FARCE :

500 ml (2 tasses) de riz brun, cuit
1 grosse tête de chou
455 g (1 lb) de miettes de Boca (protéines végétales) ou de dinde hachée maigre
125 ml (½ tasse) d'oignon jaune, haché finement
1 gousse d'ail, émincée
5 ml (1 c. à thé) de poivre noir
2 œufs oméga-3
125 ml (½ tasse) de bouillon de légumes
30 ml (2 c. à soupe) d'huile d'olive

INGRÉDIENTS POUR LA SAUCE :

1 boîte de tomates en dés, en conserve
1 boîte de soupe aux tomates, en conserve

PRÉPARATION :

Préchauffez le four à 180°C (350°F). Retirez le cœur du chou, déposez le chou dans une casserole et couvrez d'eau. Portez à ébullition. Diminuez le feu jusqu'à température moyenne et couvrez la casserole. Laissez cuire jusqu'à ce que le chou soit légèrement amolli. Retirez le chou de l'eau et placez-le sur une assiette pour le laisser refroidir. Pendant ce temps, dans une grande casserole, faites sauter les oignons et l'ail dans l'huile d'olive, jusqu'à ce qu'ils soient transparents. Ajoutez la viande, le riz, l'œuf, le bouillon de légumes, et le poivre. Mélangez bien. Lorsque le chou est tiède au toucher, détachez les feuilles et déposez-les sur une planche à découper. Divisez le mélange de viande en six parts égales. Remplissez les feuilles de chou du mélange, et roulez-les. Déposez les rouleaux, avec l'extrémité qui s'ouvre vers le fond, dans un plat de 23 x 33 cm (9 x 13 po) allant au four. Combinez la soupe et les tomates dans un bol séparé. Versez à la louche sur les rouleaux. Couvrez les rouleaux de papier aluminium et faites cuire au four pendant 45 minutes ou jusqu'à ce qu'il soit facile de percer le chou avec une fourchette.

CHAQUE PORTION CONTIENT :

Calories : 360; Lipides : 11 g; Gras saturés : 2 g; Cholestérol : 60 mg; Sodium : 760 mg; Glucides : 46 g; Fibres : 11 g; Sucre : 14 g; Protéines : 23 g.

Chou-fleur (*Brassica oleracea*)

UNE TÊTE INTELLIGENTE!

« Le chou-fleur n'est autre chose qu'un chou qui est passé par l'université. »

– MARK TWAIN

En bref

Le chou-fleur fait partie de la famille des *brassicacées*. Cette famille inclut les choux de Bruxelles, le chou et le brocoli. Le chou-fleur fait partie des crucifères ; il contient donc du soufre et est formé d'une tête compacte qu'on appelle une « pomme ». Le chou-fleur existe en plusieurs couleurs et variétés qui vont de blanc à violet, en passant par le vert pâle. Les trois principales variétés sont le chou-fleur blanc, le brocofleur (un mélange entre le chou-fleur et le brocoli) et le romanesco, qui est d'une couleur jaune-vert. Aux États-Unis, le blanc est la variété la plus commune, alors que les variétés en violet et vert sont plus appréciées en Italie.

Son origine

Le chou-fleur provient d'Asie Mineure, où il est cultivé depuis 600 ans avant notre ère. Il s'est ensuite déplacé vers l'Italie, et autour du XVIe siècle, on l'a apporté en France et ailleurs en Europe. De là, il a traversé La Manche pour se rendre en Angleterre. Au début des années 1600, les Anglais l'ont introduit en Amérique du Nord, où on en fait la production depuis.

Où le cultive-t-on ?

On produit le chou-fleur aux États-Unis, en France, en Italie, en Inde, en Chine, au Canada et au Mexique. Aux États-Unis, la Californie en est le principal fournisseur.

Pourquoi devrais-je en manger ?

Le chou-fleur est une excellente source de fibres et de vitamine C, ainsi qu'une bonne source de vitamine B, de biotine et d'acide folique. Le chou-fleur contient un phytochimique appelé sulforaphane. Ce produit aide le foie à produire des enzymes qui empêchent les substances chimiques causant le cancer d'endommager le corps.

Remèdes maison

On a démontré que la biotine – une vitamine soluble dans l'eau que l'on trouve dans le chou-fleur – peut éliminer les pellicules. La biotine aide aussi au niveau des ongles : elle les épaissit et réduit les craquements et les fendillements. En croquant des aliments croustillants comme le chou-fleur avant d'aller au lit, on peut aider à arrêter le serrement de mâchoires pendant le sommeil.

Propriétés étonnantes !

PRÉVENTION DU CANCER : Dans une étude publiée dans le *British Journal of Cancer*, les chercheurs ont signalé les propriétés de l'indole-3-carbinol (I3C) pour combattre le cancer. Cette étude a démontré que ce que nous consommons est susceptible d'influencer les gênes du cancer. Plusieurs autres études appuient cette orientation dans la poursuite des recherches sur le cancer du sein. Dans une étude portant sur des animaux, des chercheurs ont constaté que la substance chimique sulforaphane – que l'on trouve dans les légumes crucifères comme le chou-fleur – interrompt la prolifération des cellules cancéreuses du poumon. Dans une étude sur les cellules humaines, utilisant la méthode du tube d'essai, le sulforaphane a pu aider à interrompre la croissance des cellules cancéreuses de la prostate et même à les exterminer.

ARTHRITE RHUMATOÏDE : Les chercheurs qui ont suivi un groupe de femmes âgées pendant plus de dix ans ont découvert que les incidences d'arthrite rhumatoïde étaient moins élevées chez les femmes qui avaient consommé une plus grande quantité de légumes crucifères.

Conseils pratiques

SÉLECTION ET ENTREPOSAGE :

- Recherchez des têtes blanches ou crème. Lorsque vous les soulevez, elles doivent être fermes, compactes et lourdes.
- Conservez les choux-fleurs au réfrigérateur, la tige vers le haut, pour éviter une accumulation d'humidité qui accélérerait la détérioration ; il est préférable de les ranger dans le bac à légumes, pour un maximun de cinq jours.

SUGGESTIONS POUR PRÉPARER ET SERVIR :

- Enlevez les feuilles extérieures et coupez les fleurons là où ils se rencontrent au niveau du trognon. Rincez les morceaux dans une passoire sous l'eau froide courante.
- Pour minimiser l'odeur et la perte d'éléments nutritifs, faites cuire les fleurons à la vapeur pendant trois à cinq minutes.
- Si vous faites cuire le chou-fleur dans une casserole en aluminium, vous risquez de le faire jaunir ; et si vous le cuisez dans une casserole en fer, il peut tourner au vert-bleu.
- Mangez le chou-fleur cru avec une trempette à légumes ou de la vinaigrette.
- Ajoutez du chou-fleur cru aux salades vertes ou aux salades de légumes mélangés. Ajoutez du chou-fleur cuit aux soupes, aux ragoûts ou aux quiches.
- Vous pouvez faire une purée de chou-fleur et de pommes de terre.

Soupe crémeuse au chou-fleur

Recette tirée de *Lean Mom, Fit Family,* par Michael Sena et Kirsten Straughan

Portions : 6 • Temps de préparation et de cuisson : 60 minutes

Cette recette contient six aliments énergisants.

INGRÉDIENTS :

455 g (1 lb) de fleurons de chou-fleur, frais
4 pommes de terre moyennes, pelées et coupées en cubes
1 gros oignon, haché
15 ml (1 c. à soupe) d'huile d'olive extra vierge
750 ml (3 tasses) de bouillon de poulet à faible teneur en sodium
500 ml (2 tasses) de lait écrémé ou de lait de soya, à faible teneur en gras
3 ml (½ c. à thé) de poivre noir moulu
3 ml (½ c. à thé) de sauce piquante de piment de Cayenne
10 ml (2 c. à thé) de feuilles de thym frais (ou 5 ml [1 c. à thé] de thym séché)
Sel, au goût

PRÉPARATION :

Faites sauter l'oignon dans l'huile d'olive jusqu'à ce qu'il soit transparent. Déposez le chou-fleur dans une grande casserole séparée, couvrez d'eau et portez à ébullition. Réduisez la température et faites mijoter jusqu'à ce que le chou-fleur soit légèrement tendre. Égouttez l'eau. Dans la même casserole, ajoutez les pommes de terre, les oignons sautés, le bouillon de poulet, le lait, le poivre et la sauce piquante, et recommencez à faire mijoter. Laissez cuire pendant environ 40 minutes, jusqu'à ce que tous les légumes soient bien cuits. Retirez du feu. Déposez une à deux tasses de mélange de soupe piquante dans un malaxeur et mélangez à basse vitesse, jusqu'à ce que le mélange soit lisse. Versez dans un contenant séparé. Répétez avec le reste du mélange de soupe. Ajoutez du sel au goût.

CHAQUE PORTION CONTIENT :

Calories : 190; Lipides : 7 g; Gras saturés : 1,5 g; Cholestérol : 5 mg; Sodium : 115 mg; Glucides : 27 g; Fibres : 4 g; Sucre : 8 g; Protéines : 7 g.

Chou frisé (*Brassica oleracea L. var. acephala*)

QUELLE HONTE !

Saviez-vous que... aux États-Unis, on utilise le chou frisé principalement pour garnir les comptoirs à salade des restaurants ?

En bref

Le chou frisé fait partie de la famille des choux « sans tête ». Cette famille inclut le brocoli, le chou-fleur et les choux de Bruxelles. Le groupe particulier auquel appartient le chou frisé inclut une variété d'autres légumes à feuilles comme le chou vert. Plusieurs variétés de chou frisé sont offertes : Curly ou chou cavalier frisé ; chou d'aigrette, chou frisé vert ou lacinié. Le chou de Savoie, ou chou ornemental, gagne en popularité dans le domaine de l'aménagement paysager, mais il peut aussi constituer un plat d'accompagnement savoureux.

Son origine

On croit que le chou frisé est originaire de l'Asie Mineure (la partie asiatique de la Turquie) et qu'il a été introduit en Europe il y a plus de 2500 ans. Le chou frisé a fait son chemin jusqu'aux États-Unis au XVIIe siècle, lorsque des colons anglais l'y ont apporté. Le chou frisé dinosaure a été découvert en Italie à la fin du XIXe siècle. Le chou frisé ornemental a d'abord été produit commercialement en Californie dans les années 1980 — on l'avait nommé ainsi parce qu'il était à l'origine une plante de jardin. De nos jours, dans le sud des États-Unis, le chou frisé est un favori traditionnel qui gagne en popularité dans d'autres régions.

Où le cultive-t-on ?

La production du chou frisé se trouve principalement dans le sud des États-Unis.

Pourquoi devrais-je en manger ?

La densité nutritionnelle du chou frisé en fait l'un des aliments les plus sains parmi ceux que vous devriez ajouter à votre alimentation. C'est une excellente source de vitamine A, de vitamine C et de potassium. Le chou frisé est aussi une bonne source de calcium, de fer et d'acide folique. Il contient une variété de phytochimiques — incluant la lutéine qui améliore la vue et aide à combattre le cancer.

Propriétés étonnantes !

CANCER DU POUMON, DE L'ŒSOPHAGE, DE LA BOUCHE ET DU PHARYNX : D'après l'*American Cancer Society*, les fruits et les légumes qui ont une teneur élevée en caroténoïdes, incluant les légumes verts à feuilles comme le chou frisé, abaissent le risque de cancer du poumon, de l'œsophage, de la bouche et du pharynx.

CANCER DE LA VESSIE : Dans une étude portant sur 130 patients atteints du cancer de la vessie et d'un nombre égal de sujets témoins, ceux qui avaient régulièrement consommé du chou frisé présentaient un risque plus faible de cancer de la vessie.

Conseils pratiques

SÉLECTION ET ENTREPOSAGE :

- Les feuilles plus petites ont une saveur plus douce. Choisissez des feuilles de couleur foncée pour une tendreté et une saveur optimales.
- Évitez les feuilles sèches, flétries et molles. Des trous minuscules dans les feuilles peuvent indiquer des dommages causés par les insectes.
- Conservez le chou frisé non lavé dans un sac de plastique et entreposez-le dans le bac à légumes. Placez un essuie-tout humide dans le sac pour fournir de l'humidité. Cuisinez-le dans les jours qui suivent l'achat.

SUGGESTIONS POUR PRÉPARER ET SERVIR :

- Lavez-le bien pour vous assurer que toute la terre est enlevée.
- Enlevez la veine centrale dans les feuilles et dans les tiges, étant donné que cette partie peut être difficile à mâcher.
- Pour éviter qu'il ne ramollisse, servez le chou frisé immédiatement après l'avoir préparé.
- Si vous vous servez du chou frisé dans une salade crue, ne le hachez pas ni le déchirez avant que vous ne soyez prêt à l'utiliser ; cela permettra de préserver le contenu en vitamine C.
- Le chou frisé peut être cuit à la vapeur, mijoté, blanchi, braisé, sauté ou cuit. Selon la méthode utilisée, il faut environ 8 à 15 minutes pour cuire le chou frisé.
- Servez le chou frisé en compagnie d'aliments riches en vitamine C, comme des agrumes, du vinaigre, des poivrons et des fruits séchés, pour augmenter l'absorption de fer.

- Employez le chou frisé sauté dans des ragoûts, salades, pâtes et des plats à base de pommes de terre.
- Faites simplement sauter le chou frisé avec de l'ail frais, de l'huile d'olive et du jus de citron ou du vinaigre balsamique pour en faire un plat succulent. Essayez cette recette avec un peu de fromage râpé saupoudré sur le dessus.

Soupe réconfortante au chou frisé et aux lentilles

par Rosalie Gaziano

Portions : 16 (une portion = 240 ml [8 oz]) • Temps de préparation et de cuisson : 75 minutes

Cette soupe est facile à préparer et elle est encore meilleure le jour suivant. Cette recette contient six aliments énergisants.

INGRÉDIENTS :

1 petit oignon, haché
2 gousses d'ail, émincées
45 ml (3 c. à soupe) d'huile d'olive
1 boîte de 720 ml (24 oz) de tomates en dés, en conserve
125 ml (½ tasse) de lentilles séchées
150 g (⅓ lb) de macaroni aux grains entiers de votre choix
455 g (1 lb) de chou frisé frais, haché finement
1,5 litre (6 tasses) d'eau
250 ml (1 tasse) de fromage parmesan, fraîchement râpé, pour saupoudrer
Sel et poivre, au goût

PRÉPARATION :

Faites cuire le macaroni et réservez. Rincez les lentilles, et dans un petit poêlon séparé, ajoutez assez d'eau pour les couvrir et cuisez jusqu'à ce qu'elles soient tendres, environ 20 minutes. Pendant ce temps, pelez et hachez l'oignon, et émincez les gousses d'ail. Versez l'huile d'olive dans une casserole à soupe et faites chauffer. Déposez l'ail et les oignons dans la casserole et faites sauter jusqu'à ce qu'ils soient translucides, veillant bien à ne pas les brûler. Retirez la veine centrale des feuilles de chou frisé et hachez le reste grossièrement. Ajoutez le chou frisé au mélange d'oignons et d'ail et faites sauter pendant 10 minutes. Ajoutez la boîte de conserve de tomates en dés, du sel et du poivre et laissez mijoter pendant 10 minutes. Ajoutez l'eau au mélange, amenez à ébullition et laissez mijoter pendant 30 minutes. Ajoutez les lentilles cuites et le macaroni à la soupe et laissez mijoter le tout un autre cinq minutes. Servez chaud en saupoudrant du fromage parmesan râpé sur le dessus. Servez avec du pain croûté ou avec un pain italien croustillant.

CHAQUE PORTION CONTIENT :
Calories : 130; Lipides : 4,5 g; Gras saturés : 1,5 g; Cholestérol : 5 mg; Sodium : 247 mg; Glucides : 16 g; Fibres : 3 g; Sucre : 3 g; Protéines : 6 g.

Citron (*Citrus limon*)

LA PREMIÈRE LIMONADE

Saviez-vous que... le premier témoignage écrit au sujet de la limonade vient de l'Égypte ?

En bref

Le citronnier est en réalité un citrus hybride développé à la suite d'un croisement entre la lime et le cédrat — un ancien fruit que l'on connaît surtout maintenant pour son écorce confite. Le citron est un fruit de forme ovale utilisé principalement pour son jus, même si la pulpe et le zeste sont aussi employés dans la cuisine ou dans différents mélanges. Il existe plusieurs variétés de citron, mais les plus populaires sont l'Eureka, le citron vert ou des Antilles et le citron Meyer.

Son origine

On croit que les citrons sont originaires de la Chine ou de l'Inde, et qu'ils existaient il y a environ 2500 ans. Même si leur migration est incertaine, plusieurs croient que les marchands arabes ont introduit le citron dans la région méditerranéenne. Au XIe siècle, l'Espagne a servi de portail au citron à partir de la Palestine. De la péninsule Ibérique, le fruit a voyagé à travers l'Europe. Vers la même période, les citrons ont été introduits en Afrique du Nord. Lors de son deuxième voyage vers le Nouveau Monde, en 1493, Christophe Colomb a apporté des citrons. Dans la région de la Californie, les citrons étaient très prisés par les mineurs de la période de la ruée vers l'or, car ces fruits les protégeaient contre le scorbut. Les gens étaient prêts à payer jusqu'à un dollar par citron, un prix élevé aujourd'hui, et un prix très élevé en 1849.

Où le cultive-t-on ?

De nos jours, les principaux producteurs de citrons sont les États-Unis, l'Italie, l'Espagne, l'Inde, l'Argentine, la Grèce, Israël et la Turquie. Aux États-Unis, le sud de la Californie, l'Arizona et la Floride sont les principaux producteurs de citrons.

Pourquoi devrais-je en consommer ?

Les citrons sont une excellente source de vitamine C. Ils contiennent aussi de la vitamine A, de l'acide folique, du calcium et du potassium. Le limonène, un composé dont on a démontré les propriétés anticancéreuses chez les animaux de laboratoire, est présent dans les citrons. Tous les agrumes ont des teneurs élevées en flavonoïdes – l'antioxydant le plus communément trouvé dans les fruits et dans les légumes. On croit que les flavonoïdes possèdent le pouvoir de bloquer des substances qui causent le cancer et la maladie cardiovasculaire.

Remèdes maison

On a beaucoup recommandé le jus de citron avec de l'eau chaude comme traitement naturel quotidien contre la constipation. Les gens boivent aussi du jus de citron et du miel (un demi citron pressé et 5 ml [1 c. à thé] de miel), ou du jus de citron avec du sel ou du gingembre, comme remède contre le rhume. Toutes les préparations auxquelles on ajoute du citron sont de bons substituts aux boissons chaudes caféinées. On a révéré le citron comme ingrédient clé dans différents produits nettoyants pour la maison, pour son odeur fraîche et ses propriétés facilitant le détachage. Le citron est aussi excellent pour enlever les mauvaises odeurs des mains. Plusieurs affirment que pour faire disparaître des boutons, il suffit d'appliquer plusieurs fois par jour un peu de jus de citron dilué dans de l'eau.

Propriétés étonnantes!

ARTHRITE RHUMATOÏDE : Les aliments riches en vitamine C fournissent une protection contre la polyarthrite inflammatoire : une forme d'arthrite rhumatoïde impliquant deux articulations ou plus. Une étude impliquant plus de 20 000 sujets a démontré que les sujets qui avaient consommé le moins d'aliments riches en vitamine C avaient trois fois plus de chances de développer de l'arthrite par comparaison à ceux qui avaient consommé ces aliments en plus grandes quantités.

CANCER : Dans des tests de laboratoire, on a démontré que les limonoïdes provenant d'agrumes combattaient les cancers de la bouche, de la peau, du poumon, du sein, de l'estomac et du côlon, et les neuroblastomes humains, que l'on rencontre le plus fréquemment chez les enfants. Dans une étude in vitro sur les cellules cancéreuses du foie humain, les citrons ont exercé les plus grandes activités antiprolifératives, après les canneberges. À cause de l'aptitude des limonoïdes à demeurer dans la circulation sanguine pour une période de temps prolongée, les chercheurs croient qu'ils conviennent mieux pour supprimer la croissance des cellules cancéreuses que tout autre nutriment. (En comparaison, les phénols du thé vert demeurent dans la circulation pendant quatre à six heures.)

Conseils pratiques

SÉLECTION ET ENTREPOSAGE :

- Choisissez des citrons jaune clair avec une peau lisse et lustrée.
- Les citrons se préserveront pendant une semaine ou deux à la température de la pièce. Pour une conserva-

tion prolongée, mettez les citrons dans un sac plastique et rangez-les dans le bac à légumes pour qu'ils demeurent frais pendant environ six semaines.

SUGGESTIONS POUR PRÉPARER ET SERVIR :

- Pour produire plus de jus, on devrait conserver le citron à la température de la pièce ou à une température plus chaude.
- Roulez le citron sous votre paume sur une surface dure pour le rendre plus malléable avant d'en presser le jus. Un gros citron produira environ 3 à 4 cuillers à soupe de jus.
- Vous n'avez besoin que d'un soupçon de jus ? Avec un cure-dents, percez un trou où vous extrairez le jus à travers l'écorce. Remettez ensuite le cure-dents dans le trou pour le « sceller » et pour conserver la fraîcheur.
- Ajoutez du jus de citron, de la pulpe et du zeste aux salades, aux soupes et partout où vous désirez un goût frais d'agrume.
- On peut employer le jus de citron pour transformer le lait en babeurre.
- Le jus de citron permet de « cuire » le poisson sans chaleur dans les plats traditionnels de ceviche (marinade de poisson).

Artichauts vapeur avec sauce au citron et wasabi

par le chef Dave Hamlin

Portions : 2 • Temps de préparation : 30 minutes

Vous pouvez aussi substituer des asperges aux artichauts. Cette recette contient sept aliments énergisants.

INGRÉDIENTS POUR LES ARTICHAUTS :

2 artichauts
1 citron
15 ml (1 c. à soupe) d'ail frais
8 ml (½ c. à soupe) de poivre noir concassé

SAUCE AU CITRON ET WASABI :

250 ml (1 tasse) de mayonnaise légère
65 ml (¼ tasse) de crème sure légère
5 ml (1 c. à thé) de wasabi ou de raifort
Jus d'un citron
Jus de ½ lime
15 ml (1 c. à soupe) de basilic frais, haché
Poivre noir concassé, au goût
Sel, au goût

PRÉPARATION :

ARTICHAUTS :

Coupez les tiges à la base des artichauts et pelez l'écorce de ce qui reste de la tige. Frottez les surfaces coupées avec un citron frais pour prévenir le brunissement. Pelez les feuilles extérieures des artichauts. Coupez un tiers du haut de chaque artichaut. Frottez toutes les surfaces coupées avec du citron frais. Pressez le jus restant et la pulpe de citron sur le centre des artichauts. Placez les artichauts dans de l'eau qui mijote avec le reste du citron entier. Saupoudrez 5 ml (1 c. à soupe) l'ail frais sur les artichauts, entre les feuilles. Saupoudrez de poivre noir. Faites mijoter pendant 25 à 30 minutes, ou jusqu'à ce que le centre soit tendre lorsqu'on y pique une fourchette. Retirez du feu et laissez reposer pendant 5 minutes.

SAUCE :

Mêlez uniformément les ingrédients de la sauce et réfrigérez jusqu'à ce que vous en ayez besoin. Servez avec les artichauts cuits.

CHAQUE PORTION CONTIENT :

Calories : 100; Lipides : 3 g; Gras saturés : 1,5 g; Cholestérol : 10 mg; Sodium : 710 mg; Glucides : 17 g; Fibres : 4 g; Sucre : 7 g; Protéines : 3 g.

Citrouille (*Cucurbita pepo*)

CITROUILLE GÉANTE

Saviez-vous que… la citrouille la plus lourde au monde pesait 1469 livres (666,3 kilos) ?

En bref

Le terme anglais « pumpkin » vient du mot grec « pepon » ou « gros melon », et en français, on l'appelle selon les régions citrouille ou potiron. Le melon brodé, le concombre et la courge s'apparentent aussi à la citrouille. Les citrouilles que l'on découpe pour créer des décorations le jour de l'Halloween ne sont pas nécessairement les meilleures pour confectionner une tarte à la citrouille. En fait, il existe deux catégories de citrouilles : les citrouilles pour les conserves et les citrouilles à décorer. L'orange n'est pas non plus le seul choix de couleurs : il y a la blanche, la jaune, la bleue d'Australie et une variété d'Europe, appelée rouge vif d'Étampes.

Son origine

On a trouvé au Mexique des graines de citrouille que l'on estime avoir au moins 7500 ans. Les citrouilles étaient un pilier de la culture amérindienne : en fait, on se servait de la citrouille tout entière, non seulement pour l'alimentation, mais les Amérindiens fabriquaient aussi des tapis et d'autres produits à partir de l'écorce. Les premiers colons ont inventé la tarte à la citrouille en faisant cuire au four une citrouille dont on avait nettoyé l'intérieur et qu'on avait remplie de miel, de lait et d'épices.

Où la cultive-t-on ?

Les plus importants producteurs de citrouilles incluent les États-Unis, l'Inde, la Chine et le Mexique. La « capitale mondiale de la citrouille » est située à Morton, en Illinois, où se trouve l'usine de traitement des citrouilles de Libby's.

Pourquoi devrais-je en manger ?

La citrouille est une bonne source de fibres, de potassium, de sélénium, de vitamine A, de bêta-carotène, d'alpha-carotène, de bêta-cryptoxanthine et de lutéine. Les graines de citrouille sont une bonne source de gras oméga-3 et sont une excellente source de phytostérols. Ces derniers peuvent être bénéfiques dans les cas d'hypertrophie de la prostate.

Remèdes maison

La médecine populaire suggère de consommer les graines de citrouille pour réduire l'hypertrophie de la prostate. La citrouille est l'un des médicaments prescrits dans la médecine traditionnelle chinoise pour soulager certaines des complications et maladies chroniques causées par le diabète. La consommation de graines de citrouille non rôties dès l'apparition des symptômes de la nausée aide à apaiser la maladie des transports.

Propriétés étonnantes !

CANCER : Une étude japonaise à long terme, où participaient 1988 patients atteints de cancer gastrique, 2455 patients atteints du cancer du sein, 1398 patients atteints du cancer du poumon, 1352 patients atteints du cancer colorectal et 50706 patients non cancéreux, en consultation externe, a démontré que la consommation fréquente de citrouille était associée avec une diminution du risque de ces quatre formes de cancer.

CANCER DE LA PROSTATE : Une étude de corrélation a découvert que les sujets qui avaient consommé régulièrement de la citrouille présentaient une diminution du risque de développer le cancer de la prostate.

DIABÈTE : Une étude cas-témoins incluant 133 participants avec des antécédents de diabète sucré a découvert que ceux qui consommaient de la citrouille en bonne quantité contrôlaient mieux leur glucose sanguin.

HYPERTENSION : Des rats souffrant d'hypertension traités avec de l'huile de graines de citrouille ont réduit la progression de leur hypertension.

ASTHME : Les diètes riches en acides gras oméga-3, comme ceux que l'on retrouve dans les graines de citrouille, peuvent être bénéfiques à ceux qui souffrent d'asthme.

Conseils pratiques

SÉLECTION ET ENTREPOSAGE :

- Pour la boulangerie, cherchez des « citrouilles à tarte » ou des « citrouilles sucrées » qui sont plus sucrées, plus petites et moins insipides que les citrouilles d'Halloween.
- Choisissez une citrouille qui est lourde et qui a une bonne forme.
- Entreposez les citrouilles dans un endroit frais et sec. Une fois coupée, on doit consommer la citrouille la même journée.

SUGGESTIONS POUR PRÉPARER ET SERVIR :

- Enlevez le pédoncule avec un couteau aiguisé et coupez la citrouille en deux.
- Enlevez toutes les graines et le contenu filandreux (conservez les graines pour les rôtir plus tard, si vous le désirez).
- Bouillir ou cuire à la vapeur : coupez la citrouille en morceaux assez larges, rincez-les, et déposez-les dans une grande casserole avec environ 250 ml (1 t) d'eau — il n'est pas nécessaire que l'eau recouvre les morceaux — couvrez et faite bouillir pendant 20 à 30 minutes, jusqu'à ce que la chair soit tendre, ou faites-les cuire à la vapeur pendant 12 minutes.
- Cuisson au four : après avoir coupé la citrouille en deux, rincez les moitiés à l'eau froide, placez-les sur une large plaque à biscuits, le côté coupé vers le bas, et

faites cuire à 180°C (350°F) pendant une heure, jusqu'à ce que la chair soit tendre.

- Cuisson au four à micro-ondes : coupez la citrouille en deux, placez une moitié sur un plat à micro-ondes, la partie coupée vers le bas, et faites cuire à température élevée pendant 15 minutes jusqu'à ce que la chair soit tendre.
- Coupez la citrouille en dés, faites-la cuire à la vapeur et saupoudrez-y un peu de muscade.
- Réduisez de la citrouille, des carottes, des oignons hachés, des poireaux, du céleri haché et du persil, cuits en purée, pour créer un potage.
- Faites rôtir des graines de citrouille que vous avez d'abord rincées et étalées sur une plaque à biscuits. Mettez-les au four à 190°C (375°F) pendant 20 à 30 minutes, jusqu'à ce qu'elles soient sèches. Laissez-les refroidir et servez. Saupoudrez-y du sel, si vous le désirez.

Bébés citrouilles rôties avec pommes de terre rouges

par le chef J. Hugh McEvoy

Portions : 9 • Temps de préparation et de cuisson : 90 minutes

Cette recette contient quatre aliments énergisants.

INGRÉDIENTS POUR LES CITROUILLES :

9 petites citrouilles entières (ou potirons) de 6 lb (3 kg)

45 ml (3 c. à soupe) d'huile de colza

35 ml (1 c. à thé) de sel de mer

INGRÉDIENTS POUR LES POMMES DE TERRE :

1 kg (2 lb) de pommes de terre rouges, avec la peau

455 g (1 lb) de patates douces cuites au four, avec la pelure

65 ml (¼ tasse) d'oignons verts, hachés

65 ml (¼ tasse) de beurre, non salé

Préparation :
Enlevez les pédoncules des citrouilles et réservez. Enlevez les graines et les filaments. Nivelez le dessous de la citrouille pour qu'elle soit plus stable durant la cuisson. Badigeonnez l'intérieur et l'extérieur des citrouilles avec de l'huile de colza. Faites cuire au four à 180°C (350°F) pendant une heure ou jusqu'à ce que le tout soit légèrement doré et tendre. Coupez les pommes de terre avec la pelure et les patates douces en cubes égaux. Faites cuire à la vapeur jusqu'à ce qu'elles soient tendres. Réduisez en purée en utilisant un pilon. Ajoutez du beurre et un peu de lait si nécessaire. Ajoutez les oignons verts hachés. Remplissez les citrouilles cuites avec la purée de pommes de terre. Badigeonnez les pommes de terre et les citrouilles avec du beurre fondu. Retournez le tout au four jusqu'à ce que le dessus prenne une teinte brun doré, environ 10 minutes. Servez avec les têtes des citrouilles comme « chapeaux ».

CHAQUE PORTION CONTIENT :
Calories : 280; Lipides : 8 g; Gras saturés : 2 g; Cholestérol : 5 mg; Sodium : 270 mg; Glucides : 52 g; Fibres : 5 g; Sucre : 26 g; Protéines : 6 g.

Clou de girofle (*Eugenia caryophyllus*)

UN CLOU POUR L'HALEINE

Saviez-vous que... à l'époque de la dynastie des Hans, avant de pouvoir parler à l'Empereur, les gens devaient placer un morceau de clou de girofle dans leur bouche pour dissimuler la mauvaise haleine ?

En bref

Les clous de girofle sont des boutons de fleurs séchés qui proviennent du giroflier, un arbuste toujours vert. Le mot « clou » vient du mot latin *clavus*. Les clous ont une odeur et une saveur sucrées et chaleureuses. On se sert des clous ou de l'huile de clous de girofle dans la cuisson, dans les parfums et dans les aromates artificiels.

Son origine

Les clous de girofle tirent leur origine des Îles Moluques, en Indonésie. Durant l'époque de la dynastie des Hans, il y a plus de 2 000 ans, des écrits chinois ont mentionné cette épice pour la première fois. Quatre cents ans plus tard, des marchands arabes ont apporté les clous de girofle aux Vénitiens en Europe.

Où les cultive-t-on ?

Zanzibar, en Afrique orientale, est le principal producteur de clous de girofle. L'Indonésie, Sumatra, la Jamaïque, les Antilles et le Brésil sont les autres principaux producteurs mondiaux.

Pourquoi devrais-je en manger ?

Les clous de girofle contiennent du manganèse, des vitamines C et K, du magnésium, du calcium et des fibres. Ils contiennent aussi de l'eugénol, une substance utile pour soulager la douleur, tuer les bactéries et réduire l'inflammation.

Remèdes maison

Fabriquez une pâte avec 1,25 ml (¼ c. à thé) de poudre de clou de girofle et 5 ml (1 c. à thé) d'huile de cannelle. Appliquez cette pâte sur le front pour soulager les maux de tête, ou pour apaiser tout autre douleur. Pour calmer un mal de dents, mâchez un clou ou trempez du coton dans l'huile de clous de girofle et appliquez-le sur la région douloureuse.

Propriétés étonnantes !

SANTÉ CARDIOVASCULAIRE : D'après deux rapports présentés à la réunion de l'*Experimental Biology*, qui a eu lieu à San Francisco, en 2006, quelques grammes de clous de girofle par jour stimulent la fonction de l'insuline tout en abaissant le taux de cholestérol. L'étude sur les clous de girofle a découvert que tous les participants qui en avaient ingéré, peu importe la quantité, ont présenté une chute au niveau du glucose, des triglycérides et du « mauvais » cholestérol LDL. Les niveaux sanguins de « bon » cholestérol HDL n'ont pas été touchés. On a découvert que l'huile de clou de girofle empêchait la peroxydation lipidique qui peut conduire à la maladie cardiovasculaire.

INFLAMMATION : Dans des études sur des cellules humaines, on a découvert que l'eugénol, un composé des clous de girofle, inhibe les enzymes et le processus qui conduisent à des conditions inflammatoires.

INFECTION AUX LEVURES : Une étude sur des animaux a découvert qu'il y avait réduction des infections aux levures lorsqu'on appliquait de l'huile de clous de girofle sur des régions infectées.

CANCER DU POUMON : Une étude a découvert que lorsque des souris, chez lesquelles on avait provoqué un cancer du poumon, recevaient une infusion intraveineuse de clous de girofle, il y avait réduction de la croissance du cancer.

DOULEUR : Une étude sur des humains a découvert que l'huile de clous de girofle pouvait être utile en dentisterie si on l'appliquait avant d'insérer une aiguille dans les gencives. Les sujets de l'étude ont rapporté avoir ressenti moins de douleur.

ÉJACULATION PRÉCOCE : Une étude a découvert que lorsqu'on appliquait une crème contenant du clou de girofle sur le pénis, les hommes étaient en mesure de prolonger la durée des rapports sexuels précédant l'éjaculation.

Conseils pratiques

SÉLECTION ET ENTREPOSAGE :

- Si possible, choisissez des clous de girofle entiers. La poudre perd rapidement sa saveur.
- Lorsqu'ils sont pressés, des clous frais libèrent une huile. De plus, si un clou est frais, il flottera verticalement.
- On devrait conserver les clous entiers et les clous moulus dans un contenant fermé hermétiquement. Ce conte-

nant devrait être rangé dans un endroit frais, sombre et sec. On peut conserver des clous entiers pendant une année et des clous moulus pendant six mois.

SUGGESTIONS POUR PRÉPARER ET SERVIR :

- Servez-vous d'un broyeur à café pour broyer les clous entiers. Broyez-les juste avant utilisation.
- Utilisez les clous de girofle en combinaison avec d'autres herbes pour parfumer les viandes.
- Ajoutez des clous de girofle lorsque vous préparez des marinades, des bouillis ou des vins.
- Ajoutez des clous moulus à vos gâteaux, biscuits ou tartes préférés.

Crevettes marinées à la tequila et aux clous de girofle

par le chef J. Hugh McEvoy

Portions : 22 • Temps de préparation et de cuisson : 30 minutes (mais il faut faire mariner les crevettes pendant une nuit)

Cette recette contient huit aliments énergisants.

INGRÉDIENTS POUR LES CREVETTES :

0,5 ml (⅛ c. à thé) de clous de girofle, moulu
455 g (1 lb) de grosses crevettes, crues
30 ml (2 c. à soupe) de tequila
1 ½ L (6 tasses) d'eau
1 citron, tranché
1 lime, tranchée
2 oignons verts, hachés
5 ml (1 c. à thé) de sel de mer
5 ml (1 c. à thé) de poivre noir
5 ml (1 c. à thé) de piment Jalapeño, moulu

INGRÉDIENTS POUR LA MARINADE :

30 ml (2 c. à soupe) de jus de lime
30 ml (2 c. à soupe) de jus de citron
15 ml (1 c. à soupe) de tequila
125 ml (½ tasse) d'huile d'olive extra vierge
250 ml (1 tasse) de vin blanc
15 ml (1 c. à soupe) d'oignon vert
15 ml (1 c. à soupe) de feuilles de coriandre, hachées
1 ml (¼ c. à thé) de clous de girofle moulus
1 gousse d'ail, écrasée

INGRÉDIENTS POUR LA GARNITURE :

110 g (¼ lb) de prosciutto ou jambon français fumé, tranché mince

1 sac de crostini (pain grillé)

PRÉPARATION :

Dans une grande casserole, combinez l'eau, la tequila, les clous de girofle, le jus de citron, le jus de lime, l'oignon vert, le sel, le poivre et le piment moulu. Portez à ébullition. Ajoutez les crevettes et cuisez jusqu'à ce que les crevettes deviennent roses (moins de 5 minutes). Ne faites pas cuire complètement. Égouttez les crevettes et placez-les sous l'eau très froide. Écaillez-les et retirez les veines. Mettez-les de côté pendant que vous préparez la marinade.

Dans un large bol, mélangez tous les ingrédients pour la marinade. Déposez les crevettes pelées dans un grand sac plastique. Ajoutez la marinade au sac. Fermez hermétiquement. Pour faire mariner, réfrigérez le sac de crevettes toute la nuit, ou pendant un minimum de douze heures. Rôtissez du pain baguette tranché, ou utilisez des crostini. Badigeonnez un peu de marinade sur le pain rôti. Placez des tranches minces de prosciutto ou de jambon sur le pain. Enlevez les crevettes de la marinade et placez-les sur les rôties avec le jambon. Garnissez chaque tapas de coriandre.

CHAQUE PORTION CONTIENT :

Calories : 43 ; Lipides : 3 g ; Gras saturés : 0 g ; Cholestérol : 17 mg ; Sodium : 47 mg ; Glucides : 1 g ; Fibres : 0 g ; Sucre : 0 g ; Protéines : 3 g.

Coriandre (*Coriandrum sativum*)

UNE VRAIE PESTE!

Saviez-vous que... le nom «coriandre» provient du mot grec *koris*, qui signifie «punaise»? Il est bien possible que l'odeur agressive et dérangeante qui se répand lorsqu'elle n'est pas encore mûre lui ait valu son nom.

En bref

Puisqu'on se sert des feuilles autant que des graines comme assaisonnement, on estime que la coriandre est autant une herbe qu'une épice. Les feuilles de coriandre fraîche (qu'on appelle également cilantro), ressemblent à du persil italien à feuilles plates, qui est un membre de la même famille. La saveur des graines ressemble à celle de la pelure de citron et de la sauge. La coriandre moulue est un ingrédient important de la poudre de curry, de certaines bières de type belge, ainsi que d'autres plats aromatiques. Commercialement, on se sert souvent de la coriandre pour améliorer le goût de certains médicaments. On l'utilise aussi pour parfumer le gin, les marinades et les saucisses, et comme un composant de maquillage et de parfums.

Son origine

Il faut remonter à plus de 7000 ans pour retrouver les origines de la coriandre; cela en fait l'une des plus anciennes épices connues. Elle est originaire des régions méditerranéennes et moyen-orientales, et on la retrouve en Asie depuis des milliers d'années. La coriandre était cultivée dans l'Égypte ancienne, et on la mentionne dans l'Ancien Testament. (« *Et la maison d'Israël lui donna le nom de manne. Et elle était blanche comme de la semence de coriandre, et avait le goût du gâteau au miel.* » Exode, 16:31)

On s'en servait comme épice dans la culture grecque aussi bien que dans la culture romaine; cette dernière l'utilisant pour préserver les viandes et parfumer les pains. La graine et la feuille de coriandre étaient très utilisées dans l'Europe médiévale pour sa capacité à masquer le goût et l'odeur de la viande pourrie. C'est en 1670 qu'on a apporté la coriandre dans les colonies britanniques de l'Amérique du Nord. C'était l'une des premières épices cultivées par les premiers colons.

Où la cultive-t-on ?

La majorité de la production de coriandre provient du Maroc, de la Roumanie et de l'Égypte. La Chine et l'Inde en assurent un approvisionnement limité, et la coriandre fraîche est cultivée en Amérique centrale, en Amérique du Sud et aux États-Unis.

Pourquoi devrais-je en manger ?

L'huile volatile de la coriandre est riche en phytonutrients variés : ceux-ci incluent la carvone, le géraniol, le limonène, le bornéol, le camphre, l'élémol et le linalol. Cet aliment contient aussi des flavonoïdes, incluant la quercétine, le kampférol, la rhamnétine et l'apigénine, ainsi que des composés actifs de l'acide phénolique, incluant les acides caféique et chlorogénique dont on a découvert l'utilité dans la lutte contre le cancer, le diabète et la maladie cardiovasculaire. La coriandre est une source de fer, de magnésium et de manganèse.

Remèdes maison

Dans *Les mille et une nuits,* on considérait la coriandre comme un aphrodisiaque. On croit qu'il stimule l'appétit et il est encore très utilisé comme tonique et médicament contre la toux en Inde. Dans la médecine folklorique iranienne, on se servait de la coriandre pour soulager l'anxiété et l'insomnie. Des expériences récentes sur des souris peuvent fournir le secret de son usage continu dans le traitement de l'anxiété.

Propriétés étonnantes !

DIABÈTE : L'ajout de coriandre à la diète de souris diabétiques a aidé à stimuler leur sécrétion d'insuline et à abaisser leur niveau de glucose sanguin.

SANTÉ CARDIOVASCULAIRE : On a administré de la coriandre à des rats nourris d'une diète à teneur élevée en gras et en cholestérol. L'épice a réduit de façon considérable le cholestérol total et les triglycérides.

ANTIBACTÉRIEN Des chercheurs ont isolé un composant de la coriandre nommé dodecenal. Dans les tests de laboratoire, celui-ci s'est avéré deux fois plus efficace que l'antibiotique appelé gentamicine que l'on utilise fréquemment pour tuer la salmonelle.

DIGESTION : Des chercheurs ont examiné les effets de la coriandre combinée à d'autres épices sur la digestion, et on a découvert que le mélange d'épices améliorait les activités des enzymes digestives du pancréas et stimulait le flot et la sécrétion de la bile.

Conseils pratiques

SÉLECTION ET ENTREPOSAGE :

- Les feuilles fraîches doivent éclater de fraîcheur et être d'une couleur vert foncé. Elles doivent être fermes, croustillantes et sans taches jaunes ou brunes.
- Achetez des graines de coriandre entières plutôt que de la poudre de coriandre, étant donné que cette dernière perd plus rapidement son parfum.
- Les graines, ainsi que la poudre de coriandre, devraient être conservées dans un contenant de verre opaque, fermé hermétiquement et placé dans un endroit frais, sombre et sec. La coriandre moulue se conservera environ de quatre à six mois, alors que les graines entières resteront fraîches pendant environ une année.
- On devrait toujours garder la coriandre fraîche au réfrigérateur, en déposant les racines dans un verre d'eau, et en recouvrant lâchement les feuilles d'un sac de plastique. Les feuilles fraîches se gardent environ trois jours.

SUGGESTIONS POUR PRÉPARER ET SERVIR :

- Nettoyez la coriandre en la déposant dans un bol d'eau fraîche tout en remuant doucement avec vos mains. Videz le bol, remplissez-le avec de l'eau propre et répétez l'opération.
- Pour moudre facilement les graines de coriandre, on peut utiliser un mortier et un pilon ou un broyeur électrique à épices.
- Pour une boisson délicieuse, combinez du lait de soya à la vanille, du miel, de la coriandre et de la cannelle dans une casserole sur un feu doux.
- Ajoutez des graines de coriandre aux soupes, bouillons et poissons.
- L'ajout de coriandre moulue aux mélanges à crêpes et à gaufre leur donnera un parfum du Moyen-Orient.

Sauce à la lime et à la coriandre

Adapté de *Mexican Everyday*, par Rick Bayless

Portions : 12 portions (375 ml [1 ½ tasse]) •

Temps de préparation : 15 minutes

Pour cette recette, ne faites pas d'économies : utilisez du jus de lime frais — ça en vaut bien la peine. Ajoutez 65 ml (¼ tasse) de miel pour un goût plus sucré. Cette recette contient six aliments énergisants.

INGRÉDIENTS :

125 ml (½ tasse) d'huile de colza
65 ml (¼ tasse) d'huile d'olive
65 ml (¼ tasse) de miel (facultatif)
85 ml (⅓ tasse) de jus de lime frais
3 ml (½ c. à thé) de zeste de lime, râpé
125 ml (½ tasse) de coriandre bien tassée, hachée grossièrement
1 piment Serrano ou 1 piment Jalapeño, haché grossièrement (facultatif)
5 ml (1 c. à thé) de sel, ou moins

PRÉPARATION :

Combinez les huiles, le jus de lime, le miel, le zeste de lime, la coriandre, le sel et les piments dans le contenant du mélangeur, et mélangez jusqu'à l'obtention d'une consistance lisse. Vous pouvez rajouter du sel au goût. Rangez au réfrigérateur jusqu'à ce que vous soyez prêt à l'utiliser. Brassez bien le contenant avant de verser la sauce sur des légumes à feuilles, des légumes crus ou cuits, ou tout plat qui justifie ce parfum frais de lime et de coriandre.

CHAQUE PORTION CONTIENT :

Calories : 150; Lipides : 14 g; Gras saturés : 1,5 g; Cholestérol : 0 mg; Sodium : 100 mg; Glucides : 7 g; Fibres : 0 g; Sucre: 6 g; Protéines : 0 g.

Cumin (*Cuminum cyminum*)

UN INGRÉDIENT DE LA MOMIFICATION

Saviez-vous que... dans l'Égypte ancienne, on se servait du cumin autant pour la cuisine que comme médicament? Non seulement les Égyptiens assaisonnaient-ils leur viande avec cette épice, ils l'utilisaient aussi pour la momification.

En bref

Le cumin s'apparente à la coriandre et fait partie de la même famille que le persil. Certains pays considèrent que le carvi est une forme éloignée de cumin, et vice versa. C'est pour cette raison qu'on associe parfois le cumin au carvi romain, au carvi oriental, au carvi égyptien et au carvi turc.

Ingrédient principal de la poudre de chili et de la poudre de cari, cette épice se compose principalement de la semence du plant d'où elle pousse. Le cumin a un goût fort et vif et est omniprésent dans les cuisines mexicaines, thaïlandaises et vietnamiennes. On ne peut le dissocier du garammassala — cari indien —, et il fait aussi partie des nombreuses épices utilisées pour faire mariner les viandes et les volailles dans les cuisines d'Afrique du Nord, du Moyen-Orient et de la Méditerranée.

Son origine

On croit que les origines du cumin s'étendent de la région méditerranéenne jusqu'en Inde. Son utilisation remonte aux temps bibliques : les Romains et les Grecs l'utilisaient à des fins curatives et cosmétiques, pour pâlir le teint. À une certaine époque, le cumin symbolisait aussi la gourmandise, surtout sous le règne de l'empereur romain Marc-Aurèle, à qui l'on donnait secrètement le surnom de « Cuminus ». Plus tard, en Europe, le cumin est devenu symbole de fidélité. En Allemagne, les invités à un mariage apportaient du cumin, de l'aneth et du sel, qu'ils conservaient dans leurs poches pendant la cérémonie pour empêcher la mariée ou le marié d'être infidèles.

Où le cultive-t-on ?

Historiquement, l'Iran était le principal fournisseur de cumin, mais aujourd'hui, les principaux producteurs sont l'Inde, la Syrie, le Pakistan, la Turquie et la Chine.

Pourquoi devrais-je en consommer ?

Le cumin est une source de fer. Riche en huiles essentielles comme le cumaldéhyde et la pyrazine, on croit que le cumin abaisse le glucose sanguin.

Remèdes maison

Certains pays du Moyen-Orient considèrent la combinaison de cumin, poivre noir et miel comme un stimulant sexuel naturel. Les graines de cumin mélangées au miel ont été utilisées durant la grossesse pour faciliter l'accouchement, réduire les nausées et augmenter la lactation. En médecine traditionnelle, le cumin aide à la digestion. Le cumin possède des propriétés antibactériennes et on reconnaît qu'il protège contre l'ankylostomiase. En médecine traditionnelle indienne, on fume les grains de cumin dans une pipe avec du beurre clarifié pour soulager le hoquet.

Propriétés étonnantes !

ARTHRITE : Une étude a démontré que les rats, à qui on avait administré un extrait de cumin noir, connaissaient une réduction de l'inflammation due à l'arthrite.

DIABÈTE : On a démontré que les rats qui avaient consommé du cumin pendant six semaines avaient vu leur taux de glycémie, d'hémoglobine A1c, de cholestérol et de triglycérides diminuer de façon marquée. Les chercheurs ont aussi découvert que les suppléments de cumin sont plus efficaces que la glibenclamide (un médicament oral hypoglycémique qui aide à gérer le glucose sanguin) dans le traitement du diabète sucré.

CANCER DU CÔLON : L'ajout de cumin à la diète de rats a ralenti la formation de cellules cancéreuses du côlon.

ULCÈRE : On a découvert que le cumin était très efficace pour tuer la bactérie *H. pylori*, une bactérie associée aux ulcères d'estomac.

Conseils pratiques

SÉLECTION ET ENTREPOSAGE :

- Étant donné que le cumin perd rapidement sa saveur, il est préférable d'employer des grains fraîchement moulus plutôt que du cumin en poudre.
- On devrait garder les grains et la poudre de cumin dans un contenant en verre hermétiquement scellé dans un endroit frais, sombre et sec. Le cumin moulu peut se conserver pendant environ six mois, alors que les grains entiers demeureront frais environ une année.

SUGGESTIONS POUR PRÉPARER ET SERVIR :

- Rôtissez légèrement les grains de cumin entiers pour faire ressortir leur saveur avant de les employer dans une recette.

- Le cumin convient très bien au poulet.
- Ajoutez-le aux légumineuses, comme des lentilles, des pois chiches, et des haricots noirs.
- Saupoudrez-en sur du riz brun ordinaire, avec des amandes et des abricots séchés pour un plat d'accompagnement savoureux.

Poisson grillé avec patates douces au cumin

par Nicki Anderson

Portions : 4 • Temps de préparation et de cuisson : 70 minutes

Ce plat délicieux contient six aliments énergisants.

INGRÉDIENTS :

455 g (1 lb) de patates douces, en tranches moyennes
3 ml (½ c. à thé) de cumin, moulu
15 ml (1 c. à soupe) d'huile d'olive
4 filets de poisson-chat ou autre poisson (115 à 170 g / 4-6 oz chacun)
5 ml (1 c. à thé) de poudre de chili
250 ml (1 tasse) de courgettes jaunes ou vertes, hachées
190 ml (¾ tasse) d'oignons verts, tranchés en diagonale
15 ml (1 c. à soupe) de coriandre fraîche

PRÉPARATION :

Préchauffez le four à 200°C (400°F). Dans un plat allant au four de 33 x 23 cm (13 x 9 po), saupoudrez du cumin sur les patates douces et ajoutez de l'huile pour les enrober. Étalez les patates en couches uniformes et faites griller jusqu'à ce qu'elles soient dorées, environ 45 minutes. Retirez du four. Augmentez la température du four à 230°C (450°F). Utilisez une grande spatule pour retourner doucement les tranches de patates douces. Déposez le poisson sur les patates. Saupoudrez de la poudre de chili et des oignon verts. Retournez au four et faites griller jusqu'à ce que le poisson soit opaque à l'intérieur, environ 8-10 minutes. Avec la spatule, déposez chaque portion de pommes de terre couverte de poisson sur des assiettes de service. Garnissez de coriandre fraîche.

CHAQUE PORTION CONTIENT :
Calories : 300; Lipides : 9 g; Gras saturés : 2 g; Cholestérol : 100 mg; Sodium : 95 mg; Glucides : 25 g; Fibres : 3 g; Sucre : 11 g; Protéines : 30 g.

Curcuma (*Curcuma longa*)

POUR TEINDRE

Saviez-vous que... on se sert souvent du curcuma comme teinture jaune pour teindre les tissus, et lorsqu'elle est mélangée à du jus de lime, elle devient la teinture rouge dont se servent les bouddhistes et les hindous pour se marquer le front ?

En bref

Le curcuma fait partie de la famille du gingembre. Ingrédient important du cari et de la moutarde jaune orangée, on lui donne aussi le nom de safran indien. On se sert des rhizomes – prolongements de la tige de la plante, semblables à des racines – pour fabriquer la poudre de curcuma. On l'emploie pour préparer la moutarde, pour colorer le beurre ou le fromage et pour aromatiser divers aliments.

Son origine

On croit que le curcuma est originaire de l'ouest de l'Inde, où on l'utilise depuis au moins 2 500 ans. Le curcuma a atteint la Chine vers l'an 700 de notre ère, puis s'est propagé à travers l'Afrique. Au XIIIe siècle, émerveillé par ce légume aux caractéristiques si semblables au safran, Marco Polo a écrit à propos de cette épice. L'utilisation du curcuma pour colorer les aliments et les tissus remonte aussi loin que 600 ans avant notre ère. Dans l'Europe médiévale, on s'en servait comme substitut peu dispendieux au safran. Le curcuma a été introduit en

Jamaïque au XVIIIe siècle et à partir de là, a été introduit peu de temps après en Amérique du Nord.

Où le cultive-t-on ?

Quatre-vingt-quatorze pour cent de l'approvisionnement mondial de curcuma est produit en Inde. Il est aussi cultivé dans des parties de la Chine, de même que dans la région tropicale du Pérou.

Pourquoi devrais-je en consommer ?

Le curcuma contient d'importantes vitamines et des minéraux nécessaires comme le fer, le manganèse, le potassium, la vitamine B6 et la vitamine C. La curcumine est un phytochimique que l'on trouve dans le curcuma et qui est dotée d'importantes propriétés antioxydantes. Des recherches ont démontré ses capacités anti-inflammatoires et anticancéreuses.

Remèdes maison

Datant de plus de 4000 ans, des documents des guérisseurs traditionnels de l'Inde et de Chine mentionnent les bienfaits du curcuma pour régler de nombreux problèmes de santé. Traditionnellement, on a utilisé le curcuma pour soulager les crampes menstruelles, les problèmes respiratoires, les vers intestinaux, les obstructions du foie, les ulcères et l'inflammation. Le curcuma est l'une des herbes préférées des habitants d'Okinawa qui parlent des nombreux avantages reliés à la consommation de cette herbe. Le folklore local raconte que cette herbe renforce le système immunitaire, soulage l'inflammation et améliore la digestion, pour ne nommer que quelques-unes de ses propriétés.

Propriétés étonnantes !

DOMMAGE AU CERVEAU : Dans une étude portant sur des rats, on leur a administré des suppléments de curcuma pour neutraliser les dommages oxydatifs et pour empêcher la diminution de la fonction cognitive du cerveau blessé.

DÉMENCE ET MALADIE D'ALZHEIMER : Une étude sur des souris a confirmé que le curcuma diminuait de façon significative la quantité de protéines oxydées et les cytokines inflammatoires associées à la maladie d'Alzheimer. Les personnes âgées qui consommaient du cari au moins une fois par mois obtenaient de meilleurs résultats lors de tests de mesure de la fonction cognitive que ceux qui disaient consommer du cari plus rarement.

CANCER DE LA PEAU : Dans une étude faite sur des animaux, on a démontré que par rapport à un groupe contrôle, le curcuma réduisait la taille d'une tumeur de la peau de trente pour cent et l'apparition de tumeurs de la peau de quatre-vingt-sept pour cent.

À Houston, une étude du *M.D. Anderson Cancer Center* de l'Université du Texas a traité trois lignées cellulaires de mélanomes avec du curcuma. La croissance des cellules cancéreuses a été interrompue, et on a observé une augmentation de la mort cellulaire programmée dans la tumeur.

CANCER DU SEIN : Des chercheurs ont découvert que le curcuma avait empêché la propagation de métastases vers les poumons de souris atteintes de cancer du sein. Les chercheurs ont aussi découvert que le curcuma aidait à rendre le taxol — un médicament chimio-thérapeutique utilisé dans le traitement du cancer du sein — moins toxique et même plus efficace.

Les rats à qui l'on a administré d'importantes doses quotidiennes de curcuma pendant cinq jours ont connu une inhibition significative des tumeurs au sein.

PROSTATE : Dans des études in vivo et in vitro, on a démontré que le curcuma réduisait l'expression des gènes du cancer de la prostate, le volume de la tumeur et la quantité de nodules dans les groupes traités.

CANCER DU CÔLON : Dans une étude de petite envergure, des patients qui présentaient des polypes précancéreux ont été traités avec du curcuma pendant six mois. La quantité moyenne de polypes a chuté de soixante pour cent, et leur taille moyenne a chuté de cinquante pour cent.

SANTÉ CARDIOVASCULAIRE : Quand on a ajouté des doses importantes de curcuma à la diète des rats, ils ont présenté une quantité beaucoup plus faible de triacylglycérols du foie et un cholestérol au niveau de lipoprotéine de très basse densité (VLDL).

Conseils pratiques

SÉLECTION ET ENTREPOSAGE :

- Choisissez des racines fraîches de curcuma ; celles qui vous offrent un parfum épicé et qui sont dotées de rhizomes généreux.
- Lorsque vous l'achetez sous forme de poudre, procurez-vous-en de petites quantités et assurez-vous qu'elle provient de sources qui offrent des produits toujours frais.
- Emballez le curcuma non pelé hermétiquement, et déposez-le au réfrigérateur où il se conservera jusqu'à trois semaines.
- Conservez la poudre de curcuma dans des sacs de plastique étanches ou des bouteilles.

SUGGESTIONS POUR PRÉPARER ET SERVIR :

- Le curcuma est habituellement cuit à la vapeur pour ensuite être séché et moulu en poudre.
- Soyez prudent lorsque vous préparez le curcuma – il tachera vos mains et vos vêtements.
- Servez-vous de curcuma moulu dans les ragoûts, les soupes, le riz et les plats de poisson pour ajouter de la saveur et de la couleur.
- On se sert du curcuma dans la production de certains aliments emballés pour les protéger de la lumière du soleil.

Penne rigate avec brocoli et curcuma

par le chef Nick Spinelli

Portions : 6 • Temps de préparation et de cuisson : 30 minutes

Cette recette contient cinq éléments énergisants.

INGRÉDIENTS :

750 ml (3 tasses) de brocoli, avec les tiges et les fleurons, crus, taillés
455 g (1 lb) de pâtes penne rigate, non cuites
30 ml (2 c. à soupe) d'huile d'olive extra vierge
5 ml (1 c. à thé) de curcuma, moulu
3 ml (½ c. à thé) de poivre noir, moulu
15 ml (1 c. à soupe) d'ail frais, émincé
5 ml (1 c. à thé) de gingembre frais, émincé
125 ml (½ tasse) de bouillon de poulet ou de légumes
65 ml (¼ tasse) de vin blanc
4 ml (¾ c. à thé) de sel

PRÉPARATION :

Remplissez une casserole avec de l'eau froide et portez à ébullition. Ajoutez le brocoli et cuisez-le jusqu'à ce qu'il soit tendre. Retirez-le de l'eau et placez-le dans un égouttoir près de l'évier. Ne rincez pas. Si nécessaire, ajoutez plus d'eau à la casserole pour cuire les pâtes et replacez-la sur la cuisinière. Amenez l'eau à ébullition, puis ajoutez les pâtes. Faites-les cuire jusqu'à ce qu'elles soient al dente. Égouttez les pâtes, mais ne les rincez pas. Rincez la casserole et replacez-le sur la cuisinière. Versez l'huile d'olive dans la casserole et faites chauffer à une température moyenne-élevée pendant une demi-minute. Ajoutez le curcuma, le poivre noir, l'ail et le gingembre et remuez constamment jusqu'à ce que vous puissiez sentir l'ail. Ajoutez le bouillon de poulet et le vin blanc et laissez le mélange venir à ébullition. Ajoutez le sel et remuez deux fois. Incorporez les pâtes au mélange assaisonné pour enrober complètement les nouilles. Fermez le feu, ajoutez le brocoli aux pâtes et mélangez jusqu'à ce qu'il soit complètement imprégné.

CHAQUE PORTION CONTIENT :
Calories : 350; Lipides : 6 g; Gras saturés : 1 g; Cholestérol : 0 mg; Sodium : 55 mg; Glucides : 61 g; Fibres : 5 g; Sucre : 5 g; Protéines : 13 g.

Épeautre (*Triticum spelta*)

UN BLÉ D'ÉLITE

Saviez-vous que… l'épeautre possède plus de protéines, de glucides complexes et de vitamines B complexes que le blé ?

En bref

L'utilisation de l'épeautre est depuis longtemps populaire en Europe : on le connaît aussi sous le nom de « Farro » en Italie, et de « Dinkel » en Allemagne. Il est étroitement relié au blé (*T. aestivum*) avec lequel il partage plusieurs similarités quant aux propriétés et au goût. Par contre, beaucoup de personnes qui ne digèrent pas bien le blé peuvent apprécier l'épeautre. C'est un grain très nutritif qui possède une saveur de noix. L'épeautre moulu est principalement utilisé comme solution de rechange à l'avoine et à l'orge dans les céréales fourragères.

Son origine

On peut trouver des traces d'épeautre jusque dans les débuts de la Mésopotamie, il y a plus de 7000 ans. L'épeautre est parmi les plus anciennes céréales à avoir été cultivées par les premiers fermiers de l'Iran et de l'Europe du sud-est. Les grains d'épeautre ont été parmi les premières céréales à être utilisées pour fabriquer du pain; on mentionne d'ailleurs ce grain dans la Bible.

Au commencement de l'histoire européenne, l'épeautre est devenu un grain fort populaire, surtout en Allemagne, en Suisse et en Autriche. Cette céréale a été introduite aux États-Unis dans les années 1890 et a été modérément cultivée jusqu'au début du XXe siècle; mais les fermiers se sont alors tournés vers la culture du blé, dont le traitement est beaucoup plus simple que celui de l'épeautre.

Où le cultive-t-on ?

L'Allemagne et la Suisse sont les principaux producteurs d'épeautre. Aux États-Unis, l'Ohio est le principal producteur de ce grain.

Pourquoi devrais-je en consommer ?

L'épeautre est une excellente source des vitamines B riboflavine, niacine, thiamine et aussi une bonne source de fer, de manganèse, de cuivre et de l'acide aminé tryptophane. Si on le compare au blé, l'épeautre est aussi une extraordinaire source de fibres diététiques et une source exceptionnelle de protéines.

Remèdes maison

Il y a plus de 800 ans, une religieuse bénédictine du nom de Hildegarde de Bingen (sainte Hildegarde) a écrit au sujet des pouvoirs curatifs de l'épeautre : « Il est riche, nourrissant et plus doux que d'autres grains. Il produit un corps fort et un sang sain chez ceux qui le consomment, et il rend l'esprit de l'homme léger et joyeux. Si quelqu'un est malade, faites bouillir un peu d'épeautre, ajoutez un œuf, et cela le guérira à la manière d'un excellent onguent. » Les anciens Grecs et Romains offraient de l'épeautre en cadeau aux dieux païens de l'agriculture pour encourager la moisson et la fertilité.

Propriétés étonnantes !

SANTÉ CARDIOVASCULAIRE : Une étude publiée dans l'*American Heart Journal* a découvert que les femmes qui souffrent de coronaropathie et qui consomment au moins six portions de grains entiers par semaine, incluant l'épeautre, ont vu ralentir la progression de l'athérosclérose.

PRÉVENTION DES CALCULS BILIAIRES : D'après une étude publiée dans l'*American Journal of Gastroenterology*, la consommation d'aliments à haute teneur en fibres insolubles, comme l'épeautre, peut aider les femmes à éviter les calculs biliaires.

Conseils pratiques

SÉLECTION ET ENTREPOSAGE :

- On peut trouver l'épeautre sous forme de grains entiers, de farine, de pain et de pâtes.
- Entreposez les céréales d'épeautre dans un contenant hermétiquement fermé dans un endroit frais, sec et sombre.
- La farine d'épeautre devrait être conservée au réfrigérateur.

SUGGESTIONS POUR PRÉPARER ET SERVIR :

- Faites tremper les grains dans l'eau pendant huit heures ou toute la nuit. Égouttez, rincez bien, et ajoutez trois parties d'eau pour chaque partie de grains d'épeautre ; portez l'eau à ébullition et faites mijoter pendant environ une heure.
- En Allemagne, les grains d'épeautre non mûris sont séchés et mangés comme *grunkern*, qui signifie littéralement « semence verte ».
- Faites cuire les grains d'épeautre et utilisez-les comme plat d'accompagnement au lieu du riz ou des pommes de terre.
- Utilisez la farine d'épeautre pour faire du pain, des muffins et des préparations de gaufres.

Burgers d'épeautre

Adapté de www.purityfoods.com

Portions : 6 burgers • Temps de préparation et de cuisson : 40 minutes

Cette recette contient huit éléments énergisants.

INGRÉDIENTS :

250 ml (1 tasse) de grains d'épeautre
15 ml (1 c. à soupe) de margarine de colza
65 ml (¼ tasse) d'oignon, haché
65 ml (¼ tasse) de céleri, haché
65 ml (¼ tasse) de carottes, hachées
1 gousse d'ail, émincée
500 ml (2 tasses) de bouillon de légumes
30 ml (2 c. à soupe) de ketchup
15 ml (1 c. à soupe) de moutarde douce
1 œuf (facultatif)
65 ml (¼ tasse) d'huile d'olive

PRÉPARATION :

Préchauffez le four à 180ºC (350ºF). Déposez les grains d'épeautre dans un mélangeur et faites-les moudre à vitesse moyenne pendant 2 minutes, ou jusqu'à ce que les grains aient été réduits à la moitié de la taille d'un grain de riz. Réservez. Mettez la margarine dans une casserole, et faites fondre sur un feu moyen. Ajoutez l'oignon, le céleri, les carottes et l'ail, et faites cuire en remuant fréquemment jusqu'à ce que les légumes soient tendres, mais encore croquants. Ajoutez le bouillon et les grains moulus, et mélangez bien. Augmentez la chaleur à température élevée, et portez le mélange à ébullition. Versez le mélange de légumes dans une cocotte et couvrez avec du papier aluminium. Faites cuire au four pendant 20 minutes ou jusqu'à ce que le mélange soit collant et ait la consistance du riz blanc cuit. Faites refroidir le mélange jusqu'à ce qu'il soit à la température de la pièce. Ajoutez du ketchup et de la moutarde au goût, et mélangez. Ajoutez l'œuf et mélangez de nouveau. Avec vos mains humides, formez 6 galettes à partir du mélange. Versez l'huile dans un poêlon non adhésif, et faites cuire les galettes sur feu moyen pendant 5 à 7 minutes de chaque côté, ou jusqu'à ce qu'elles soient dorées et croustillantes. Transférez les rondelles sur des papiers essuie-tout, et laissez-les égoutter. Agrémentez-les de vos garnitures préférées et servez sur un petit pain d'épeautre.

CHAQUE PORTION CONTIENT :
Calories : 190; Lipides : 8 g; Gras saturés : 1,5 g; Cholestérol : 45 mg; Sodium : 460 mg; Glucides : 27 g; Fibres : 4 g; Sucre : 3 g; Protéines : 6 g.

Épinard (*Spinacia oleracea*)

QUAND POPEYE S'EN MÊLE

Saviez-vous que... la capitale de l'épinard, Crystal City, au Texas, a fait ériger une statue en 1937 pour honorer le créateur de bande dessinée E.C. Segar, ainsi que son personnage, Popeye, pour leur influence sur la consommation d'épinards aux États-Unis ? On attribue à Popeye l'énorme augmentation (trente-trois pour cent) des ventes de ce légume et on a reconnu qu'à lui seul, ce personnage a contribué à sauver l'industrie de l'épinard !

En bref

L'épinard appartient à la même famille que les betteraves et les bettes. Il existe différents types d'épinards, incluant les épinards à feuilles lisses. Ils sont tous délicieux et riches en éléments nutritifs.

Son origine

On croit que l'épinard est originaire de l'ancienne Perse. Au VIIe siècle, le roi du Népal a envoyé de l'épinard en Chine, pour l'offrir en cadeau ; on a ainsi nommé ce légume « herbe de Perse ». Au XIe siècle, il a été introduit en Espagne par les Maures ; en Angleterre, on le reconnaissait sous l'appellation de « légume espagnol ». Au XVIe siècle, Catherine de Médicis, en quittant sa Florence natale pour épouser le roi de France, a amené ses propres cuisiniers, car eux seuls savaient préparer l'épinard juste comme elle l'aimait. C'est de là que vient l'expression « à la Florentine » pour décrire les plats préparés sur un lit d'épinards.

Où le cultive-t-on ?

Les plus importants producteurs d'épinards sont les États-Unis et les Pays-Bas.

Pourquoi devrais-je en manger ?

L'épinard est une excellente source de fibres et de vitamine K, et une source importante de minéraux comme le calcium, le fer, le magnésium et le manganèse. Il est aussi riche en acide folique – une vitamine B qui est soluble dans l'eau et qui favorise une bonne fonction cognitive. L'épinard possède une teneur particulièrement élevée en vitamine A et en caroténoïdes : ces composants, comme le bêta-carotène, la zéaxanthine et la lutéine, sont reliés à la vitamine A et agissent comme protection pour l'œil. L'épinard est l'une des sources les plus riches de lutéine, contenant près de 30 000 microgrammes par tasse d'épinards congelés. L'épinard est aussi riche en glycolipides : ces puissants phytochimiques sont reconnus comme agents de suppression de la croissance des cellules cancéreuses et possèdent des qualités antiprolifératives.

Remèdes maison

À cause de leur contenu élevé en vitamine B, la consommation d'un peu d'épinards cuits chaque jour est censée soulager la dépression et la névrite (une inflammation des nerfs).

Propriétés étonnantes !

DÉGÉNÉRESCENCE MACULAIRE : Une étude cas-témoins impliquant 356 sujets atteints de dégénérescence maculaire avancée a découvert qu'en consommant plus d'épinards, on diminuait de beaucoup les risques de souffrir de dégénérescence maculaire liée à l'âge.

CANCER DU FOIE : Une étude in vitro utilisant des cellules cancéreuses du foie humain a découvert que si on le compare aux autres légumes, l'épinard déclenche l'effet antiprolifératif le plus important.

CANCER DE LA VÉSICULE BILIAIRE : Une étude cas-témoins impliquant 153 patients atteints du cancer de la vésicule biliaire a découvert une relation inverse significative entre la consommation d'épinards et le risque de cancer de la vésicule biliaire.

CANCER DU CÔLON ET DU SEIN : Une étude in vitro utilisant de l'extrait d'épinard rouge (*Amaranthus gangeticus*) sur des cellules cancéreuses du côlon et du sein a découvert des effets antiprolifératifs considérables.

CANCER DE LA PROSTATE : Une étude a découvert qu'un antioxydant naturel, contenu dans les feuilles d'épinards, ralentissait la progression du cancer de la prostate dans les lignées cellulaires cancéreuses du cancer de la prostate, autant chez les animaux que chez les humains.

CANCER DU COL DE L'UTÉRUS : On a découvert que les rétinoïdes contenus dans l'épinard peuvent avoir un effet chimiothérapique et chimio préventif dans le col de l'utérus.

LYMPHOME NON HODGKINIEN : Une étude du *National Cancer Institute* a découvert que des consommations plus importantes de légumes contenant de la lutéine et de la zéaxanthine, tels les épinards, sont associées à une diminution des risques de lymphome non hodgkinien.

CATARACTES : Une étude sur 36 644 professionnels de la santé masculins aux États-Unis a découvert que la consommation d'épinards était reliée à une diminution du risque de développer des cataractes.

NEUROPROTECTEUR : Des rats qui avaient souffert de dommage au cerveau, et auxquels on avait administré une diète aux épinards, ont montré une réduction des tissus endommagés et une fonction cérébrale améliorée.

Conseils pratiques

SÉLECTION ET ENTREPOSAGE :

- Achetez l'épinard FRAIS ! Entre le trajet et l'entreposage à des températures plus chaudes, il se peut que la majorité de son contenu nutritionnel ait déjà disparu. S'il est flétri, passez outre !
- Choisissez des feuilles d'épinard dont les tiges ne présentent pas de signes de jaunissement et dont les feuilles sont d'un vert foncé éclatant.
- L'épinard non lavé devrait être emballé, sans être à l'étroit, dans un sac de plastique que l'on dépose dans le bac à légumes du réfrigérateur où il conservera sa fraîcheur et son contenu nutritionnel pendant environ quatre jours.
- Employez l'épinard cuit le jour suivant.
- L'épinard congelé retient mieux son contenu nutritionnel parce qu'il est congelé instantanément.

SUGGESTIONS POUR PRÉPARER ET SERVIR :

- Taillez et lavez l'épinard avec précaution, étant donné que les feuilles et les tiges ont tendance à recueillir la terre et le sable.
- Enlevez toutes tiges visiblement plus épaisses pour permettre une cuisson plus uniforme.
- Séchez les feuilles d'épinards en les tapotant avec un papier essuie-tout ou en utilisant une essoreuse à salade.
- Il est préférable de les faire cuire à la vapeur et le moins possible. L'eau, la chaleur ou la lumière peuvent détruire la vitamine C et les éléments vitaminiques du complexe B.
- Remplacez la laitue pommée par de l'épinard.

- Ajoutez de l'épinard à vos lasagnes, à vos pâtes ou à votre pizza.

Sauté d'épinards

par Christine M. Palumbo

Portions : 4 • Temps de préparation et de cuisson : 15 minutes

Simple, mais si bon ! Pour ajouter un peu de piquant à ce mets, nous aimons y ajouter une pincée de piment de Cayenne écrasé — mais allez-y doucement ! Versez un filet d'huile d'olive infusée de basilic sur l'épinard pour un goût que vous ne serez pas prêt d'oublier. Cette recette contient quatre éléments énergisants.

INGRÉDIENTS :

300 g (10 oz) d'épinards crus, déchiquetés
1 gousse d'ail, tranchée finement
15 ml (1 c. à soupe) d'huile d'olive extra vierge
Jus de ½ citron
Sel, poivre et flocons de piment rouge, au goût

PRÉPARATION :

Lavez bien les épinards (même s'ils sont emballés dans un sac et lavés : on a prouvé qu'il était nécessaire de laver à nouveau les légumes préalablement lavés avant de les consommer). Déposez-les dans une passoire. Faites chauffer l'huile d'olive dans une grande casserole et ajoutez l'ail ; faites-le cuire quelques minutes, jusqu'à ce que le tout soit ramolli. Ajoutez les épinards, sans vous préoccuper de l'eau qui peut demeurer sur les feuilles. Couvrez la casserole et faites cuire à température moyenne-élevée environ 3 à 4 minutes, en remuant de temps en temps. Retirez du feu alors que les épinards ont toujours leur teinte vert brillant, versez-y le jus de citron et servez.

CHAQUE PORTION CONTIENT :

Calories : 50 ; Lipides : 4 g ; Gras saturés : 0,5 g ; Cholestérol : 0 mg ; Sodium : 243 mg ; Glucides : 3 g ; Fibres : 2 g ; Sucre : 0 g ; Protéines : 2 g.

Fenouil (*Foeniculum vulgare*)

DE QUOI RUMINER !

Saviez-vous que... les puritains se référaient au fenouil comme au « grain de réunion », étant donné qu'ils en mâchaient pendant leurs longs services religieux.

En bref

Le fenouil est composé d'un bulbe blanc ou vert pâle et de tiges surmontées de feuilles vertes duveteuses qui produisent les graines de fenouil. Toutes les parties du plant de fenouil sont comestibles. Le fenouil a une saveur et un parfum aromatiques doux. Les variétés incluent le fenouil sauvage, appelé fenouil commun, le fenouil doux ou anis de France, et le fenouil de Florence. Le fenouil est populaire dans la cuisine du sud de l'Europe.

Son origine

Le fenouil est originaire du sud de l'Europe et de l'Asie du sud-ouest. Les anciens Grecs le connaissaient bien et c'est par la Rome impériale qu'il s'est répandu à travers l'Europe. La légende veut qu'on ait livré la bataille de Marathon – la ville qui porte le nom de la fameuse course – dans un champ de fenouil. La mythologie grecque révèle que le fenouil était préféré par Dionysos, le dieu grec de la nourriture et du vin, et que la connaissance des dieux fut révélée aux hommes à travers une tige de fenouil.

Où le cultive-t-on ?

Le fenouil sauvage est la forme principalement cultivée dans l'Europe centrale et orientale, alors que le fenouil doux est surtout cultivé en France, en Italie, en Grèce et en Turquie. La plupart des graines sur le marché européen proviennent de l'Inde. Aux États-Unis, la Californie et l'Arizona sont les principaux producteurs de fenouil.

Pourquoi devrais-je en consommer ?

Le fenouil est une source de fibres, d'acide folique et de potassium. Il contient une quantité importante de vitamine C. Le fenouil renferme aussi la substance phytochimique anéthol ainsi que d'autres terpénoïdes qui ont démontré leurs propriétés anticancéreuses, anti-inflammatoires et digestives.

Remèdes maison

Les Chinois et les Hindous l'employaient comme remède contre les morsures de serpent. Les grains sont utilisés dans plusieurs remèdes à base de plantes pour réduire les gaz et les coliques intestinales, pour apaiser la faim et réduire l'indigestion. Au Ier siècle, on avait remarqué qu'après que les serpents avaient perdu leur peau, ils mangeaient du fenouil pour rétablir leur vue. On a depuis utilisé cette plante pour soigner les yeux fatigués et irrités. En Inde, on utilise beaucoup le grain de fenouil pour rafraîchir l'haleine de même que pour faciliter la digestion.

On s'est aussi servi du fenouil comme diurétique, pour stimuler la lactation, pour le traitement de la jaunisse, de la goutte et pour les crampes occasionnelles. La médecine chinoise prescrit du fenouil pour soigner la gastroentérite, l'hernie, l'indigestion, les douleurs abdominales, pour diminuer la mucosité et pour stimuler la production de lait.

Propriétés étonnantes !

COLIQUES : Environ quarante pour cent des nourrissons à qui on a donné de l'huile de graines de fenouil ont montré un soulagement des symptômes de coliques ; comparé à seulement quatorze pour cent dans le groupe placebo.

CANCER : On a démontré que le phytonutriment anéthol, qui fait naturellement partie du fenouil, réduit la molécule appelée NF-kappa B, qui cause l'altération des gènes et provoque des inflammations. Il aide aussi à réduire le facteur de nécrose des tumeurs (TNF), une molécule signalant le cancer, favorisant ainsi la mort des cellules cancéreuses.

SOULAGEMENT DES DOULEURS D'ESTOMAC : On rapporte que l'anéthol et autres terpénoïdes empêchent les spasmes des voies intestinales, permettant de soulager la production de gaz et les crampes.

Conseils pratiques

SÉLECTION ET ENTREPOSAGE :

- Choisissez des bulbes de fenouil blanchâtres ou vert pâle et de texture ferme, sans signes d'altération.
- Rangez le fenouil frais dans le bac à légumes du réfrigérateur, jusqu'à un maximun de quatre jours.

SUGGESTIONS POUR PRÉPARER ET SERVIR :

- En cuisine, on peut utiliser les trois différentes parties du fenouil : le pied, les tiges et les feuilles.
- Employez-le avec les viandes et la volaille, mais encore plus avec le poisson et les fruits de mer.
- Lorsque les grains de fenouil sont grillés, leur saveur est accentuée. On peut l'ajouter aux plats de viande pour une saveur italienne authentique. Faites sauter des grains de fenouil avec des piments tranchés, de l'oignon et de la saucisse pour une sauce rapide que vous pourrez servir avec les pâtes.
- Le fenouil est souvent combiné au thym et à l'origan dans des marinades à l'huile d'olive pour les légumes et les fruits de mer.

Fenouil farci à l'ail

par le chef Cheryl Bell

Portions : 4 • Temps de préparation et de cuisson : 60 minutes

Ce plat délicieux contient trois aliments énergisants.

INGRÉDIENTS :

2 bulbes de fenouil
250 ml (1 tasse) de bouillon de poulet ou de légumes
65 ml (¼ tasse) d'ail, émincé
30 ml (2 c. à soupe) de fromage parmesan, râpé
30 ml (2 c. à soupe) de chapelure de grains entiers assaisonnée
Sel kacher et de poivre noir, au goût

PRÉPARATION :

Chauffez le four à 190°C (375°F). Vaporisez un plat allant au four de 28 x 23 cm (11 x 9 po) avec un aérosol antiadhésif. Taillez les extrémités duveteuses des bulbes de fenouil. Enlevez la peau extérieure qui peut être épaisse et dure. Coupez les bulbes de fenouil à la verticale en tranches de 6 cm (¼ po). Déposez les tranches au fond du plat allant au four, en les gardant intactes, et arrosez de bouillon de poulet. Déposez 5 ml (1 c. à thé) d'ail émincé sur le dessus de chaque tranche de fenouil. Saupoudrez de sel et de poivre, si désiré. Couvrez le plat hermétiquement avec du papier aluminium et mettez au four pendant 45 à 50 minutes, ou jusqu'à ce que vous puissiez percer le fenouil avec une fourchette, sans résistance. Dans un petit bol, combinez le parmesan, la chapelure et le poivre. Retirez le fenouil du four et saupoudrez le mélange de parmesan sur les tranches de fenouil. Cuisez sans couvrir pendant 10 à 15 minutes, ou jusqu'à ce que les miettes soient légèrement dorées. Servez immédiatement avec le bouillon qui reste dans le plat de cuisson.

CHAQUE PORTION CONTIENT :

Calories : 80; Lipides : 1 g; Gras saturés : 0,5 g; Cholestérol : 0 mg; Sodium : 380 mg; Glucides : 16 g; Fibres : 4 g; Sucre : 2g; Protéines : 4 g

Figue (*Ficus carica L.*)

« FIG-UREZ-VOUS » !

Saviez-vous que... d'après la Bible, les feuilles de figue ont servi de premier mode vestimentaire ?

« Alors, leurs yeux à tous deux s'ouvrirent et ils se rendirent compte qu'ils étaient nus ; ayant cousu des feuilles de figuier, ils s'en firent des ceintures. » Genèse 3:7

En bref

On croit souvent que les figues sont des fruits, mais il s'agit en réalité de fleurs inversées — ce sont en fait les graines qui sont les véritables fruits. Il existe des centaines de variétés différentes de figues, mais les plus populaires sont les marques Dalmatie, Blanche d'Argenteuil, Brunswick et de Marseille. Aux États-Unis, la Calimyrna et la Black Mission sont les plus courantes.

Son origine

La figue est un fruit symbolique qui remonte aux temps bibliques anciens. C'est le fruit le plus fréquemment mentionné dans la Bible. Cléopâtre révérait les figues et leurs bienfaits pour la santé. Et non seulement les Grecs olympiens consommaient-ils des figues, mais ils les portaient aussi comme médailles, témoignant de leurs performances. Les figues ont été introduites aux États-Unis en 1669 : les missionnaires espagnols ont été les premiers à apporter les figues en Californie, et ils les ont plantées au cours d'une mission à San Diego, au milieu des années 1700. Elles se sont alors fait connaître sous le nom de « Black Mission ». La variété Calimyrna, de couleur brun doré (anciennement connue sous le nom de « smyrna »), provient de la Turquie et a été apportée en Californie en 1882.

Où la cultive-t-on ?

Mondialement, la Turquie et la Grèce sont les grands producteurs de figues. Les États-Unis sont en troisième place avec des figues cultivées en Californie, au Texas, en Utah, en Oregon et dans l'État de Washington. Toutefois, cent pour cent de toutes les figues séchées récoltées et quatre-vingt-dix-huit pour cent de toutes les figues fraîches des États-Unis sont cultivées dans la Vallée de San Joaquin, en Californie, principalement dans les comtés de Fresno, Madera et Merced.

Pourquoi devrais-je en manger?

Les figues ont une teneur en fibres qui est plus élevée que chez tout autre fruit frais ou séché; chaque portion contenant environ cinq à six grammes par 60 ml (environ 3 figues). Elles sont riches en potassium, calcium, magnésium et fer, et constituent une excellente source de polyphénols, des éléments chimiques que l'on trouve dans les plantes et qui semblent aussi jouer un rôle pour combattre différentes maladies. La recherche rapporte que les figues sont l'un des fruits séchés les plus sains, contenant des antioxydants de qualité supérieure.

Propriétés étonnantes!

PROBLÈMES DE PEAU : Les figues contiennent une substance nommée psoralène qui, lorsque associée à une exposition à la lumière ultraviolette, aide à soigner plusieurs maladies de la peau et certaines formes de lymphome.

DIGESTION : Les figues abondent naturellement en fibres et contiennent des enzymes digestives qui favorisent la régularité intestinale et peuvent faciliter la digestion.

CONTRÔLE DU POIDS : Les fibres peuvent jouer un rôle dans la sensation de satiété ainsi que ralentir l'absorption de calories.

SANTÉ CARDIOVASCULAIRE : Les antioxydants nommés phénols, que l'on retrouve particulièrement dans les figues séchées, diminuent les dommages et les mutations aux cellules individuelles du corps, offrant possiblement une protection contre le cancer et contre la maladie cardiovasculaire.

DIABÈTE : Le type de fibres que l'on retrouve dans les figues peut réduire le risque de développer le diabète de type 2, en ralentissant la digestion et l'absorption des sucres dans les aliments.

Conseils pratiques

SÉLECTION ET ENTREPOSAGE :

- Figues fraîches : choisissez des figues légèrement molles et courbées à la tige. On ne peut les réfrigérer que pendant 2 à 3 jours après la cueillette.
- Fiches séchées : une « poudre » blanche apparaît sur les figues lorsqu'elles sèchent et ce phénomène se produit naturellement lorsque les sucres de la figue remontent à la surface. Conservez-les au réfrigérateur pour éviter cette accumulation de sucre.
- Les figues existent aussi sous forme de concentré de jus et de pâte de figue.
- Selon les écrits, les figues ont été parmi les premiers fruits à être séchés et entreposés pour être consommés. On peut entreposer les figues sèches pendant six à huit mois sans perte de qualité. Si leur emballage n'est pas ouvert, elles peuvent se conserver jusqu'à deux ans !

SUGGESTIONS POUR PRÉPARER ET SERVIR :

- Pour les utiliser dans des recettes et dans la cuisson, enlevez simplement la tige et tranchez, hachez ou réduisez en purée selon ce que vous suggère la recette.
- Trempez la lame de votre couteau dans l'eau chaude pour prévenir le collage lorsque vous coupez les figues.
- On peut transformer et utiliser les figues fraîches et séchées afin de les utiliser dans des produits cuisinés, dans des confitures ou dans des gelées.
- Les figues en dés font une extraordinaire garniture pour les salades.
- Mélangez des figues hachées avec de la bouillie de flocons d'avoine ou sur n'importe quelle céréale froide.

- Trempez les figues pendant trente minutes, réduisez-les en purée et ajoutez-les à la sauce aux tomates en guide d'édulcorant.

Poulet marocain aux figues

par le chef Kyle Shadix

Portions : 8 • Temps de préparation et de cuisson : 60 minutes

Pour une version végétarienne, substituez le seitan (du gluten de blé) au poulet – j'ai confondu de nombreux non-végétariens avec cette préparation ! Cette recette contient dix aliments énergisants.

INGRÉDIENTS POUR LA SAUCE :

375 ml (1 ½ tasse) d'oignons jaunes, hachés grossièrement
30 ml (2 c. à soupe) de gingembre, fraîchement moulu
30 ml (2 c. à soupe) d'huile d'olive extra vierge
3 ml (½ c. à thé) de coriandre, moulue
3 ml (½ c. à thé) de cumin, moulu
375 ml (1 ½ tasse) de sauce tomate
500 ml (2 tasses) de pommes de terre blanches, pelées et coupées en cubes
375 ml (1 ½ tasse) de figues fraîches ou séchées, coupées en moitiés

INGRÉDIENTS POUR L'ACCOMPAGNEMENT :

2 lb (1 kg) de seitan ou autre substitut au poulet, coupé en cubes
65 ml (¼ tasse) d'huile d'olive extra vierge
125 ml (½ tasse) de coriandre fraîche, hachée
Sel et poivre, au goût

PRÉPARATION :

Chauffez 30 ml (2 c. à soupe) d'huile d'olive dans un poêlon et faites sauter les oignons et le gingembre frais jusqu'à ce qu'ils soient tendres. Ajoutez le cumin et la coriandre au mélange d'oignons et de gingembre et remuez jusqu'à ce que les épices soient cuites. Ajoutez tous les autres ingrédients pour la sauce dans le poêlon et réservez. Faites chauffer 65 ml (¼ tasse) d'huile d'olive dans une grande casserole à chaleur moyenne-élevée. Ajoutez le poulet, le seitan ou autre substitut au poulet et faites dorer en le faisant cuire 2 à 3 minutes de chaque côté. Versez la sauce sur le seitan (ou autre substitut au poulet) et laissez mijoter, couvert, sur un feu moyen, jusqu'à ce que la viande soit cuite, pendant 30 à 45 minutes. Servez sur du riz, et garnissez de coriandre.

CHAQUE PORTION CONTIENT :
Calories : 370; Lipides : 13 g; Gras saturés : 2 g; Cholestérol : 65 mg; Sodium : 360 mg; Glucides : 37 g; Fibres : 7 g; Sucre : 24 g; Protéines : 29 g.

Fraise (*Fragaria*)

UN FILTRE D'AMOUR !

Saviez-vous que... d'après la légende, si vous brisez une fraise double en deux parties pour la partager avec une personne du sexe opposé, vous tomberez amoureux l'un de l'autre ?

En bref

Les fraises font partie de la famille des rosacées et sont l'un des petits fruits les plus populaires dans le monde. Le fait de porter leurs graines à l'extérieur plutôt qu'à l'intérieur donne aux fraises un aspect unique. Il existe plus de six cents variétés différentes de fraises.

Son origine

En Europe, durant le Moyen-Âge, on utilisait les fraises à des fins médicinales. En 1714, un ingénieur français a découvert au Chili et au Pérou des fraises plus volumineuses que celles cultivées en Europe. Il a rapporté les plants en France, où on les a plantés près d'une variété nord-américaine et la fraise hybride qui en a résulté était large, sucrée et juteuse.

Où les cultive-t-on ?

Les producteurs de fraises les plus importants sont le Canada, la France, les États-Unis, l'Italie, l'Australie, le Japon et la Nouvelle-Zélande.

Pourquoi devrais-je en manger ?

Une portion de huit fraises contient plus de vitamine C qu'une orange. Les fraises sont aussi riches en acide folique, en potassium et en fibres. Après la prune, la fraise est le fruit le plus riche en composés phénoliques et en antioxydants. Elle contient des quantités particulièrement importantes de flavonoïdes, d'anthocyanines, d'acide ellagique, de quercétine, de catéchine et de kampférol – ces composants sont tous dotés d'importantes capacités pour combattre le cancer et la maladie cardiovasculaire.

Remèdes maison

Un dentiste de New York croit que vous pouvez obtenir un sourire lumineux en combinant une fraise avec du bicarbonate de soude pour fabriquer une pâte que vous étendez sur vos dents. Après 5 minutes, environ, brossez avec de la pâte dentifrice, en vous assurant de bien enlever le mélange de fraises. Les anciens Romains croyaient que ces petits fruits diminuaient les symptômes de mélancolie, d'évanouissement, tous les types d'inflammations, les fièvres, les infections à la gorge, les calculs rénaux, la mauvaise haleine, les attaques de goutte et les maladies du sang, du foie et de la rate.

Propriétés étonnantes !

CANCER : Des chercheurs de Harvard ont découvert que les fraises étaient dotées de qualités protectrices pour des cancers variés. Une étude de cellules in vitro utilisant un extrait de feuilles de fraises sur des cellules leucémiques a découvert une activité significative d'élimination du cancer. Une autre étude in vitro a découvert que des extraits de fraises avaient un effet considérable sur la croissance des cellules cancéreuses du cancer du sein, autant que sur celles du cancer du côlon. Leurs niveaux d'antioxydants étant plus élevés, les fraises de culture biologique ont un effet antiprolifératif remarquablement plus important que celles qui sont cultivées selon la méthode conventionnelle. Les fraises, étant riches en acide ellagique – composant qui semble fonctionner comme bloqueur d'estrogènes – peuvent jouer un rôle dans la réduction des cancers répondant aux estrogènes. Les fraises lyophilisées ont empêché la croissance de deux types de cellules cancéreuses du col de l'utérus se développant en milieu de culture. Une étude portant sur des rats atteints d'un cancer de l'œsophage a découvert que les fraises lyophilisées inhibaient l'émergence et la croissance des tumeurs.

ANTI-INFLAMMATOIRE : Les fraises bloquent les enzymes (COX-2) qui stimulent l'inflammation.

OBÉSITÉ : Une recherche en cours est en train d'étudier le rôle des fraises dans la gestion du poids.

DIABÈTE : On a découvert que les phytochimiques contenus dans les fraises contrôlent le diabète de type 2 en réduisant les niveaux de glucose sanguin après un repas riche en féculents.

FONCTION COGNITIVE : Des chercheurs de l'Université de Tufts, au Massachusetts, ont découvert que l'extrait de fraises ralentissait la perte de fonction cognitive chez les rats.

SANTÉ CARDIOVASCULAIRE : La consommation de huit fraises par jour pendant huit semaines diminue un important facteur de risque de la maladie cardiovasculaire, l'homocystéine. Dans une étude similaire, le même chercheur a découvert que les sujets qui consommaient une portion de fraises par jour pendant quatre semaines présentaient des niveaux plus élevés d'acide folique.

EFFET PRÉVENTIF CONTRE LE TROUBLE THROMBOTIQUE : Une étude portant sur des animaux a découvert que les fraises ont un effet préventif puissant contre le trouble thrombotique en produisant une activité anti-plaquettes.

Conseils pratiques

SÉLECTION ET ENTREPOSAGE :

- Les fraises de taille moyenne ont un meilleur goût que les variétés plus volumineuses.
- Les fraises devaient être fermes et sèches au toucher. Évitez les fraises meurtries et moisies. Elles devraient être charnues, d'une couleur rouge foncé, avec une calotte verte. Vous devriez être en mesure de repérer le « parfum » de la fraise lorsque vous les sentez.
- Enlevez les fruits endommagés ou moisis.
- Les fraises demeureront fraîches pendant deux ou trois jours dans le réfrigérateur si on les conserve dans leur contenant original.

SUGGESTIONS POUR PRÉPARER ET SERVIR :

- Lavez-les juste avant de les utiliser.
- N'enlevez pas les calottes avant de les laver ; elles absorberaient trop d'eau et cela dégraderait leur saveur et leur texture.
- Garniture – ajoutez des fraises tranchées à une salade, à vos céréales du petit déjeuner ou au yogourt.
- Mélangez-les à votre smoothie préféré.

Shortcake aux fraises

par Heather Jose

Portions : 12 • *Temps de préparation et de cuisson : 25 minutes*

Les Amérindiens avaient l'habitude d'écraser des fraises et de les mélanger à la farine de maïs qu'ils faisaient ensuite cuire en un pain. Les premiers colons aimaient tellement ce dessert qu'ils ont fini par mettre au point leur propre version : ainsi est né le « shortcake aux fraises » ! Cette recette contient quatre éléments énergisants.

INGRÉDIENTS POUR LE SHORTCAKE :

500 ml (2 tasses) de mélange de pâte tout-usage de type Hodgson Mills
30 ml (2 c. à soupe) de beurre
170 ml (⅔ tasse) de lait de soya (nature ou vanille)
30 ml (2 c. à soupe) de sirop d'agave (facultatif)

INGRÉDIENTS POUR LA GARNITURE AUX FRAISES :

1 kg (4 t) de fraises fraîches, lavées et coupées en moitiés
65 ml (¼ t) de sirop d'agave

PRÉPARATION POUR LE SHORTCAKE :

Faites chauffer le four à 220°C (425°F). Dans un bol de taille moyenne, combinez la farine et le beurre jusqu'à l'obtention d'une texture friable. Ajoutez le lait de soya et le sirop d'agave et remuez pour confectionner une pâte lisse. Mélangez jusqu'à ce que la pâte se détache des contours du bol. Versez dans un moule à gâteau antiadhésif de 20 cm (8 po) ou dans un moule que vous aurez auparavant enduit d'aérosol antiadhésif, ou encore versez le mélange par cuillérées, sur une plaque à cuisson enduite d'aérosol. Faites cuire pendant 10 à 12 minutes, ou jusqu'à ce que le tout soit doré ; il faudra peut-être plus de temps si vous avez utilisé un moule à gâteau. Donne 10 à 12 portions individuelles de shortcake ou 8 morceaux.

PRÉPARATION POUR LA GARNITURE AUX FRAISES :

Versez les fraises lavées et coupées en moitiés dans un bol de taille moyenne et ajoutez le sirop d'agave, au goût. En vous servant d'un pilon, réduisez les fraises en purée selon la consistance désirée. Déposez un morceau de shortcake dans un bol et versez de la garniture aux fraises sur le dessus.

CHAQUE PORTION CONTIENT :

Calories : 170 ; Lipides : 3 g ; Gras saturés : 1,5 g ; Cholestérol : 5 mg ; Sodium : 180 mg ; Glucides : 33 g ; Fibres : 3 g ; Sucre : 14 g ; Protéines : 3 g.

Framboise (*Rubus*)

SUCRÉE À SOUHAIT !

Saviez-vous que... le xylitol, une solution de rechange populaire au sucre, se fabrique à partir de framboises ?

En bref

Il existe plus de deux cents espèces connues de framboises qui vont du rouge (*Rubus ideaus*) au noir (*Rubus occidentalis*), en passant par les variétés moins familières orange, violet et jaune. Les framboises ont des similarités avec leurs cousines : la mûre et la fraise. Les framboises et les mûres sont collectivement connues comme des fruits de « ronces », des fruits formés par le regroupement de plusieurs fruits plus petits appelés drupéoles.

Son origine

La framboise est originaire de l'Asie Mineure et de l'Amérique du Nord. Les premiers écrits recensés montrent que les framboises étaient populaires à l'époque de Jésus-Christ. On croit que les Romains ont commencé la domestication des framboises autour du IVe siècle et qu'ils en ont répandu la culture à travers l'Europe. On donne le mérite aux Britanniques de les avoir popularisées, surtout sous forme de confitures et de gelées, et d'avoir exporté les plants à New York au milieu des années 1700. La culture de la framboise noire, originaire de l'Amérique, a débuté dans les années 1800.

Où la cultive-t-on ?

Les principaux producteurs sont la Pologne, la Russie, l'Allemagne, la Yougoslavie, le Chili et les États-Unis.

Pourquoi devrais-je en manger ?

Les framboises sont une bonne source de fibres, de phosphore et de sélénium, et une excellente source de vitamine C. Les framboises sont riches en antioxydants et phytochimiques associés au combat contre la maladie. La congélation instantanée et la transformation des framboises pour en faire des confitures détruisent une grande partie de la vitamine C qu'elles contiennent, mais heureusement la plupart des autres antioxydants sont épargnés.

Remèdes maison

On emploie le thé de feuilles de framboisier pour traiter la nausée et les vomissements associés à la nausée chez les femmes enceintes. Les framboises fraîches, dotées d'une teneur élevée en vitamine C, ont été utilisées pour traiter et prévenir les sinusites.

Propriétés étonnantes !

CANCER : Diverses études récentes examinent différents types de cancers et les avantages de se servir des framboises ou de l'extrait de framboises comme traitement potentiel. Une étude employant des cellules cancéreuses de l'œsophage humain chez un modèle de rat a découvert qu'une diète composée de framboises noires avait considérablement réduit la croissance des cellules cancéreuses. Une étude cas-témoins utilisant des hamsters a découvert que les framboises noires freinaient la formation des tumeurs buccales. Une étude in vitro utilisant les phytochimiques acide férulique et bêta-sitostérol, que l'on retrouve couramment dans les framboises noires, a arrêté la croissance à la fois des cellules précancéreuses et cancéreuses du cancer de la bouche. Une étude observant les effets d'extraits de framboises sur les cellules cancéreuses du foie humain a découvert que plus la quantité d'extrait était importante, moins il y avait de reproduction des cellules.

DIABÈTE : Les anthocyanines, des composés puissants trouvés dans les framboises, réduisent les niveaux de glucose sanguin après les repas riches en féculents.

OBÉSITÉ ET STÉATOSE HÉPATIQUE : Une étude utilisant des souris nourries avec une diète à teneur élevée en gras avec différentes quantités de framboises a découvert que les framboises aidaient à prévenir et à améliorer la stéatose hépatique ainsi qu'à réduire l'obésité.

Conseils pratiques

SÉLECTION ET ENTREPOSAGE :

- Évitez que vos framboises se détériorent en vous assurant qu'il n'y a aucun indice de moisissure et qu'elles ne soient pas trop entassées.
- Enlevez tout petit fruit gâté ou moisi, et replacez les petits fruits non lavés dans leur contenant original.
- Les framboises demeureront fraîches au réfrigérateur pendant environ deux jours.
- Pour congeler les framboises, rincez, tapotez en séchant, placez-les sur une plaque à biscuits et déposez-les au congélateur. Transférez-les ensuite dans un sac plastique. Les framboises congelées se conserveront pendant plus d'une année.

SUGGESTIONS POUR PRÉPARER ET SERVIR :

- Lavez-les doucement et tapotez-les pour les sécher.
- Mettez-en sur vos céréales, salades, yogourts, glaces, gaufres ou crêpes.
- Les framboises sont un ajout extraordinaire aux smoothies.

Tarte melba aux framboises et aux pêches

Adapté de *Healthy Homestyle Desserts*, par Evelyn Tribole

Portions : 10 • Temps de préparation et de cuisson : 20 minutes

Cette recette contient trois aliments énergisants.

INGRÉDIENTS :

Une croûte à tarte de blé entier, préparée et réfrigérée

GARNITURE :

240 g (8 oz) de fromage à la crème, sans gras
120 g (4 oz) de fromage à la crème léger
125 ml (½ tasse) de sucre à glacer
5 ml (1 c. à thé) de vanille

GLAÇAGE AUX PÊCHES :

85 ml (⅓ tasse) de sucre granulé
15 ml (1 c. à soupe) de fécule de maïs
1 boîte de conserve de 180 ml (6 oz) de nectar de pêches

FRUITS :

2 kiwis, tranchés finement
1 pêche, pelée et tranchée finement
1 panier de 180 g (6 oz) de framboises fraîches

PRÉPARATION :

Dans un petit bol, battez ensemble les fromages à la crème, le sucre à glacer et la vanille. Étendez le mélange sur la croûte froide. Faites réfrigérer pendant 30 minutes. Dans une petite casserole, mélangez le sucre granulé et la fécule de maïs, et ajoutez progressivement le nectar de pêches. Sur un feu à température moyenne, faites chauffer en remuant, jusqu'à ce que le mélange commence à faire des bulles. Continuez à remuer en laissant la casserole sur le feu, pendant une minute de plus. Retirez du feu et laissez refroidir pendant au moins 5 minutes. Avec un pinceau à pâtisserie, appliquez une fine couche de ce glaçage sur la garniture de fromage à la crème. Ajoutez des tranches de kiwi, puis une fine couche de glaçage. Ajoutez des pêches et du glaçage. Placez les framboises sur le dessus ainsi que le glaçage qui reste.

CHAQUE PORTION CONTIENT :
Calories : 220 ; Lipides : 9 g ; Gras saturés : 3 g ; Cholestérol : 0 mg ; Sodium : 180 mg ; Glucides : 30 g ; Fibres : 3 g ; Sucre : 19 g ; Protéines : 6 g.

Fruit de la passion (*Passiflora edulis*)

L'AMOUR DÈS LA PREMIÈRE BOUCHÉE

Saviez-vous que... dans certaines cultures, une croyance populaire veut qu'après avoir mangé du fruit de la passion, vous tombiez amoureux de la prochaine personne que vous rencontrez ?

En bref

Le fruit de la passion provient de la famille des passifloracées et fait partie du genre *passiflore*. Il existe deux principaux types de fruits de la passion employés couramment à des fins commerciales : le fruit de la passion pourpre de Nouvelle-Zélande, et le fruit de la passion hawaïen qui est jaune. Les goûts de ces deux fruits se ressemblent ; les deux sont sucrés et acidulés, mais le fruit de la passion pourpre a tendance à être moins acide et plus juteux que la variété jaune.

Son origine

On croit que le fruit de la passion pourpre est originaire du Brésil, possiblement de l'Amazonie, mais personne n'en est certain. Avant les années 1900, le fruit de la passion pourpre était cultivé principalement en Australie. Les graines ont été apportées à Hawaï en 1801.

Où le cultive-t-on ?
On peut trouver des fruits de la passion dans la plupart des régions tropicales, mais les principaux producteurs commerciaux sont situés en Amérique du Sud, aux Îles Caraïbes, au Brésil, en Floride, à Hawaï, en Australie, en Afrique de l'Est et en Afrique du Sud.

Pourquoi devrais-je en manger ?
Le fruit de la passion est une bonne source de vitamine A et une excellente source de vitamine C (fournissant près de soixante-dix pour cent de la ration quotidienne), de potassium, de calcium et de fer. Un fruit de la passion contient environ quinze pour cent de la ration quotidienne en fer recommandée. Lorsqu'on le mange avec les pépins, une portion constitue une excellente source de fibres (environ 15 g). Il est aussi riche en substances phytochimiques, incluant la passiflorine, le lycopène et les caroténoïdes.

Remèdes maison
Les Portoricains consomment le fruit de la passion pour abaisser la pression sanguine. Les Brésiliens mangent les pépins pour provoquer le sommeil. Les Espagnols ont découvert que dans plusieurs pratiques médicales populaires à travers l'Amérique du Sud, on utilisait le fruit de la passion comme sédatif. À Madère, on en extrait le jus pour aider à la digestion et on s'en sert aussi comme traitement des cancers gastriques. La passiflore a été utilisée pour traiter les enfants nerveux et facilement excités, l'asthme, l'insomnie, les troubles nerveux gastro-intestinaux et les problèmes de ménopause.

Propriétés étonnantes !

CANCER : On a découvert que les fruits de la passion pouvaient augmenter l'apoptose (mort cellulaire programmée) dans la lignée des cellules cancéreuses. On croit que les éléments phytochimiques contenus dans le fruit de la passion qui sont responsables de cette apoptose sont les caroténoïdes et les polyphénols.

HYPERTENSION : Un extrait de passiflore a diminué de façon considérable la pression sanguine systolique chez des rats hypertendus.

SANTÉ CARDIOVASCULAIRE : On a démontré que les pépins du fruit de la passion réduisaient les lipides totaux, les triglycérides et le cholestérol chez les hamsters.

Conseils pratiques

SÉLECTION ET ENTREPOSAGE :

- Choisissez un fruit large, lourd et ferme.
- Lorsque le fruit de la passion est mûr, la partie extérieure passe de vert à pourpre foncé, rouge ou jaune.
- Si vous les achetez avant qu'ils ne soient mûrs, laissez-les à la température de la pièce jusqu'à ce qu'ils atteignent la maturité ; la peau se plissera, mais le fruit ne s'attendrira pas trop. Une fois qu'ils ont atteint la maturité désirée, mettez-les au réfrigérateur jusqu'à une semaine.

SUGGESTIONS POUR PRÉPARER ET SERVIR :

- Coupez le fruit de la passion en deux sur le sens de la longueur et enlevez la pulpe graineuse avec une cuiller.
- Pour enlever les pépins, égouttez dans une passoire (pas en alluminium), ou servez-vous d'étamine, en pressant pour extraire le jus.
- On peut employer la pulpe graineuse pour faire de la gelée ou la combiner avec de l'ananas ou une tomate pour préparer des confitures.
- Enlevez la pulpe avec une cuiller et déposez-la sur des fruits tendres ou sur des glaces.
- La pulpe peut faire une délicieuse confiture ou gelée et les pépins ajoutent une agréable texture croquante !
- Pour un goût nouveau, ajoutez du fruit de la passion à des salades vertes mixtes ou à des salades de fruits.
- Déposez une cuiller de fruit de la passion sur du poulet, du poisson ou du porc pour un changement fruité.

- Ajouter du fruit de la passion ou du jus de ce fruit à toute salade de fruits ou smoothie pour un goût fraîchement nouveau.
- En Australie, on consomme la pulpe avec de la crème et du sucre.
- Au Venezuela, on se sert du fruit de la passion pour préparer des glaces ou pour l'ajouter aux cocktails au rhum.

Sorbet aux fruits de la passion

par le chef J. Hugh McEvoy

Portions : 14 • Temps de préparation : 15 minutes

Temps de « cuisson » : 6 ½ heures

Cette recette contient quatre aliments énergisants.

INGRÉDIENTS :

500 ml (2 tasse) de jus de fruit de la passion pourpre

600 g (20 oz) de fruit de la passion frais

125 ml (½ tasse) de sucre blanc granulé

125 ml (½ tasse) d'eau

15 ml (1 c. à soupe) de jus de lime frais

30 ml (2 c. à soupe) de pelure d'orange, fraîchement râpée

30 ml (2 c. à soupe) de feuilles de menthe, pour garnir

PRÉPARATION :

En vous servant d'une casserole épaisse, portez l'eau et le sucre à ébullition. Faites complètement dissoudre le sucre. Ajouter le jus de lime et le jus de fruit de la passion – ramenez à ébullition. Retirez du feu. Ajoutez la pulpe du fruit de la passion, incluant les pépins. Transférez le mélange dans un contenant allant au congélateur. Déposez au réfrigérateur pendant au moins six heures – ne faites pas congeler immédiatement. En utilisant une sorbetière, barattez le mélange frais en sorbet jusqu'à ce qu'il soit presque solide. Ajoutez le zeste d'orange râpé et mélangez uniformément. Mettez-le au congélateur et congelez-le jusqu'à ce que ce soit solide. Servez en garnissant de feuilles de menthe.

CHAQUE PORTION CONTIENT :
Calories : 78 ; Lipides : 0 g ; Gras saturés : 0 g ; Cholestérol : 0 mg ; Sodium : 12 mg ; Glucides : 20 g ; Fibres : 4 g ; Sucre : 17 g ; Protéines : 1 g.

Gingembre (*Zingiber officinale*)

« GINGER-ALE »

Saviez-vous que... à un moment donné, dans les pubs anglais, on avait l'habitude de saupoudrer du gingembre frais dans les chopes de bière — d'où le nom et l'origine de « ginger ale ».

En bref

Même si on s'y réfère souvent comme à une racine, le gingembre est en réalité une herbe qui a l'apparence d'un roseau et dont les rhizomes sont durs et noueux (les tiges poussent sous le sol). On peut choisir parmi plusieurs variétés, incluant la plus populaire qui provient de la Jamaïque ; la version africaine/indienne qui présente une peau plus foncée ; et les variétés du Kenya offertes en blanc, rouge et jaune.

Son origine

On peut retrouver les origines du gingembre en Asie du sud-est, en Chine et en Inde, où son utilisation en tant qu'assaisonnement culinaire remonte à plus de 4400 ans. Les Romains ont rapporté le gingembre de la Chine il y a près de 2000 ans, et il s'est rapidement répandu à travers l'Europe. Dans les années 1850, plusieurs pubs et restaurants irlandais et anglais offraient du gingembre frais à chaque table, un peu comme le sel et le poivre d'aujourd'hui. Les Espagnols ont apporté le gingembre dans l'hémisphère occidental, l'introduisant à travers l'Amérique du Sud et le Mexique.

Où le cultive-t-on ?

L'Inde, la Chine, l'Indonésie, le Nigeria, les Philippines et la Thaïlande sont les principaux producteurs de gingembre. Aux États-Unis, on le cultive surtout en Californie, à Hawaï et en Floride.

Pourquoi devrais-je en consommer ?

Le gingembre est une riche source d'antioxydants puissants ; comme le gingérol, le shogaol et le zingérone.

Remèdes maison

Depuis plusieurs générations, on se sert du gingembre comme remède maison pour traiter une variété de problèmes de santé. On consomme le gingembre pour soigner la perte d'appétit, la diarrhée, les problèmes d'estomac, les douleurs abdominales, les coliques, la dyspepsie, les ballonnements, les douleurs postopératoires, le mal des transports et les nausées — dont la nausée causée par la chimiothérapie — l'arthrite rhumatoïde, l'arthrose, la migraine, les infections des voies respiratoires, la toux et la bronchite. En préparation, on l'a employé pour soigner les brûlures thermiques, et comme analgésique.

Propriétés étonnantes !

NAUSÉE : Une étude a démontré qu'en consommant 125 mg d'extrait de gingembre quatre fois par jour, pendant quatre jours consécutifs, cela réduisait la nausée chez les femmes qui étaient enceintes de moins de 20 semaines. Une autre étude a fait enquête sur l'effet de 1,05 g de gingembre sur la nausée et le vomissement chez les femmes enceintes de moins de 16 semaines. Cinquante-trois pour cent des femmes qui avaient pris des capsules de gingembre ont rapporté une réduction à la fois des nausées et des vomissements associés à la grossesse.

MAL DES TRANSPORTS : Deux études ont démontré que le gingembre agissait de façon évidente sur la prévention et le traitement du mal des transports.

ARTHROSE : Dans une étude sur échantillon aléatoire, des chercheurs ont découvert que les participants souffrant d'arthrose, et qui avaient consommé de l'extrait de gingembre, avaient noté une plus grande réduction des douleurs aux genoux que ceux qui faisaient partie du groupe placebo.

CANCER : On a constaté chez des souris qui consommaient de l'antioxydant 6-gingérol (qui donne la saveur au gingembre) une diminution des tumeurs de même que la taille de ces dernières.

CANCER DES OVAIRES : Le gingembre déclenche l'apoptose (mort cellulaire programmée) et l'autophagie (les cellules qui se digèrent elles-mêmes) dans des cellules cancéreuses de l'ovaire. Le gingembre a démontré son efficacité pour apaiser l'inflammation, stoppant ainsi la croissance des cellules cancéreuses.

CANCER DU CÔLON : On a découvert que le gingembre protégeait contre la formation du cancer du côlon chez les souris à qui on avait injecté des cellules cancéreuses.

Contre-indication

Le gingembre possède des propriétés d'éclaircissement du sang et peut être contre-indiqué si vous prenez des anticoagulants. Vérifiez avec votre médecin ou un diététicien pour obtenir des conseils sur l'inclusion du gingembre dans votre alimentation.

Conseils pratiques

SÉLECTION ET ENTREPOSAGE :

- Le gingembre se présente sous forme fraîche, en marinade, séchée ou en poudre.
- Choisissez du gingembre frais, sans meurtrissures, et dont la couleur varie de brun clair à crème.
- Le gingembre frais devrait être entreposé à la température de la pièce.

SUGGESTIONS POUR PRÉPARER ET SERVIR :

- Le gingembre en racine procure le goût le plus frais. Il peut être moulu, haché finement, tranché ou râpé, et il n'est pas nécessaire de le peler.
- Il est possible de substituer du gingembre frais au gingembre moulu, soit dans une proportion de six pour un, respectivement.
- Le centre de la racine est plus fibreux et contient les arômes les plus puissants.
- Lorsque vous le râpez, assurez-vous de le faire dans le sens des fibres.
- Tranchez du gingembre frais et saupoudrez-le sur un lit de laitue ou faites-le bouillir pour préparer un thé apaisant.
- Utilisez du gingembre séché ou moulu pour épicer un plat principal ou pour confectionner une délicieuse marinade.
- Servez-vous de gingembre mariné pour accompagner certains plats asiatiques ou pour garnir magnifiquement un repas.

Sauce au gingembre et aux fraises

par Cynthia Sass

Portions : 6 • Temps de préparation : 10 minutes

Chaque ingrédient de cette recette est un aliment énergisant.

INGRÉDIENTS :

375 ml (1 ½ tasse) de fraises, équeutées
23 ml (1 ½ c. à soupe) de miel
30 ml (2 c. à soupe) de jus de lime frais
10 ml (2 c. à thé) de gingembre, fraîchement râpé

PRÉPARATION :

Dans un mélangeur ou un robot culinaire, combinez tous les ingrédients et mélangez jusqu'à ce que la texture soit lisse.

Réfrigérez et utilisez comme sauce (fantastique sur la salade aux épinards), comme trempette ou comme garniture.

CHAQUE PORTION CONTIENT :
Calories : 20 ; Lipides : 0 g ; Gras saturés : 0 g ; Cholestérol : 0 mg ; Sodium : 0 mg ; Glucides : 6 g ; Fibres : 1 g ; Sucre : 5 g ; Protéines : 0 g.

Goyave (*Psidium guajava L.*)

PRENEZ UNE GOYAVE ET DONNEZ-M'EN DES NOUVELLES !

Saviez-vous que... les Indiens d'Amazonie utilisaient le fruit de la goyave pour guérir le mal de gorge, les problèmes de digestion et le vertigo, de même que pour régulariser les règles ?

En bref

La goyave appartient à la famille du myrte (*myrtacée*). Cette famille inclut des épices comme le clou de girofle, la cannelle, le quatre-épices et l'eucalyptus. Généralement sucrée et parfumée, la goyave se présente dans une gamme variée de formes et de tailles. La chair de la partie centrale est juteuse, varie en couleurs et peut être blanche, jaune, rose ou rouge. Chez certaines variétés, le centre est rempli de pépins durs et jaunes, mais d'autres variétés ne contiennent pas de pépins du tout. Le fruit qu'on a laissé mûrir avant d'être cueilli est le meilleur ; mais laissée dans les arbres, la goyave risque d'être attaquée par les oiseaux avant d'atteindre les marchés. Par conséquent, la majorité des fruits est cueillie tôt et mûrie artificiellement, pendant six jours, dans de la paille, à la température de la pièce.

Son origine

Le lieu d'origine de la goyave se situe fort probablement entre le sud du Mexique et l'Amérique centrale. Les explorateurs espagnols et portugais l'ont apportée des Amériques vers les Indes orientales et la Guam. De là, la goyave a fait son chemin à travers l'Asie, l'Afrique et le Moyen-Orient. La goyave a été introduite à Hawaï durant le règne du roi Kamehameha. En 1847, on trouvait la goyave dans les Bahamas, les Bermudes et le sud de la Floride. La première usine de traitement commercial de la goyave a été établie à Pal Sola, en Floride, en 1912.

Où la cultive-t-on ?

La goyave est cultivée en abondance en Inde, en Chine, au Mexique et en Amérique du Sud. Aux États-Unis, Hawaï, la Floride et la Californie en sont les principaux producteurs.

Pourquoi devrais-je en manger ?

Kilo pour kilo, la goyave est plus riche en vitamine C que les agrumes, et elle contient des quantités appréciables de vitamine A. Les fruits du goyavier constituent aussi une bonne source de pectine (une fibre diététique) et sont riches en potassium et en phosphore. La goyave contient une étonnante quantité de phytochimiques incluant les tanins, les phénols, les triterpènes, les flavonoïdes, des huiles essentielles, les saponines, les caroténoïdes et les lectines. Les feuilles de la goyave sont aussi riches en flavonoïdes, en particulier la quercétine, qui a démontré une activité antibactérienne qui, croit-on, contribue aux effets antidiarrhéiques de la goyave.

Remèdes maison

Les feuilles de goyave ont été employées comme remède contre la diarrhée pour les propriétés antimicrobiennes qui leur sont attribuées. On mâchait les feuilles pour guérir les saignements des gencives ainsi que la mauvaise haleine. On s'est servi de la goyave comme antibactérien, antifongique, analgésique et antihypertenseur, de même que pour contrôler le glucose sanguin et pour favoriser les menstruations.

Propriétés étonnantes !

DIABÈTE : Des souris diabétiques, auxquelles on a administré du jus de goyave pendant quatre semaines, ont vu leur taux de glucose réduit de près de vingt-cinq pour cent par rapport au groupe contrôle. On a aussi utilisé la feuille de goyave avec succès dans des expériences pour contrôler le glucose sanguin.

SANTÉ CARDIOVASCULAIRE : Dans une autre étude, des participants qui ont consommé de la goyave ont connu une réduction marquée du cholestérol total, des triglycérides et du « mauvais » cholestérol LDL ; en revanche, leur niveau de cholestérol HDL et leur tension artérielle se sont améliorés.

ANTIBACTÉRIEN : Les feuilles de goyave possèdent des propriétés antibactériennes et il a été démontré qu'elles ont un effet mortel sur la salmonelle et autres bactéries nuisibles.

Conseils pratiques

SÉLECTION ET ENTREPOSAGE :

- Les goyaves se présentent sous plusieurs formes : fraîches, en conserves, en pâte, en gelée, en jus et en nectar. On peut les trouver facilement dans les supermarchés latinos.
- Les goyaves mûres se talent facilement, sont très périssables et doivent être consommées en quelques jours.

SUGGESTIONS POUR PRÉPARER ET SERVIR :

- Les goyaves doivent être assez mûres avant d'être prêtes à être mangées.
- Coupez-les en quartiers, enlevez les pépins et retirez la peau.
- On peut consommer les goyaves crues ou les servir en tranches comme dessert ou dans des salades. Un dessert traditionnel populaire à travers l'Amérique latine est la compote des coques de goyave (*cascos de guayaba*).
- Le sirop de goyave est fantastique sur des gaufres, dans les glaces, dans les flans et les laits frappés.

Empanadas à la goyave et au fromage

Adapté de *Steven Raichlen's Healthy Latin Cooking*
Portions : 12 (1 portion = 3 empanadas) •
Temps de préparation et de cuisson : 15 minutes

Oprah a nommé Steven Raichlen le « Gladiateur de la cuisson sur gril » et Howard Stern l'a proclamé le « Michael Jordan du barbecue ». Pour cette recette, je le considère comme l'« Empereur des empanadas » ! Cette recette contient deux aliments énergisants.

INGRÉDIENTS :

36 feuilles de pâte won-ton ou de raviolis chinois ronds
1 blanc d'œuf, légèrement battu
120 ml (4 oz) de pâte de goyave, coupée en 36 petits morceaux
120 ml (4 oz) de fromage à la crème faible en gras, coupé en 36 petits morceaux

PRÉPARATION :

Préchauffez le four à 200°C (400°F). Vaporisez un enduit à cuisson sur une plaque antiadhésive. Placez quelques feuilles de pâte won-ton sur une surface de travail. Frottez légèrement l'extrémité de chaque feuille avec du blanc d'œuf. (Le blanc d'œuf aide à confectionner un scellé hermétique.) Déposez un morceau de pâte de goyave et un morceau de fromage à la crème au centre et pliez la feuille en deux pour faire un triangle ou une demi-lune, si vous employez des pâtes rondes. Pincez les bords avec une fourchette. À mesure que les empanadas sont prêtes, déposez-les sur la planche de cuisson préparée. Vaporisez le dessus des empanadas avec l'enduit à cuisson. Faites cuire, en retournant à l'occasion, pendant 6 à 8 minutes, ou jusqu'à ce qu'ils soient croustillants et dorés.

CHAQUE PORTION CONTIENT :

Calories : 110; Lipides : 0 g; Gras saturés : 0 g; Cholestérol : 5 mg; Sodium : 21 mg; Glucides : 21 g; Fibres : moins de 1 g; Sucre : 0 g; Protéines : 4 g.

Graine de tournesol (*Helianthus Annuus L.*)

VOILÀ POURQUOI ON L'APPELLE « TOURNÉ VERS LE SOLEIL » !

Saviez-vous que... lorsque le tournesol fait des bourgeons, il suit la trajectoire du soleil ? Une fois que la fleur s'ouvre, exposant ses superbes pétales jaunes, sa tête fait toujours face à l'est pour se tourner vers le sol.

En bref

La graine de tournesol est noire ou d'un vert grisâtre. Chaque graine, enfermée dans une coquille noire avec des rayures blanches, a un léger goût de noix et une texture tendre. Les graines de tournesol sont l'une des principales sources dans la production de l'huile polyinsaturée.

Son origine

On croit que les graines de tournesol sont originaires du Pérou et du Mexique. Les explorateurs espagnols les ont apportées en Europe à partir des Amériques. Servant surtout d'ornement, le plant a ensuite voyagé à travers l'Europe occidentale, où il était aussi parfois utilisé à des fins médicinales. Les Anglais ont été les premiers à commercialiser la production de l'huile fabriquée à partir des graines de tournesol. Pendant la période du carême, l'Église orthodoxe russe interdisait la consommation de la plupart des produits contenant de l'huile ; mais n'étant pas incluse sur la liste d'aliments interdits, l'huile de tournesol est rapidement devenue populaire. Au début du XIXe siècle, les fermiers russes cultivaient plus de deux millions d'acres de tournesols. À la fin du XIXe siècle, les graines de tournesol russes ont trouvé le chemin du retour vers les États-Unis.

Où les cultive-t-on ?

Les graines de tournesol sont cultivées au Pérou, en Argentine, en Russie, en France, en Espagne et en Chine.

Remèdes maison

La consommation des graines de tournesol crues, décortiquées et non salées favorise la régularité. Les graines de tournesol sont une bonne source de thiamine et de vitamine B1, et on a démontré qu'elles soulageaient les crampes menstruelles.

Pourquoi devrais-je en manger ?

Les graines de tournesol sont une bonne source de vitamine E, d'acide folique, de magnésium, de sélénium et de cuivre. Une étude, qui a passé en revue vingt-sept variétés de noix et de graines, a découvert que la graine de tournesol était parmi les plus riches en phytostérols, des substances connues pour combattre la maladie cardiovasculaire et le cancer de la prostate.

Propriétés étonnantes !

CANCER : Une étude in vivo sur des souris atteintes d'un cancer de la peau de stade deux a découvert que l'huile de tournesol réduisait les papillomes chez les souris dans une proportion de vingt à quarante pour cent.

CHOLESTÉROL : Un essai clinique aléatoire à double insu a découvert que ceux à qui on administrait des diètes contenant de l'huile de tournesol mi-oléique voyaient une diminution du cholestérol total de même qu'une diminution du cholestérol de lipoprotéine de basse densité (LDL ou mauvais cholestérol). Une autre étude impliquait des hommes et des femmes qu'on avait séparés au hasard en deux groupes distincts : au premier groupe on a administré une diète riche en gras saturé, et à l'autre, une diète à base d'acide gras mono-insaturé. Les chercheurs ont découvert que la haute teneur en acide oléique de l'huile de tournesol lui conférait des propriétés qui permettaient d'abaisser à la fois le niveau de cholestérol LDL et les niveaux de triglycéride.

Conseils pratiques

SÉLECTION ET ENTREPOSAGE :

- Les graines de tournesol peuvent être achetées décortiquées ou non, sous formes crues, rôties, salées et non salées.
- Évitez les graines décortiquées qui sont de teinte jaunâtre.
- Les graines de tournesol ont une teneur élevée en gras et peuvent tourner au rance si on ne les entrepose pas dans un contenant hermétiquement fermé, au réfrigérateur ou au congélateur.

SUGGESTIONS POUR PRÉPARER ET SERVIR :

- On peut décortiquer les graines de tournesol à la main ou se servir d'un broyeur à grains.
- Il est aussi possible de les décortiquer en les déposant dans un bol et en employant un batteur électrique. Appuyez tour à tour sur les boutons « départ » et « arrêt » jusqu'à ce que les cosses se séparent, puis plongez le tout dans l'eau froide.
- Les graines de tournesol sont un ajout extraordinaire à votre salade au poulet ou au thon.
- Ajoutez des graines de tournesol à votre salade verte mélangée et à vos céréales granolas, chaudes ou froides.

Mini-scones aux graines de tournesol

par Sharon Grotto

Production : trois douzaines

Taille de la portion : 1 scone • Temps de préparation et de cuisson : 25 minutes

Cette recette contient six éléments énergisants.

INGRÉDIENTS :

190 ml (¾ tasse) de sucre
60 ml (4 c. à soupe) de margarine
60 ml (4 c. à soupe) de beurre
5 ml (1 c. à thé) de vanille
170 ml (⅔ tasse) de farine tout-usage
170 ml (⅔ tasse) de farine de blé entier
190 ml (¾ tasse) de flocons d'avoine
3 ml (½ c. à thé) de poudre à pâte
1 ml (¼ c. à thé) de sel
125 ml (½ tasse) de graines de tournesol, non salées
125 ml (½ tasse) de cerises séchées, hachées
1 œuf
3 ml (½ c. à thé) d'extrait d'amande

PRÉPARATION :

Faites chauffer le four à 180ºC (350ºF). Battez le sucre, la margarine, le beurre, la vanille, l'extrait d'amande et l'œuf dans un grand bol. Incorporez la farine, l'avoine, la levure et le sel. Incorporez les graines de tournesol et les cerises. À l'aide d'une cuiller à soupe, versez la pâte sur une plaque à biscuits non graissée en laissant environ 5 cm (2 po) entre les scones. Faites cuire 12 à 14 minutes ou jusqu'à ce que les scones soient dorés.

CHAQUE PORTION CONTIENT :

Calories : 80; Lipides : 3,5 g; Gras saturés : 1 g; Cholestérol : 10 mg; Sodium : 35 mg; Glucides : 10 g; Fibres : moins de 1 g; Sucre : 5 g; Protéines : 1 g.

Grenade (*Punica granatum L.*)

PUISQUE C'EST ÉCRIT...

Saviez-vous que... les grenades sont traditionnellement consommées pendant les fêtes juives de Roch Hachana et de Souccot ? Le nombre de pépins trouvés dans le fruit est exactement le même que celui des commandements dans la Torah – 613 !

En bref

Le nom anglais « pomegranate » est la combinaison des mots latins *pomum* qui signifie « pomme » et *granatum*, qui signifie « granuleux » ou « abondant en grains » – le nom français est tiré de *granatum*. Il existe environ quatorze variétés de grenades consommées dans le monde. La variété la plus connue aux États-Unis se nomme « Wonderful ». D'autres variétés populaires incluent « Grenada », « Early Foothill », et « Early Wonderful ».

Son origine

De tous les fruits connus, la grenade est l'un des plus anciens. On croit qu'elle est originaire de l'Iran et du nord de l'Inde. La grenade apparaît dans la mythologie et l'art égyptiens. Les Égyptiens l'ont transportée à travers le désert pour son jus désaltérant. Durant la période mauresque, on a renommé du nom de ce fruit – Grenade – la ville antique où il était cultivé. Les conquérants espagnols ont apporté le fruit dans les Amériques au début des années 1500.

Où la cultive-t-on ?

La grenade est cultivée en abondance en Asie, au Moyen-Orient, dans la région méditerranéenne et aux États-Unis. C'est dans la Vallée de San Joaquin, en Californie, que l'on retrouve la plus grande quantité de cultures de grenadiers.

Pourquoi devrais-je en manger?

Les grenades sont riches en vitamine C et contiennent une variété importante d'antioxydants. La principale activité antioxydante des grenades provient de trois anthocyanidines : la delphinidine, la cyanidine et la pélargonidine. Le jus de grenade contient trois fois la quantité de polyphénols retrouvés dans le thé vert et dans le vin rouge. La recherche sur le polyphénol est très prometteuse dans les domaines de la maladie cardiovasculaire et de la prévention du cancer.

Remèdes maison

En Inde, les grenades sont utilisées pour préserver les aliments, comme antiseptique et comme désinfectant. Le physicien grec Dioscoride prescrivait souvent la grenade pour traiter les troubles oraux et gastriques. Le jus de grenade peut aider les personnes qui souffrent de diarrhée chronique.

Propriétés étonnantes !

ANTIMICROBIEN : Dans des expériences en laboratoire, on a découvert que les grenades avaient la capacité de tuer différentes bactéries potentiellement mortelles.

MALADIE CARDIOVASCULAIRE : Différentes études sur des humains et sur des souris ont découvert qu'un apport complémentaire de jus de grenade aidait à prévenir le développement de bandes adipeuses dans les artères. Dans une autre étude sur les maladies du cœur, publiée dans l'*American Journal of Cardiology*, les chercheurs ont constaté que les patients qui buvaient quotidiennement du jus de grenade pendant trois mois avaient amélioré leur fonction cardiovasculaire.

CANCER : Une étude sur des cellules cancéreuses du sein a démontré qu'un traitement comprenant un extrait de grenade inhibait considérablement la croissance des cellules cancéreuses et augmentait l'apoptose (mort cellulaire programmée). Une autre étude sur les cellules a découvert que le jus de grenade réduisait la transmission des signaux extracellulaires et intracellulaires inflammatoires dans les cellules cancéreuses du côlon. Des hommes présentant une augmentation des antigènes prostatiques spécifiques (APS) ont connu une augmentation de l'apoptose et une diminution de la prolifération des cellules après avoir consommé du jus de grenade quotidiennement, et après avoir reçu des traitements de radiation. Une autre recherche démontre la capacité que possède la grenade à freiner la croissance des tumeurs de la prostate.

HYPERTENSION : Une étude sur des humains, impliquant des patients hypertendus qui ont consommé un verre de jus de grenade pendant quatorze jours, a montré une diminution de la tension artérielle systolique et un risque diminué de trente-six pour cent d'AVC.

PERTE OSSEUSE : Une étude sur des animaux a découvert que les souris, à qui on avait administré de l'extrait de grenade pendant deux semaines, ont présenté une diminution significative de perte osseuse.

Conseils pratiques

SÉLECTION ET ENTREPOSAGE :

- Choisissez une grenade qui est lourde pour sa taille, qui a une peau ferme, mince, luisante et douce.
- Les grenades devraient être entreposées dans un endroit frais et sombre, où elles resteront fraîches environ un mois. Si vous les réfrigérez, elles se conserveront pendant environ deux mois.
- On peut entreposer les pépins dans le réfrigérateur pendant environ trois jours et on peut les garder congelés dans un contenant hermétiquement fermé environ six mois.
- On peut conserver le jus de grenade au congélateur pendant environ six mois.

SUGGESTIONS POUR PRÉPARER ET SERVIR :

- Pour extraire les pépins, tranchez l'extrémité de la couronne et entaillez la pelure à la verticale du haut vers le bas.
- Placez la grenade dans un bol d'eau et séparez les sections. Les pépins couleront dans le fond et les membranes et la pelure flotteront.
- Pour préparer le jus, déposez les pépins dans un robot culinaire jusqu'à ce qu'il se forme du jus et égouttez les pépins dans un tamis fin.
- Garniture : saupoudrez des pépins de grenade sur des desserts et des salades.
- On peut employer le jus de grenade pour faire des marinades, des sauces, des vinaigrettes, de la gelée et du jus.

Sauce à la grenade et aux canneberges pour le poulet ou la dinde

par le chef Kyle Shadix

Portions : 12 (65 ml [¼ tasse]) • Temps de préparation et de cuisson : 22 minutes

Cette sauce est délicieuse sur tout ! Si désiré, on peut substituer 190 ml (¾ t) de sirop d'agave au miel. Cette recette est un grand chelem puisque ses cinq ingrédients sont tous des aliments énergisants.

INGRÉDIENTS :

500 ml (2 tasses) de jus de grenade pur à 100%
250 ml (1 tasse) de miel
1 sac de 340 g (12 oz) de canneberges fraîches ou congelées
125 ml (½ tasse) de grains de grenade
Zeste d'un citron ou d'une orange

PRÉPARATION :

Versez le jus de grenade et le miel dans une casserole et portez à ébullition. Ajoutez les canneberges et laissez mijoter, en remuant de temps en temps, jusqu'à ce que les petits fruits commencent à éclater, 10 à 12 minutes. En remuant, incorporez le zeste et les pépins de grenade, et réfrigérez.

CHAQUE PORTION CONTIENT :
Calories : 210 ; Lipides : 0 g ; Gras saturés : 0 g ; Cholestérol : 0 mg ; Sodium : 0 mg ; Glucides : 57 g ; Fibres : 1 g ; Sucre : 52 g ; Protéines : 0 g.

Groseille (*Ribes*)

GROSEILLE OU RAISIN ?

Les « raisins de Corinthe » ne sont pas vraiment des groseilles. Il s'agit en fait de raisins que l'on consomme séchés et qu'on utilise souvent dans les scones.

En bref

Les groseilles à grappes et les groseilles à maquereau sont de la même famille – et ni l'une ni l'autre n'est une version miniature du raisin. Ce n'est que depuis 1550 que la langue anglaise se sert du mot « currant » pour désigner les groseilles ; ce nom évoque leur ressemblance avec de petits raisins sans pépins qui sont originaires de Corinthe, en Grèce, que l'on nomme raisins de Corinthe, et que l'on consomme surtout séchés. Il existe différentes variétés de groseilles, les principales sont : rouges, noires, blanches, vertes et roses. Les deux premières variétés – les rouges et les noires – sont les plus utilisées en cuisine. Les groseilles blanches sont une forme albinos des rouges et les groseilles roses sont un mélange des blanches et des rouges.

Son origine

Les groseilles sont natives de l'Europe, de l'Asie et de l'Amérique du Nord. Leur culture a débuté en Europe dans les années 1500 ; et les premiers colons américains ont commencé à les cultiver à la fin des années 1700. Depuis 1911, la groseille noire (ou baie de cassis) était considérée comme « fruit défendu » aux États-Unis, après qu'on l'eut interdite parce qu'elle était responsable d'une maladie du pin blanc. Même si on a levé l'interdit en 1966, plusieurs États interdisent toujours la culture des groseilles noires.

Où les cultive-t-on ?

La Russie est le principal producteur de groseilles. La Pologne, l'Allemagne, l'Ukraine et l'Autriche les cultivent aussi commercialement. Il n'y a pas de production commerciale importante de la groseille aux États-Unis ; mais les États de l'Oregon, de Washington et de New York les cultivent en petites quantités.

Pourquoi devrais-je en manger ?

Les groseilles sont une excellente source de vitamine C et de fibres, et une bonne source de calcium, de fer, de potassium et de vitamines A et B. Les groseilles sont riches d'un phytochimique que l'on appelle acide ellagique, un composé phénolique qui peut réduire certains cancers ainsi que le niveau de cholestérol. Elles sont aussi riches en anthocyanines, qui ont démontré leurs propriétés anti-inflammatoires et antioxydantes.

Remèdes maison

GROSEILLE NOIRE : On s'est servi du jus bouilli de groseilles noires pour soigner le mal de gorge. On a aussi employé les feuilles pour réduire les fièvres et pour augmenter la miction. L'extrait de l'écorce du groseillier aux fruits noirs a été utilisé pour soigner les hémorroïdes. La gelée de groseilles noires mélangée à de l'eau chaude s'est avérée efficace pour soigner les rhumes.

GROSEILLE ROUGE : On a utilisé les feuilles pour soulager la douleur des symptômes de l'arthrite, les entorses et les articulations disloquées. On s'est servi du fruit comme laxatif, ainsi que pour prévenir le scorbut. Les groseilles rouges ont aussi été incluses dans les masques faciaux pour affermir la peau.

Propriétés étonnantes !

CANCER : Une étude a découvert que le jus de groseilles noires interrompait la croissance des tumeurs chez les souris.

TENSION ARTÉRIELLE : L'huile de graines de groseilles a été administrée à un groupe souffrant d'hypertension artérielle légère. Les savants attribuent aux acides gamma linoléiques, que l'on retrouve dans le petit fruit, le déclin remarquable observé dans la tension artérielle des sujets.

Conseils pratiques

SÉLECTION ET ENTREPOSAGE :

- On peut acheter les groseilles fraîches, séchées, en jus, en confitures et en gelées.
- Choisissez des petits fruits avec les couleurs les plus foncées. On peut aussi acheter les groseilles sous forme surgelée.
- Conservez les groseilles au réfrigérateur et utilisez-les à l'intérieur de deux jours. Lavez-les juste avant de les consommer. Les groseilles fraîches peuvent être congelées.

SUGGESTIONS POUR PRÉPARER ET SERVIR :

- Lavez les petits fruits à l'eau froide courante. Enlevez les tiges ou les feuilles. Égouttez et tapotez pour les assécher.
- Utilisez les groseilles comme garniture dans n'importe quel plat.
- Ajoutez des groseilles séchées au riz brun.
- Versez des groseilles fraîches ou une sauce aux groseilles sur des glaces.

Sauce aux groseilles rouges pour les grillades

par le chef J. Hugh McEvoy

Portions : 38 • Temps de préparation et de cuisson : 40 minutes

Ce plat délicieux contient cinq aliments énergisants.

INGRÉDIENTS :

PREMIÈRE ÉTAPE :

125 ml (½ tasse) de groseilles rouges, fraîches
240 g (8 oz) de confiture de groseilles rouges
65 ml (¼ tasse) de jus de citron frais
30 g (1 oz) de zeste de citron frais
3 ml (½ c. à thé) de cannelle, moulue
0,5 ml (⅛ c. à thé) de clous de girofle, moulus
0,5 ml (⅛ c. à thé) de poivre noir
0,5 ml (⅛ c. à thé) de poudre de chili
500 ml (2 tasses) de bouillon de bœuf sans gras, non salé

SECONDE ÉTAPE :

65 ml (¼ tasse) de sauce Worcestershire
65 ml (¼ tasse) de vin rouge de Bourgogne
120 ml (4 oz) de mélasse épuisée
65 ml (¼ tasse) de ketchup de tomates biologique

PRÉPARATION :

Combinez les neuf premiers ingrédients dans une casserole épaisse. Mélangez jusqu'à ce que le tout ait une texture uniforme. Portez à ébullition. Réduisez le feu pour faire mijoter doucement. Laissez mijoter le mélange jusqu'à ce qu'il ait réduit de moitié. Dans un bol séparé, battez ensemble les quatre ingrédients restants. Ajoutez ce dernier groupe d'ingrédients (seconde étape) à la sauce mijotée. Mélangez complètement jusqu'à ce que la couleur soit uniforme. Laissez cuire à feu doux jusqu'à ce que la sauce recommence à bouillir. Réduisez le feu au plus bas. Servez la sauce chaude avec de l'agneau grillé, du porc, ou du poisson comme le saumon ou la morue. Servez avec un vin rouge robuste comme du bourgogne ou du cabernet sauvignon.

CHAQUE PORTION CONTIENT :
Calories : 30 ; Lipides : 0 g ; Gras saturés : 0 g ; Cholestérol : 0 mg ; Sodium : 54 mg ; Glucides : 8 g ; Fibres : 0 g ; Sucre : 6 g ; Protéines : 0 g.

Haricot (*Phaselous vulgaris*)

PSEUDO HARICOT

Saviez-vous que... les « fèves sauteuses » du Mexique ne sont pas réellement des haricots ? Elles font en fait partie de la coquille d'une semence qui renferme la larve d'un petit papillon de nuit qui, en bougeant, fait « sauter » les graines.

En bref

Il existe plus d'un millier d'espèces de haricots ; dans plusieurs cultures, ils sont aussi connus comme légumineuses ou légumes secs. On peut diviser les haricots en trois catégories de base : les haricots mange-tout qui incluent les haricots d'Espagne et les haricots grimpants ; les haricots à écosser, incluant les fèves de Lima et les pois ; et les haricots « secs », qui incluent des variétés comme les haricots noirs, les haricots communs, les pois chiches, les haricots Great Northern, les petits haricots ronds blancs, les haricots Pinto et les haricots rouges —, pour n'en nommer que quelques-uns. Les « haricots secs » peuvent être achetés sous formes humide (en conserves) ou sèche (déshydratés). Le terme « sec » ne fait pas référence à l'état d'hydratation de la fève, il signifie plutôt qu'on a permis à cette variété de haricot de sécher dans sa cosse avant de le récolter.

Son origine

La première preuve de la présence de haricots semble remonter à environ 20 000 ans. Les fèves de Lima et les haricots Pinto ont été cultivés par les civilisations mexicaines et péruviennes, il y a plus de 7000 ans. Les historiens ne savent pas très bien si ces deux haricots proviennent du Mexique, du Pérou ou du Guatemala. Les tribus migratrices ont apporté les haricots à travers les Amériques. Les Espagnols ont introduit les haricots du Nouveau Monde en Europe dans les années 1500. À partir de là, les marchands espagnols et portugais les ont apportés en Afrique et en Asie.

Où les cultive-t-on ?

Derrière le Brésil, l'Inde, la Chine, la Birmanie et le Mexique, les États-Unis sont les sixièmes plus grands producteurs de haricots secs comestibles. Dans ce pays, le Dakota du Nord et le Michigan sont les plus importants producteurs de haricots secs.

Pourquoi devrais-je en manger ?

Dans le guide alimentaire *MyPyramid* du *United States Department of Agriculture*, les haricots sont considérés autant comme un légume que comme une source de protéines. Ils font partie des quelques légumes à la fois riches en protéines et en fibres, incluant les fibres solubles et insolubles qui favorisent la régularité, contrôlent le taux de cholestérol, et réduisent le risque de certains cancers. Les haricots sont une excellente source de potassium, d'acide folique et de magnésium, et ils sont aussi une bonne source de manganèse, de molybdène et de la vitamine B thiamine. Les haricots plus foncés comme les haricots noirs sont aussi riches que les raisins et les canneberges en composés antioxydants appelés anthocyanines. En fait, quatre parmi les vingt aliments les plus importants en contenu antioxydant sont des haricots. Les directives diététiques de 2005 pour les Américains recommandent que les gens consomment trois tasses de haricots par semaine. Malheureusement, l'Américain moyen ne satisfait cette recommandation qu'à un tiers !

Remèdes maison

Les haricots ont longtemps constitué un remède contre la constipation puisqu'ils sont riches en fibres dotées de propriétés laxatives.

Propriétés étonnantes !

LONGÉVITÉ : Une étude a démontré que parmi différentes ethnies, ceux qui mangent régulièrement des haricots, plus que de tout autre aliment, semblent vivre plus longtemps.

OBÉSITÉ : D'après des données de la *National Health and Nutrition Examination Survey* de 1999-2002, ceux qui consomment des haricots sont moins obèses que ceux qui n'en incluent pas dans leur diète quotidienne.

SANTÉ CARDIOVASCULAIRE : Des années d'études importantes présentent des données concluantes reliant la consommation de haricots et la santé cardiovasculaire. Examinons quatre des meilleures études :

- Des chercheurs de l'Université de l'Arizona ont découvert des réductions significatives des taux de cholestérol total et des taux de cholestérol LDL chez les sujets qui ont simplement ajouté des haricots Pinto à leur diète.
- Examinant les modèles de consommation diététique de 16 000 hommes d'âge moyen de partout dans le monde, pendant 25 ans, une étude a découvert qu'une consommation plus élevée de légumineuses était associée à une énorme réduction – de quatre-vingt-deux pour cent – de risque de maladie cardiovasculaire !
- Une étude chez près de 10 000 adultes américains a découvert que ceux qui consomment des quantités plus importantes d'aliments contenant des fibres solubles (au moins 21 grammes de fibres par jour) ont quinze pour cent de moins de risque de souffrir de maladie cardiovasculaire, comparé à ceux qui en consomment cinq grammes ou moins par jour.
- Les haricots constituent un élément de base du régime de la *Dietary Approach to Stop Hypertension* (DASH) et du régime *Portfolio*, les deux diètes les plus efficaces pour la réduction de tension artérielle.

CANCER DU SEIN : On associe la consommation de haricots à un risque réduit de cancer du sein chez les femmes en période postménopausique.

DIABÈTE : Les chercheurs ont comparé deux groupes de personnes souffrant du diabète de type 2. Ces personnes se nourrissaient avec différentes quantités d'aliments riches en fibres. Le groupe qui a consommé une diète contenant 50 grammes de fibres par jour a montré des niveaux plus faibles de glycémie veineuse et d'insuline.

Conseils pratiques

AÉRER L'AIR

Si vous n'avez pas l'habitude de manger des haricots et que vous avez peur « d'avoir des gaz », commencez par consommer de plus petites quantités de fèves, comme 65 ml (¼ tasse) par jour, et augmentez à 125 ml (½ tasse). Lorsque vous mangez des haricots, le gaz produit est souvent dû à une introduction soudaine de fibres. Votre corps s'ajustera si votre consommation de fibres est constante, et vous serez moins « gazeux » en un rien de temps !

SÉLECTION ET ENTREPOSAGE :

- Les haricots « secs » s'achètent emballés ou déjà cuits — soit en conserves ou congelés.
- S'ils sont entreposés dans un endroit frais et sec, les haricots secs peuvent se conserver au moins douze mois, ou plus longtemps.
- Les haricots en conserves peuvent être entreposés jusqu'à douze mois.
- Les haricots cuits peuvent être réfrigérés pendant plus de cinq jours et congelés jusqu'à six mois.

SUGGESTIONS POUR PRÉPARER ET SERVIR :

- Vous pouvez réduire jusqu'à quarante pour cent la quantité de sodium des haricots en conserves en les rinçant ou en vous procurant des versions sans sel ajouté. Il se peut aussi que vous réduisiez ainsi la production de gaz !

- Servez-vous d'un autocuiseur pour accélérer le temps de cuisson.
- La soupe aux haricots et le chili sont deux des moyens les plus populaires de consommer des haricots.
- Ajoutez des haricots aux burritos ou aux trempettes pour en augmenter la valeur nutritive et les rendre plus savoureux.
- N'ajoutez pas de sel ou d'élément acide, comme des tomates, jusqu'à ce que les haricots soient cuits. Vous éviterez ainsi des temps de cuisson plus longs.

Pâtes aux haricots

par Christine M. Palumbo

Portions : 12 portions de 250 ml (1 tasse) • Temps de préparation et de cuisson : 45 minutes

Cette recette contient huit aliments énergisants.

INGRÉDIENTS :

125 ml (½ tasse) d'oignon blanc ou jaune, haché finement
1 gousse d'ail, émincée
65 ml (¼ tasse) d'huile d'olive extra vierge
3 boîtes de tomates cuites en conserves, boîtes de 420 ml (14 oz)
2 boîtes de 420 ml (14 oz) de bouillon de poulet, faible en sodium
125 ml (½ tasse) de feuilles de persil italien, hachées
5 ml (1 c. à thé) de basilic séché
5 ml (1 c. à thé) d'origan sec
4 boîtes de haricots cannellini en conserves, égoutté et rincés
225 g (½ lb) de pâtes ditalini (ou coquilles)
Sel et poivre noir, au goût

PRÉPARATION :

Faites sauter l'oignon dans l'huile d'olive. Ajoutez l'ail et faites cuire jusqu'à ce qu'il soit ramolli. Ajoutez les tomates, le bouillon de poulet, le persil, le poivre, le basilic et l'origan (si désiré, écrasez légèrement les tomates avant de les ajouter). Après avoir amené le tout à ébullition, ajoutez les haricots. Portez à nouveau à ébullition, diminuez le feu, et laissez mijoter pendant 30 minutes. En attendant, faites bouillir l'eau pour les pâtes. Faites cuire les pâtes et égouttez-les, en réservant 2 tasses d'eau provenant de la cuisson des pâtes. Ajoutez les pâtes à la soupe en même temps que l'eau des pâtes. Servez avec du fromage Romano fraîchement râpé et du pain italien croustillant.

CHAQUE PORTION CONTIENT :
Calories : 273; Lipides : 5 g; Gras saturés : 0 g; Cholestérol : 0 mg; Sodium : 647 mg; Glucides : 45 g; Fibres : 9 g; Sucre : 7 g; Protéines : 12 g.

Kaki (*Diospyros kaki* L.)

DES FRUITS CÉLESTES

Saviez-vous que... le mot grec *diospyros* signifie « nourriture des dieux » ?

En bref

Il existe de nos jours plus de deux mille variétés de kakis ! Aussi connus sous les appellations de plaquemine du Japon, plaquemine de Chine ou figue caque, les kakis peuvent être classés en deux catégories générales : la première renferme les fruits qui demeurent astringents jusqu'à ce qu'ils soient mûrs, et la seconde catégorie contient les fruits non astringents. On peut trouver les kakis sous forme sphérique, plate, carrée ou encore sous forme de gland. Les couleurs peuvent varier de jaune orange pâle à rouge orange foncé. Et la taille peut varier entre quelques grammes et un demi-kilo. Le fruit entier est comestible, sauf les pépins et le calice.

Les fruits du cultivar astringent doivent avoir atteint la texture de la gelée avant d'être prêts à être mangés. Ce cultivar inclut des variétés comme Eureka, Hachiya, Honan Red, Saijo, Tamopan, Tanenashi, et Triumph. On peut consommer un kaki non astringent quand il est aussi croustillant qu'une pomme :

cette variété inclut Fuyu (Fuyugaki), Gosho/Giant, Imoto, Izu, Jiro, Maekawajiro, Okugosho, et Sugura. Dans le cultivar astringent, il existe une troisième catégorie sans pépins, comprenant Chocolate, Gailey, Hyakume, Maru, et Nishimura Wase. Environ quatre-vingt-dix pour cent des fruits offerts sur le marché sont de la variété Hachiya et on peut les reconnaître par leur forme en gland.

Son origine

Le kaki asiatique est originaire de Chine, où on le cultive depuis des siècles. Il s'est propagé en Corée et au Japon, il y a plusieurs années, et d'autres variétés ont été développées dans ces pays. Le plant a été introduit en Californie dans les années 1880, lorsqu'un commandant des forces navales américaines a rapporté une variété japonaise de kaki à Washington.

Où les cultive-t-on ?

Les plus importants producteurs de kakis sont la Chine, le Brésil, le Japon, l'Italie et la Corée. Aux États-Unis, la majorité des kakis sont cultivés en Californie, et à un moindre degré, à Hawaï, au Texas, et dans quelques États du Sud.

Pourquoi devrais-je en manger ?

Les kakis sont une excellente source de vitamine A, une bonne source de vitamines C, et ils sont riches en fibres. Ils contiennent une variété de phytochimiques antioxydants comme la proanthocyanidine, l'épicachétine, les acides gallique et p-coumarique. Une étude a découvert que par rapport aux pommes, les kakis avaient une teneur plus élevée en fibres diététiques, solubles et insolubles, en plusieurs minéraux, et dans la totalité des phénols qu'ils contiennent.

Remèdes maison

Les feuilles de kaki ont été utilisées en médecine chinoise pour traiter différents problèmes de santé : cataplasmes pour les morsures de serpents et les irritations de la peau. Une boisson confectionnée avec des feuilles bouillies a été utilisée pour apaiser l'hypertension, pour réduire les caillots sanguins et pour combattre le cancer.

Propriétés étonnantes !

LEUCÉMIE : Deux études de lignées cellulaires humaines ont démontré que l'extrait de kaki inhibait fortement la croissance des cellules de la leucémie, et provoquait l'apoptose (mort cellulaire programmée) des mêmes cellules.

CHOLESTÉROL : Des rats auxquels on avait administré une diète additionnée de kakis présentaient considérablement moins de cholestérol total, de cholestérol LDL, de triglycérides et de peroxydes lipidiques, comparés aux rats qui n'en avaient pas consommé.

Conseils pratiques

SÉLECTION ET ENTREPOSAGE :

- Cherchez des kakis ronds et charnus,dont la peau est lisse et brillante avec des nuances rouge foncé. Évitez les fruits dont les feuilles vertes sont manquantes.
- À moins que vous ayez l'intention de les consommer immédiatement, achetez des fruits plus fermes et laissez-les mûrir.
- Les kakis Fuyu murs ressemblent à des tomates aplaties et ils sont croquants, tandis que l'Hachiya en forme de gland est plutôt tendre et juteux.
- Entreposez-les au réfrigérateur lorsqu'ils sont mûrs.
- Consommez le fruit le plus tôt possible. Les kakis trop mûrs ramollissent rapidement.

SUGGESTIONS POUR PRÉPARER ET SERVIR :

- Lavez les kakis Fuyu, enlevez le trognon et les feuilles, et tranchez-les ou mangez-les entiers.
- Rincez les kakis Hachiya et tranchez-les en moitiés. Retirez les pépins et enlevez la chair avec une cuiller.

- Ajoutez des tranches de kaki Fuyu ferme aux salades, crêpes, gaufres et céréales chaudes ou froides.
- Réduisez en purée du kaki Hachiya frais et ajoutez-le aux boissons, aux smoothies, ou aux sauces aux fruits frais. Vous pouvez aussi utiliser la purée pour confectionner des biscuits.
- Tranchez des Fuyu, et badigeonnez les morceaux de jus de lime, de sel et de poudre de chili. Mangez le kaki ainsi assaisonné avec des tranches de fromage à faible teneur en gras.
- Donnez du punch à votre salsa en mélangeant du Fuyu, de l'oignon, du tomatillo, de la coriandre et du piment serrano.

Muffins au kaki

par le chef J. Hugh McEvoy

Portions : 12 • Temps de préparation et de cuisson : 20 minutes

Cette recette contient huit aliments énergisants.

INGRÉDIENTS :

240 g (8 oz) de kaki frais
250 ml (1 tasse) de farine blanche tout usage
250 ml (1 tasse) de farine de blé entier
85 ml (⅓ tasse) de sirop d'agave
65 ml (¼ tasse) d'huile de colza
65 ml (¼ tasse) de raisins secs jaunes
65 ml (¼ tasse) de raisins secs californiens
120 g (4 oz) de pacanes rôties, non salées
2 gros œufs
0,5 ml (⅛ c. à thé) de quatre-épices, moulues
0,5 ml (⅛ c. à thé) de clous de girofle, moulus
2,5 ml (½ c. à thé) de cannelle, moulue
65 ml (¼ tasse) d'eau
5 ml (1 c. à thé) de poudre à pâte
5 ml (1 c. à thé) bicarbonate de soude

PRÉPARATION :

Faites d'abord tremper les raisins dans l'eau. Préchauffez le four à 190°C (375°F). Dans un robot culinaire, mélangez la pulpe de kaki, le sirop d'agave, les œufs, l'huile de colza, les épices, la poudre à pâte et le bicarbonate de soude jusqu'à l'obtention d'une texture lisse. Transférez dans un bol à mélanger. Ajoutez la farine et remuez manuellement jusqu'à ce que la texture soit uniforme. Versez l'eau des raisins dans le mélange à muffin. Incorporez les raisins et les noix doucement, jusqu'à ce que le tout soit mélangé uniformément. Ne mélangez pas trop. Répartissez également dans un moule à muffins de tailles moyennes et remplissez au trois quarts . Faites cuire au four jusqu'à ce qu'un cure-dents piqué au centre en ressorte propre, environ 12 à 14 minutes. Saupoudrez de sucre à glacer une fois que les muffins ont refroidis.

CHAQUE PORTION CONTIENT :

Calories : 270; Lipides : 13 g; Gras saturés : 1 g; Cholestérol : 32 mg; Sodium : 159 mg; Glucides : 36 g; Fibres : 3 g; Sucre : 19 g; Protéines : 4 g.

Kiwi (*Actinidia*)

LÉGÈREMENT DUVETEUX

Saviez-vous que... la groseille chinoise a été rebaptisée « kiwi » pour sa ressemblance à l'oiseau de Nouvelle-Zélande, l'oiseau kiwi, qui est également velu, rond et brun ?

En bref

La groseille de Chine, ou kiwi, est originaire de l'Asie du sud-est. Parmi plus de cinquante espèces de kiwis, la plus cultivée commercialement est l'*actinidia deliciosa*. Le kiwi a acquis une grande popularité, mais il compte toujours pour à peine plus d'un pour cent de la consommation mondiale de fruits. Les marchés de consommation de kiwis les plus importants sont situés en Europe, en Amérique du Nord et du Sud, au Japon et en Asie.

Son origine

Le kiwi est originaire de la vallée du Yangzi Jiang, dans le nord de la Chine, et de la province de Zhejiang, sur la côte de la Chine orientale. Dès ses débuts, on l'a considéré comme un mets délicat. Durant les XIXe et XXe siècles, cette groseille s'est propagée autour du monde. Au début des années 1900, des missionnaires ont exporté les premiers plants en Nouvelle-Zélande et aux États-Unis. Norman Sondag, un importateur américain, a joué un rôle clé pour renommer la groseille chinoise, lorsqu'il observait que le fruit ressemblait beaucoup à l'oiseau kiwi de Nouvelle-Zélande. En 1974, le nom « kiwi » a été accepté internationalement comme nom officiel de ce fruit exotique.

Où le cultive-t-on ?

L'Italie et la Chine sont les principaux producteurs mondiaux du kiwi. Il est aussi cultivé en Nouvelle-Zélande, en Californie, en Afrique du Sud et au Chili ; on le retrouve en quantités beaucoup moins importantes dans les autres pays d'Europe et dans le reste des États-Unis.

Pourquoi devrais-je en manger ?

Parmi les vingt-sept fruits les plus couramment consommés, le kiwi présente la plus forte densité en éléments nutritifs. Il contient plus de vitamine C que tout autre fruit. Les kiwis sont riches en fibres, en potassium et en vitamine E. Ils contiennent aussi de la lutéine, un phytochimique qui peut réduire le risque de cancer, le risque de maladie cardiovasculaire et de cataractes. Une variété à chair rouge est produite en quantité limitée et est riche en anthocyanines — un élément chimique végétal souvent retrouvé dans d'autres aliments à teintes rouge, violette ou bleue — comme les cerises, les prunes, les groseilles et les bleuets. L'anthocyanine présente de fortes propriétés antioxydantes auxquelles on attribue une protection contre la maladie cardiovasculaire et le cancer.

Propriétés étonnantes !

SANTÉ CARDIOVASCULAIRE : Une étude de l'Université d'Oslo a découvert que le kiwi, ajouté à une alimentation normale, aide une composante des cellules sanguines, que l'on nomme plaquettes, à être « moins adhésives ». Le kiwi peut aussi contribuer à la diminution des triglycérides (gras dans le sang).

COMBAT LE CANCER : Un homme de science réputé, spécialisé en nutrition au *Rowett Reasearch Institute*, a démontré qu'en consommant quotidiennement du kiwi, il est possible de protéger l'ADN des dommages qui peuvent causer le cancer. Plus précisément, le kiwi semble aider à réparer les dommages causés à l'ADN. On a aussi découvert dans le kiwi différentes substances qui sont présentes naturellement et qui sont efficaces pour tuer les cellules de tumeurs buccales.

DÉGÉNÉRESCENCE MACULAIRE : Le kiwi est une excellente source de lutéine et de zéaxanthine, des phytochimiques que l'on retrouve dans l'œil humain. De récentes études indiquent que l'alimentation riche en lutéine protège contre les cataractes et autres formes de dégénérescence maculaire.

Conseils pratiques

SÉLECTION ET ENTREPOSAGE :

- Choisissez des fruits fermes et sans taches.
- Pour tester la maturité du fruit, pressez-en le côté. S'il cède sous la pression, le fruit est mûr et prêt à être mangé. Si le kiwi n'est pas mûr au moment de l'achat, déposez-le dans un sac de papier brun et conservez-le à la température ambiante. Vérifiez chaque jour pour voir s'il est prêt.
- On peut conserver le kiwi pendant plusieurs jours à la température ambiante. Pour un entreposage plus long, réfrigérez-le ; il se conservera jusqu'à quatre semaines.

SUGGESTIONS POUR PRÉPARER ET SERVIR :

- Saviez-vous qu'on peut manger le kiwi avec ou sans la peau ? La peau est une excellente source de nutriments et de fibres.
- À part le peler et le trancher, on peut aussi le manger à la cuiller. Coupez simplement le kiwi en moitiés et retirez la chair avec une cuiller pour déguster !
- Déposez des tranches de kiwi sur des gaufres, du pain perdu ou un bagel.
- Mangez-les avec des céréales ou mélangez-les au gruau.
- Le kiwi est un ajout sensationnel aux salades et aux pâtes !
- Utilisez-le comme attendrisseur : comme c'est un fruit acide, il fait une excellente marinade.
- Substituez le kiwi aux tomates dans un sandwich.

Kebabs aux fruits variés

Adapté de *Lean Moms, Fit Family,* par Michael Sena et Kirsten Straughan

Portions : 4 • Temps de préparation : 15 minutes

C'est une recette tellement simple à préparer, même pour les jeunes enfants. Peut-être voudrez-vous les aider en coupant les fruits, mais ils adorent faire partie de la chaîne de montage pour embrocher les fruits. Cette recette contient sept aliments énergisants.

INGRÉDIENTS :

2 kiwis, tranchés en quartiers
1 pomme ou une poire, coupée en morceaux
1 banane, coupée en morceaux
85 ml (⅓ tasse) de raisins rouges, sans pépins
125 ml (½ tasse) de fraises, tranchées
170 ml (⅔ tasse) d'ananas, coupés en morceaux
250 ml (1 tasse) de yogourt sans gras
65 ml (¼ tasse) de noix de coco, râpée
4 brochettes

PRÉPARATION :
Glissez les morceaux de fruit sur chaque brochette, et concevez votre propre kebab en mettant autant de fruits que vous le désirez. Poursuivez cette opération jusqu'à ce que la brochette soit presque couverte d'une extrémité à l'autre. Mettez la noix de coco sur une grande assiette et du yogourt dans une autre grande assiette. Tenez votre kebab aux extrémités et roulez-le dans le yogourt pour que les fruits soient complètement recouverts. Roulez-le ensuite dans la noix de coco. Essayez les raisins, les noix hachées, le muesli, ou votre céréale préférée à la place de la noix de coco.

CHAQUE PORTION CONTIENT :
Calories : 150; Lipides : 3 g; Gras saturés : 2 g; Cholestérol : 0 mg; Sodium : 50 mg; Glucides : 33 g; Fibres : 4 g; Sucre : 25 g; Protéines : 4 g.

Lactosérum

LA PANACÉE

Saviez-vous que… l'expression italienne « Allevato con la scotta il dottore e in bancarotta », populaire aux XVIIe et XVIIIe siècles, se traduit par : « Si tout le monde était élevé au lactosérum, les médecins feraient faillite » ?

En bref

Est-ce un aliment ou un supplément diététique ? Le lactosérum est un sous-produit naturel du processus de fabrication du fromage, mais il se présente généralement sous forme de supplément en poudre qu'il est possible de trouver dans la plupart des magasins de produits diététiques. Les formes les plus courantes retrouvées dans les suppléments diététiques sont le concentré de protéine de lactosérum et l'isolat de lactosérum. L'isolat est constitué d'au moins quatre-vingt-dix pour cent de protéines et contient très peu, si même il en contient, de gras ou de lactose (permettant à la plupart des gens qui souffrent d'intolérance au lactose de le consommer). La plupart des gens qui souffrent d'allergie aux protéines du lait sont sensibles à la plus volumineuse protéine du lait qui se nomme caséine ; généralement, ils ne sont pas allergiques au lactosérum.

Son origine

Pendant des siècles, les exploitants de ferme laitière vendaient ou donnaient le lactosérum pour qu'on puisse l'utiliser comme nourriture pour animaux ou comme fertilisant. La protéine du lactosérum est maintenant vénérée pour ses bienfaits multiples et elle constitue l'un des produits alimentaires les plus populaires.

Pourquoi devrais-je en consommer ?

Si on les compare aux œufs, au lait et à la protéine du soya, la protéine du lactosérum contient la plus grande concentration d'acides aminés à chaîne ramifiée. Ces acides aminés sont essentiels à la réparation et au développement musculaire. Les formes non dénaturées (non cuites) sont dotées de quantités plus élevées de l'acide aminé cystéine, qui en retour, produit un protecteur cellulaire appelé glutathion.

Remèdes maison

Hippocrate autant que Galien valorisaient la protéine du lactosérum et la recommandaient à leurs patients. Aux XIXe et XXe siècles, des bains faisant partie d'une « cure au lactosérum » faisaient rage en Suisse et constituaient un élément populaire lors d'événements sociaux. À travers l'Europe, les spas offraient des cures au lactosérum pour soigner de nombreux problèmes de santé.

Propriétés étonnantes !

Plusieurs recherches ont étudié les bienfaits de la protéine du lactosérum dans le traitement du cancer, du VIH, de l'hépatite B, de la maladie cardiovasculaire, de l'ostéoporose et comme agent antimicrobien.

CANCER : Le lactosérum aide à diminuer la résistance des cellules cancéreuses en même temps qu'il renforce le système immunitaire. Il augmente aussi l'activité des cellules meurtrières naturelles pour aider à identifier les cellules cancéreuses.

FONCTION COGNITIVE : Le lactosérum possède une teneur élevée d'acide aminé L-tryptophane qui peut améliorer la fonction cognitive chez les individus qui souffrent de stress. On croit aussi qu'il aide à diminuer les problèmes d'insomnie (troubles du sommeil).

DENSITÉ DES OS : La protéine du lactosérum améliore la biodisponibilité (absorption) du calcium et aide à prévenir l'ostéoporose.

RENFORCEMENT DU SYSTÈME IMMUNITAIRE : Le lactosérum améliore la fonction d'une cellule protectrice puissante, appelée glutathion, qui neutralise les effets nuisibles des radicaux libres.

HYPERTENSION : La portion de lactosérum contenue dans les produits laitiers est peut-être ce qui contribue au contrôle de la tension artérielle. Des études démontrent que dans la diète optimale, nommée *Dietary Approach to Stop Hypertension* (diète « DASH »), les produits laitiers à faible teneur en gras sont essentiels. Cette diète est largement acceptée pour aider à faire baisser la tension artérielle.

OBÉSITÉ : La protéine du lactosérum stimule le corps pour qu'il produise de la cholécystokinine (CCK), une hormone qui est libérée après la consommation de nourriture, procurant une sensation de satiété. Ce processus pourrait ainsi contribuer à la perte de poids. De récentes études ont lié la consommation de produits laitiers à faible teneur en gras à une meilleure gestion du poids. La protéine du lactosérum, parmi toutes les autres protéines, est celle qui augmente le plus la croissance des muscles squelettiques.

VIRUS DE L'IMMUNODÉFICIENCE HUMAINE (VIH) : D'impressionnantes données démontrent le rôle positif de la protéine du lactosérum dans la stimulation de la fonction immunitaire, dans la préservation de la masse musculaire et dans l'amélioration de la puissance musculaire chez les femmes ayant reçu le diagnostic du VIH.

Conseils pratiques

SÉLECTION ET ENTREPOSAGE :

- Choisissez les formes non dénaturées, produite par échange d'ions, ou microfiltrées.
- Entreposez le contenant dans un endroit frais et sec.

SUGGESTIONS POUR PRÉPARER ET SERVIR :

- Plusieurs des formes non dénaturées de la protéine du lactosérum forment une mousse si on les mélange trop vigoureusement. Suggestion : préparez une « pâte » avec de la poudre de lactosérum en mélangeant un peu de votre boisson favorite avec la poudre jusqu'à l'obtention d'une pâte. Incorporez lentement le liquide restant en remuant avec une fourchette, jusqu'à l'obtention d'un mélange uniforme. Rappelez-vous que ce processus est plus lent, mais plus sûr.
- Idées pour servir : essayez-le dans des smoothies à base de jus de fruits, ou comme ingrédient dans votre recette favorite de lait frappé. Utilisez du lait à faible teneur en gras, ou une boisson de lait de soya, de lait d'amandes ou d'avoine.

Smoothie au lactosérum de mes filles

par Chloe, Katie, et Madison Grotto

Portions : 2 • Temps de préparation : 5 minutes

Cette recette était une bouée de sauvetage dans les moments où mes filles se montraient extrêmement difficiles au sujet de leur nourriture, ou lorsque nous étions pressés par le temps et qu'il nous fallait quelque chose de rapide tout en étant nutritif. Cette recette contient cinq éléments énergisants.

INGRÉDIENTS :

5 ml (1 c. à thé) d'extrait de vanille
240 ml (8 oz) de lait de soya, de riz, d'amandes ou d'avoine sans gras
1 paquet de pulpe d'açaï congelée
125 ml (½ tasse) de mangue ou de fruits tropicaux mélangés, congelés.
1 grosse cuillérée de protéine de lactosérum non dénaturée
30 ml (2 c. à soupe) de nectar d'agave

PRÉPARATION :
Mélangez tous les ingrédients jusqu'à l'obtention d'une texture lisse. Garnissez de morceaux de fruits.

CHAQUE PORTION CONTIENT :
Calories : 220; Lipides : 3,5 g; Gras saturés : 1 g; Cholestérol : 0 mg; Sodium : 105 mg; Glucides : 35 g; Fibres : 1 g; Sucre : 29 g; Protéines : 16 g.

Laitue romaine (*Lactuca sativa L.*)

DE LA VITAMINE C AVEC ÇA?

Saviez-vous que... la romaine est la laitue la plus nutritive de toutes et elle est une excellente source de vitamine C (cinq fois plus que la laitue iceberg)?

En bref

Les Romains connaissaient la laitue romaine sous le nom de laitue *Cappadocian* et les Grecs comme laitue *Kos*, nommée d'après l'île grecque patrie d'Hippocrate. Elle fait partie de la famille des tournesols. La saveur de la laitue romaine est plus forte que celle de l'iceberg et elle est plus tendre et sucrée et moins amère que les autres variétés de laitue. De tous les légumes consommés aux États-Unis, la laitue est le second légume le plus populaire.

Son origine

La laitue est un des légumes connus les plus anciens et l'on croit qu'elle est originaire de la région méditerranéenne. La romaine a été cultivée et mangée, cuite ou crue, depuis près de 5000 ans et elle constitue peut-être la forme la plus ancienne de laitue cultivée. Les tombes égyptiennes révèlent des peintures de laitues qui ressemblent à la romaine. La laitue romaine a été introduite aux États-Unis dans les années 1600 à partir de l'Angleterre.

Où la cultive-t-on?

La majorité de la laitue produite aux États-Unis est cultivée en Californie et en Arizona, mais la Floride est le principal producteur de romaine. Environ 18 millions de tonnes métriques de laitue sont produites à travers le monde.

Pourquoi devrais-je en manger?

En plus de son contenu élevé en vitamine C, la laitue romaine est aussi une excellente source de vitamine A. Cependant, des recherches suggèrent qu'il est préférable d'omettre la garniture sans gras et d'opter pour la version ordinaire, si vous voulez absorber toute la vitamine A de la romaine ! Elle constitue aussi une riche source d'acide folique – une seule portion fournissant trente-huit pour cent de la valeur quotidienne. La laitue romaine contient aussi du phosphore, du potassium et des fibres. La laitue romaine est une bonne source de lutéine et de zéaxanthine – ces phytochimiques sont d'importants antioxydants qui combattent de nombreuses maladies. La laitue romaine contient aussi une quantité importante de lactucaxanthine, un caroténoïde diététique rare, qui est censée supprimer le virus Epstein-Barr, souvent associé à la mononucléose.

Remèdes maison

Les premiers Romains mangeaient de la romaine à la fin des repas pour aider à la digestion et pour favoriser le sommeil. De nombreux Européens mangent toujours leur laitue de cette façon, mais la plupart des Américains qui consomment de la romaine, et d'autres sortes de laitues, le font au début des repas. César Auguste a même fait ériger une statue louangeant la laitue parce qu'il croyait qu'elle l'avait guéri d'une maladie.

Propriétés étonnantes !

DÉGÉNÉRESCENCE MACULAIRE : La laitue romaine est riche en lutéine et en zéaxanthine, des caroténoïdes que l'on retrouve naturellement dans l'œil et qui combattent la dégénérescence maculaire reliée à l'âge – cause principale de la perte irréversible de la vision chez les personnes âgées.

MAINTIEN DU POIDS : Dans une étude menée par Barbara Rolls, Ph.D. de l'État de la Pennsylvanie, elle a découvert qu'en commençant un repas par une salade faible en calories, on avait une impression de satiété, réduisant ainsi la consommation subséquente de calories, ce qui peut être un moyen efficace de gérer son poids.

RÉDUIT LES INFLAMMATIONS, LA MALADIE CARDIO-VASCULAIRE, LE CANCER : On a retrouvé de l'acide salicylique dans la laitue romaine ; il s'agit d'un composant principal de l'aspirine qui est utilisé pour combattre l'inflammation. L'acide salicylique est un inhibiteur de cyclo-oxygénase-2 (COX-2), une enzyme fondamentale impliquée dans l'inflammation, dans certains cancers, et dans la progression de la maladie cardiaque.

Conseils pratiques

SÉLECTION ET ENTREPOSAGE :

- Cherchez des feuilles extérieures larges, non flétries et vert foncé.
- Entreposez la laitue dans un sac plastique et déposez-la dans le bac à légumes du réfrigérateur. La laitue romaine y restera fraîche jusqu'à dix jours.

SUGGESTIONS POUR PRÉPARER ET SERVIR :

- Rincez la laitue sous l'eau froide courante ; vous pouvez aussi tremper les feuilles dans l'évier ou dans un grand bol. Faites sécher les feuilles dans une essoreuse à laitue ou avec une serviette.
- Lorsque vous déchirez les feuilles pour la salade, évitez de les écraser (cela fait décolorer les feuilles).
- Utilisez les feuilles de laitue comme base dans une salade, comme ajout à d'autres sortes de laitues ou pour les remplacer.
- Mélangez-les à des tranches de pommes, des raisins secs, des canneberges séchées (ou votre fruit séché préféré), des oranges, des raisins ou des ananas.
- En servant une salade le jour suivant, connue aussi sous le nom de salade « flétrie », il est possible d'augmenter l'absorption d'éléments nutritifs.
- On peut très bien faire cuire la laitue ! Essayez la laitue romaine marinée avec un peu de sauce soya, du vin

blanc sec, de la cassonade et de l'huile d'olive et faites griller pendant quelques minutes.

Sauté à la romaine et au sésame

par le chef J. Hugh McEvoy

Portions : 6 • Temps de préparation et de cuisson : 10 minutes

Cette recette contient cinq éléments énergisants.

INGRÉDIENTS :

455 g (1 lb) de laitue romaine, coupée en morceaux
15 ml (1 c. à soupe) de gousses d'ail, hachées
22 ml (1 ½ c. à soupe) d'huile de colza
15 ml (1 c. à soupe) de sauce soya légère
15 ml (1 c. à soupe) de vin de riz japonais
8 ml (½ c. à soupe) de sirop d'agave
3 ml (½ c. à thé) d'huile de graines de sésame grillées
3 ml (½ c. à thé) de graines de sésame entières, grillées
Sel kasher, au goût

PRÉPARATION :

Mélangez la sauce soya, le vin de riz, le sirop d'agave et le sel dans un petit bol et réservez. Préchauffez une large sauteuse ou un wok sur un feu à température élevée. Ajoutez l'huile de colza. Ajoutez immédiatement l'ail et faites sauter pendant quelques secondes. Ajoutez les morceaux de romaine. Sautez pendant environ 1 minute, jusqu'à ce que le mélange soit chaud. Incorporez la sauce soya déjà mélangée. Remuez et faites sauter les ingrédients pendant 30 à 45 secondes. La laitue devrait être vert brillant et un peu croustillante. Ne la faites pas trop cuire. Retirez et transférez dans un grand bol de service. Versez un filet d'huile de sésame et saupoudrez les graines de sésame. Servez sur un lit de feuilles de romaine crues à température ambiante et des tranches de tomates. Accompagnez avec du saki chaud ou du vin de prune.

CHAQUE PORTION CONTIENT :
Calories : 56 ; Lipides : 4 g ; Gras saturés : 0 g ; Cholestérol : 0 mg ; Sodium : 180 mg ; Glucides : 4 g ; Fibres : 2 g ; Sucre : 1 g ; Protéines : 1 g.

Lime (*C. aurantifolia et C. latifolia*)

JE NE VOUS VENDRAI PAS UN « CITRON »
Saviez-vous que... bien qu'on les appelle « citrons verts » en français, les limes ne sont pas des citrons ?

En bref

Les limes viennent sous forme acide ou sucrée ; mais habituellement, leur contenu en sucre et en acide citrique est plus important que celui des citrons, et leur goût est plus aigre et acidulé. Les deux variétés les plus communes de limes acides sont la lime tahitienne ou perse et la limette.

Son origine

On croit que les limes sont originaires de la région du sud-est de l'Asie. Vers le Xe siècle, les commerçants du Moyen-Orient ont introduit les limettiers asiatiques en Égypte et en Afrique du Nord. Les Maures d'Arabie les ont apportés en Espagne au XIIIe siècle, et c'est à partir de là qu'elles se sont répandues en Europe du Sud. Des limes ont été transportées en Amérique lors du second voyage de Colomb en 1493. Aux États-Unis, les limes se sont imposées en Floride au XVIe siècle alors que les explorateurs espagnols les ont transportées des Antilles jusqu'à Florida Keys, où l'on a plus tard renommé cette espèce du nom de « limette ».

Où la cultive-t-on ?

De nos jours, le Brésil, le Mexique et les États-Unis sont parmi les principaux producteurs de limes. Aux États-Unis, les limes poussent en Floride, dans le Sud-Ouest et en Californie.

Pourquoi devrais-je en manger ?

Les limes contiennent de puissants phytochimiques appelés glycosides de flavonols. Ceux-ci incluent le glucoside limonine et le kampférol, de forts antioxydants qui aident à prévenir les dommages oxydatifs aux cellules, aux lipides et à l'ADN. Le kampférol peut aider à prévenir l'artériosclérose et peut aussi agir comme agent de chimio-prévention pour combattre le cancer.

Remèdes maison

SCORBUT : Pendant des centaines d'années, les navigateurs britanniques ont consommé des limes et leur jus pour prévenir le scorbut pendant les longs voyages en mer. C'est pour cette raison qu'on donnait aux Britanniques le surnom de « limeys » — terme maintenant considéré comme étant offensant.

Propriétés étonnantes !

IMMUNITÉ : La recherche démontre que la consommation de légumes et de fruits à teneur élevée en vitamine C est associée à une diminution des risques de décès causés par la maladie cardiovasculaire, l'accident vasculaire cérébral, le cancer et plusieurs autres causes.

CANCER : Les glycosides de flavonols peuvent empêcher la division des cellules cancéreuses dans plusieurs types de cancers. Dans une étude, on a démontré que le puissant antioxydant limonine contenu dans la lime stoppait la prolifération des cellules cancéreuses.

EFFETS ANTIBIOTIQUES : Dans les villages de l'Afrique occidentale, au moment de l'épidémie de choléra, on utilisait du jus de lime pendant le repas principal de la journée, car on avait déterminé qu'il protégeait contre cette maladie.

Conseils pratiques

SÉLECTION ET ENTREPOSAGE :

- Pour obtenir plus de jus, choisissez des limes fermes et lourdes.
- Choisissez des limes luisantes, dont les teintes varient de vert pâle à vert foncé.
- Les petites taches brunes sur la pelure ne devraient pas nuire à la saveur, mais de larges imperfections ou des parties molles indiquent que la lime est endommagée. La peau dure et ratatinée est un signe de sécheresse.
- On peut entreposer les limes à la température de la pièce ou dans le réfrigérateur (dans un sac de plastique) jusqu'à trois semaines. Les limes conservées au réfrigérateur se gardent plus longtemps, cependant celles qu'on laisse à la température de la pièce produiront plus de jus.

SUGGESTIONS POUR PRÉPARER ET SERVIR :

- Selon le type et la taille de la lime, il faudra entre six et neuf fruits pour produire une tasse de jus de lime frais. Pour préparer du jus à la main, roulez la lime sur une surface ferme avant d'en extraire le jus.
- Les limes ou le jus de lime sont un extraordinaire substitut pour le sel et ajoutent une saveur piquante.

Soupe aux haricots noirs à la lime et au cumin

Gracieuseté de www.fruitsandveggiesmatter.gov

Portions : 6 • Temps de préparation : 20 minutes

Cette soupe se prépare facilement, surtout lorsqu'on se sert de haricots noirs en conserves. Cette recette contient dix aliments énergisants.

INGRÉDIENTS :

1 L (4 tasses) de haricots noirs, cuits et rincés
15 ml (1 c. à soupe) d'huile d'olive extra vierge
15 ml (1 c. à soupe) de cumin
250 ml (1 tasse) d'oignons blancs, hachés
250 ml (1 tasse) de carottes, hachées
2 gousses d'ail, hachées
125 ml (½ tasse) de poivron rouge, haché
750 ml (3 tasses) de bouillon de légumes, faible en sel
65 ml (¼ tasse) piments Jalapeño (ou encore des piments verts), hachés
95 ml (¼ tasse plus 2 c. à soupe) de jus de lime fraîchement pressé
6 tranches de lime
15 ml (1 c. à soupe) de crème sure, faible en gras
Garniture de coriandre hachée
Sel, au goût

PRÉPARATION :

Faites chauffer l'huile d'olive dans une poêle à frire sur un feu à température moyenne. Ajoutez le cumin et faites dorer en prenant soin de ne pas brûler l'épice. Ajoutez les oignons hachés, les carottes, l'ail et le poivron, et cuire lentement jusqu'à ce que le tout soit doré. Dans un mélangeur ou dans un robot culinaire, réduisez les haricots en purée en les mélangeant avec le bouillon de légumes. Ajoutez le mélange de légumes, les piments, le jus de lime et mélangez jusqu'à ce que le tout soit crémeux. Versez le mélange dans une grande casserole et réchauffez jusqu'à ce que le tout soit épaissi. Salez au goût, et versez-y de la crème sure. Garnissez d'une tranche de lime et de coriandre hachée.

CHAQUE PORTION CONTIENT :
Calories : 221 ; Lipides : 5 g ; Gras saturés : 0,5 g ; Cholestérol : 1 mg ; Sodium : 360 mg ; Glucides : 39 g ; Fibres : 12 g ; Sucre : 5 g ; Protéines : 12 g.

Lin (*Linum usitatissimum*)

LE LIN À TOUTES LES SAUCES !

Saviez-vous que... l'huile extraite du lin est aussi connue sous le nom d'huile de lin lorsqu'on l'utilise dans la fabrication de peinture, de vernis, de laque et d'encre ?

En bref

Le lin est une plante indigène de l'Asie du sud-est et de l'Europe du sud-est. Son nom latin signifie « très utile », faisant référence au fait que de tout temps, on a utilisé toutes les parties du lin à des fins diverses. La graine de lin est petite et remplie d'huile. Elle a une saveur de noix et l'on peut s'en servir dans une variété de plats culinaires. On cultive le lin surtout pour sa valeur nutritionnelle, mais on le retrouve aussi abondamment dans la fabrication d'une variété de produits commerciaux non alimentaires : comme la peinture, l'encre et le linoléum.

Son origine

La culture du lin remonte à l'an 3000 avant notre ère, à Babylone. En fait, on utilisait la toile fabriquée à partir de la fibre de lin pour envelopper les momies égyptiennes. Il y a environ 600 ans, Hildegard von Bingen s'est servi de farine de lin pour créer des compresses chaudes pour soigner des affections externes autant qu'internes. Aux États-Unis, les premiers colons ont cultivé de petites quantités de lin pour usage domestique, et ce n'est qu'à partir de 1753 que la production commerciale a fait ses débuts. Après l'invention de l'égreneuse de coton, quarante ans plus tard, la production du lin a décliné à son minimum.

Où le cultive-t-on ?

Le Canada est le plus important producteur et exportateur de lin, suivi par la Chine, les États-Unis, l'Inde, l'Union européenne, et l'Argentine. Aux États-Unis, les plus grands producteurs de lin sont le Dakota du Nord et le Dakota du Sud, le Minnesota et le Wisconsin.

Pourquoi devrais-je en consommer ?

Les graines de lin renferment une grande quantité d'acide gras omega-3. Elles sont une excellente source de fibre soluble et insoluble qui sont bénéfiques dans le réglage du cholestérol, du glucose sanguin et de la digestion. Le lin est une source exceptionnelle de lignane, un composé végétal qui agit comme une forme allégée d'estrogène. Certains scientifiques croient que les lignanes offrent une protection contre certaines formes de cancer, tout particulièrement les cancers du sein et du côlon.

Remèdes maison

Le lin est reconnu comme une « plante bénie » qui peut apporter la bonne fortune, rétablir la santé et protéger contre la sorcellerie. Historiquement, on a employé le lin pour soulager les douleurs abdominales, les rhumes, les furoncles, les abcès cutanés et la constipation.

Propriétés étonnantes !

SANTÉ CARDIOVASCULAIRE : Des femmes qui ont ajouté cinquante grammes de graines de lin moulues à leur diète quotidienne pendant quatre semaines ont abaissé leur niveau de cholestérol total de neuf pour cent et leur « mauvais » cholestérol LDL de dix-huit pour cent. La graine de lin réduit aussi les marqueurs inflammatoires associés à une augmentation de la maladie cardiovasculaire.

CANCER DE LA PROSTATE : Les lignanes, un composé fibreux que l'on retrouve dans le lin, ralentissent la croissance des tumeurs chez les patients atteints du cancer de la prostate ou du sein.

CANCER DU SEIN : Une étude effectuée sur des souris a démontré que la graine de lin peut augmenter l'efficacité d'un médicament contre le cancer, le tamoxifène, et ralentir la croissance du cancer du sein. On a prouvé que des femmes présentant des niveaux élevés de lignanes (un phyto-estrogène faible) — dont la production est liée à une consommation élevée de lignane à partir d'aliments comme le lin —, ont réduit leur risque de cancer du sein dans une proportion de cinquante-huit pour cent.

CANCER DU CÔLON : Une étude sur des animaux a prouvé que l'administration de suppléments d'huile de lin est efficace pour prévenir le développement du cancer du côlon, alors que l'huile de maïs, composée en grande partie d'acides gras oméga-6, favorisait la croissance des tumeurs.

DIABÈTE : Dans des études sur des animaux, l'ajout de lin, ou de composants du lin, a ralenti le développement du diabète de type 2 et a protégé les reins des dommages typiques causés par le diabète.

TROUBLE D'HYPERACTIVITÉ AVEC DÉFICIT DE L'ATTENTION (THADA) : Une étude pilote menée en Inde a évalué l'effet de l'huile de lin sur le comportement des enfants souffrant de THADA. Une amélioration significative des symptômes s'est révélée par la réduction de leur hyperactivité totale.

Conseils pratiques

SÉLECTION ET ENTREPOSAGE :

- La graine de lin entière est offerte soit en vrac ou emballée, et on peut la retrouver dans des magasins de produits diététiques, dans certains supermarchés, ou directement des producteurs.
- La couleur du lin n'a pratiquement pas d'influence sur son goût ou sa valeur nutritionnelle.

- L'huile de lin est vendue sous forme liquide ou en capsules de gélatine. Ce sont les graines de lin moulues qui vous offrent le plus de bénéfices sur le plan de la santé.
- Recherchez des pains et des céréales enrichies de graines de lin.
- On doit conserver l'huile de lin au réfrigérateur. On peut réfrigérer la graine de lin moulue dans un contenant hermétique pendant environ 90 jours et on peut entreposer la graine de lin entière à la température de la pièce jusqu'à un an.

SUGGESTIONS POUR PRÉPARER ET SERVIR :

- Dans la mesure du possible, moulez les graines de lin au besoin dans un broyeur à café.
- Ne cuisinez pas avec de l'huile de lin étant donné qu'elle brûle facilement. L'huile de lin convient mieux aux aliments froids.
- Vous pouvez saupoudrer du lin moulu sur les céréales, les salades, les soupes, les ragoûts, les pains cuits et autres aliments cuits.
- Remplacez les ingrédients à teneur élevée en gras saturés, comme le beurre, par de la graine de lin moulue. Une mesure de 45 ml (3 c. à soupe) de graines de lin moulues équivaut à 15 ml (1 c. à soupe) de beurre, de margarine, de graisse végétale ou d'huile végétale.
- Remplacez aussi les œufs ! Pour chaque œuf, mélangez 15 ml (1 c. à soupe) de graines de lin moulues avec 45 ml (3 c. à soupe) d'eau dans un petit bol et laissez ce mélange reposer pendant une ou deux minutes.

Muesli à la cannelle et aux noix

Extrait de *The Amazing Flax Cookbook*,
par Jane Reinhardt-Martin

Portions : 25 (120 ml) • Temps de préparation et de cuisson : 40 minutes

Cette recette contient cinq aliments énergisants.

INGRÉDIENTS :

1,8 L (7 ½ tasses) de flocons d'avoine
250 ml (1 tasse) de noix, hachées
250 ml (1 tasse) de noix de coco, râpée
125 ml (½ tasse) de graines de lin, moulues
125 ml (½ tasse) de cassonade
125 ml (½ tasse) d'huile de colza
125 ml (½ tasse) de miel
8 ml (½ c. à soupe) de cannelle
15 ml (1 c. à soupe) d'extrait de vanille

PRÉPARATION :
Préchauffez le four à 125°C (275°F). Dans un bol, combinez l'avoine, la noix de coco, les noix, et les graines de lin moulues. Dans un autre bol (pour cuisson au four micro-ondes), combinez la cassonade, l'huile, le miel, la cannelle et la vanille. Cuisez à puissance élevée dans le four à micro-ondes jusqu'à ce que le mélange commence à faire des bulles. Versez ce mélange sur le mélange de flocons d'avoine et mélangez bien. Vaporisez une plaque à biscuits d'un enduit antiadhésif. Versez ce mélange en couches minces sur la plaque à biscuits. Faites cuire pendant 15 minutes. Remuez et faites cuire pour un autre 15 minutes ou jusqu'à ce que les flocons d'avoine soient grillés. Laissez refroidir et entreposez dans un contenant hermétiquement fermé.

CHAQUE PORTION CONTIENT :
Calories : 233; Lipides : 11 g; Gras saturés : 2,5 g; Cholestérol : 0 mg; Sodium : 14 mg; Glucides : 29 g; Fibres : 4 g; Sucre : 10 g; Protéines : 5 g.

Maïs (*Zea mays*)

CE N'EST PAS UN NAIN!
Le maïs miniature n'est en fait qu'un maïs sucré qui a été cueilli avant d'avoir atteint «sa maturité».

En bref

Il existe cinq grandes catégories de maïs : maïs denté ou de grande culture, maïs corné, maïs perlé ou indien, maïs farineux, et maïs sucré. Le maïs denté est le type le plus cultivé à travers le monde. Le maïs sucré est le «maïs en épis» que nous consommons de nos jours.

Son origine

Des études archéologiques indiquent qu'il y a au moins 5600 ans, on cultivait le maïs en Amérique. Le maïs a été domestiqué en Méso-Amérique – ce qui, dans les cultures précolombiennes, incluait le sud du Mexique, le Guatemala, le Belize, El Salvador, le Honduras occidental et certaines parties du Nicaragua et de Costa Rica. Après la venue des Espagnols en Amérique, à la fin du XVe et au début du XVIe siècle, le maïs s'est répandu à travers le monde. De nos jours, plus de 600 aliments et produits non alimentaires sont fabriqués à partir du maïs.

Où le cultive-t-on?

Comptant pour quarante pour cent de la production mondiale, les États-Unis sont de loin le plus important producteur de maïs. Ils sont suivis par le Canada, la Chine, le Brésil et plusieurs autres pays. La «Ceinture du maïs» inclut les États de l'Iowa, de l'Illinois, du Nebraska, du Minnesota, de l'Indiana, de l'Ohio, du Wisconsin, du Dakota du Sud, du Michigan, du Missouri, du Kansas et du Kentucky; les quatre premiers États fournissent plus de cinquante pour cent de la production de maïs aux États-Unis. Environ soixante-quinze pour cent du maïs produit aux États-Unis est destiné aux animaux d'élevage.

Pourquoi devrais-je en manger ?

Le maïs est une riche source de plusieurs éléments possédant des propriétés avantageuses pour la santé cardiovasculaire et pour la lutte contre le cancer : il contient des fibres, de la vitamine B1, de l'acide folique, de la vitamine C et de l'acide pantothénique. Il contient aussi les phytochimiques bêta-cryptoxanthine, lutéine, saponine, alcaloïde, acide malique, acide palmitique, acide tartrique, acide oxalique, et acide maizénique.

Remèdes maison

Dans les cultures amérindiennes, on a longtemps utilisé le plant de maïs tout entier à des fins curatives. La soie du maïs donne un thé dont on a étudié les qualités de façon approfondie ; il est doté de propriétés diurétiques — c'est ainsi qu'on en est arrivé à s'en servir pour traiter des problèmes de miction difficile, douloureuse ou fréquente. La farine de maïs bouillie dans du lait apporte un soulagement aux brûlures et aux régions enflammées ou enflées. Lorsqu'on l'applique sous forme de poudre, la fécule de maïs peut soulager les irritations. Mélangée avec de l'huile de ricin ou de maïs, la farine de maïs peut servir à soulager les irritations de la peau. En médecine traditionnelle chinoise, on s'est servi du maïs pour traiter les calculs biliaires, la jaunisse, l'hépatite et la cirrhose. On a aussi utilisé les épis, desquels on a retiré les grains, pour traiter les saignements de nez et le saignement utérin inhabituel. On s'est servi des feuilles pour traiter la diarrhée chez les enfants.

Propriétés étonnantes !

SANTÉ CARDIOVASCULAIRE : Le maïs est riche en acide folique, une vitamine connue pour réduire l'homocystéine ; un indicateur inflammatoire attribué à la maladie cardiovasculaire.

CANCER DU POUMON : Le maïs est riche en bêta-cryptoxanthine, un caroténoïde rouge-orangé qui peut abaisser considérablement le risque de développer le cancer du poumon. Une étude a évalué l'alimentation de 63 257 adultes à Shanghai, en Chine : on a découvert que ceux qui consommaient le plus d'aliments riches en cryptoxanthine avaient vingt-sept pour cent moins de risques de contracter le cancer du poumon. On a aussi découvert que les fumeurs qui consommaient des aliments riches en cryptoxanthine avaient trente-sept pour cent moins de risques de contracter cette maladie, comparé à ceux qui n'en consommaient pas.

CANCER DU CÔLON : Le maïs est très riche en composés phénoliques ; ceux-ci peuvent aider à prévenir le cancer du côlon et d'autres cancers de l'appareil digestif. Le maïs possède aussi une teneur élevée en amidon résistant qui aide à favoriser la production de butyrate, un acide gras volatil que l'on trouve dans le côlon et qui est potentiellement utile dans la lutte contre le cancer du côlon.

DIABÈTE : On a démontré que la fécule de maïs, un composé du maïs, améliorait le métabolisme des glucides chez les femmes de poids normal et chez les femmes obèses.

Conseils pratiques

SÉLECTION ET ENTREPOSAGE :

- Les grains de maïs se présentent sous plusieurs formes : frais, congelés, en conserve et sous forme de crème de maïs en conserve.
- Évitez les épis de maïs dont les soies semblent brûlées ou présentent un dépôt visqueux foncé sur le pistil.
- Laissez les feuilles en place et déposez le maïs non couvert dans le réfrigérateur. Utilisez en l'espace de quelques jours pour une meilleure qualité.

SUGGESTIONS POUR PRÉPARER ET SERVIR :

- Le maïs frais peut être bouilli, cuit à la vapeur, au four à micro-ondes, ou grillé sur le gril ou dans le four.
- Appréciez-le froid dans les salades.
- Servez-vous de polenta (le terme italien pour désigner la semoule de maïs) comme croûte de pizza pour une pizza santé.
- Utilisez de l'amidon de maïs pour remplacer jusqu'à vingt-cinq pour cent de farine et augmenter ainsi le contenu en fibres de vos aliments de boulangerie.

Chaudrée de maïs

Adapté de *The Gathering Place*, par Graham Kerr

Portions : 6 • Temps de préparation et de cuisson : 60 minutes

Cette recette contient cinq aliments énergisants.

INGRÉDIENTS :

5 ml (1 c. à thé) d'huile d'olive extra vierge
500 ml (2 tasses) d'oignons jaunes, hachés finement
6 épis de maïs égrenés (ou maïs congelé équivalent)
3 ml (½ c. à thé) de thym
5 ml (1 c. à thé) de persil, finement haché
1 ml (¼ c. à thé) de sel de table
0,5 ml (⅛ c. à thé) de poivre noir
360 ml (12 oz) de lait écrémé condensé
500 ml (2 tasses) de lait de soya
30 ml (2 c. à soupe) de fécule de maïs
65 ml (4 c. à soupe) de vin blanc sec

GARNITURE :

85 ml (⅓ tasse) de bacon ou de bacon végétarien, en morceaux
85 ml (⅓ tasse) de poivron rouge, taillé en petits dés
15 ml (1 c. à soupe) de persil, haché

PRÉPARATION :

Faites chauffer l'huile dans un grand poêlon à chaleur moyenne. Faites sauter l'oignon et 125 ml (½ tasse) de grains de maïs, jusqu'à ce qu'ils soient très tendres, de 12 à 15 minutes. Remuez de temps en temps. Ajoutez le thym, le persil, le sel et le poivre. Versez le mélange d'oignons dans le mélangeur et ajoutez 125 ml (½ tasse) de lait condensé. Réduisez le mélange en purée pendant deux minutes. Ajoutez le reste du lait condensé et mélangez pendant encore trois minutes ou jusqu'à l'obtention d'une texture lisse. Versez ce mélange dans le poêlon en y ajoutant le reste du maïs. Rincez le mélangeur avec du lait de soya pour enlever tous les résidus. Ajoutez ce mélange au maïs qui est déjà dans le poêlon. Portez à ébullition. Réduisez la chaleur et laissez mijoter pendant 10 minutes. Combinez la fécule de maïs avec le vin pour en faire une pâte. Retirez la soupe du feu et incorporez-y la pâte en remuant jusqu'à ce que la soupe s'épaississe. Faites sauter le bacon, le poivron et le persil à chaleur moyenne pendant trois minutes. Mettez de côté. Servez la soupe dans des bols chauffés et saupoudrez d'une cuiller à soupe de garniture dans chaque bol.

CHAQUE PORTION CONTIENT :
Calories : 240; Lipides : 5 g; Gras saturés : 1 g; Cholestérol : 10 mg; Sodium : 550 mg; Glucides : 39 g; Fibres : 3 g; Sucre : 13 g; Protéines : 12 g.

Mangue (*Mangifera indica L.*)

LA MANGUE VA DE PAIRE

Saviez-vous que… en Inde, on considère la mangue comme un fruit sacré, symbole de l'amour, de l'amitié et de la fertilité ?

En bref

La mangue est un fruit que l'on peut trouver sous différentes formes : ronde, ovale ou en forme de rein. Elle fait partie d'une famille de soixante-douze plants à fruits qui inclut ses cousines, la noix d'acajou et la pistache. Il existe six principales variétés de mangues disponibles aux États-Unis, et les plus populaires sont : Tommy Atkins, Haden, Keitt et Kent.

Son origine :
La mangue est originaire de l'Asie du Sud et de l'Asie du Sud-Est, particulièrement de l'est de l'Inde, de la Birmanie et des Îles Andaman. On peut trouver des références à la mangue dans les écrits hindous datant d'aussi loin que l'an 4000 avant notre ère. Les moines bouddhistes considéraient la mangue comme un fruit sacré, car ils croyaient (et ils le croient toujours) que Bouddha méditait souvent sous un manguier. On raconte que les Perses ont apporté la mangue en Afrique de l'Est vers le Xe siècle. En 1862, les premières semences sont parvenues à Miami à partir des Antilles. Près de vingt ans plus tard, la mangue a été introduite à Santa Barbara, en Californie.

Où la cultive-t-on ?
De nos jours, l'Inde fournit soixante-quinze pour cent de l'ensemble de la culture des mangues. À cause de restrictions à l'importation, reliées au risque de transporter des insectes nuisibles en même temps que le fruit, les mangues produites en Inde n'atteignent l'Amérique du Nord ou l'Europe qu'en très petites quantités. Le Mexique et la Chine sont en concurrence pour la deuxième place, suivis du Pakistan, de l'Indonésie, de la Thaïlande, du Nigeria, du Brésil, des Philippines et de Haïti. Aux États-Unis, la Floride en est le plus important producteur, mais la Californie vient d'en commencer la production, dans la Vallée de Coachella.

Pourquoi devrais-je en manger ?
Les mangues sont une excellente source de vitamines A et C, de potassium et de carotènes, incluant le bêta-carotène. Le contenu vitaminique dépend du degré de maturité et de la variété du fruit. Les mangues vertes contiennent plus de vitamine C (à mesure qu'elles mûrissent, la quantité de bêta-carotène augmente). La mangue est aussi une bonne source de vitamine K et possède différents composants antioxydants.

Remèdes maison

Plusieurs personnes considèrent que les mangues sont bénéfiques à la santé : de l'amélioration de la digestion et de l'immunité, jusqu'à la santé cardiovasculaire, en passant par l'abaissement de la tension artérielle, et la guérison de l'asthme. Plusieurs croient que les mangues sont à la fois un aphrodisiaque et un moyen contraceptif efficace.

Propriétés étonnantes !

SANTÉ CARDIOVASCULAIRE : Les fruits et les légumes à teneur élevée en potassium et en antioxydants, comme la vitamine A, les caroténoïdes, la vitamine C et les flavonoïdes, peuvent aider à prévenir ou à maîtriser l'hypertension, ainsi qu'à réduire le risque subséquent d'AVC et de maladie cardiaque. De plus, les fruits à teneur élevée en fibres solubles et en pectine semblent abaisser la quantité de cholestérol circulant dans le sang.

DIGESTION : Les mangues sont une bonne source de fibres et contiennent des enzymes qui facilitent la digestion.

CANCER : Les légumes et les fruits jaune foncé et orange sont riches en bêta-carotène, ce qui peut protéger les membranes cellulaires et l'ADN des dommages oxydatifs. Une étude de lignée cellulaire a examiné l'activité anticancéreuse de la mangue et a découvert qu'elle interrompait les phases de croissance tout au long du cycle vital de la cellule cancéreuse.

Contre-indication

Lorsqu'on la combine à des médicaments pour éclaircir le sang, la consommation de mangues peut conduire à un éclaircissement sanguin trop accentué ! Discutez avec votre médecin, votre pharmacien ou un diététicien de l'inclusion des mangues dans votre diète.

Conseils pratiques

SÉLECTION ET ENTREPOSAGE :

COMMENT DEVINER L'INTÉRIEUR D'UNE MANGUE. Lorsqu'elle est mûre, vous pourrez sentir la douceur de la mangue à partir de l'extrémité de la tige du fruit.

- En général, le rouge et le jaune sont les couleurs de maturité, mais la couleur n'est pas toujours le facteur déterminant. La peau devrait céder légèrement lorsqu'on la presse.
- Évitez les mangues grises, gravelées ou dont la peau est recouverte de taches noires ; ce sont des signes certains de pourrissement.
- On peut consommer les mangues fraîches, congelées ou séchées. On les trouve aussi sous forme de nectar et de confitures ou de gelées.
- On devrait conserver les mangues à la température de la pièce, mais lorsqu'elles sont mûres, on peut les entreposer au réfrigérateur jusqu'à cinq jours. En les rangeant dans un contenant hermétiquement fermé, on peut entreposer les mangues au congélateur jusqu'à six mois.

SUGGESTIONS POUR PRÉPARER ET SERVIR :

- Évitez de manger la peau – elle peut vous rendre malade !
- Pour peler la peau et retirer le fruit de la surface du noyau, vous devez d'abord trancher les deux côtés, ou les « joues » de la mangue, en évitant le gros noyau fibreux au milieu du fruit. Prenez une des joues, tenez-la avec la peau en bas, dans la paume de votre main, et coupez quatre ou cinq lanières dans le fruit sur le sens de la longueur. Faites attention de ne pas couper à travers la pelure de la mangue. En tenant le morceau de vos deux mains, poussez sur le côté de la peau pour faire ressortir le côté chair. Il vous suffit maintenant de

tailler le fruit de la pelure, pour obtenir de larges lanières juteuses. Vous pouvez aussi trancher les lanières en cubes.

- Vous en voulez beaucoup ? Ne gaspillez pas ! Au Mexique, une pratique courante consiste à faire une « sucette » avec la mangue en piquant le noyau avec une fourchette et en mangeant la chair qui reste sur le noyau comme une sucette.
- Les mangues font d'excellents desserts et un ajout raffiné à toute salade de fruits.
- Servez-vous-en pour confectionner une marinade pour le poisson et les viandes.
- Pour un caprice tropical au barbecue, essayez les mangues grillées.

Salade de mangue râpée

Gracieuseté du chef Allen Susser,
auteur de *The Great Mango Book*

Portions : 8 (½ tasse) • Temps de préparation : 15 minutes (mais doit être réfrigéré au moins 1 heure)

Cette recette contient dix aliments énergisants.

INGRÉDIENTS :

2 grosses mangues vertes mûres, pelées, dénoyautées et râpées
1 grosse carotte, pelée et râpée
1 petit oignon rouge, tranché mince
30 ml (2 c. à soupe) de menthe fraîche, hachée
30 ml (2. c. à soupe) de basilic frais
45 ml (3. c. à soupe) de coriandre fraîche, hachée
5 ml (1 c. à thé) d'ail, émincé
65 ml (¼ tasse) de jus de lime, fraîchement pressé
30 ml (2 c. à soupe) de sucre ou de sirop d'agave
5 ml (1 c. à thé) de piment Serrano, égrainé et émincé
30 ml (2 c. à soupe) de sauce au poisson thaï

PRÉPARATION :
Dans un grand bol, combinez les mangues, les carottes, et l'oignon. Ajoutez la menthe, le basilic et la coriandre et mélangez. Dans un petit bol, combinez l'ail, le jus de lime, le sucre, le piment et la sauce au poisson. Remuez jusqu'à ce que le sucre soit dissous. Versez le mélange à base de lime sur la salade de mangue et remuez pour bien mélanger les ingrédients. Couvrez et réfrigérez pendant au moins 1 heure, ou jusqu'à 24 heures, avant de servir.

CHAQUE PORTION CONTIENT :
Calories : 63 ; Lipides : 0 g ; Gras saturés : 0 g ; Cholestérol : 0 mg ; Sodium : 355 mg; Glucides : 16 g; Fibres : 1,5 g; Sucre : 13 g; Protéines : 0 g.

Menthe (*Mentha*)

MÉLANGE RAFRAÎCHISSANT

Saviez-vous que… le « Mint Julep », une boisson populaire du sud des États-Unis, est principalement composé de bourbon et de sucre auquel on a tout simplement ajouté des feuilles de menthe ?

En bref

Il existe au moins vingt-cinq à trente espèces connues de menthe. Les espèces les plus connues et les plus utilisées sont la menthe verte, la menthe poivrée, la menthe orangée ou bergamote, la menthe ananas et la menthe Pouliot. En plus d'être utilisée de façons variées dans la cuisine, la menthe est employée dans la fabrication de bonbons, de gomme à mâcher, de pâte dentifrice, de répulsif, de médicaments et de produits de beauté.

Son origine

On croit que la menthe tire son origine du bassin méditerranéen, où on aimait l'utiliser comme base pour les parfums, et comme aromates pour les aliments et les produits médicinaux. Ce sont les Romains qui ont propagé l'utilisation de la menthe en Europe. Vers les années 1790, on cultivait la menthe au Massachusetts. En 1812, la menthe poivrée était cultivée commercialement comme huile essentielle à Ashfield, au Massachusetts.

Où la cultive-t-on ?

La menthe est principalement cultivée en Chine, en Inde, en Méditerranée, aux Philippines et en Égypte. Aux États-Unis, on cultive surtout la menthe poivrée pour la production d'huiles essentielles. La menthe est aussi produite commercialement au Michigan, en Indiana, au Wisconsin, en Oregon, à Washington et en Idaho.

Pourquoi devrais-je en consommer ?

La menthe contient des composés phénoliques dotés d'importantes capacités antioxydantes. Ses nombreuses vitamines et ses minéraux incluent la vitamine A, le calcium, l'acide folique, le potassium et le phosphore.

Remèdes maison

On emploie la menthe poivrée comme aide à la digestion depuis des milliers d'années. C'est aussi un remède traditionnel pour traiter plusieurs problèmes d'intestin, incluant les gaz, l'indigestion, les crampes, la diarrhée, le vomissement, le syndrome du côlon irritable et l'empoisonnement alimentaire. On l'a aussi employée dans le cas d'infections respiratoires et de problèmes reliés aux menstruations. Il existe de nombreux vaporisateurs et produits à inhaler sur le marché qui contiennent de la menthe ; on les vend pour soulager le mal de gorge, le mal de dents, le rhume, la toux, la laryngite, la bronchite, la congestion nasale et l'inflammation de la bouche et de la gorge.

Propriétés étonnantes !

SANTÉ CARDIOVASCULAIRE : Dans des études, où l'on a étudié les herbes pour évaluer leur potentiel à inhiber la conversion du cholestérol LDL dans sa forme la plus nuisible, la menthe s'est avérée être l'une des plus efficaces.

CANCER : Les phytochimiques phénoliques de la menthe peuvent aider à prévenir le cancer. On a découvert que la menthe fraîche possédait une très forte activité épuratrice. La menthe possède une teneur élevée en acide salicylique et on croit qu'elle joue un rôle dans la prévention du cancer colorectal et l'athérosclérose.

CANCER DU POUMON : On a administré de la menthe à des souris qui avaient un cancer du poumon, et on a observé que leurs tumeurs avaient diminué de façon considérable. Les effets ont été attribués aux propriétés antioxydatives épuratrices et radicales de la menthe.

BACTÉRIES : La recherche indique que certaines huiles essentielles peuvent réduire les agents pathogènes d'origine alimentaire. Dans une étude, les huiles essentielles naturelles trouvées dans la menthe empêchaient la croissance de la bactérie *E. coli*. La menthe peut devenir une solution alternative aux additifs antimicrobiens couramment utilisés dans les aliments.

OXYURE : On a découvert que la menthe avait des effets annihilants significatifs sur l'oxyure.

DIGESTION : Un essai clinique, en Angleterre, a découvert que les patients qui avaient reçu des traitements avec de l'huile de menthe poivrée avant une opération avaient moins de nausées suite à l'opération que ceux qui n'en avaient pas reçu. D'autres études ont montré que l'huile de menthe poivrée soulageait les spasmes durant les coloscopies, et avait un effet apaisant sur des patients qui souffraient du syndrome du côlon irritable.

SOULAGEMENT RESPIRATOIRE : Des chercheurs ont découvert une terminaison nerveuse qui réagissait au froid et au menthol. Ceci peut expliquer la sensation rafraîchissante du menthol, ainsi que son usage commun comme inhalant pour réduire la congestion nasale.

Conseils pratiques

SÉLECTION ET ENTREPOSAGE :

- Les feuilles doivent être tendres et non fanées. Les plus vieilles feuilles ont tendance à être amères et à « goûter le bois ».
- Conservez les feuilles de menthe fraîches au réfrigérateur dans un sac plastique pendant deux ou trois jours au plus.

SUGGESTIONS POUR PRÉPARER ET SERVIR :

- Utilisez de jeunes feuilles, pincées à partir de l'extrémité de la tige, pour une meilleure saveur.
- La menthe est un ajout extraordinaire aux pommes, aux poires ou aux fraises, aux vinaigrettes et aux salades de fruits.
- Pour les aromatiser, ajoutez-en aux thés et aux marinades.
- La menthe est un ajout extraordinaire aux soupes, salades, sauces, viandes, poissons, volailles, ragoûts, plats au chocolat et desserts au citron.
- La menthe poivrée est habituellement utilisée dans les thés et les sucreries. La menthe verte est la menthe la plus couramment utilisée pour les sauces à la viande et les gelées.
- La menthe fraîche est omniprésente dans les plats du Moyen-Orient, incluant le taboulé.

Nouilles japonaises épicées à la menthe

par le chef J. Hugh McEvoy

Portions : 13 (½ t) • Temps de préparation et de cuisson : 80 minutes

Cette recette contient cinq aliments énergisants.

INGRÉDIENTS :

30 ml (2 c. à soupe) de feuilles de menthe fraîche
480 g (16 oz) de nouilles soba au sarrasin, sèches
15 ml (1 c. à soupe) de sauce soya
10 ml (2 c. à thé) de sauce au poisson
30 ml (2 c. à soupe) d'huile de sésame organique
30 ml (2 c. à soupe) de mélasse
65 ml (¼ tasse) de vinaigre de riz brun
65 ml (¼ tasse) de graines de sésame grillées
250 ml (1 tasse) d'oignons verts entiers, hachés
65 ml (¼ tasse) poivron rouge doux, haché
5 ml (1 c. à thé) de flocons de piment rouge

PRÉPARATION :

Battez ensemble la mélasse, la sauce soya, la sauce au poisson, le vinaigre de riz, l'huile et le piment. Assurez-vous que la mélasse est bien dissoute. Faites cuire les nouilles japonaises dans l'eau bouillante jusqu'à ce qu'elles soient al dente – juste tendres. Rincez les nouilles sous l'eau très froide. Égouttez et mélangez les nouilles avec la sauce, uniformément. Réfrigérez pendant 1 heure. Juste avant de servir, incorporez la menthe, le sésame, le poivron et les oignons verts. Garnissez de feuilles de menthe et d'oignons verts hachés. Servez avec du vin de prune japonais ou du saké.

CHAQUE PORTION CONTIENT :

Calories : 180 ; Lipides : 4 g ; Gras saturés : 0,5 g ; Cholestérol : 0 mg ; Sodium : 460 mg ; Glucides : 32 g ; Fibres : 2 g ; Sucre : 2 g ; Protéines : 6 g.

Miel (*Mellis*)

L'ABEILLE LABORIEUSE

Saviez-vous que... pour vous procurer 450 grammes de miel, les abeilles doivent parcourir environ 88 500 kilomètres et recueillir le pollen de plus de deux millions de fleurs ?

En bref

Les abeilles fabriquent du miel depuis au moins 100 millions d'années. Le miel est produit comme réserve alimentaire pour les longs mois d'hiver. Issues du gène *Apis Mellifera,* les abeilles d'Europe produisent plus de miel que ce qui est nécessaire pour leur ruche, ce qui permet aux hommes de récolter l'excédent. La couleur et la saveur du miel diffèrent selon la source du nectar qu'ont ramassé les abeilles (selon les floraisons). En fait, aux États-Unis seulement, il existe plus de trois cents différentes sortes de miel, provenant du trèfle, de l'eucalyptus, des fleurs d'oranger et du sarrasin. La saveur des miels de couleur claire est plus douce, alors que celle des miels foncés est plus prononcée.

Son origine

On peut trouver des mentions sur les bienfaits du miel aussi loin que dans les ancients écrits des Sumériens et des Babyloniens, ainsi que dans les écrits sacrés des Indiens Védas. On employait le miel pour bénir les édifices et les maisons : on en versait sur les seuils des maisons et sur les boulons qui étaient utilisés dans la construction des immeubles sacrés. Cléopâtre prenait régulièrement des bains de miel et de lait pour conserver son apparence de jeunesse. Dans les temps anciens, on accordait tellement de valeur au miel que l'on s'en servait régulièrement comme forme d'hommage ou de paiement. Dans la Grèce antique, on offrait du miel aux dieux et aux esprits de la mort. L'une des premières boissons alcoolisées, nommée hydromel, a été fabriquée avec du miel, et elle était considérée comme étant « la boisson des dieux ». Les colonisateurs européens ont introduit les abeilles européennes aux États-Unis vers 1638.

Où le produit-on ?

Les principaux producteurs de miel sont l'Australie, le Canada, l'Argentine et les États-Unis.

Pourquoi devrais-je en consommer ?

Le miel est principalement composé de fructose, de glucose et d'eau. Il contient aussi des traces d'enzymes, d'éléments minéraux, de vitamines et d'acides aminés : incluant la niacine, la riboflavine, l'acide pantothénique, le calcium, le cuivre, le fer, le magnésium, le manganèse, le phosphore, le potassium et le zinc. Le miel contient des flavonoïdes et de l'acide phénolique ; plus le miel est foncé, plus le niveau d'antioxydants est élevé. Le miel agit comme prébiotique et favorise la croissance des Bifidobacterium (bonnes bactéries), améliorant ainsi la santé du tube digestif.

Remèdes maison

Les athlètes grecs et romains employaient le miel pour augmenter leur force et leur endurance. Le miel a été utilisé comme agent antimicrobien efficace pour traiter les brûlures et les éraflures mineures et pour aider au traitement de maux de gorge et autres infections bactériennes.

Propriétés étonnantes !

CHOLESTÉROL : Une étude chez les humains a découvert que les personnes qui souffraient d'hyperlipidémie (quantité élevée de gras dans le sang), et qui avaient consommé du miel, voyaient diminuer la quantité de leurs triglycérides, par rapport à ceux qui avaient consommé une solution de sucre — ce qui, chez eux, avait fait augmenter le nombre des triglycérides.

COLITE : Une étude sur des rats a découvert que le miel, en comparaison à d'autres sucres, conférait la plus grande protection contre la colite. Il a été noté que la quantité d'enzymes qui préviennent les dommages aux cellules était la plus élevée dans le groupe nourri au miel.

CANCER : Un article publié dans le *Journal of The Science of Food and Agriculture* a rapporté qu'un groupe de chercheurs croates a découvert une diminution significative de la croissance des tumeurs et de la propagation du cancer (métastases) chez des souris auxquelles on administrait du miel par voie orale ou par injection. On a constaté que le miel constituait un agent efficace pour inhiber la croissance des lignées cellulaires du cancer de la vessie

GUÉRISON DES BLESSURES : On a longtemps révéré le miel pour ses vertus antibactériennes et pour ses propriétés de guérison des blessures. Une préparation spéciale à base de miel, appelée Medihoney — connue pour ses propriétés antibactériennes élevées —, a été utilisée pendant trois ans au *Children's Hospital* de Bonn, en Allemagne, pour traiter les blessures. Les chercheurs ont observé que lorsqu'on employait une préparation au miel pour soigner ces blessures, on constatait des réductions remarquables au niveau des infections même les plus résistantes. Le traitement du cancer peut souvent mener à des effets secondaires, comme des irritations à l'intérieur de la bouche ; une étude a découvert que si l'on appliquait du miel sur les régions irritées, on réduisait l'inconfort.

Contre-indication :

On ne devrait pas donner de miel aux enfants de moins d'un an, parce qu'ils n'ont pas la capacité de tuer les spores de botulisme qui y sont contenues.

Conseils pratiques

SÉLECTION ET ENTREPOSAGE :

- Le miel est principalement offert en cinq formes différentes : miel en rayon, portions de gâteau de miel (du miel liquide dans lequel on trouve des morceaux de

rayons), miel liquide, miel cristallisé et miel fouetté ou « crémeux » (ce miel a la consistance du beurre).
- Pour conserver la valeur élevée en antioxydants du miel que vous consommez, ne gardez pas le miel plus de six mois.
- Il est préférable d'entreposer le miel à la température de la pièce. Ne le réfrigérez pas.
- Si votre miel se cristallise, placez simplement le pot de miel dans l'eau chaude et remuez jusqu'à ce que les cristaux se dissolvent.

SUGGESTIONS POUR PRÉPARER ET SERVIR :
- Lorsque vous substituez du miel au sucre granulé, remplacez-le dans une proportion d'une portion de sucre pour une demi-portion de miel. Si la recette demande une cuiller à soupe de sucre, n'employez qu'une demi-cuiller à soupe de miel liquide.
- Lorsque vous cuisinez avec du miel, rappelez-vous de :
  - Réduire les liquides de 65 ml (¼ de tasse) pour chaque tasse de miel utilisée.
  - Ajouter 3 ml (½ c. à thé) de bicarbonate de soude pour chaque tasse de miel.
  - Réduire la température du four de 25 degrés pour empêcher de trop brunir.
- Enduisez votre tasse à mesurer d'un enduit à cuisson ou d'huile végétale avant d'y mesurer le miel. Le miel pourra mieux se verser.
- Vous êtes las du beurre d'arachides et de la gelée de raisins ? Préparez-vous un sandwich au beurre d'arachides et au miel. Ou utilisez un beurre de noisettes, d'amandes ou d'acajous.
- Remplacez le sucre dans le thé par du miel de trèfle. Ou mieux encore, pour vraiment caresser vos papilles, servez-vous du miel de fleurs d'oranger ou de sarrasin.
- Utilisez du miel, de la sauce soya, de l'ail pressé et de l'huile d'olive pour badigeonner les aliments que vous voulez faire griller sur le barbecue.

Muesli au miel pour les pompiers

par Dave Grotto

Portions : 1 • Temps de préparation 5 minutes

Cette recette a été créée pour contribuer au programme d'abaissement du niveau de cholestérol chez les pompiers de Chicago. C'est rapide, simple et délicieux – un carburant parfait qui vous donnera l'énergie de combattre tous les types de « feu » auxquels vous devez faire face ! Cette recette contient quatre aliments énergisants.

INGRÉDIENTS :

250 ml (1 tasse) de miel
125 ml (½ tasse) de flocons d'avoine
125 ml (½ tasse) de lait écrémé ou de lait de soya à la vanille, faible en gras
30 g (1 oz) de mélange d'amandes, de noix et de pistaches
30 ml (2 c. à soupe) de cerises et de canneberges séchées

PRÉPARATION :

Mélangez tous les ingrédients et mangez immédiatement, ou couvrez-les, réfrigérez pendant une nuit, et consommez-les le lendemain.

CHAQUE PORTION CONTIENT :

Calories : 330 ; Lipides : 8 g ; Gras saturés : 1 g ; Cholestérol : 0 mg ; Sodium : 90 mg ; Glucides : 56 g ; Fibres : 6 g ; Sucre : 10 g ; Protéines : 11 g.

Millet (*Panicum miliaceum L.*)

POUR LES OISEAUX?

Saviez-vous que... aux États-Unis, plus d'oiseaux que de gens consomment du millet?

En bref

Le millet est un petit grain jaune à saveur douce et sucrée. Il décrit en fait un groupe d'herbes que l'on croit être l'une des plus anciennes cultures de labour au monde. Les cinq variétés de millet les plus populaires sont le millet commun, le millet d'Italie, le pied-de-coq, l'agrostide commune et le millet perlé. Généralement, les gens connaissent le millet surtout pour son importance dans la nourriture d'oiseaux.

Son origine

Le millet est originaire de l'Afrique et de l'Asie, et il existe des preuves de sa culture depuis le Ve siècle avant notre ère. Le millet s'est répandu lentement vers l'Ouest, à travers l'Europe, et finalement, au XVIIIe siècle, le millet commun a été introduit aux États-Unis. On l'a d'abord cultivé sur la côte Est des États-Unis, et il s'est ensuite répandu plus loin vers l'Ouest, dans les États du Dakota.

Où le cultive-t-on?

Le millet d'Italie est abondamment cultivé en Afrique, en Asie, en Inde et au Proche-Orient. On cultive le millet commun dans l'ancienne Union soviétique, la Chine continentale, l'Inde et l'Europe occidentale. Aux États-Unis, les deux types de millet sont cultivés, principalement dans les États du Dakota, du Colorado et du Nebraska.

Pourquoi devrais-je en manger?

Le millet est une bonne source de fibres et de protéines, de vitamines thiamine et niacine, et de minéraux comme le magnésium, le phosphore, le zinc, le cuivre et le manganèse. C'est aussi une bonne source de caroténoïde, de lutéine et de zéaxanthine

Remèdes maison

L'éleusine (ou mil africain) est un remède ancien pour traiter l'obésité. On croit que parce qu'il est digéré lentement, il est efficace pour ce type de traitement.

Propriétés étonnantes !

SANTÉ CARDIOVASCULAIRE : Des savants ont nourri des rats avec du millet pendant vingt et un jours. À la fin de l'étude, le bon cholestérol a augmenté, mais pas le mauvais.

DIABÈTE : Les niveaux de sensibilité à l'insuline, chez des rats diabétiques auxquels on a administré une diète à teneur élevée en millet, ont diminué et par rapport au groupe contrôle, ils ont démontré une meilleure gestion du glucose.

Conseils pratiques

SÉLECTION ET ENTREPOSAGE :

- On peut se procurer le millet sous deux formes : emballé ou en vrac. Faites attention aux « toiles » dans les paniers en vrac, un signe certain d'infestation par les insectes !
- Entreposez-le dans un endroit frais et sec. On peut aussi conserver le millet au réfrigérateur, dans un contenant hermétiquement fermé.

SUGGESTIONS POUR PRÉPARER ET SERVIR :

- Une tasse de millet requiert trois tasses de liquide ; on devrait le cuire pendant 40 minutes. Une tasse de millet sec donne trois tasses de millet cuit.
- En faisant rôtir le millet, on augmente le goût de noisette du grain.
- Le millet est délicieux lorsqu'il est d'abord rôti à sec, ensuite cuit, puis mariné.
- Servez-vous-en comme substitut au riz.

Dessert crémeux au millet, avec sucre à la cannelle

Adapté de *Glutten-Free 101*, par Carol Fenster

Portions : 6 • Temps de préparation et de cuisson : 35 minutes

Cette recette contient quatre aliments énergisants.

INGRÉDIENTS :

500 ml (2 tasses) de lait 1%
30 ml (2 c. à soupe) de fécule de maïs
2 gros œufs
65 ml (¼ tasse) de miel
1 ml (¼ c. à thé) de sel
5 ml (1 c. à thé) d'extrait de vanille
250 ml (1 tasse) de millet à grains entiers, cuit
3 ml (½ c. à thé) de sucre granulé (facultatif)
3 ml (½ c. à thé) de cannelle moulue (facultatif)

PRÉPARATION :

Dans une casserole de taille moyenne, mélangez 435 ml (1¾ tasse) de lait, les œufs, le miel et le sel et fouettez jusqu'à ce que l'œuf soit complètement mélangé. Avec le lait restant, soit 65 ml (¼ tasse), diluez la farine de maïs jusqu'à l'obtention d'une consistance lisse et rajoutez au contenu de la casserole. Placez la casserole sur un feu moyen-élevé et cuisez en remuant constamment jusqu'à ce que le mélange épaississe, environ 5 à 7 minutes. Enlevez du feu et ajoutez l'extrait de vanille et le millet cuit. Divisez le mélange en six bols à dessert ou ramequins. Saupoudrez le sucre et la cannelle, si désiré, sur le dessert. Vous pouvez le manger immédiatement comme un dessert chaud et crémeux ou le réfrigérer pendant au moins une heure pour déguster en collation.

Comment faire cuire le millet à grains entiers

Rincez 250 ml (1 tasse) de millet à grains entiers. Combinez-le à 750 ml (3 tasse) d'eau et une pincée de sel dans une casserole épaisse de taille moyenne. Amenez à ébullition sur un feu à chaleur élevée, réduisez le feu et laissez mijoter en couvrant pendant 30 minutes ou jusqu'à ce que tout le liquide soit absorbé. Retirez du feu. Vous obtiendrez trois tasses de millet cuit – une tasse pour le dessert et le restant pour manger comme plat d'accompagnement avec les repas ou comme céréale chaude pour le petit-déjeuner.

CHAQUE PORTION CONTIENT :
Calories : 150; Lipides : 2,5 g; Gras saturés : 1 g; Cholestérol : 65 mg; Sodium : 165 mg; Glucides : 25 g; Fibres : 1 g; Sucre : 15 g; Protéines : 6 g.

Mûre (*Rhubus sp.*)

Saviez-vous que... les Indiennes d'Amérique mangeaient des mûres pour éviter les fausses couches?

En bref

Les mûres proviennent d'arbustes qui appartiennent à la famille des rosacées. Parce que les mûres poussent à partir de ronciers, les champs de mûres ne produisent des fruits que tous les deux ans. Il existe plusieurs types de mûres, notamment les marques Himalaya, Marion, Silvan, Evergreen, et Black Diamond. Les mûres Evergreen sont celles qui sont le plus vendues. Les mûres de Boysen et les mûres de Logan sont des formes hybrides qui sont souvent utilisées.

Son origine

Les mûres Evergreen sont reconnues pour avoir poussé à travers l'Europe septentrionale. Depuis des siècles, en Angleterre, bien avant que les colons ne l'apportent jusque dans l'est des États-Unis, en 1850, cette variété était particulièrement importante. Les oiseaux migrateurs ont aidé à répandre les graines de mûres jusqu'à l'ouest des États-Unis, où ce fruit a acquis de l'importance le long de la côte Pacifique. La mûre Himalaya est venue aux États-Unis à partir de l'Allemagne, mais on peut retrouver sa véritable origine en Asie. Ce type de mûre est assez courant dans le nord-ouest du Pacifique. On trouve des mûres qui poussent en abondance dans les chaînes des Cascades et de la Sierra Nevada.

Où les cultive-t-on ?

Le Chili, les États-Unis, le Guatemala, le Mexique, l'Équateur et la Roumanie sont les principaux producteurs mondiaux. Aux États-Unis, l'Oregon, la Californie, le Texas, la Géorgie, et l'Arkansas sont les premiers sur la liste.

Pourquoi devrais-je en manger ?

Les mûres contiennent un taux élevé d'antioxydants. Comme l'a découvert une étude in vitro, lorsqu'on les compare avec les bleuets, les canneberges, les fraises et les framboises, les mûres ont la capacité antioxydante la plus élevée. Elles sont aussi riches en vitamine C, en fibres, et en phytochimiques qui ont des propriétés anticancérigènes : comme le tanin, le flavonoïde et la cyanidine. Les mûres contiennent aussi des catéchines, comme la quercétine – un antioxydant qui peut réduire le risque de maladie cardiovasculaire et stopper l'action de l'histamine chez les personnes souffrant d'allergies.

Remèdes maison

Une boisson composée d'eau distillée et de mûres, que l'on prend régulièrement le matin, est reconnue pour ses effets laxatifs. Cette boisson, de même que la mastication des feuilles de mûrier, peuvent soulager les gencives saignantes et le mal de gorge. Pour soulager et calmer les brûlures, frottez doucement des feuilles de mûres sur la région brûlée.

Propriétés étonnantes !

CANCER DU CÔLON ET DU FOIE : Des études sur les cellules humaines ont démontré que les composantes des mûres capturent les radicaux libres et préviennent les dommages aux cellules du foie et du côlon.

CANCER DU POUMON : Des études effectuées sur des cellules cancéreuses du poumon humain ont démontré que les extraits de mûres empêchent une croissance accrue du cancer. Pour la première fois, une étude menée sur des rats a démontré qu'une anthocyanine provenant des mûres (cyanidine-3-glucoside) empêchait la propagation des tumeurs et des métastases (la multiplication des cellules cancéreuses).

CANCER DE L'ŒSOPHAGE : On a prouvé que les mûres empêchaient ou réduisaient le taux de croissance du cancer de l'œsophage sur des rats de laboratoire.

Conseils pratiques

SÉLECTION ET ENTREPOSAGE :

- Cherchez des mûres dont la couleur est égale et dense et qui ont une apparence lustrée.
- Examinez bien les mûres pour voir si elles ne sont pas meurtries, car elles pourraient alors se détériorer rapidement.
- Gardez-les au réfrigérateur. Elles ne se conservent que pendant un à trois jours, et leur goût est bien meilleur lorsqu'on les consomme rapidement.

SUGGESTIONS POUR PRÉPARER ET SERVIR :

- Lavez les mûres sous l'eau froide, juste avant de vous en servir. Si vous décidez de les congeler, lavez-les dans l'eau froide et déposez-les immédiatement dans un contenant qui va au congélateur.
- Mangez-les nature, dans le yogourt ou dans les céréales, ou encore, incorporez-les à une salade de fruits.
- Préparez des gelées ou des confitures à partir des mûres congelées.
- Les mûres sont fantastiques lorsqu'on les utilise dans des tartes, des biscuits ou des barres tendres.
- Faites fermenter le jus de mûres pour fabriquer un vin rouge maison.

Croquant simple aux mûres

par Sharon Grotto

Portions : 8 • Temps de préparation et de cuisson : 40 minutes

Cette recette contient cinq aliments énergisants.

INGRÉDIENTS :

1 L (4 tasses) de mûres, fraîches ou congelées
125 ml (½ tasse) de miel
45 ml (3 c. à soupe) de jus de citron
80 ml (¼ tasse + 1 c. à soupe) de farine de blé entier
80 ml (¼ tasse + 1 c. à soupe) de farine tout usage
65 ml (¼ tasse) de cassonade, bien tassée
125 ml (½ tasse) de flocons d'avoine
60 ml (4 c. à soupe) de margarine

PRÉPARATION :

Préchauffez le four à 190°C (375°F). Dans un grand bol, combinez les mûres, le miel, le jus de citron et 15 ml (1 c. à soupe) de chacune – farine tout usage et farine de blé entier. Vaporisez une assiette à tarte de 23 cm (9 po) d'enduit à cuisson anti-adhésif et versez-y le mélange. Dans un bol séparé, combinez les farines restantes, la cassonade, les flocons d'avoine et la margarine. Mélangez le tout avec une fourchette jusqu'à ce que ce soit friable. Saupoudrez sur le mélange de petits fruits. Faites cuire pendant 30 minutes ou jusqu'à l'obtention d'une teinte dorée.

CHAQUE PORTION CONTIENT :

Calories : 220; Lipides : 5 g; Gras saturés : 1,5 g; Cholestérol : 0 mg; Sodium : 50 mg; Glucides : 43 g; Fibres : 5 g; Sucre : 27 g; Protéines : 3 g.

Noisette (*Corylus avellana L.*)

DES NOISETTES À PROFUSION

Saviez-vous que… les noisettes sont l'un des principaux ingrédients de la fameuse tartinade Nutella ?

En bref

La noisette, aussi connue sous le nom d'aveline, est une noix qui pousse sur un arbre broussailleux. La noisette a la forme d'un gland et est dotée d'une écale extérieure velue qui s'ouvre à mesure que la noix atteint sa maturité, exposant une coquille lisse et dure. Les noisettes ont une saveur riche et sont souvent utilisées dans des produits de boulangerie ; on les emploie aussi pour fabriquer du beurre de noisettes, de la farine, de la pâte de noisettes et de l'huile. On peut aussi les acheter dans leur écale, hachées, moulues, ou rôties.

Son origine

La noisette, que l'on croit être originaire d'Asie, est l'un des plus anciens produits alimentaires d'origine agricole. Des manuscrits chinois, datant de 5000 ans, se réfèrent à la noisette comme à un aliment sacré venant du Paradis. Les Romains et les Grecs utilisaient les noisettes à des fins médicinales.

Où les cultive-t-on ?

Les principaux producteurs de noisettes sont la Turquie, l'Italie, l'Espagne, et la France. Aux États-Unis, elles sont principalement cultivées en Oregon et dans l'État de Washington.

Pourquoi devrais-je en manger ?

Non seulement les noisettes sont-elles une source de protéines et de fibres, mais elles contiennent aussi une variété d'antioxydants, comme la vitamine E, ainsi qu'une grande quantité de phytonutriments dont bénéficie le système immunitaire. Les noisettes sont une excellente source de l'aminoacide arginine qui détend les vaisseaux sanguins. Parmi toutes les noix, les noisettes sont celles qui possèdent la plus forte concentration d'acide folique. L'acide folique réduit le risque d'anomalie du tube neural et peut aider à réduire les risques de maladie cardiovasculaire, de certains cancers, de la maladie d'Alzheimer et de la dépression. Les noisettes contiennent aussi des minéraux qui abaissent la tension artérielle, comme le calcium, le magnésium et le potassium. Les noisettes sont de riches sources de squalène, un composé chimique végétal — que l'on retrouve aussi dans l'huile d'olive, l'huile de germe de blé, l'huile de riz, l'huile de requin et la levure — qui est doté de propriétés anticancéreuses et qui peut abaisser le niveau de cholestérol.

Remèdes maison

L'huile de noisettes a été utilisée de façon topique pour débarrasser la peau de la cellulite. Le médecin de la Grèce antique Dioscoride vantait les pouvoirs de la noisette pour calmer la toux chronique, combattre le rhume et même faire pousser les cheveux sur les zones de calvitie.

Propriétés étonnantes !

SANTÉ CARDIOVASCULAIRE : Une petite étude faite sur des humains a démontré qu'en ajoutant des noisettes à leur alimentation pendant huit semaines, des hommes qui présentaient un taux de cholestérol élevé avaient connu une diminution des lipides qui favorisent la plaque et une augmentation du « bon » cholestérol HDL.

Conseils pratiques

SÉLECTION ET ENTREPOSAGE :

- Si elles sont dans leur écale, choisissez des noix qui sont lourdes et pleines. Les noix en écale peuvent être entreposées dans un endroit frais et sec pendant environ un mois.
- La peau des noix décortiquées doit être serrée et les noix doivent être charnues. Elles peuvent être entreposées dans le réfrigérateur, ou dans le congélateur, où elles resteront fraîches pendant environ quatre mois.

SUGGESTIONS POUR PRÉPARER ET SERVIR :

- Vous pouvez enlever la peau en faisant rôtir les noix, puis en les frottant. On peut aussi faire griller les noisettes dans un four conventionnel, sur une plaque à biscuits.
- Vous pouvez les moudre dans un robot culinaire.
- Faites l'essai du beurre de noisettes comme solution de rechange au beurre d'arachides.
- Ajoutez des noisettes à votre salade préférée, aux biscuits, aux sautés ou aux céréales du petit-déjeuner.
- Ajouter une texture croquante à votre yogourt avec des noisettes en morceaux.

Salade aux poires et canneberges avec noisettes au cari

Avec la gracieuse permission du Hazelnut Council

Portions : 8 • Temps de préparation et de cuisson : 45 à 60 minutes

Étonnamment, cette recette contient treize aliments énergisants !

INGRÉDIENTS :

VINAIGRETTE :

240 ml (8 oz) de yogourt nature, sans gras
250 ml (1 tasse) de concombre, pelé, épépiné et haché
15 ml (1 c. à soupe) de miel
5 ml (1 c. à thé) de jus de citron
5 ml (1 c. à thé) d'estragon, séché
5 ml (1 c. à thé) de ciboulette, hachée
1 ml (¼ c. à thé) d'ail, émincé
1 ml (¼ c. à thé) de sel
0,5 ml (⅛ c. à thé) de poivre blanc, moulu

NOISETTES :

440 ml (1 ¾ tasse) de noisettes, rôties et hachées grossièrement
15 ml (1 c. à soupe) de beurre, fondu
65 ml (¼ tasse) de sirop de maïs léger
45 ml (3 c. à soupe) de miel
4 ml (¾ c. à thé) de poudre de cari
1 ml (¼ c. à thé) de sel
0,5 ml (⅛ c. à thé) de piment de Cayenne, moulu
8 ml (1 ½ c. à thé) de beurre

SALADE :

500 ml (2 tasses) de feuilles d'épinard, lavées
375 ml (1 ½ tasse) de jeunes pousses mélangées, lavées et égouttées
335 ml (1 ⅓ tasse) de canneberges, sucrées et séchées
1 poire Anjou, dénoyautée et coupée en cubes
1 poivron jaune, épépiné et coupé en fines lamelles
65 ml (¼ tasse) d'oignons verts, tranchés finement

PRÉPARATION POUR LA GARNITURE :
Mélangez les ingrédients de la garniture dans un robot culinaire ou dans un mélangeur jusqu'à l'obtention d'une texture lisse. Réservez.

PRÉPARATION POUR LA PÂTE DE NOISETTES :
Préchauffez le four à 150°C (300°F). Déposez les noisettes dans un grand bol. Versez le beurre fondu dans un plat de cuisson allant au four de 23 x 23 x 5 cm (9 x 9 x 2 po) ; réservez. Dans un petit poêlon, incorporez le sirop de maïs, le miel, la poudre de cari, le sel et le poivre de Cayenne ; continuez de remuer jusqu'à ce que le tout vienne à ébullition. Laissez bouillir 2 minutes ; ne pas remuer. Incorporez 7,5 ml (1 ½ c. à thé) de beurre en mélangeant jusqu'à ce qu'il soit fondu. Versez immédiatement sur les noisettes. Mélangez jusqu'à ce qu'elles soient bien enrobées. Étalez dans le plat de cuisson déjà préparé. Faites cuire pendant 15 à 20 minutes, en remuant de temps à temps, jusqu'à l'obtention d'une teinte dorée. Versez sur une plaque à biscuit beurrée ; laissez refroidir. Brisez en petits morceaux. Cela donne 750 ml (2 ½ tasses).

PRÉPARATION POUR LA SALADE :
Déposez les ingrédients pour la salade dans un grand bol. Ajoutez la vinaigrette et mélangez. Saupoudrez-y 250 ml (1 tasse) de noisettes au cari.

CHAQUE PORTION CONTIENT
Calories : 210; Lipides : 8,5 g; Gras saturés : 1 g; Cholestérol : 5 mg; Sodium : 155 mg; Glucides : 34 g; Fibres : 4 g; Sucre : 26 g; Protéines : 4 g.

Noix (*Juglans*)

POUR UNE BONNE NUIT

Saviez-vous que... les noix contiennent une bonne quantité de mélatonine, une hormone qui protège les cellules des dommages oxydatifs et qui favorise un sommeil réparateur?

En bref

Les trois principaux types de noix proviennent du noyer blanc ou noyer cendré (*Juglans cinerea*); du noyer noir (*Juglans nigra*) ou noyer d'Amérique; et du noyer royal (*Juglans regia*) ou noyer commun. Cette dernière variété est le type de noix le plus consommé aux États-Unis.

Son origine

On a découvert des coquilles de noix pétrifiées datant de plus de 8 000 ans dans le sud-ouest de la France. Le fait qu'elles étaient même rôties est d'autant plus impressionnant! Datant d'aussi loin qu'en 2000 avant notre ère, des inscriptions retrouvées sur des tablettes d'argile indiquent la présence de champs de noyers en Mésopotamie. La noix royale est originaire de l'Inde, plus particulièrement des régions qui entourent la mer Caspienne. Au IVe siècle de notre ère, les Romains ont introduit la noix en Europe. Des navires marchands anglais l'ont ensuite apportée aux États-Unis. Les noix de couleur noire et blanche sont originaires de l'Amérique du Nord – principalement dans les Appalaches et dans la région centrale de la vallée du Mississippi.

Où les cultive-t-on ?

Les principaux producteurs de noix sont la Chine, les États-Unis, la Turquie, la Roumanie, l'Iran, et la France. Quatre-vingt-dix-neuf pour cent des noix royales sont cultivées en Californie.

Pourquoi devrais-je en manger ?

Comparées à tout autre type de fruits à coque, les noix possèdent le plus haut niveau d'acide gras oméga-3. Une portion de 30 g contient 2,6 g d'acide gras oméga-3, soit deux cents pour cent de la portion quotidienne recommandée. Elles sont aussi une bonne source de vitamine B, surtout la thiamine, la B6 et l'acide folique, et des minéraux comme le phosphore, le magnésium et le cuivre. Elles sont une excellente source de gamma-tocophérol, un type de vitamine E qui peut aider à combattre les cancers du sein, de la prostate et du côlon. Les noix sont riches en ellagitanins, un polyphénol doté de propriétés antioxydantes et anti-cancérogènes.

Remèdes maison

Étant donné que les noix ressemblent à un cerveau humain, de nombreuses cultures l'ont employé comme un « aliment du cerveau ». En Asie, on raconte qu'avant les examens, dans l'espoir d'améliorer leurs résultats, les étudiants dévorent des noix à belles dents. Un remède maison suggère de consommer 20 g de noix par jour pour soigner l'amnésie. Les feuilles de noyers étaient autrefois utilisées pour traiter la douleur, et l'on croit qu'elles favorisent la digestion.

Propriétés étonnantes !

SANTÉ CARDIOVASCULAIRE : D'après la USDA, « Des recherches favorables, mais non concluantes, montrent que l'on peut réduire le risque de maladie coronaire en ajoutant 45 g de noix par jour à une diète dont la teneur en gras saturés et en cholestérol est faible ; il faut toutefois s'assurer qu'il n'en résulte pas une consommation accrue de calories. » Une intervention spécialisée, à laquelle ont participé environ 200 sujets, a découvert que la consommation de noix diminuait le niveau de cholestérol et réduisait le risque de maladie cardiaque. Une étude transversale, menée en France sur 793 sujets, a découvert que la consommation de noix augmentait le taux de cholestérol sanguin HDL (le « bon » cholestérol). Une étude cas-témoins, impliquant cinquante-deux sujets qui avaient consommé 20 g de noix par jour pendant huit semaines, a découvert des augmentations significatives de leur niveau de cholestérol HDL et une diminution de leurs triglycérides.

CANCER : Le gamma-tocophérol, une forme de vitamine E que l'on trouve en abondance dans les noix, peut aider à combattre les cancers du sein, de la prostate et du poumon.

DIABÈTE : Les noix peuvent améliorer la résistance à l'insuline chez les personnes atteintes de diabète de type 2.

GESTION DU POIDS : On a découvert que les noix réduisaient les excès de table en ayant une influence sur la faim et la satiété. Même si elles présentent une teneur élevée en gras (comme la plupart des noix), on a découvert que les noix ne causent pas de gain pondéral lorsqu'elles remplacent des aliments couramment consommés.

SOMMEIL : Les noix contiennent le puissant antioxydant mélatonine qui favorise un sommeil reposant. Un chercheur de l'université du Texas, Russel Reiter, a découvert que l'ajout de noix à la diète triplait les niveaux sanguins de mélatonine !

Conseils pratiques

SÉLECTION ET ENTREPOSAGE :

- Secouez la noix ; si elle fait du bruit ou semble légère, il est possible qu'elle soit desséchée.
- Les noix ne devraient pas être molles ou caoutchouteuses, ni sentir le rance ou la moisissure.
- Si elles sont réfrigérées dans un contenant hermétiquement fermé, les noix décortiquées garderont leur fraî-

cheur jusqu'à trois semaines. Si elles sont congelées, elles se conserveront jusqu'à six mois.
- Les noix en coques demeureront fraîches pendant plus d'un an si on les conserve dans un endroit frais et sec.

SUGGESTIONS POUR PRÉPARER ET SERVIR :
- Pour rôtir les noix, placez les noix décortiquées dans un plat peu profond allant au four et faites-les cuire au four à 180°C (350°F) pendant environ 10 minutes, ou jusqu'à ce qu'elles soient dorées. Remuez de temps en temps.
- Les noix sont des ajouts extraordinaires à vos recettes de boulangerie préférées ; comme les muffins, les crêpes et le pain aux bananes ou à la courgette.
- Donnez un peu de vigueur à votre salade en saupoudrant quelques noix sur vos légumes verts.
- Ajoutez des noix à vos céréales granolas, maison ou commerciales, et incorporez le tout à du yogourt sans gras.

Gaspacho aux noix et au concombre

Courtoisie des chefs Duskie Estes et John Stewart

Portions : 8 (240 ml [~1 tasse]) • Temps de préparation : 70 minutes

Cette recette contient sept éléments énergisants.

INGRÉDIENTS :

4 concombres anglais, hachés grossièrement
½ bouquet de persil à feuilles plates
½ bouquet de menthe
1 botte d'oignons verts, hachés grossièrement
½ petit oignon rouge, pelé
125 ml (½ tasse) d'huile d'olive extra vierge
85 ml (⅓ tasse) de vinaigre de champagne
180 ml (6 oz) de yogourt nature
250 ml (1 tasse) de noix de Californie, rôties
250 ml (1 tasse) de glaçons
Sel et poivre concassé, fraîchement moulu
Facultatif : huile d'olive au citron Meyer

PRÉPARATION :
Salez les concombres et laissez reposer une heure. Égouttez le liquide. Combinez tous les ingrédients dans un mélangeur. Mélangez jusqu'à ce que le tout soit lisse. Servez dans un bol refroidi et garnissez, si désiré, d'huile d'olive au citron Meyer.

CHAQUE PORTION CONTIENT :
Calories : 275; Lipides : 23 g; Gras saturés : 3 g; Cholestérol : 1 mg; Sodium : 30 mg; Glucides : 14 g; Fibres : 3 g; Sucre : 6 g; Protéines : 6 g.

Œufs (*Solanum melongena L.*)

PRODUCTION EN CHAÎNE!

Saviez-vous que... une poule peut produire un œuf par jour?

En bref

Quelle que soit la manière dont vous les cassez, tous les œufs contiennent un jaune entouré d'un blanc transparent (aussi connu sous le nom d'albumine), le tout étant enveloppé d'une coquille. Les œufs de poule sont le type d'œuf le plus largement consommé; mais à travers le monde, on utilise aussi d'autres sortes d'œufs, comme les œufs de canard, de caille, et de dinde.

Lorsque l'on parle d'œufs de poule, on peut choisir entre deux types : blancs ou bruns. Les œufs blancs proviennent de poules à plumes blanches et à lobes d'oreilles blancs, alors que les poules à plumes rouges et aux lobes rouges pondent les œufs bruns. Les œufs blancs et les œufs bruns ont la même qualité nutritionnelle; malgré certaines revendications, aucune n'est meilleure que l'autre. Les œufs frais sont classés et calibrés par le *United States Department of Agriculture* (USDA). AA est la classe supérieure, suivie par les classes A et B. Les tailles vont de jumbo à extra gros, gros, moyen, petit et pee wee.

Son origine

Lequel est arrivé le premier ? Nous ne le saurons probablement jamais, mais ce qui est certain, c'est que les œufs existent depuis très très longtemps. À travers l'histoire, que l'on parle de fertilité ou de noblesse, on s'est servi de l'œuf pour une multitude de symboles. On peut retracer l'origine de poulets domestiqués à l'an 3200 avant notre ère, en Inde. La production d'œufs au Moyen-Orient et en Asie a véritablement commencé aussi tôt qu'il y a 3500 ans. C'est au Ve siècle après notre ère, qu'on a apporté les œufs en Occident. Plusieurs centaines d'années plus tard, on a ajouté les œufs à la liste des aliments à ne pas consommer durant le carême, parce qu'on les considérait comme une nourriture de luxe. À Pâques, on permettait aux gens de recommencer à manger des œufs, ce qui explique leur importance et leur popularité lors de cette fête.

D'où proviennent-ils ?

Comme dans le cas de plusieurs aliments essentiels, la Chine est le plus grand producteur d'œufs au monde, satisfaisant à ses propres besoins et fournissant des œufs aux marchés de certains pays voisins. Les autres grands fournisseurs sont l'Inde, le Mexique, l'Union européenne et les États-Unis, où les principaux producteurs sont l'Iowa, l'Ohio, l'Indiana, la Pennsylvanie, la Californie et le Texas.

Pourquoi devrais-je en manger ?

Tout de suite après le lait maternel humain, la qualité de la protéine contenue dans l'œuf est la plus élevée de tous les aliments complets. Les œufs sont aussi une bonne source d'acide aminé tryptophane, de sélénium, de vitamines B2 et B12, et ils sont l'une des rares sources de vitamine D naturelle. Les œufs sont une bonne source de choline, importante pour les fonctions cérébrales, la régulation des gènes et la santé cardiovasculaire. Les œufs contiennent aussi de la lutéine et de la zéaxanthine. Ces deux substances phytochimiques peuvent réduire le risque de cataractes et de dégénérescence maculaire.

Remèdes maison

En médecine, on a utilisé les œufs de plusieurs différentes façons. Un remède populaire pour guérir les coliques consiste à battre quatre à cinq blancs d'œufs, de les verser sur un morceau de cuir, en saupoudrant du poivre et du gingembre sur le mélange. On dépose ensuite cette mixture sur le nombril de l'enfant. Un remède ancestral pour se remettre de la gueule de bois consiste à mélanger un œuf, une cuiller à thé de sauce Worcestershire, une goutte de vinaigre, une goutte de sauce Tabasco et un peu de sel et de poivre. Mais attention, du point de vue de la sécurité alimentaire, ce n'est pas une bonne idée de consommer des œufs crus!

Propriétés étonnantes!

CATARACTES ET DÉGÉNÉRESCENCE MACULAIRE : Dans une étude, on a constaté une réduction de vingt pour cent dans le développement des cataractes et une réduction de quarante pour cent dans le développement de la dégénérescence maculaire chez les personnes qui consomment des aliments riches en lutéine et en zéaxanthine, comme les œufs.

OBÉSITÉ : Un rapport publié dans le *Journal of the American College of Nutrition* a présenté une recherche prometteuse sur la possibilité que les œufs puissent aider à «combattre la faim». Un œuf consommé tôt le matin, avant d'entreprendre toute autre activité, peut mener à réduire la consommation de calories pour le reste de la journée.

Conseils pratiques

SÉLECTION ET ENTREPOSAGE :

- Avant de les acheter, vérifiez bien si les œufs ne sont pas fêlés.
- Vérifiez la date d'expiration sur le côté de la boîte et n'achetez que des œufs réfrigérés.

- Il existe des variétés d'œufs riches en gras omega-3 qui sont en fait plus faibles en cholestérol que les œufs ordinaires (180 mg contre 215 mg dans un gros œuf.)
- Rangez vos œufs dans le réfrigérateur et ils seront bons à consommer pendant environ un mois.
- Ne les déposez pas dans la porte du réfrigérateur étant donné qu'ils seront exposés à des températures plus chaudes lorsque la porte s'ouvrira. Conservez-les dans leur boîte originale.
- Les blancs d'œufs se congèlent facilement pendant plusieurs mois.

SUGGESTIONS POUR PRÉPARER ET SERVIR :

- Pour empêcher la contamination croisée de la salmonelle, lavez vos mains, vos ustensiles, et vos surfaces de travail avec de l'eau chaude savonneuse avant et après la manipulation des œufs.
- Cuisez les jaunes jusqu'à ce qu'ils soient fermes.
- Ne gardez pas des œufs et des produits de l'œuf à l'extérieur du réfrigérateur pendant plus de deux heures.
- On utilise les œufs pour faire du pain perdu, des crêpes, des quiches, des soufflés, des salades et une variété d'autres plats.

Omelette fromagée aux asperges et aux champignons

par Elisa Zied

Portions : 4 • Temps de préparation et de cuisson : 20 minutes

Si vous n'aimez pas que vos légumes soient croquants, faites d'abord sauter les asperges et les champignons. Ce plat délicieux contient trois aliments énergisants.

INGRÉDIENTS :

4 gros oeufs
4 blancs d'œuf, crus
250 ml (1 tasse) d'asperges, coupées finement
250 ml (1 tasse) de champignons blancs, coupés finement
4 tranches de fromage suisse léger, coupé en fines lanières
Sel et poivre, au goût
Enduit à cuisson antiadhésif

PRÉPARATION :
Sur un feu moyen, enduisez le fond d'une grande poêle à frire antiadhésive avec de l'enduit de cuisson antiadhésif. Cassez 4 gros œufs dans un bol moyen. Ajoutez les blancs d'œuf dans le bol avec les œufs complets. Mélangez les œufs et versez le tout dans le poêlon lorsqu'il est chaud. Permettez aux œufs de cuire pendant environ 1 minute. Remuez doucement le poêlon en le faisant glisser, afin de bien répandre les œufs au centre. Ajoutez les asperges, les champignons, et le fromage suisse et remuez doucement pendant quelques minutes, jusqu'à ce que tous les ingrédients soient brouillés. Servez.

CHAQUE PORTION CONTIENT :
Calories : 190; Lipides : 11 g; Gras saturés : 6 g; Cholestérol : 233 mg; Sodium : 270 mg; Glucides : 4 g; Fibres : 1 g; Sucre : 2 g; Protéines : 19 g.

Oignon (*Allium cepa*)

SELON L'ÉPAISSEUR DE SA PEAU...

Saviez-vous que... on se servait de la peau des oignons pour prédire quelle sorte d'hiver on aurait ? Les peaux minces signifiaient l'approche d'un hiver doux, alors que les peaux épaisses indiquaient l'arrivée d'un hiver rude.

En bref

Les oignons font partie de la famille des lis et ils se présentent sous deux formes principales :

- Oignons à bulbe :
  - Pour entreposage, oignons d'automne et d'hiver : par exemple, les oignons blancs, jaunes et espagnols.
  - Frais, oignons de printemps et d'été : par exemple, Maui, Vidalia, Walla Walla, Grand Canyon, et Texas SuperSweet.
- Vivaces — produisent des bulbilles dont on peut replanter des spécimens pour créer une autre produc-

tion. Les variétés incluent entre autres les oignons égyptiens et les échalotes..

Son origine

Des jardins d'oignons datant d'aussi loin que 5000 ans ont été excavés en Asie, d'où on croit que l'oignon est originaire. On enterrait les pharaons avec de l'oignon comme symbole d'éternité. Les Romains croyaient que l'oignon pouvait guérir tout ce qui les affligeait. Jusqu'au XXe siècle, les trois principaux légumes de la cuisine européenne étaient les haricots, le chou et les oignons. Durant le Moyen-Âge, les oignons étaient une forme acceptable de monnaie pour payer le loyer, et ils étaient toujours bienvenus comme cadeau de mariage !

Bien avant que les premiers pèlerins n'arrivent, les oignons poussaient à l'état sauvage aux États-Unis. Les autochtones utilisaient des oignons sauvages pour la cuisine et l'assaisonnement, dans les sirops et dans les teintures. La culture de l'oignon aux États-Unis a commencé en 1629 et constitue maintenant l'une des dix principales productions de légumes du pays.

Où le cultive-t-on ?

Les principaux producteurs mondiaux sont la Chine, l'Inde, les États-Unis, la Turquie, et le Pakistan. Aux États-Unis, l'Idaho, l'Oregon, Washington et la Californie sont les États où la production d'oignons est la plus importante.

Pourquoi devrais-je en consommer ?

Les oignons contiennent de la quercétine – un flavonoïde antioxydant puissant. Les oignons sont aussi une excellente source de fibres, de vitamine C et d'acide folique. Les oignons verts (échalotes) contiennent des quantités modérées de vitamine A. Les phytochimiques trouvés dans les oignons, surtout les sulfures de diallyle, paraissent réduire le risque de certains cancers.

Remèdes maison

Dans plusieurs parties du monde, on s'est servi des oignons pour guérir les ampoules, les furoncles et la peau endommagée. Aux États-Unis, on emploie des produits contenant de l'extrait d'oignon dans le traitement des cicatrices topiques ; mais dans un test en parallèle, l'extrait d'oignon n'était pas plus efficace qu'un baume au pétrole.

Propriétés étonnantes !

CANCER : Dans une étude, qui a évalué les dix principaux légumes consommés aux États-Unis, les oignons jaunes se sont classés au troisième rang au niveau du contenu phénolique (un antioxydant), et au quatrième rang pour la prévention contre la croissance des cellules cancéreuses. Le *National Cancer Institute* a découvert que les oignons sont dotés d'un niveau modéré d'activité de protection contre le cancer.

CANCER DU POUMON : Les oignons sont riches en quercétine, une substance phytochimique qui a démontré avoir des effets bénéfiques contre le cancer du poumon. Une étude de cas-témoin auprès de 582 sujets a découvert que les personnes qui augmentaient leur consommation d'oignons diminuaient leur risque de développer le cancer. Dans une étude en Finlande, les hommes qui consommaient des aliments à teneur élevée en quercétine ont révélé une réduction de soixante pour cent de l'incidence du cancer du poumon.

CANCER DU COLÔN ET DU FOIE : Les chercheurs de l'université de Cornell ont découvert que les oignons à saveur forte – surtout les oignons New York bold, Western yellow et les échalotes – étaient plus efficaces pour empêcher la croissance des cellules cancéreuses du côlon et du foie que les oignons doux.

CANCER DE LA PROSTATE : Un chercheur américain a découvert que les plus importants facteurs de réduction du risque de cancer de la prostate étaient les oignons, les céréales et les grains, les haricots, les fruits et les légumes.

SANTÉ CARDIOVASCULAIRE : Les sulfures de diallyle que nous retrouvons dans les oignons diminuent la tendance à la formation de caillots sanguins, abaissant ainsi de façon considérable les niveaux de cholestérol LDL. Une étude faite sur des femmes japonaises a découvert que celles qui consommaient le plus d'oignons présentaient les taux les plus bas de cholestérols LDL. Les chercheurs de l'Université Wisconsin-Madison ont découvert que les oignons dont l'odeur et le goût sont les plus forts rendent les plaquettes sanguines moins collantes, réduisant ainsi les risques d'athérosclérose, de maladie cardiovasculaire, de crise cardiaque et d'AVC.

SANTÉ DES OS : Une étude publiée dans le *Journal of Agriculture and Food Chemistry* a rapporté que la consommation d'oignons augmentait la densité osseuse chez les rats, diminuant possiblement le risque d'ostéoporose.

Conseils pratiques

SÉLECTION ET ENTREPOSAGE :

- On peut se procurer des oignons frais, congelés, en conserves et déshydratés.
- Un oignon ne devrait pas sentir l'oignon avant que vous le coupiez.
- Évitez les oignons qui germent, qui sont mous ou dont la pelure est humide.
- Si on les entrepose à 12°C (55°F), ils peuvent retenir tout leur contenu en vitamine C pendant aussi longtemps que six mois.

SUGGESTIONS POUR PRÉPARER ET SERVIR :

- Lorsque l'on tranche un oignon, ses parois cellulaires se déchirent, ce qui libère un composé appelé s-oxyde du thiopropanal qui en retour irrite les yeux. Placez l'oignon au réfrigérateur environ 1 heure avant de le couper pour réduire ces effets. Vous réduirez aussi l'irritation aux yeux en coupant l'oignon sous l'eau courante.

- La cuisson des oignons leur donne un goût plus doux. Lorsque l'on prolonge la cuisson, les sucres contenus dans l'oignon le font dorer et il y a production d'oignons « caramélisés ».
- On se sert de l'oignon comme ingrédient dans les ragoûts, les pizzas, les soupes, les bouillis, les salades, les rondelles d'oignon frites, et comme garniture.

Salade italienne à l'oignon, aux tomates et au basilic

par Rosalie Gaziano

Portions : 4 • Temps de préparation : 10 minutes

La saveur de cette salade est encore meilleure lorsqu'elle est réfrigérée pendant quelques heures, ou même toute une nuit, avant d'être servie. Cette recette contient cinq aliments énergisants.

INGRÉDIENTS :

4 tomates rouges, mûres
1 oignon sucré ou Vidalia moyen
30 ml (2 c. à soupe) d'huile d'olive extra vierge
1 pincée de piment rouge écrasé, au goût
1 gros bouquet de basilic frais, 125 ml (½ tasse) lorsque haché
Sel, au goût
Quelques feuilles entières de basilic pour garnir

PRÉPARATION :

Coupez les tomates fraîches en gros morceaux et déposez-les dans un bol en verre transparent ou dans votre bol à salade préféré. Déposez dans le même bol les morceaux d'oignon pelés et coupés. Versez-y l'huile d'olive, le sel, le piment et le basilic, et remuez bien. Garnissez avec une ou deux feuilles de basilic frais.

CHAQUE PORTION CONTIENT...
Calories : 110; Lipides : 8 g; Gras saturés : 1 g; Cholestérol : 0 mg; Sodium : 15 mg; Glucides : 9 g; Fibres : 2 g; Sucre : 6 g; Protéines : 2 g.

Olive (*Olea Europaea*)

LES FRAÎCHES NE SONT PAS LES MEILLEURES !

Saviez-vous que... le goût des olives fraîchement cueillies de l'arbre est horrible ? Les olives produites commercialement sont d'abord déposées dans la saumure ou salées, ou elles ont macéré dans de l'huile d'olive; tout cela avant qu'elles ne touchent notre palais.

En bref

Les olives sont des fruits qui poussent dans des arbres. Elles possèdent un seul noyau, et leur chair est remplie d'huile. Les fruits mûrs sont soit pressés pour en extraire l'huile ou vendus entiers. Il existe des douzaines de variétés cultivées d'olives, mais les plus populaires sont : Ascolano, Barouni, Gordal (l'une des olives de table les plus populaires provenant de l'Espagne), Manzanille, Mission (plus largement utilisée pour l'huile d'olive à pression à froid en Californie), Picholine, Rubra et Sevillano (la plus importante variété commerciale de Californie).

Saviez-vous que... les olives vertes et noires sont en réalité le même type d'olive et ne varient que dans le degré de maturité – les noires étant les plus mûres ?

Son origine

L'olive a une longue histoire qui remonte aux temps bibliques. L'histoire de la colombe apportant une branche d'olivier à Noé en a fait un symbole de paix connu de par le monde, représentant la fin du courroux divin. En fait, grâce à la technique de datation par le radiocarbone, un grain d'olivier trouvé en Espagne suggère que le fruit est âgé de 8 000 ans ! Outre la région méditerranéenne, on croit que les olives sont aussi originaires de l'Asie tropicale et centrale, ainsi que de diverses parties de l'Afrique. Aussi loin qu'en 2500 avant notre ère, les olives étaient cultivées en Crète. Elles se sont ensuite propagées jusqu'à la Grèce et dans d'autres secteurs de la région méditerranéenne. Les oliviers ont fait leur apparition en Californie à la fin des années 1700.

Où les cultive-t-on ?

D'après l'*International Olive Oil Council*, l'Espagne est le plus grand producteur d'huile d'olive, suivi par l'Italie, puis par la Grèce. La Tunisie, la Turquie, la Syrie, le Maroc et le Portugal forment le prochain groupe de production le plus important. Ces huit pays combinés comptent pour plus de quatre-vingt-dix pour cent de la production mondiale d'huile d'olive.

Pourquoi devrais-je en consommer ?

L'huile d'olive contient soixante-quinze pour cent de matière grasse mono-insaturée – bonne pour le cœur –, et seulement treize pour cent de gras saturé. Une grande partie des bienfaits de l'huile d'olive provient des composés actifs comme l'oléocanthal, qui est doté d'une forte action anti-inflammatoire propre à combattre la maladie cardiovasculaire et le cancer. Les flavonoïdes polyphénols contenus dans l'huile d'olive sont des antioxydants naturels dotés d'effets bénéfiques qui peuvent agir dans la guérison des coups de soleil, dans l'abaissement du cholestérol et de l'hypertension, et dans les risques de maladies coronariennes. Plusieurs autres huiles de noix ou de graines ne contiennent pas de polyphénols.

Remèdes maison

On croit que quelques gouttes d'huile d'olive réchauffée – aussi connue comme huile non corrosive –, déposées dans le conduit auditif externe, aident à soulager les maux d'oreilles.

Propriétés étonnantes !

PRÉVENTION DU CANCER : Des évidences épidémiologiques suggèrent que la consommation d'olives et d'huile d'olive dans une diète méditerranéenne apporte des propriétés qui protègent contre le cancer.

CANCER DU CÔLON : Des chercheurs espagnols ont découvert que les ingrédients actifs du nom d'acides masliniques et oléanoliques, contenus dans l'huile d'olive, empêchent les cellules cancéreuses du côlon humain de se multiplier et rétablissent l'apoptose (mort cellulaire programmée).

MALADIE CARDIOVASCULAIRE : Le *United States Food and Drug Administration* (FDA) a affirmé en termes clairs, bien que prudents : « Une preuve scientifique limitée et non concluante suggère qu'en consommant 23 g (environ 2 c. à soupe) d'huile d'olive par jour, on peut réduire le risque de maladie coronarienne ; et cela, grâce au gras mono-insaturé contenu dans l'huile d'olive. Pour connaître cet avantage possible, il faut que l'huile d'olive remplace un montant similaire de gras saturé, et il ne doit pas augmenter le nombre de calories totales que vous consommez dans une journée. »

HYPERTENSION : En 2007, le *Journal of Nutrition* a rapporté les découvertes de la chercheuse Isabel Bondia-Pons de l'Université de Barcelone. Elle et ses collègues ont évalué les effets de la consommation modérée d'huile d'olive (environ deux cuillers à soupe par jour) par des hommes non méditerranéens qui consommaient d'habitude peu d'huile d'olive. Ils ont connu une réduction modérée de leur tension artérielle systolique. Cette diminution a été attribuée à l'augmentation des acides gras oléiques – bénéfiques pour la santé cardiovasculaire – dans leur diète.

Conseils pratiques

SÉLECTION ET ENTREPOSAGE :

- Pour le meilleur contenu antioxydant, choisissez les formes les moins traitées de l'huile d'olive : « extra vierge » ou « vierge ».

  - Huile d'olive extra vierge : provient de la première pression des olives et on la préfère pour son goût supérieur.
  - L'huile d'olive vierge : possède une teinte verdâtre, est obtenue par la pression du fruit que l'on écrase dans des sacs de grosse toile pour en retirer l'huile. Son goût est plus relevé que celui de l'huile extra vierge.
  - Sauf en cas de nécessité, vous devriez éviter les bouteilles et les contenants étiquetés « huile raffinée », « huile d'olive de seconde cuvée », ou « huile légère ».
- Transférez l'huile d'olive dans un contenant qui se ferme hermétiquement, et rangez-le au réfrigérateur. Elle se solidifiera, mais elle se liquéfiera de nouveau rapidement lorsqu'elle sera à température ambiante pendant quelques minutes.
- Afin de préserver les éléments phytochimiques, rangez l'huile à l'abri de la lumière et de la chaleur.

SUGGESTIONS POUR PRÉPARER ET SERVIR :

- Servez-vous d'huile d'olive pour la cuisson à basse température. Les particules trouvées dans l'huile d'olive extra vierge la font brûler et fumer à des températures élevées. Une fois que l'huile a brûlé, plusieurs des effets bénéfiques pour la santé ont malheureusement disparus dans la fumée.
- Servez-vous-en pour relever les sauces et les jus des viandes ou comme assaisonnement sur les salades et les légumes. L'huile d'olive infusée d'herbes fraîches fait aussi une délicieuse trempette pour du pain italien chaud et croûteux. *Mangia, Mangia !*
- Placez une olive noire moyenne sur chaque extrémité de vos doigts et vous obtiendrez exactement une portion de gras (à un doigt près). Il est aussi amusant de les manger de cette manière.

Vinaigrette balsamique au miel

par Dave Grotto

Portions : 12 • Temps de préparation : 10 minutes

Cette recette contient trois aliments énergisants.

INGRÉDIENTS :

125 ml (½ tasse) d'huile d'olive extra vierge
125 ml (½ tasse) de vinaigre balsamique
30 ml (2 c. à soupe) de miel
5 ml (1 c. à thé) de jus de citron
5 ml (1 c. à thé) de poivre noir
3 ml (½ c. à thé) de sel

PRÉPARATION :

Fouettez ensemble le vinaigre, le miel, le jus de citron, le sel et le poivre jusqu'à ce que le tout soit bien mélangé. Ajoutez lentement l'huile d'olive pendant que vous fouettez. Servez sur la salade ou les légumes chauds, ou utilisez comme trempette pour le pain.

CHAQUE PORTION CONTIENT :

Calories : 100; Lipides : 9 g; Gras saturés : 1,5 g; Cholestérol : 0 mg; Sodium : 100 mg; Glucides : 5 g; Fibres : 0 g; Sucre : 4 g; Protéines : 0 g

Orange (*Citrus sinensis*)

REINE DES AGRUMES

Saviez-vous que... les oranges constituent la plus grande culture d'agrumes au monde ?

En bref

Les oranges se répartissent en deux catégories : les oranges sûres et les oranges sucrées. Il existe plusieurs variétés et sous-variétés d'oranges sucrées. La Navel est l'orange comestible la plus populaire dans le monde ; la Valencia de la Floride et de la Californie est la plus juteuse. D'autres variétés populaires incluent l'orange sanguine ou pigmentée comme la Ruby, et l'orange sans acide, originaire de la région méditerranéenne. Les mandarines et les oranges de Tanger, *Citrus reticulata,* sont considérées comme étant distinctes de l'orange sucrée ; mais des hybrides, comme l'orange Temple, combinent le meilleur des oranges sucrées et des mandarines.

Son origine

Bien avant le Moyen-Âge, on cultivait des variétés d'oranges sûres. Les variétés sucrées ne se sont manifestées qu'au XVe siècle. On croit que l'orange est originaire de l'Asie du Sud et qu'à partir de là, elle s'est répandue en Syrie, en Iran, en Italie, en Espagne et au Portugal. Christophe Colomb les a apportées aux Antilles et les explorateurs espagnols les ont amenées en Floride, où l'on a commencé à les planter vers 1875. Les missionnaires espagnols sont ceux qui les ont introduites en Californie.

Où les cultive-t-on ?

Le Brésil est le principal pays producteur d'oranges dans le monde, suivi des États-Unis, du Mexique, de l'Espagne, de l'Italie, de la Chine, de l'Égypte, de la Turquie, du Maroc et de la Grèce. La Floride et la Californie sont les principaux États producteurs d'oranges aux États-Unis.

Pourquoi devrais-je en manger ?

Les oranges sont une extraordinaire source de potassium – un minéral important pour la santé cardiovasculaire – et une excellente source de vitamine C – procurant cent trente pour cent de l'apport nutritionnel recommandé (ANR) par orange. Les oranges sont aussi une bonne source d'acide folique, une vitamine du groupe B, qui aide à protéger contre la maladie cardiovasculaire et les déficiences congénitales. Sur le plan phytochimique, les oranges sont une riche source de flavanones, un groupe de la famille des flavonoïdes – des antioxydants qui offrent une protection cellulaire contre plusieurs maladies. Un verre de 125 ml (½ tasse)de jus d'orange équivaut à une portion de fruits.

Remèdes maison

On a employé les oranges, le jus d'orange et le zeste d'orange comme remèdes maison pour différentes conditions, incluant la toux et le rhume, la constipation, les maux de dents, les cataractes et l'anorexie. L'orange peut s'appliquer localement pour traiter l'acné.

Propriétés étonnantes !

SANTÉ CARDIVASCULAIRE : La *Food and Drug Administration* considère que « les diètes qui contiennent des aliments qui sont de bonnes sources de potassium et qui sont faibles en sodium peuvent réduire le risque d'hypertension et d'AVC ».

CONTRÔLE DU POIDS : Les fibres retrouvées dans la couche blanche d'une orange réfrènent l'appétit et suppriment la faim jusqu'à quatre heures après avoir mangé. Des études démontrent que les gens qui consomment des fruits comme des oranges ont tendance à manger moins aux repas suivants, comparés aux gens qui prennent des collations comme des croustilles, des craquelins, des desserts ou des bonbons.

ANXIÉTÉ : Comparé à un groupe contrôle, le niveau d'anxiété de patients dans l'attente de traitements dentaires qu'on a exposés à l'odeur d'orange a diminué, et leur humeur s'est améliorée.

CALCULS RÉNAUX : Dans une étude aléatoire, les chercheurs ont découvert que le jus d'orange, plus que tout autre jus d'agrumes, augmente les niveaux de citrate dans l'urine. Cet élément est nécessaire pour prévenir la formation des calculs rénaux.

Conseils pratiques

SÉLECTION ET ENTREPOSAGE :

- Fruit : cherchez des fruits fermes et lourds pour leur taille, avec une pelure brillante et colorée. Évitez un fruit dont la pelure est meurtrie, plissée ou décolorée ; cela indique que le fruit est âgé ou qu'il n'a pas été bien entreposé.
- Jus : consommez votre jus d'orange en tenant compte de la date limite de vente imprimée sur le contenant ; lorsque le contenant a été ouvert, buvez le jus en dedans d'une semaine.
- On peut conserver les oranges pendant plusieurs jours à la température de la pièce. Mais pour de meilleurs résultats, entreposez-les dans un sac plastique ou dans le bac à légumes de votre réfrigérateur.
- Il est aussi possible de congeler les oranges.

SUGGESTIONS POUR PRÉPARER ET SERVIR :

Il existe plusieurs façons de peler les oranges :

- La méthode de pelage « basket-ball » : tranchez l'extrémité de la tige du fruit. Sans couper dans la chair, incisez la pelure avec un couteau ou un éplucheur à agrumes en quartiers, comme un ballon de basket-ball. Enlevez la pelure.
- La méthode d'épluchage « en spirale » : en employant un léger mouvement en dents de scie, coupez seulement la pelure extérieure en une spirale continue, laissant la membrane blanche. Coupez sur la longueur en suivant la courbe du fruit, retirez la membrane blanche.
- Ajoutez des quartiers d'orange à un parfait ou à une salade confectionnée d'oignons rouges et de laitue romaine.
- Servez-vous de jus d'orange pour attendrir la viande, comme élément d'une marinade ou dans les vinaigrettes.

Compote à l'orange et aux poires séchées

par Ina Pinkney

Portions : 6 (⅓ tasse par portion) • Temps de préparation et de cuisson : 30 minutes

Cette recette contient six aliments énergisants.

INGRÉDIENTS :

125 ml (½ tasse) d'eau
125 ml (½ tasse) de jus d'orange
65 ml (¼ tasse) de miel
1 grosse orange, pelée, en quartiers et épépinée
65 ml (¼ tasse) de jus de citron
180 g (6 oz) de poires séchées, tranchées en bandes minces
30 ml (2 c. à soupe) de menthe fraîche, finement hachée
5 ml (1 c. à thé) de graines de coriandre, grillées et moulues

PRÉPARATION :

Dans une casserole à fond épais, combinez l'eau, le jus d'orange et le miel, et portez à ébullition. Ajoutez les quartiers d'orange, le jus de citron et les poires. Réduisez la température, pour faire mijoter, et remuez de temps en temps jusqu'à ce que le fruit soit charnu et tendre, 15 à 20 minutes. Retirez du feu et ajoutez les herbes en remuant. Laissez refroidir à la température de la pièce, couvrez, et réfrigérez pendant au moins une heure. Peut être servie froide ou à la température de la pièce.

CHAQUE PORTION CONTIENT :

Calories : 140; Lipides : 0 g; Gras saturés : 0 g; Cholestérol : 0 mg; Sodium : 0 mg; Glucides : 37 g; Fibres : 3 g; Sucre : 30 g; Protéines : 1 g.

Orge (*Hordeum vulgare*)

L'ORGE VAUT LA PEINE QU'ON LA MENTIONNE!
Saviez-vous que... la FDA permet maintenant que l'on fixe des étiquettes aux produits contenant de l'orge pour indiquer que l'orge « peut réduire le risque de maladie cardiovasculaire » ?

En bref

L'orge fait partie de la famille des graminées nommée poacées. Il existe plus de cinquante variétés différentes d'orge cultivées à travers le monde. L'orge est l'un des principaux grains dans l'alimentation des animaux d'élevage, et on en utilise seulement une petite quantité pour la consommation humaine – principalement pour la bière et d'autres aliments. Les grains d'orge doivent d'abord être polis ou « perlés » pour en enlever la cosse non comestible. Le malt d'orge est un ingrédient de base dans la fabrication de la bière.

Son origine

L'origine exacte de l'orge demeure inconnue, mais de nombreux chercheurs croient qu'elle provient de Chine ou d'Éthiopie. Les archéologues ont découvert que l'orge était l'un des premiers grains domestiqués par les Égyptiens dans le Croissant fertile, il y a quelque 10 000 ans. En 1493, Christophe Colomb a apporté l'orge en Amérique du Nord à partir de l'Espagne.

Où le cultive-t-on ?

Les principaux producteurs d'orge sont la Russie, l'Allemagne, l'Ukraine, la France, le Canada, la Turquie, l'Australie et les États-Unis. Le Dakota du Nord fournit la majorité des grains d'orge produits aux États-Unis.

Pourquoi devrais-je en manger ?

L'orge est une bonne source de fibres solubles et insolubles. Dans la portion des fibres solubles, on retrouve les béta-glucanes, qui diminuent le taux de cholestérol et renforcent les fonctions immunitaires. En fait, en comparaison avec tout autre grain, l'orge est la source la plus riche de béta-glucanes. Elle contient aussi des vitamines B, du fer, du magnésium, du zinc, du phosphore et du cuivre, et elle est l'une des sources les plus riches de chrome – élément important pour maintenir des niveaux de glycémie convenables. L'orge est riche en antioxydants, comme le sélénium, la quercétine et les acides phénoliques. Ces acides protègent contre les dommages aux cellules du corps humain et contiennent une concentration élevée de tocols et de tocotriénols : ces huiles aident à réduire le risque de cancer et de maladie cardiovasculaire.

Remèdes maison

À travers les siècles, on a utilisé l'orge dans une variété de remèdes maison. De nombreux traitements sont basés sur la préparation d'une boisson faite à partir du grain qui a bouilli dans de l'eau pendant une heure. Pour un dérangement d'estomac, ou pour soulager les ulcères, buvez la boisson d'un seul trait. Mélangez l'orge à du jus de citron pour traiter la diarrhée. Une autre préparation courante consiste à confectionner une pâte avec de l'orge, du curcuma et du yogourt, en proportions égales. On peut frotter la pâte sur des régions du corps brûlées par le soleil. Mélangée à un demi verre de babeurre et au jus de la moitié d'une lime, la même pâte peut soulager les symptômes d'infection à la vessie ou au rein.

Propriétés étonnantes !

CONSTIPATION ET CANCER DU CÔLON : Deux études menées sur des rats ont montré des résultats prometteurs dans le traitement de maladies très différentes. Dans l'une de ces études, on a traité des rats constipés en leur donnant de l'orge : ce qui a augmenté les selles. Dans l'autre groupe, des rats souffrant du cancer du côlon ont été nourris avec des diètes variées, mais toutes riches en fibres. Le groupe traité avec l'orge avait significativement moins de tumeurs que l'autre groupe.

MALADIE CARDIOVASCULAIRE : La fraction bétaglucane de l'orge — que l'on retrouve aussi dans l'avoine et dans les champignons —, est associée à la réduction du risque de maladie cardiovasculaire.

DIABÈTE : Une étude sur un petit groupe d'humains, a montré des résultats prometteurs dans la régulation de la glycémie et l'amélioration de la production d'insuline, lorsque les sujets consommaient de l'orge régulièrement.

Contre-indication

Même si la quantité de gluten est peu élevée dans l'orge, elle n'est pas sans en contenir. Donc les gens souffrant de maladie coeliaque ne devraient pas l'utiliser pour remplacer le blé.

Conseils pratiques

SÉLECTION ET ENTREPOSAGE :

- L'orge entier se trouve sous différentes formes : enveloppé d'une cosse (aussi connu sous le nom d'orge mondé), perlé, fendu, en flocons et en farine. Le malt d'orge, un édulcorant naturel provenant de la forme germée du grain, est offert en liquide ou en poudre.
- Assurez-vous d'acheter votre grain dans des magasins où les grains se vendent bien. Si vous n'êtes pas certain de leur fraîcheur, vérifiez pour voir s'il n'y a pas de signe d'humidité ou de condensation dans l'emballage.
- On doit conserver l'orge dans un sac plastique qui se ferme hermétiquement ou dans un contenant muni d'un couvercle étanche et l'entreposer dans un endroit frais et sec.

SUGGESTIONS POUR PRÉPARER ET SERVIR :

- Avant de les faire cuire, rincez les grains sous l'eau courante pour enlever les saletés.
- Quand vous cuisinez, remplacez vingt-cinq à cinquante pour cent de la farine de blé blanche par de la farine d'orge.
- Ajoutez de l'eau chaude à l'orge pour une céréale chaude.
- Ajoutez des grains d'orge cuits dans les soupes, les ragoûts et les salades.
- En ajoutant de la farine d'orge, vous augmenterez la quantité de fibres solubles dans votre diète.
- Les flocons d'orge sont des ajouts faciles aux céréales granolas, au muesli, aux biscuits, et aux muffins.

Salade d'orge avec pâtes orzo

par le chef J. Hugh McEvoy

Portions : 22 • Temps de préparation et de cuisson : 20 minutes

Cette recette contient sept aliments énergisants.

INGRÉDIENTS :

500 ml (2 tasses) d'orge perlée
500 ml (2 tasses) de pâtes orzo, cuites
1 L (4 tasses) d'eau
125 ml (½ tasse) de basilic frais, haché
2 gousses d'ail, hachées
Jus d'un demi-citron frais
35 ml (⅛ tasse) d'oignons, hachés
45 ml (3 c. à soupe) de vinaigre de vin rouge
65 ml (¼ tasse) d'huile d'olive extra vierge
5 ml (1 c. à thé) de sel de mer
5 ml (1 c. à thé) de graines de fenouil
5 ml (1 c. à thé) de poivre blanc

PRÉPARATION :

Faites cuire l'orge dans l'eau bouillante salée jusqu'à ce qu'elle soit tendre — 8 à 10 minutes. Égouttez et réservez pour la prochaine étape. Incorporez les fines herbes, l'oignon, l'ail, l'huile d'olive, le jus de citron, le vinaigre, les graines de fenouil et les épices à l'orge cuite. Ajoutez les pâtes orzo cuites au mélange. Ajoutez sel et poivre, au goût. Servez chaud ou couvrez et réfrigérez jusqu'à ce que la salade ait refroidi, puis servez froid comme plat d'accompagnement.

CHAQUE PORTION CONTIENT :
Calories : 70; Lipides : 1 g; Gras saturés : 0 g; Cholestérol : 0 mg; Sodium : 320 mg; Glucides : 15 g; Fibres : 3 g; Sucre : 0 g; Protéines : 2 g.

Origan (*Origanum*)

HEUREUX JUSQU'À LA FIN DES TEMPS...

Saviez-vous que... pendant la cérémonie du mariage, les Romains et les Grecs anciens couronnaient les mariés d'origan, car on croyait que cette herbe bannissait la tristesse ?

En bref

L'origan, qu'on appelle aussi origan grec, marjolaine sauvage, menthe de montagne, et que certains connaissent comme la « joie des montagnes », fait partie de la famille de la menthe. Il existe plus de vingt espèces d'origan différentes.

Son origine

L'origan est originaire de la Méditerranée et on en faisait le commerce en tant qu'épice. Les colons européens l'ont apporté en Amérique du Nord, où on l'a cultivé dans les jardins et où il poussait aussi à l'état sauvage. À l'origine, l'origan était utilisé aux États-Unis pour des raisons médicinales. Mais après la Seconde Guerre mondiale, les soldats revenant de la Méditerranée avaient acquis un goût pour cette herbe comme assaisonnement culinaire.

Où le cultive-t-on ?

On cultive l'origan principalement en Asie, en Europe, en Afrique du Nord et en Amérique du Nord.

Pourquoi devrais-je en consommer ?

Saviez-vous qu'une cuiller à soupe d'origan possède la même capacité antioxydante qu'une pomme ?

Une cuiller à soupe d'origan possède aussi le même pouvoir antioxydant qu'une banane, qu'une tasse de haricots ou qu'une demi tasse de carottes cuites à la vapeur. Il contient de nombreuses vitamines, minéraux et phytochimiques qui agissent comme puissants antioxydants. C'est aussi une bonne source de caroténoïdes, comme la lutéine, la zéaxanthine et le bêta-carotène.

Remèdes maison

Les anciens Grecs appliquaient des feuilles d'origan sur les muscles endoloris pour les soulager. Les Romains employaient l'origan pour traiter les morsures de scorpion et de serpent. Aux États-Unis, on utilisait cette herbe pour soigner la toux chronique, l'asthme et pour aider à soulager les maux de dents. Dans l'espoir de revitaliser la croissance des cheveux, les hommes se sont tournés vers un mélange d'huile d'olive et d'origan pour le traitement du cuir chevelu. La même combinaison d'huile d'olive et d'origan était appliquée avec succès aux membres atteints de rhumatisme et aux foulures. (Du moins avec un meilleur succès qu'en tant que cure pour la calvitie.)

Propriétés étonnantes !

CANCER : L'origan contient d'importants acides phénoliques qui ont un niveau élevé de récupération des radicaux libres, ce qui peut aider à prévenir la formation de certains types de cancer. Dans une étude sur des cellules animales, on a démontré que l'origan indien était doté de propriétés protectrices contre les dommages à l'ADN causés par la radiation.

FONCTION ANTIBACTÉRIENNE, ANTIFONGIQUE, ANTIPARASITIQUE : Dans une étude in vitro, il a fallu une seule minute à l'huile d'origan pour causer des dommages à la bactérie *E. coli*. Dans une autre étude, on a découvert que l'origan cause des dommages irréparables au *Giardia lamblia*, un vilain petit parasite qui cause de la diarrhée et des douleurs abdominales.

ULCÈRES : La combinaison d'extrait de canneberges et d'extrait d'origan a été plus efficace pour tuer le *H. pilori* que chacun de ces éléments utilisés par eux-mêmes. Les chercheurs croient qu'il existe un effet synergique entre les phénoliques de l'origan et ceux de la canneberge – illustrant bien l'avantage de combiner plusieurs des 101 aliments !

Conseils pratiques

SÉLECTION ET ENTREPOSAGE :

- Choisissez de l'origan frais vert clair et non flétri ; évitez les feuilles et les tiges d'origan noircies ou jaunies.
- L'odeur devrait être douce, avec une saveur aromatique.
- On peut conserver l'origan frais au réfrigérateur jusqu'à trois jours.

SUGGESTIONS POUR PRÉPARER ET SERVIR :

- On peut hacher l'origan frais, ou séché, et l'employer dans différentes recettes.
- On peut utiliser l'origan pour ajouter de la saveur aux pains à levure, aux légumes marinés, aux haricots noirs, à la courgette, aux aubergines, aux viandes rôties et au poisson ; il met aussi en valeur les plats de fromage et d'œufs.
- Faites-en aussi l'essai dans les bouillis et les soupes !
- L'ail, le thym, le persil, et l'huile d'olive complètent la saveur de l'origan.

Crostinis à l'ail grillés à la mozarella, aux tomates et à l'origan

par Dave Grotto

Portions : 4 • Temps de préparation et de cuisson : 15 minutes

Cette recette contient six aliments énergisants.

INGRÉDIENTS :

1 gousse d'ail
30 ml (2 c. à soupe) d'huile d'olive
1 grosse tomate, tranchée
4 crostinis de blé entier
120 g (4 oz) de mozzarella, tranché en quatre tranches
30 ml (2 c. à soupe) d'origan frais
15 ml (1 c. à soupe) de basilic frais
Sel et poivre, au goût

PRÉPARATION :

Préchauffez le gril. Dans un bol, combinez l'origan, le basilic, le sel et le poivre ; mélangez et réservez. Frottez les crostinis avec une gousse d'ail et badigeonnez-les d'huile d'olive. Faites griller les crostinis jusqu'à ce qu'ils soient légèrement dorés. Déposez une tranche de tomate et une tranche de fromage sur le dessus de chaque crostini. Saupoudrez du mélange aux herbes. Déposez les crostinis sur une plaque à biscuits et faites griller pendant environ 3 à 4 minutes ou jusqu'à ce que le fromage ait doré et forme des bulles.

CHAQUE PORTION CONTIENT :

Calories : 220; Lipides : 14 g; Gras saturés : 5 g; Cholestérol : 22 mg; Sodium : 190 mg; Glucides : 16 g; Fibres : 2 g; Sucre : 2 g; Protéines : 8 g.

Pacane (*Carya illinoinensis*)

VOUS ME FAITES CRAQUER!

Saviez-vous que... le mot « pacane » est un terme amérindien jadis utilisé pour décrire les noix nécessitant une pierre pour en sortir le fruit de la coque?

En bref

Le pacanier appartient à la famille des noyers et est l'un des plus gros arbres fruitiers que l'on connaisse. On a répertorié plus de 1000 variétés de pacanes, mais seulement 500 existent encore. Parmi ces variétés, il n'y en a que quelques-unes qui soient couramment consommées de nos jours. Les variétés les plus populaires de pacanes incluent Cape Fear, Desirable, Elliott, Schley, et Summer. La pacane est la seule noix vraiment originaire des États-Unis.

Son origine

Dans les années 1600, les colons européens ont découvert l'existence des noix de pacane qui poussaient en Amérique du Nord et dans certaines parties du Mexique. Le président américain, Thomas Jefferson, adorait les pacanes et avait fait importer des arbres de la Louisiane pour les planter dans ses vergers de Monticello. Une des histoires sur l'origine de la tarte aux pacanes raconte que cette tarte a été créée par un Français qui s'était installé en Nouvelle-Orléans et à qui les Amérindiens avaient fait connaître la noix de pacane.

Où la cultive-t-on?

Quatre-vingts pour cent des noix de pacane du monde entier proviennent des États-Unis – l'État de la Géorgie en est le principal producteur. Les autres États producteurs de pacanes incluent la Louisiane, le Mississippi, l'Alabama, le Texas, le Nouveau-Mexique, l'Arizona, l'Oklahoma, la Floride, la Caroline du Nord, la Caroline du Sud, l'Arkansas, la Californie et le Kansas. On cultive aussi les pacanes au Mexique, en Australie, en Israël, au Pérou et en Afrique du Sud.

Pourquoi devrais-je en manger ?

Les pacanes sont une source de thiamine, de gamma tocophérol (un type de vitamine E), de magnésium, de protéines et de fibres. D'après un rapport publié en 2004, dans le *Journal of Agricultural and Food Chemistry*, elles occupent le quatorzième rang pour leur capacité antioxydante totale. Et d'après un rapport de l'*Institute of Basic Medical Science* de l'Université d'Oslo en Norvège, sur cinquante aliments étudiés, elles occupent le huitième rang. Les noix de pacane contiennent aussi des éléments qui ont des effets bénéfiques sur la santé cardiaque. Entre autres, elles sont une riche source du phytochimique bêta-sitostérol, ainsi que de l'acide oléique – le même type de gras que l'on retrouve dans l'huile d'olive.

Propriétés étonnantes !

SANTÉ CARDIOVASCULAIRE : Des chercheurs des universités de Loma Linda et du Nouveau Mexique ont découvert que les sujets qui observaient un régime alimentaire favorisant la santé cardiaque et qui ont ajouté 45 g de pacanes (27 à 30 moitiés de pacanes) par jour à leur diète ont réduit le « mauvais » cholestérol LDL deux fois plus que ceux qui n'avaient pas ajouté de pacanes au régime alimentaire « Step 1 diet » de l'*American Heart Association*. On a aussi constaté une réduction des triglycérides, ainsi qu'une augmentation de la valeur du « bon » cholestérol HDL chez les consommateurs de pacanes. Une autre étude de Loma Linda a démontré qu'une seule poignée de pacanes, ajoutée à notre diète quotidienne, augmentait de façon spectaculaire les niveaux de gamma tocophérol, que l'on croit responsables de la réduction d'oxydation des lipides. Les sujets étudiés qui présentaient des niveaux normaux de lipides ont consommé un peu plus de 55 g (2 oz) de pacanes par jour pendant huit semaines et ont présenté des diminutions significatives du LDL et du cholestérol total.

Conseils pratiques

SÉLECTION ET ENTREPOSAGE :

- Lorsque vous choisissez des pacanes, cherchez des noix charnues qui sont assez uniformes en couleur et en taille.
- On peut entreposer les pacanes non décortiquées dans un endroit frais et sec pendant trois à six mois.
- Les pacanes décortiquées doivent être réfrigérées dans des contenants hermétiquement fermés et peuvent être conservées jusqu'à neuf mois. Les pacanes entreposées dans des sachets pour congélation peuvent être conservées au congélateur jusqu'à deux ans.

SUGGESTIONS POUR PRÉPARER ET SERVIR :

- Pacanes grillées : préchauffez le four à 150°C (300°F). Déposez 125 ml (½ tasse) de pacanes décortiquées sur une tôle à biscuits en une seule couche. Faites-les griller pendant approximativement 7 minutes, tout en faisant attention de ne pas les brûler.
- Saupoudrez des pacanes hachées sur les salades et les salades de fruits.
- Ajoutez-les aux céréales froides ou chaudes, aux crêpes de grains entiers ou sur les gaufres.
- Ajoutez des pacanes hachées dans presque n'importe quel plat d'accompagnement – elles ajoutent une saveur intéressante aux pilafs.
- Servez-vous de pacanes écrasées comme solution de rechange pour paner la viande ou le poisson.

Parfait aux cerises noires, biscuits au gingembre et pacanes

Courtoisie de la *Georgia Pecan Commission*

Portions : 4 • Temps de préparation : 10 minutes

Ce merveilleux dessert est meilleur si on le prépare au moins 30 minutes avant de le servir, permettant ainsi aux miettes de biscuits de s'attendrir légèrement. Même s'ils ne sont pas exactement des accros aux noix, mes enfants ont adoré ce dessert. Si on ne tient pas compte des biscuits au gingembre, cette recette contient quatre aliments énergisants. Et même si on n'en tient pas compte, le gingembre rend certainement ce plat délicieux !

INGRÉDIENTS :

8 biscuits au gingembre
125 ml (½ tasse) de pacanes en moitiés, grillées si désiré
2 contenants de 180 ml (6 oz) de yogourt aux cerises noires sans gras
170 ml (⅔ tasse) de crème fouettée sans gras
2 kiwis, pelés et coupés
1 cerise noire pour garnir (facultatif)

PRÉPARATION :

Dans un sac de plastique moyen, combinez les biscuits au gingembre et 65 ml (¼ tasse) de pacanes ; scellez le sac. Avec un rouleau à pâtisserie ou une grosse cuiller, écrasez doucement le mélange pour émietter les biscuits et les pacanes. (Ne pas moudre trop finement, le mélange devrait être assez grossier.) Réservez. Dans un petit bol, combinez le yogourt et la crème fouettée et incorporez doucement. Ne pas trop mélangez. Dans des ramequins ou des coupes à dessert, déposez 30 ml (2 c. à soupe) du mélange de biscuits et de pacanes dans chaque verre à l'aide d'une cuiller. Garnissez-les avec 65 ml (¼ tasse) du mélange de yogourt. Répartissez les morceaux de kiwi dans chaque coupe et déposez le mélange restant de yogourt. Garnissez chaque portion avec le mélange de biscuits au gingembre et de pacanes. Hachez grossièrement le 65 ml (¼ tasse) restant de pacanes et saupoudrez sur la garniture. Réfrigérez les parfaits au moins 30 minutes, ou jusqu'à deux heures. Servez frais.

CHAQUE PORTION CONTIENT :
Calories : 254; Lipides : 9 g; Gras saturés : 0,5 g; Cholestérol : 1 mg; Sodium : 150 mg; Glucides : 30 g; Fibres : 2,5 g; Sucre : 16 g; Protéines : 6 g.

Pamplemousse (*Citrus paradisi*)

« SENTIR » PLUS JEUNE !

Saviez-vous que... si les hommes veulent que les femmes paraissent plus jeunes, ils devraient respirer l'odeur des pamplemousses ? En leur faisant porter des masques qui avaient été infusés d'arômes variés, on a demandé à des hommes et à des femmes d'estimer l'âge des modèles apparaissant sur des photographies. Lorsque les femmes portaient le masque infusé de pamplemousse, leur estimation était plus rapprochée de l'âge réel de l'individu. Mais lorsque les hommes respiraient le pamplemousse, ils évaluaient l'âge des modèles six ans plus jeune que l'âge réel !

En bref

On croit que le pamplemousse est un croisement entre l'orange et le pomélo qu'on aurait amené à la Barbade à partir de l'Indonésie, au XVIIe siècle. Les variétés les plus populaires sont : Duncan, Foster, Marsh, Oroblanco, Paradise Navel, Redblush, Star Ruby, Sweetie, Thompson et Triumph. Les deux variétés les plus connues en Occident sont la Marsh et la Ruby Red.

Son origine

Le pamplemousse a été découvert à la Barbade en 1750 et on l'a retrouvé plus tard en Jamaïque en 1789. Lorsqu'il a été introduit en Floride au XIXe siècle, le pamplemoussier n'était cultivé que pour son originalité, et l'on consommait rarement le fruit.

En 1874, New York a importé 78 000 pamplemousses des Antilles pour satisfaire la demande croissante, face à une popularité accrue. En 1962, dans l'espoir d'augmenter ses ventes, un horticulteur américain a proposé sans succès de changer le nom de pamplemousse pour « pomélo ».

Où le cultive-t-on?

Les États-Unis sont l'un des plus importants producteurs de pamplemousses. La Floride est le plus grand producteur du pays, suivie de la Californie, de l'Arizona et du Texas. La production commerciale du pamplemousse se fait aussi en Israël, en Afrique du Sud, au Brésil, au Mexique et à Cuba.

Pourquoi devrais-je en consommer?

Le pamplemousse est une excellente source de vitamine C. Les variétés de pamplemousse rose et sanguin contiennent cinquante fois plus de caroténoïdes que le pamplemousse blanc; ces caroténoïdes sont de puissants antioxydants. Ce fruit constitue aussi une bonne source de potassium, de calcium, et dans le cas du pamplemousse sanguin, de vitamine A. La moitié d'un pamplemousse contient plus de 150 phytonutriments, des flavonoïdes pour la plupart. On croit que ces éléments aident le corps à combattre le vieillissement, les allergies, les infections, le cancer, les ulcères et la maladie cardiovasculaire.

Remèdes maison

La plupart des remèdes maison utilisant ce fruit se servent de la graine de pamplemousse plutôt que du fruit. On croit que l'extrait de graines de pamplemousse est utile dans le traitement des problèmes de peau, surtout pour les conditions reliées aux champignons comme le pied d'athlète, l'eczéma et les pellicules.

Propriétés étonnantes!

PARODONPATHIE : Une étude a découvert que le saignement associé à la parodonpathie était réduit de façon remarquable après la consommation de jus de pamplemousse. Les chercheurs attribuent ces étonnants résultats au contenu en vitamine C du jus de pamplemousse, qui est connu pour aider à réparer les blessures et les tissus.

SANTÉ CARDIOVASCULAIRE : Des chercheurs ont étudié les effets de la consommation d'un pamplemousse par jour sur cinquante-sept patients qui avaient subi un pontage coronarien. Ceux qui avaient consommé un pamplemousse rouge par jour, pendant trente jours, présentaient des diminutions de cholestérol total, de « mauvais » cholestérol LDL, et de triglycérides.

PERTE DE POIDS : Une étude a découvert que les individus obèses qui consommaient la moitié d'un pamplemousse frais avant les repas, pendant douze semaines, avaient perdu une quantité considérable de poids et avaient amélioré leur insulino-résistance associée au syndrome métabolique. Dans les années 1930, une diète à la mode, basée sur la consommation de pamplemousses, avait été lancée à Hollywood, en Californie, et avait acquis une grande popularité. Elle est réapparue plus tard dans les années 1970. Les experts médicaux et nutritionnistes ont découvert qu'elle était incomplète et peu sûre. Mais rassurez-vous, il est excellent d'ajouter des pamplemousses à une diète santé, et ce fruit peut s'avérer être un outil précieux pour réussir à atteindre un poids idéal.

CANCER : Une étude a découvert qu'un flavonoïde particulier, que l'on retrouve dans le pamplemousse, aide à réparer l'ADN endommagé dans les cellules cancéreuses de la prostate chez les humains. Dans une étude portant sur des rats, une diète incluant le pamplemousse a réduit les marqueurs inflammatoires et a augmenté l'apoptose (mort cellulaire programmée) associée au cancer du côlon.

Contre-indication :

Le jus de pamplemousse peut contrecarrer le taux d'absorption de plusieurs médicaments prescrits. Vérifiez avec votre médecin, votre pharmacien, ou un diététicien pour savoir si le jus de pamplemousse vous convient.

Conseils pratiques

SÉLECTION ET ENTREPOSAGE :

- On peut trouver toute l'année les variétés de pamplemousse blanc et rose.
- Choisissez des pamplemousses fermes et lourds selon leur taille. Évitez ceux qui semblent gorgés d'eau ou déshydratés.
- Entreposez les pamplemousses dans le bac à légumes jusqu'à deux ou trois semaines, mais sachez aussi qu'ils sont plus juteux lorsqu'on les sert à la température de la pièce plutôt que froids.

SUGGESTIONS POUR PRÉPARER ET SERVIR :

- Tranchez le fruit en deux, séparez la chair de la membrane et retirez l'intérieur de chaque section avec une cuiller. Une cuiller à pamplemousse vous facilitera l'opération.
- Si vous trouvez des graines, enlevez-les avant de manger le pamplemousse. Une façon moins laborieuse de consommer un pamplemousse est de le peler et de le manger comme une orange.
- Servez-le froid, coupé en moitiés et avec la chair préalablement coupée pour la séparer des membranes. Sucrez le pamplemousse avec du miel, du sirop d'agave ou du sucre.
- Ajoutez des sections de pamplemousse aux salades vertes pour plus de saveur.

Salade de pamplemousse grillé

par Cynthia Sass

Portions : 1 • Temps de préparation et de cuisson : 20 minutes

Assurez-vous de choisir un pamplemousse mûr et sucré pour cette recette. Si le pamplemousse n'est pas assez sucré, ajoutez-y un peu de sirop d'agave. Cette recette contient six aliments énergisants.

INGRÉDIENTS :

- *1 pamplemousse moyen, coupé en quartiers,*
- *250 ml (1 tasse) de pousses d'épinards*
- *65 ml (¼ tasse) de tomates raisins jaunes, coupées en moitiés*
- *65 ml (¼ de tasse) d'oignon rouge, tranché*
- *30 ml (2 c. à soupe) d'avocat frais, coupé en dés*
- *15 ml (1 c. à soupe) de noix, hachées*
- *30 ml (2. c. à soupe) de vinaigre balsamique*

PRÉPARATION :

Épépinez délicatement les quartiers du pamplemousse. Déposez les quartiers sur une plaque à biscuits. Faites passer sous le gril jusqu'à ce que des bulles se forment à la surface des quartiers ; retirez du four et réservez. Déposez les épinards dans un bol à salade et aspergez-les de vinaigre balsamique. Ajoutez le pamplemousse, les tomates, les noix, l'oignon et l'avocat et servez.

CHAQUE PORTION CONTIENT :

Calories : 110; Lipides : 4,5 g; Gras saturés : 0,5 g; Cholestérol : 0 mg; Sodium : 25 mg; Glucides : 17 g; Fibres : 4 g; Sucre : 11 g; Protéines : 2 g

Papaye (*Carica papaya linn.*)

ATTENDRISSEUR

Saviez-vous que... la papaïne, une enzyme digestive naturelle de la papaye, est souvent employée comme attendrisseur à viande ?

En bref

L'« arbre » du fruit papaye est en réalité une herbe immense qui peut atteindre entre 6 et 9 mètres (20 à 30 pieds) de hauteur. La papaye est aussi connue comme « papaw » ou « Paw Paw » en Australie et *Mamao* au Brésil. Les fruits individuels peuvent peser jusqu'à 20 livres (9 kilos) !

Il existe deux types de papayes, hawaïenne et mexicaine. Dans les épiceries, on retrouve surtout le type hawaïen, plus sucré, en forme de poire, à la peau jaune orange (à maturité), avec une chair qui est habituellement orange ou rosâtre, avec de petites graines noires au centre. Les papayes mexicaines sont beaucoup plus grosses que la variété hawaïenne et peuvent peser en moyenne jusqu'à 10 livres (4,5 kilos).

Son origine

Les origines de la papaye sont inconnues, mais on croit qu'elles proviennent du sud du Mexique et de la région avoisinante de l'Amérique centrale. Les Espagnols ont transporté les graines de papaye à travers l'Amérique centrale et l'Amérique du Sud ; et plus tard aux Philippines, vers le milieu des années 1500, jusqu'aux années 1600. De nos jours, on cultive la papaye dans la plupart des régions tropicales à travers le monde.

Où la cultive-t-on ?

La production commerciale de la papaye se fait principalement à Hawaï, en Afrique tropicale, aux Philippines, en Inde, au Sri Lanka, en Malaisie occidentale, et en Australie. On les produit aussi à plus petite échelle dans certaines parties de l'Amérique latine, comme au Mexique. Quarante pour cent de la production mexicaine de papaye provient de l'État de Veracruz.

Pourquoi devrais-je en manger?

La moitié d'une petite papaye fournit 150 pour cent de la valeur quotidienne de vitamine C. Les papayes sont aussi une bonne source de vitamine A, de potassium, d'acide folique, et de fibres. Elles contiennent des caroténoïdes, principalement la cryptoxanthine, qui peuvent réduire le risque du cancer du poumon et du côlon et sont aussi bénéfiques pour la polyarthrite rhumatoïde. La papaye est connue pour son enzyme, la protéine digestive papaïne. En plus d'être employée pour aider à la digestion, cette enzyme est aussi utilisée couramment dans le traitement commercial des aliments, comme attendrisseur à viande et comme agent stabilisant de la bière.

Remèdes maison

Dans plusieurs régions tropicales, le latex trouvé dans le plant de papaye est employé comme vermifuge pour débarrasser le corps de parasites. Certaines parties de la racine sont utilisées pour chasser les ascarides. On emploie aussi ce latex pour soigner les furoncles et les verrues, et pour enlever les taches de rousseur.

Propriétés étonnantes!

VIRUS DU PAPILLOME HUMAIN : D'après une étude technique, les femmes qui ont augmenté leur consommation de bêtacryptoxanthine, de lutéine/zéaxanthine, ainsi que de vitamine C, présentent des taux plus faibles d'infection par le virus du papillome humain, le virus du cancer cervical. Les chercheurs ont conclu que les femmes qui consommaient au moins une papaye (riche de tous les éléments nutritifs déjà mentionnés) ou plus, par semaine, risquaient moins de contracter l'infection causée par le virus du papillome humain que les autres qui n'en consommaient pas.

GUÉRISON DE BRÛLURES ET DE BLESSURES : Des savants russes ont découvert que les antioxydants et les enzymes naturellement contenus dans la papaye peuvent accélérer la guérison des brûlures et des blessures. La taille des blessures chez des rats traités avec des médicaments à base de papayes était réduite de moitié, par rapport à ceux à qui on n'avait pas administré le traitement.

DIMINUTION DU RISQUE DE DÉGÉNÉRESCENCE MACULAIRE : Les phytochimiques présents dans la papaye, comme la lutéine, la cryptoxanthine et la zéaxanthine, peuvent aider à maintenir une meilleure vision plus longtemps chez les gens âgés.

Conseils pratiques

SÉLECTION ET ENTREPOSAGE :

- Les papayes dures et vertes ne sont pas mûres et ne mûriront jamais convenablement. Cherchez des papayes qui sont toutes, ou presque complètement, jaunes.
- La chair de la papaye devrait céder légèrement sous la pression, sans toutefois être molle, à l'extrémité du fruit, près de la tige.
- Évitez d'acheter un fruit meurtri, ratatiné, ou avec de légères taches.
- Entreposez les papayes non mûres à la température de la pièce jusqu'à ce qu'elles soient complètement jaunies.
- Pour les faire mûrir rapidement, placez les papayes dans un sac de papier brun que vous conserverez à la température ambiante. Transférez-les ensuite au réfrigérateur où vous pourrez les conserver jusqu'à 5 jours.

SUGGESTIONS POUR PRÉPARER ET SERVIR :

- Lavez les papayes à l'eau froide courante, coupez-les en moitiés et enlevez les graines avec une cuiller.
- Mélangez-la avec du lait, du yogourt ou du jus d'orange pour un smoothie.

- Réduisez une papaye en purée pour confectionner une vinaigrette ou une base pour les glaces.
- Ajoutez des tranches de papaye à une salade de fruits.
- On peut utiliser les papayes pour préparer une salsa épicée.
- Les graines de papaye goûtent comme les grains de poivre et il est possible de les sécher et de les moudre ; on peut aussi les employer dans les salades ou autres plats.
- Immergez la viande coriace dans le jus de papaye toute la nuit pour l'attendrir.

Cocktail de papaye au gingembre

par Lisa Dorfman

Portions : 2 • Temps de préparation et de cuisson : 10 minutes

Tous les ingrédients (incluant la garniture, mais pas la vodka dans l'option d'alcool) sont des aliments énergisants.

INGRÉDIENTS :

1 grosse papaye mûre, égrainée et pelée
Jus de deux limes
45 ml (3 c. à soupe) de gingembre, râpé
30 ml (2 c. à soupe) de sirop d'agave
2 feuilles de menthe
**Pour un cocktail de soirée, ajoutez 60 ml (2 oz) de vodka*

PRÉPARATION :
Réduisez la papaye en purée dans un robot culinaire ou un mélangeur. Ajoutez le jus de lime et le gingembre râpé. Continuez à mélanger. Garnissez de feuilles de menthe.

CHAQUE PORTION CONTIENT :
Calories : 170 ; Lipides : 0 g ; Gras saturés : 0 g ; Cholestérol : 0 mg ; Sodium : 10 mg ; Glucides : 46 g ; Fibres : 6 g ; Sucre : 28 g ; Protéines : 2 g.

Pastèque (*Citrullis lanatus*)

N'AVALEZ PAS LES GRAINES !

Saviez-vous que... si vous avalez des graines de pastèque, il ne vous poussera tout de même pas de pastèque dans l'estomac ? Bien sûr que vous le saviez ! En fait, de nombreuses cultures à l'extérieur des États-Unis considèrent les graines de pastèque comme un mets délicat.

En bref

La pastèque (ou melon d'eau) est de la même famille que le cantaloup, la courge, la citrouille et d'autres plants qui poussent sur des vignes au sol. Il existe plus de 1200 variétés de pastèques, dont environ 200 à 300 variétés sont cultivées aux États-Unis et au Mexique. Parmi les variétés les plus populaires, on en trouve une cinquantaine qui sont regroupées dans quatre principales catégories : Allsweet, Ice-Box, sans pépins, et à chair jaune.

Son origine

On croit que la pastèque est originaire du désert Kalahari, en Afrique. On a découvert la première référence aux pastèques il y a environ 5000 ans, à l'intérieur d'anciens hiéroglyphes sur les murs d'édifices égyptiens. Il arrivait souvent que l'on dépose des pastèques dans les lieux d'ensevelissement des rois pour les nourrir dans l'Au-delà. Des navires marchands les ont introduits dans d'autres pays tout le long de la mer Méditerranée. Au Xe siècle, la pastèque s'est rendue en Chine, qui est maintenant le principal producteur de pastèques. Au XIIIe siècle, les Maures ont propagé la pastèque à travers le reste de l'Europe. Ce sont des vaisseaux négriers qui les ont ensuite apportées aux États-Unis.

Où les cultive-t-on ?

Les pastèques sont cultivées commercialement dans plus de quatre-vingt-seize pays. Les principaux producteurs de pastèques sont la Chine, la Turquie, l'Iran, et les États-Unis. D'après le *National Agricultural Statistics Service*, les principaux États producteurs de pastèques sont le Texas, la Floride, la Californie et la Géorgie.

Pourquoi devrais-je en manger ?

Le contenu en lycopène de la pastèque est comparable à celui que l'on retrouve dans les tomates crues. Une portion de 250 ml (1 tasse)de pastèque contient environ la même quantité de lycopène que deux tomates de taille moyenne. Des études suggèrent aussi que la capacité du corps à absorber le lycopène de la pastèque fraîche peut être comparable à sa capacité d'absorber celle qui est contenue dans le jus de tomate – qui a longtemps été considéré comme la source optimale de lycopène. La peau de la pastèque fournit une source naturelle de citrulline, un acide aminé qui favorise la production de monoxyde d'azote, ce qui améliore le flot sanguin à travers les artères. Les pastèques sont une bonne source de bêta-carotène.

Remèdes maison

On s'est servi du thé de graines de pastèque comme diurétique et pour abaisser la tension artérielle. Appliquée sur la peau, la peau de la pastèque soulage les démangeaisons dues au sumac vénéneux.

Propriétés étonnantes !

CANCER COLORECTAL : En Corée, une étude cas-témoins menée sur des humains a découvert que les hommes qui consommaient une grande quantité de pastèques, ainsi que d'autres fruits, risquaient moins d'être atteints du cancer colorectal.

CANCER DE LA PROSTATE : Une autre étude cas-témoin, à laquelle ont participé 130 patients humains atteints du cancer de la prostate, a découvert que ceux qui avaient consommé de la pastèque ainsi que d'autres aliments à teneur élevée en caroténoïdes présentaient moins de risque de développer le cancer de la prostate.

Conseils pratiques

SÉLECTION ET ENTREPOSAGE :

- Choisissez une pastèque ferme sans meurtrissures, coupures ou creux.
- Couvrez la partie coupée d'une pastèque d'un film plastique et réfrigérez.
- Les pastèques entières se conserveront de 7 à 10 jours à la température de la pièce.

SUGGESTIONS POUR PRÉPARER ET SERVIR :

- Essayez de congeler du jus de pastèque dans des moules à glaçons ; vous pourrez les ajouter aux limonades et aux punchs aux fruits pour une addition savoureuse à vos boissons.
- Lavez la pastèque avant de la couper.
- La chair de pastèque peut être taillée en cubes, tranchée, ou on peut en fabriquer de petites boules en l'extrayant avec une cuiller conçue à cet effet.
- Toutes les parties de la pastèque sont comestibles, même les graines et la peau.
- Le sel peut faire ressortir le goût sucré de la pastèque, quoiqu'il ne soit pas nécessaire de la saler pour l'apprécier.
- En Israël et en Égypte, le goût sucré de la pastèque est souvent apparié au goût salé du fromage feta.
- Préparez une soupe froide en combinant du cantaloup en purée, du kiwi et de la pastèque, et créez un effet tourbillon en ajoutant du yogourt nature.

Salade à la pastèque grillée

Adapté de *Homegrown Pure and Simple Great Healthy Food,*
par Michel Nischan et Mary Goodbody

Portions : 6 • Temps de préparation et de cuisson : 30 minutes

Cette recette contient quatre éléments énergisants.

INGRÉDIENTS :

1 petite pastèque, coupée en tranches de 5 cm (2 po), sans la peau
Sel, au goût
125 ml (½ tasse) d'huile d'olive extra vierge
65 ml (¼ tasse) de vinaigre balsamique
Poivre fraîchement moulu, au goût
1 L (4 tasses) de feuilles de roquette ou de romaine, non compressées
125 ml (½ tasse) d'amandes effilées, légèrement rôties
65 ml (¼ tasse) d'oignons verts, hachés
12 radis rouges

PRÉPARATION :

Taillez les tranches de pastèque en morceaux triangulaires qui conviendront joliment à un plat de salade. Réservez les morceaux restants et le centre de la pastèque. Assaisonnez chaque tranche triangulaire de sel, et frottez un côté avec de l'huile d'olive. Faites chauffer un grand poêlon sur un feu à chaleur moyenne-élevée. Lorsque le poêlon est chaud, placez les tranches de pastèque, le côté huilé en bas, et faites griller jusqu'à ce que les tranches soient dorées. Avec une large spatule ou des pinces, retirez les tranches et placez le côté chauffé vers le haut, sur un plat refroidi. Déposez les morceaux de pastèque réservés dans un tamis, au-dessus d'un bol, et pressez les morceaux de pastèque avec vos mains, en recueillant le jus en dessous. Mesurez 250 ml (1 tasse) de jus. Dans une casserole, combinez le vinaigre et le jus de pastèque et amenez à ébullition sur un feu à température moyenne. Réduisez le feu et faites mijoter sans couvrir pendant environ 15 minutes ou jusqu'à ce que le tout soit réduit à environ 65 ml (¼ tasse). Versez le jus réduit dans un bol de service et incorporez le reste de l'huile d'olive en fouettant. Assaisonnez au goût avec du sel et du poivre. Ajoutez les feuilles de roquette, les amandes, les oignons verts et les radis et remuez bien. Disposez joliment la salade, en créant un petit monticule sur les tranches de pastèque, et servez.

CHAQUE PORTION CONTIENT :
Calories : 270 ; Lipides : 24 g ; Gras saturés : 3 g ; Cholestérol : 0 mg ; Sodium : 210 mg ; Glucides : 14 g ; Fibres : 3 g ; Sucre 11 g ; Protéines : 3 g.

Patate douce (*Ipomoea batatas*)

PATATE DOUCE OU IGNAME ?

Saviez-vous que... au début du XXe siècle aux États-Unis, on donnait le nom de « yam » aux patates douces à chair orange pour les différencier de la patate douce à chair blanche, qui était fort populaire à cette époque ?

En bref

Peut-être est-il préférable de commencer par ce que les patates douces ne sont pas. D'abord, ce ne sont pas des pommes de terre ! Toutes les pommes de terre appartiennent à la famille des *Solanaceae* et les patates douces appartiennent à la famille des *Convolvulaceae* – un groupe de plants dotés de fleurs en forme de trompette. Ce ne sont pas non plus des « ignames ». Le terme anglais « yam » – qui se traduit par igname, provient du mot africain *nyami* qui décrit d'énormes légumes à racines trouvés en Afrique (famille des *Dioscoreae*). Ces légumes plus féculents sont dotés d'une texture lisse et d'un goût plus fort et beaucoup moins sucré que la variété jardin de la patate. Pour aider à éviter la confusion possible chez les consommateurs, le *United States Department of Agriculture* exige que sur l'étiquette, le terme « patate douce » soit ajouté sur les soi-disant « ignames ». Il existe environ 400 variétés de patates et la couleur des pelures varie de violet à rouge, à orange, à jaune et même à blanc. À l'intérieur, la chair peut être blanche, orange ou jaune, avec des textures allant de ferme à sèche, et de farineuse à douce et humide.

Son origine

On croit que la patate douce est originaire d'Amérique Centrale, et c'est peut-être le plus ancien légume connu par les humains. Des restes de ce légume ont été découverts dans des tombes péruviennes âgées de 10 000 ans. C'est d'abord Christophe Colomb qui a amené les patates douces en Europe, après son premier voyage dans le Nouveau Monde. Les explorateurs portugais les ont apportées en Afrique, en Inde, en Indonésie et en Asie du Sud. Au XVIe siècle, des explorateurs espagnols les ont amenées aux Philippines et elles étaient aussi cultivées dans le sud des États-Unis environ à la même période.

Où la cultive-t-on ?

Les principaux producteurs de patates douces sont l'Ouganda, l'Inde, le Vietnam, le Japon, la Chine, et l'Indonésie. D'après la *Food and Drug Organization*, en 2004, la production mondiale de patates douces était de 115 millions de tonnes métriques, et la majorité provenait de Chine.

Pourquoi devrais-je en manger ?

Elles sont une excellente source de vitamine A et de bêta-carotène, et une bonne source de vitamine C, de B6, de manganèse, de potassium et de fibres. La variété rouge de patates douces est une excellente source du phytochimique lycopène – qui peut aider à combattre la maladie cardiovasculaire et les cancers du sein et de la prostate. Les types à chair violette possèdent une teneur élevée en anthocyanines – des antioxydants puissants qui protègent le corps contre les maladies dégénératives.

Propriétés étonnantes !

LONGÉVITÉ : La patate douce d'Okinawa, une version à pelure blanche et à chair violette, est une importante source nutritive pour les habitants de cette île. Ce légume pourrait être chez eux un facteur de longévité.

DIABÈTE : Les rats qui ont consommé des patates douces à pelure blanche ont vu, en l'espace de huit jours, une amélioration marquée dans la fonction des cellules pancréatiques, dans les niveaux de lipides, dans la gestion du glucose et dans la réduction de la résistance à l'insuline. Une étude portant sur les humains a aussi démontré une résistance améliorée à l'insuline lorsqu'on incluait des patates douces à la diète.

AMÉLIORATION DE LA MÉMOIRE : Les rats qui ont consommé des patates douces à pelure violette ont montré des améliorations significatives au niveau de leur fonction cognitive ; on peut attribuer ce fait aux anthocyanines présentes dans la patate.

CANCER : Une étude in vitro a montré que les patates douces sont dotées de propriétés uniques de lutte contre le cancer.

CANCER DU SEIN : Une étude cas-témoins a découvert qu'il y avait une fréquence moindre de cancer du sein chez les femmes qui consommaient plus d'aliments riches en bêtacarotène. Les patates douces sont une excellente source de bêtacarotène.

CANCER COLORECTAL : Une étude sur des rats mâles a découvert que le développement de lésions au côlon était freiné lorsque l'on ajoutait des patates violettes à leur diète.

CANCER DE LA VÉSICULE BILIAIRE : Une étude cas-témoins, impliquant des cas diagnostiqués de cancer de la vésicule biliaire, a découvert que les patates douces faisaient partie des légumes qui présentaient le plus de bienfaits protecteurs.

CANCER DU REIN : Une étude de cohorte japonaise, qui a suivi 47,997 hommes et 66,520 femmes pendant une dizaine d'années, a découvert que la consommation de patates douces était liée à une diminution du risque du cancer du rein.

Conseils pratiques

SÉLECTION ET ENTREPOSAGE :

- Choisissez des patates douces fermes sans éraflures, parties ramollies ou fissures.
- Si le contenu en carotène est important pour vous, choisissez des variétés plus foncées.
- Les patates douces demeureront fraîches pendant une dizaine de jours si on les place dans un endroit frais et ventilé.
- Ne laissez pas de patates douces non cuites au réfrigérateur.

SUGGESTIONS POUR PRÉPARER ET SERVIR :

- Pour les empêcher de noircir au contact de l'air, faites-les cuire rapidement après les avoir coupées ou pelées, ou déposez-les dans un bol et couvrez-les d'eau jusqu'à ce qu'il soit temps de les cuire.
- Percez des trous dans la chair avant de les faire cuire au four ou au four à micro-ondes.
- Les mets préférés des enfants incluent le flan ou la tarte aux patates douces.
- Tartinez de la patate douce en purée sur un morceau de pain de blé entier, ajoutez-y une couche de beurre d'arachides et des tranches de pomme.
- Les patates douces cuites au four sont délicieuses même lorsqu'elles sont servies froides — par conséquent, elles constituent un aliment extraordinaire pour les lunchs à emporter.

Croustilles aux patates douces

par Dawn Jackson Blatner

Production : 3 douzaines

Portions : 12 • Temps de préparation et de cuisson : 30 minutes

Les croustilles de Dawn sont si simples à préparer et sont une solution de rechange santé aux croustilles de pommes de terre ordinaires. Vous pouvez les égayer avec des ingrédients supplémentaires comme de l'ail haché et de l'oignon, ou remplacer le sel ordinaire par du sel assaisonné. Servez-vous de jus de lime fraîchement pressé… Vous constaterez vraiment une différence. Cette recette contient deux éléments énergisants.

INGRÉDIENTS :

3 grosses patates douces
3 limes, le zeste et le jus
5 ml (1 c. à thé) de sel (ordinaire ou assaisonné)
Enduit à cuisson

PRÉPARATION :
Préchauffez le four à 180°C (350°F). Tranchez les patates en croustilles (servez-vous d'une mandoline pour des croustilles minces et uniformes). Pulvérisez légèrement une plaque à biscuits avec de l'enduit à cuisson et déposez-y les patates en une seule couche. Arrosez le dessus des patates avec de l'enduit et saupoudrez de sel et de zeste de lime. Faites cuire au four jusqu'à l'obtention d'une teinte dorée, en les tournant une fois (environ 20 à 30 minutes). Aspergez les croustilles de jus de lime. Servez et dégustez!

CHAQUE PORTION CONTIENT :
Calories : 57; Lipides : 1 g; Gras saturés : 0 g; Cholestérol : 0 mg; Sodium : 210 mg; Glucides : 12 g; Fibres : 2 g; Sucre : 4 g; Protéines : 1 g.

Persil (*Petroselinum crispum*)

ABSORBE LES ODEURS

Saviez-vous que… traditionnellement, on garnit les plats de persil pour son aspect esthétique, mais aussi pour un aspect fonctionnel? Ce dernier consiste à éliminer les odeurs fortes de l'haleine après un repas.

En bref

Le persil appartient à la famille des ombellifères qui inclut le céleri et les carottes. *Petroselinum* dérive du terme grec *petros* qui signifie « pierre », étant donné que ce plant préfère pousser dans des endroits rocailleux. Parmi différentes variétés cultivées, les deux plus populaires sont le persil frisé (crispum) et le persil italien à larges feuilles, aussi connu comme persil plat (*P. neapolitanum*). On se sert le plus souvent du persil frisé comme garniture.

Son origine

Il semble que le persil soit originaire de la région de la Méditerranée, où il a été cultivé depuis plus de 2000 ans. La variété crispum a été mentionnée par le philosophe Pline. Les Grecs faisaient grand cas du persil pour ses usages culinaires et médicinaux en même temps que comme valeur symbolique. Ils paraient de persil ornemental les vainqueurs de combats et de compétitions sportives, ainsi que les héros ayant trouvé la mort.

Où le cultive-t-on ?

On cultive le persil un peu partout dans le monde. Aux États-Unis, on le cultive commercialement, principalement en Californie et en Floride, mais il est facilement disponible dans d'autres États, en fonction des saisons.

Pourquoi devrais-je en consommer ?

Le persil est une source de vitamine C, d'iode, de fer et de nombreux autres minéraux. Suggérant de possibles propriétés de prévention du cancer, le persil est doté d'une puissance en phytoestrogène égale à celle que l'on rencontre dans les haricots. Il existe plusieurs huiles volatiles et substances phytochimiques de type flavonoïdes dans le persil ; toutes dotées d'attributs de protection contre le cancer.

Remèdes maison

En Turquie, le persil est une herbe médicinale utilisée par les diabétiques. Étant donné sa concentration élevée de chlorophylle, on l'apprécie aussi comme rafraîchisseur d'haleine. On emploie souvent le persil sous forme de thé, comme diurétique.

Propriétés étonnantes !

DIABÈTE : Les Turcs avaient le nez fin ! Dans une étude testant les bienfaits du persil chez des rats diabétiques, des chercheurs ont découvert que le glucose sanguin des sujets auxquels on avait administré du persil avait diminué, en même temps que leurs niveaux de glutathion (GSH) (un protecteur cellulaire) avaient augmenté. On a aussi découvert que l'extrait de persil avait un effet protecteur comparable au médicament contre le diabète, le glibornuride, pour combattre la toxicité du foie causée par le diabète.

CANCER : La myristicine, un élément phytochimique qui a été isolé dans le persil, est dotée d'un inhibiteur efficace des tumeurs chez les souris.

Conseils pratiques

SÉLECTION ET ENTREPOSAGE :

- Le persil vient sous forme séchée ou fraîche.
- Choisissez du persil frais qui n'est pas flétri et qui n'a pas de feuilles jaunies – des signes certains de son manque de fraîcheur !
- Taillez toutes les parties flétries avant d'entreposer le persil frais dans un sac de plastique, au réfrigérateur.
- Le persil frisé peut être congelé.

SUGGESTIONS POUR PRÉPARER ET SERVIR :

- Lavez le persil frais en le remuant avec vos mains dans un bol d'eau. Égouttez et répétez.
- Lorsque vous le taillez, conservez un peu de la tige avec la tête du persil.

- Les recettes exigent souvent de sauter le persil au début de la préparation du plat. Mettez de côté la moitié du persil et ajoutez-la à la fin du processus de cuisson pour un meilleur goût et une plus grande valeur nutritive.
- Dans les plats cuisinés, il est préférable de se servir du persil italien à feuilles plates.
- Le persil est l'ingrédient de base d'un plat du Moyen-Orient, fabriqué de blé boulgour, nommé taboulé.
- Ajoutez du persil aux soupes et aux sauces, aux plats de légumes et de grains, aux viandes et au poisson, ou servez-vous-en pour garnir les salades.

Œufs verts et jambon

par le chef J. Hugh McEvoy

Portions : 4 • Temps de préparation et de cuisson : 20 minutes

La recette originale exige du jambon, huit œufs entiers, et trois cuillers à soupe de beurre. En troquant quatre œufs contre des blancs d'œuf, en remplaçant le jambon par du « jambon végétarien », et en remplaçant le beurre par une plus petite quantité d'huile de colza, vous épargnez 100 calories, 268 mg de cholestérol, 10 g de gras, et 7 g de gras saturés ! Mais le meilleur de tout, c'est que vous ne sacrifiez pas le goût ! Cette recette contient sept aliments énergisants.

INGRÉDIENTS :

30 ml (2 c. à soupe) de persil frais, haché
15 ml (1 c. à soupe) de basilic frais, haché
15 ml (1 c. à soupe) de coriandre fraîche, hachée
2 tranches de jambon végétarien ou jambon au miel, haché
15 ml (1 c. à soupe) de poivron rouge doux, haché
15 ml (1 c. à soupe) d'échalotes fraîches, hachées
60 g (2 oz) de fromage Brie, en cubes de 0,6 cm (¼ po)
15 ml (1 c. à soupe) d'huile de colza
0,5 ml (⅛ c. à thé) de sel de mer
0,5 ml (⅛ c. à thé) de poivre noir
455 g (1 lb) d'asperges blanches
4 œufs
4 blancs d'œuf
4 tranches de tomates (facultatif)

PRÉPARATION :
Taillez les asperges. Faites-les cuire à la vapeur jusqu'à ce qu'elles soient tendres, et réservez. En vous servant d'une sauteuse épaisse, faites légèrement dorer le jambon, les échalotes, les poivrons doux et les blancs d'oeuf dans l'huile de colza. Battez les œufs en mousse dans un petit bol et ajoutez-les au mélange de la sauteuse. Mélangez la préparation jusqu'à cuisson complète. Ajoutez le fromage. Incorporez jusqu'à ce que le tout soit mélangé uniformément. Retirez du feu. Incorporez doucement les herbes hachées grossièrement. Ne mélangez pas trop. Permettez aux couleurs de rester séparées ! Assaisonnez de sel et de poivre, au goût. Ce plat peut être servi seul ou sur des triangles de rôties, à côté des asperges blanches que vous aurez déposées sur les tranches de tomates fraîches.

CHAQUE PORTION CONTIENT :
Calories : 220 ; Lipides : 13 g ; Gras saturés : 4 g ; Cholestérol : 195 mg ; Sodium : 380 mg ; Glucides : 6 g ; Fibres : 3 g ; Sucre : 3 g ; Protéines : 17 g.

Pistaches (*Pistacia vera*)

PISTACHES MAQUILLÉES

Saviez-vous que... à l'origine, les pistaches provenant de l'extérieur des États-Unis étaient teintes en rouge pour cacher les imperfections résultant des méthodes grossières de récolte ? De nos jours, les pistaches naturelles cultivées aux États-Unis sont cueillies au moyen d'équipement dernier cri qui préserve leur beauté naturelle. Les pistaches « rouges » sont encore offertes sur le marché pour ceux qui les préfèrent ainsi.

En bref

Les pistaches s'apparentent à la famille des noix de cajou, des pêches et des mangues. Elles poussent en grappes sur des arbres, et il faut environ dix à quinze ans pour qu'un arbre arrive à une maturité assez avancée pour produire une bonne récolte. La cueillette se fait encore manuellement en Turquie, où les ouvriers secouent les troncs des pistachiers à la main ; alors qu'en Californie, on utilise des machines sophistiquées pour secouer les pistachiers.

Son origine

Des fouilles archéologiques ont montré que des tribus du Proche-Orient ramassaient les pistaches à une période remontant jusqu'à 20 000 ans avant notre ère. En Turquie, des archéologues ont découvert des restes de pistaches remontant aussi loin que 7000 ans avant notre ère. On mentionne aussi les pistaches dans la Bible (Genèse 43,11). La Reine de Saba était tellement entichée de ce fruit qu'on raconte qu'elle avait déclaré détenir des droits exclusifs sur toute la production de pistaches. Dans la Perse antique (Iran), pendant les nuits de pleine lune, les couples se rencontraient sous les pistachiers pour écouter les noix mûres s'ouvrir avec des craquements, ce qui constituait un signe d'espoir de trouver la bonne fortune.

Avant 1976, toutes les pistaches consommées aux États-Unis provenaient du Moyen-Orient ; et cette année-là, on a récolté la première production commerciale de pistaches californiennes.

Où les cultive-t-on ?

Actuellement, l'Iran et la Californie sont en concurrence pour devenir les plus importants producteurs et exportateurs de pistaches au monde. Étant donné le coût prohibitif des tarifs appliqués sur l'importation des pistaches en provenance d'Iran, les pistaches de Turquie et de Californie sont prédominantes aux États-Unis. La variété la plus cultivée dans ce dernier pays est un descendant de la région de Kerman en Iran.

Pourquoi devrais-je en manger ?

Les pistaches possèdent une teneur élevée en fibres et, en fait, une portion de pistaches contient plus de fibres qu'une demi tasse de brocoli. Elles sont une bonne source de protéines, fournissant six grammes de protéines par once (environ 49 pistaches). Une portion de 30 grammes fournit autant de potassium que la moitié d'une grosse banane et contient de bonnes quantités d'autres minéraux comme le magnésium, le cuivre et le phosphore. Elles sont une bonne source de thiamine, de vitamine B6 et de la forme gamma tocophérol de la vitamine E.

Parmi tous les types de noix, les pistaches sont la source la plus riche en phytostérol — propice en propriétés anticancéreuses et pour favoriser la santé cardiovasculaire. Elles possèdent aussi une teneur élevée en acide aminé arginine, qui peut favoriser la dilatation des vaisseaux sanguins afin d'améliorer la circulation sanguine dans toutes les régions du corps ; comparées à toute autre noix, elles constituent aussi la source la plus importante du phytochimique lutéine, excellent pour la santé oculaire.

Propriétés étonnantes !

CANCER : La pistache arrive juste derrière le vin comme source importante de l'élément chimique végétal resvératrol. Cette substance peut jouer un rôle dans le combat contre le cancer et la maladie cardiovasculaire.

SANTÉ CARDIOVASCULAIRE : À cause de la « combinaison quadruplée » de substances favorables à la santé du cœur — contenu élevé en phytostérol (279 mg/100 g), en tocophérol gamma, en arginine et en gras mono-insaturés —, elles sont un excellent ajout à une diète dont l'objectif est d'aider à combattre la maladie cardiovasculaire et pour améliorer la circulation. Les sujets testés qui ont consommé vingt pour cent de leurs calories en pistaches, pendant trois semaines, ont vu diminuer leur stress oxydatif et leur cholestérol total en même temps qu'ils ont amélioré leur niveau de HDL.

DÉGÉNÉRESCENCE MACULAIRE : De toutes les noix, les pistaches constituent la source la plus élevée de lutéine.

Conseils pratiques

SÉLECTION ET ENTREPOSAGE :

- Cherchez des coques qui sont déjà ouvertes. Des coques fermées contiennent des pistaches non mûres et devraient être rejetées.
- Les pistaches attirent l'humidité de l'air, ce qui finit par leur faire perdre leur propriété croquante. Pour conserver leur fraîcheur, entreposez-les dans un contenant hermétiquement fermé, au réfrigérateur.
- Les pistaches demeureront fraîches au congélateur pendant au moins une année.

SUGGESTIONS POUR PRÉPARER ET SERVIR :

- Vous pouvez ouvrir les coques légèrement entrouvertes en enfonçant une moitié de la coque d'une pistache déjà ouverte dans la fente, en la tournant jusqu'à ce que vous puissiez retirer l'amande.
- Si une recette exige une tasse de pistaches décortiquées, utilisez deux tasses de pistaches non décortiquées.
- Vous pouvez retirer la petite peau enrobant les noix décortiquées en blanchissant les noix pendant une minute, puis en les laissant sécher au four à basse température pendant quinze minutes ; vous pouvez aussi enlever cette peau en les faisant griller.
- Ajoutez des pistaches aux muffins, soit en les incorporant à la pâte ou en émiettant des pistaches concassées sur le dessus.
- Jetez une poignée de pistaches dans des céréales chaudes ou froides, ou confectionnez un mélange de noix et de fruits secs, avec des pistaches, des fruits séchés, et des pépites de chocolat.
- Les pistaches hachées font une excellente panure pour le poisson, le poulet ou la viande.

Sole panée aux pistaches

par le chef J. Hugh McEvoy

Portions : 6 • Temps de préparation et de cuisson : 50 minutes

Cette recette contient six aliments énergisants.

INGRÉDIENTS :

1 kg (36 oz) de filets de sole
250 ml (1 tasse) de pistaches, décortiquées et grillées à sec
125 ml (½ tasse) d'huile d'olive
65 ml (¼ tasse) de basilic frais, haché
65 ml (¼ tasse) de persil frais, haché
30 ml (2 c. à soupe) d'échalotes fraîches, hachées
1 gousse d'ail fraîche, hachée
1 ml (¼ c. à thé) de sel de mer
1 ml (¼ c. à thé) de poivre noir

PRÉPARATION :

Préchauffez le four à 200°C (400°F). En vous servant d'un robot culinaire, hachez grossièrement les noix, ajoutez les herbes fraîches, l'huile d'olive, sauf 15 ml (1 c. à soupe), les échalotes, le sel et le poivre. Mélanger à basse vitesse pour en faire une émulsion uniforme, mais en gardant des morceaux de noix, et réservez. Avec l'huile d'olive restante, faites sauter les filets de poisson légèrement, dans une poêle à feu moyen. Ne faites pas complètement cuire le poisson. Placez les filets dorés dans un plat allant au four enduit de beurre. Tartinez chaque filet de poisson d'une mince couche du mélange de pistaches pour bien les enduire. Faites cuire au four que la croûte soit croustillante et que le poisson s'effrite à la fourchette.

CHAQUE PORTION CONTIENT :

Calories : 415; Lipides : 27 g; Gras saturés : 11 g; Cholestérol : 122 mg; Sodium : 320 mg; Glucides : 7 g; Fibres : 2 g; Sucre : 0 g; Protéines : 37 g.

Poire (*Pyrus L.*)

LISSE COMME LE BEURRE !

Saviez-vous que... les Anglais ont donné à la poire le surnom de « butter fruit » en raison de sa texture lisse ?

En bref

Les poires font partie de la famille des rosacées. Il existe plus de 3000 variétés connues, mais seulement trois espèces de poiriers portent le fruit que nous consommons de nos jours. Aux États-Unis, les variétés de poires Anjou, Bartlett, Bosc, Comice, Seckel, et Forelle sont les plus populaires.

Son origine

On croit que la poire était utilisée comme source alimentaire durant l'Âge de pierre. Il est probable qu'elle soit originaire de l'Asie et de l'Europe du Sud-Est. On peut trouver des traces de culture de ce fruit en Chine, aussi loin que dans les années 5000 avant notre ère. Vers le XVIIe siècle, les poires sont devenues populaires en Europe. Au XVIIIe siècle, le poirier a été immortalisé, accompagné d'une perdrix, dans le cantique « Les douze jours de Noël ». En 1620, une tentative de planter le premier poirier dans les colonies du nord-est de l'Amérique a échoué à cause du climat peu favorable à cette culture. La culture des poiriers a beaucoup mieux réussi dans l'Ouest, en Oregon et dans l'État de Washington, et y a prospéré depuis les années 1800.

Où la cultive-t-on ?

Les principaux pays producteurs de poires sont la Chine, les États-Unis, l'Italie, l'Espagne, l'Allemagne, la Belgique et la France. Plus de quatre-vingt-quinze pour cent des poires vendues aux États-Unis sont cultivées dans l'État de Washington, dans l'Oregon et dans le nord de la Californie.

Pourquoi devrais-je en manger ?

Une poire de taille moyenne contient autant de vitamine C et de potassium qu'un demi verre de jus d'orange. Elle contient aussi environ quatre grammes de fibres, dont une grande quantité provient des pectines solubles et des lignanes. Elle regorge aussi de puissants éléments phytochimiques antioxydants.

Remèdes maison

À travers l'histoire, on s'est servi des poires pour traiter différents problèmes de santé comme les troubles digestifs et les spasmes, et pour réduire la fièvre. On a aussi employé la poire comme astringent, en usage topique.

Propriétés étonnantes !

DIMINUTION DE LA TOUX : Une étude menée à Singapour a découvert une association entre l'augmentation de la quantité de fibres alimentaires provenant des fruits et la réduction des risques de certaines maladies pulmonaires. On a constaté une relation inverse entre la toux accompagnée de mucosités et la consommation de fruits particulièrement riches en flavonoïdes, comme la quercétine et la catéchine, trouvées dans les poires.

PERTE DE POIDS : Une étude a découvert que les diètes à teneur élevée en fruits, comme les poires et les pommes, ont aidé des femmes âgées de 30 à 50 ans à perdre du poids. Après douze semaines, les femmes qui ont consommé des poires et des pommes ont perdu en moyenne plus de 1,5 kg. Cette étude a aussi permis de constater une diminution remarquable de l'ensemble du glucose sanguin et du cholestérol chez les femmes qui avaient consommé les deux fruits.

Conseils pratiques

SÉLECTION ET ENTREPOSAGE :

- Les poires sont l'un des seuls fruits qui mûrissent mieux hors de l'arbre.
- Choisissez des poires fermes et sans taches.
- Pour faire mûrir des poires rapidement, déposez-les dans un sac de papier brun et entreposez-les à la température de la pièce.
- Lorsqu'elles mûrissent, les poires Bartlett passent du vert au jaune.
- Pour vérifier la maturité du fruit, pressez votre pouce contre l'extrémité de la tige de la poire (lorsqu'elle s'enfonce légèrement au toucher, la poire est prête à manger).
- Les poires devraient être conservées à la température ambiante jusqu'à ce qu'elles soient mûres.
- Les poires mûres peuvent être entreposées au réfrigérateur pendant environ 3 à 5 jours.

SUGGESTIONS POUR PRÉPARER ET SERVIR :

- Lavez et mangez... Si vous mangez la pelure, vous fournirez plus de fibres à votre corps.
- Les poires séchées sont plus riches en fibres et en potassium, mais plus pauvres en vitamine C.
- Insérez des tranches de poire mûre dans l'avoine, le yogourt ou dans un smoothie aux fruits.
- Ajoutez des poires à votre salade verte ou de fruits préférée.
- Faites cuire les poires au four et saupoudrez-les de cannelle pour une gâterie sucrée.

Poire farcie cuite au four

par Cynthia Sass

Portions : 2 • Temps de préparation et de cuisson : 40 minutes

Cette recette contient trois aliments énergisants.

INGRÉDIENTS :

1 poire moyenne, mûre
15 ml (1 c. à soupe) de sirop d'érable
23 ml (1 ½ c. à soupe) d'eau
15 ml (1 c. à soupe) de raisins secs
Une pincée de clou de girofle et de muscade, fraîchement râpés

PRÉPARATION :
Préchauffez le four à 190°C (375°F). Combinez le sirop d'érable, l'eau et les épices dans un petit bol en recouvrant complètement les raisins. Laissez tremper les raisins dans la solution de sirop d'érable pendant 20 minutes. Lavez la poire et retirez son trognon. Remplissez le centre de la poire avec les raisins secs. Dans un plat en verre tapissé de papier aluminium, déposez la poire farcie et versez la solution d'érable sur le dessus et sur les côtés du fruits. Faites cuire pendant environ 20 minutes, ou jusqu'à ce que la poire soit tendre.

CHAQUE PORTION CONTIENT :
Calories : 90; Lipides : 0 g; Gras saturés : 0 g; Cholestérol : 0 mg; Sodium : 0 mg; Glucides : 23 g; Fibres : 2 g; Sucre : 18 g; Protéines : 0 g.

Poivron (*Capsicum*)

LE ROUGE OU LE VERT?

Saviez-vous que... les poivrons rouges et les verts sont en fait les mêmes? Un poivron rouge est une version plus mûre du vert, mais possède deux fois plus de vitamines C et onze fois plus de bêta-carotène!

En bref

L'éventail des poivrons existants, *Capsicum*, inclut des variétés qui vont du poivron doux (rouge, jaune, vert et pourpre) aux piments forts. Il existe plusieurs variétés de piments forts et chacun diffère en saveur et en intensité de chaleur. La douleur causée par la chaleur du piment dépend en fait d'un groupe de phytochimiques appelés capsaïcinoïdes, qui agissent sur les récepteurs de douleur de la bouche et de la gorge. La capsaïcine est le principal capsaïcinoïde et on le retrouve à des degrés variés dans les piments. William Scoville, un chimiste, a développé une échelle des degrés de chaleur basée sur la quantité de capsaïcine contenue dans chaque variété de piment. Les poivrons sont au niveau zéro (pas de capsaïcine), alors que les variétés habanero peuvent aller au-delà de 350 000! En général, les gros piments sont plus doux parce que, en proportion de leur taille, ils contiennent moins de pépins et de membrane blanche (la partie la plus piquante du piment). On peut se procurer différentes variétés de piments sous forme séchée, en conserve ou fraîche.

Son origine

On peut retrouver l'origine des poivrons il y a 6000 ans, en Amérique centrale et en Amérique du Sud. Christophe Colomb en a rapporté les pépins en Espagne en 1493.

Où les cultive-t-on ?

La Chine, la Turquie, l'Espagne, la Roumanie, le Nigeria et le Mexique sont les principaux producteurs de poivrons. L'Inde, le Mexique, l'Indonésie, la Chine et la Corée sont les principaux producteurs de piments forts.

Pourquoi devrais-je en manger ?

Les poivrons sont riches en vitamines C et sont une bonne source de bêta-carotène et de vitamines B. Ils contiennent aussi des flavonoïdes et des capsaïcinoïdes, des phytochimiques qui réduisent l'inflammation.

Remèdes maison

Réchauffez les pieds froids avec une pincée de piment de Cayenne dans chaque chaussette. Quand vous avez mal à la gorge, vous pourriez croire que la dernière chose que vous voudriez avaler, ce sont des piments, mais grâce à ses effets anti-inflammatoires, le piment de Cayenne peut vous soulager.

Propriétés étonnantes !

CANCER DE LA PEAU : Il semble qu'à part la capsaïcine piquante, il y aurait d'autres capsaïcinoïdes bénéfiques à la santé. Une étude portant sur des souris a démontré que les capsiates du poivron doux provoquaient la mort cellulaire (apoptose) des cellules cancéreuses de la peau.

CANCER DE LA PROSTATE : Lorsqu'on en nourrissait des souris atteintes du cancer de la prostate, la capsaïcine trouvée dans les poivrons rouges empêchait la prolifération des cellules cancéreuses de la prostate, peu importe s'il s'agissait de cellules qui réagissaient positivement ou négativement aux traitements hormonaux agissant sur les androgènes.

ARTHRITE : Un groupe de travail a découvert que sur dix-sept types de traitements pour l'arthrite des mains, seulement six parmi les traitements évalués étaient appuyés par des données de recherche. L'utilisation de la crème à base de capsaïcine (un phytochimique contenu dans le piment fort) pour usage topique en faisait partie.

Conseils pratiques

SÉLECTION ET ENTREPOSAGE :

- Les poivrons se présentent sous différentes couleurs.
- Choisissez des poivrons dont la peau est lisse et ferme au toucher.
- Entreposez les poivrons non lavés dans un sac de plastique au réfrigérateur. Ils conserveront leur fraîcheur environ une semaine. On peut congeler les poivrons sans les blanchir.
- Les poivrons verts demeureront frais un peu plus longtemps que les jaunes et les rouges.

SUGGESTIONS POUR PRÉPARER ET SERVIR :

- Coupez le dessus des poivrons et enlevez les pépins.
- Faites griller les poivrons entiers jusqu'à ce que la surface soit noircie. Placez-les dans un sac plastique pendant 15 minutes afin de leur permettre de libérer la vapeur renfermée à l'intérieur. Enlevez les poivrons du sac et grattez la peau. Enlevez la tige et le trognon et retirez les pépins.
- Pour donner du piquant à votre sauce ou à un plat d'accompagnement préféré, ajoutez un soupçon de piment de Cayenne!
- Les poivrons grillés sont délicieux dans des sandwiches.
- Pour une savoureuse *salsa cruda,* hachez un petit piment jalapeño, ou serrano, et ajoutez-le à une salade de tomates, d'oignons, d'ail et de poivron vert hachés.

Hummus au poivron rouge sur pita de blé entier au zahtar

par Dave Grotto

Portions : 8 • Temps de préparation et de cuisson : 15 minutes

Le zahtar est un assaisonnement du Moyen-Orient composé de graines de sésame, de sumac et de thym. Il est facile à préparer, mais il est encore plus facile de se le procurer dans une boutique spécialisée. Cette recette contient cinq aliments énergisants.

INGRÉDIENTS POUR LE HUMMUS :

1 boîte de haricots garbanzo, égouttés
85 ml (⅓ tasse) de tahini
30 ml (2 c. à soupe) d'huile d'olive extra vierge
2 gousses d'ail
190 ml (¾ tasse) de poivron rouge rôti

INGRÉDIENTS POUR LE PITA :

30 ml (2 c. à soupe) de zahtar
15 ml (1 c. à soupe) d'huile d'olive extra vierge
2 pitas de blé entier

PRÉPARATION :

Faites rôtir le poivron rouge au-dessus d'une flamme nue jusqu'à ce qu'il soit noirci. Enlevez la peau. Retirez le trognon et les graines. Tranchez en morceaux de taille moyenne. Combinez le poivron rouge et tous les autres ingrédients dans un robot culinaire et mélangez jusqu'à ce que vous obteniez une consistance crémeuse. Réservez. Enduisez les pitas d'huile d'olive. Saupoudrez l'assaisonnement zahtar sur les pitas. Faites-les rôtir jusqu'à ce qu'ils soient dorés. Coupez en triangles et servez accompagnés d'hummus.

CHAQUE PORTION CONTIENT :

Calories : 210; Lipides : 11 g; Gras saturés : 1,5 g; Cholestérol : 0 mg; Sodium : 90 mg; Glucides : 22 g; Fibres : 5 g; Sucre : 1 g; Protéines : 7 g.

Pomme (*Malus domestica*)

UNE POMME PAR JOUR...

Saviez-vous que... le dicton populaire « Une pomme par jour éloigne le médecin pour toujours » vient du vieux dicton anglais « Manger une pomme avant d'aller au lit fera mendier son pain au médecin » ?

En bref

Les pommes font partie de la famille des rosacées. Plus de 7 500 variétés poussent à travers le monde. Une centaine de variétés différentes sont produites commercialement aux États-Unis. Parmi les types les plus courants, il y a la Délicieuse (rouge ou dorée), la Granny Smith, la Gala, la Fiji, la McIntosh et la Rome.

Son origine

Originellement, les pommes proviennent d'une région entre la Mer Noire et la Mer Caspienne et datent d'environ 6 500 ans avant notre ère. Ce fruit était un aliment préféré dans la Grèce et la Rome antiques. Les Romains ont apporté la pomme en Angleterre et les Anglais l'ont introduite en Amérique du Nord. Aujourd'hui, les Américains consomment en moyenne 20 livres (9 kilos) de pommes par année.

Où la cultive-t-on ?

La Chine est le plus grand producteur de pommes. Les États-Unis, la Turquie, la Pologne et l'Italie suivent dans cet ordre. Les pommes sont produites commercialement dans trente-cinq des cinquante États américains. Les États de Washington et de New York sont les producteurs les plus importants.

Pourquoi devrais-je en manger ?

Si vous mangez une pomme, vous devriez consommer toutes les parties sauf le cœur. Presque la moitié de son contenu en vitamine C est situé juste sous la peau. Les pommes sont riches en fibres, elles renferment autant de fibres solubles que de fibres insolubles. On retrouve plus des deux tiers du contenu en fibre et presque tous les antioxydants dans la pelure. Les pommes sont une source riche de phytochimiques, comme les acides phénoliques (acide chlorogénique et catéchine), de caroténoïdes comme le bêta-carotène, et de flavonoïdes, incluant la phlorizine et la quercétine (qui peuvent jouer un rôle dans la lutte contre le cancer et la maladie cardiovasculaire).

Remèdes maison

On croit que les pommes aident au soulagement des maux d'estomac et on peut les manger pour prévenir la constipation. Le vinaigre de cidre est utilisé pour traiter les brûlures d'estomac. On raconte que si vous frottez un morceau de pomme sur une verrue et que vous enterrez le morceau dans le sol, la verrue disparaîtra à mesure que la pomme pourrit. On offre des pommes aux couples non mariés, aux enseignants et aux amis pour la chance et pour éloigner les mauvais esprits et la malchance.

Propriétés étonnantes !

SANTÉ CARDIOVASCULAIRE : Deux pommes par jour peuvent tenir la maladie cardiaque en échec ! Des chercheurs ont découvert que pour dix grammes de fibres ajoutées au régime alimentaire, on observe une réduction de quatorze pour cent de la maladie cardiovasculaire. Une pomme moyenne contient cinq grammes de fibres. D'autres chercheurs ont suivi pendant cinq ans un groupe d'hommes qui étaient à risque de maladie cardiovasculaire. Ils ont découvert que les flavonoïdes et les antioxydants contenus dans la pelure de pomme peuvent contribuer à une diminution du risque de développer la maladie cardiovasculaire.

CANCER : Une étude portant sur des rats a démontré que la consommation de pommes influençait directement la fréquence des tumeurs mammaires chez les sujets étudiés.

Dans une autre étude portant sur les cellules cancéreuses du colon humain, les flavonoïdes associés aux pommes, ont empêché la croissante et la propagation des cellules cancéreuses.

PERTE DE POIDS : Une étude menée par des chercheurs de l'Université d'État de Rio de Janeiro a démontré que les femmes obèses qui ajoutaient trois pommes par jour à une diète à faible teneur en gras perdaient plus de poids que les femmes qui n'ajoutaient pas de pommes à leur alimentation.

SANTÉ CÉRÉBRALE : Une étude, menée en 2005 sur des animaux, a conduit à la découverte que manger des produits dérivés de la pomme peut aider à protéger contre les dommages cellulaires attribués à la perte de mémoire. Dans une autre étude sur des animaux, cette fois-ci avec des souris, les chercheurs ont ajouté du jus de pommes concentré à la diète de ces derniers. Les résultats ont démontré que le jus concentré prévenait l'augmentation de dommages oxydatifs au tissu cérébral et le déclin dans la performance cognitive.

DIABÈTE : Les diabétiques qui avaient consommé des pommes après avoir mangé avaient un niveau de glucose moins élevé ; sans doute dû à leur contenu en fibres solubles.

Conseils pratiques

SÉLECTION ET ENTREPOSAGE :

- Choisissez des pommes avec une peau ferme, brillante et non bosselée.
- Après l'achat, conservez les pommes au réfrigérateur parce que les pommes mûrissent six à huit fois plus rapidement à la température de la pièce.
- Les pommes meurtries ou pourries libèrent un gaz qui favorise le mûrissement des fruits, ce qui peut gâter d'autres fruits.

SUGGESTIONS POUR PRÉPARER ET SERVIR :

- Si vous n'avez pas l'intention d'utiliser immédiatement des pommes coupées, pressez un peu de citron, de lime ou de jus d'orange sur les morceaux pour les empêcher de brunir.
- Les pommes crues sont fantastiques pour une collation ou dans les salades.
- Les pommes peuvent être cuites dans des tartes ou des tartelettes, et on peut les mettre en purée dans une sauce aux pommes.
- Les meilleures pommes pour la boulangerie sont les Délicieuses dorées, les Granny Smith et les Rome. Les meilleures pour les salades sont les Délicieuse rouges, les Délicieuses jaunes et les Fiji.
- Les Délicieuses dorées sont des pommes universelles qui peuvent convenir à de nombreuses méthodes culinaires.

Salades de fruits aux pommes et canneberges

Courtoisie du *Cranberry Marketing Committee*

Portions : 8 • Temps de préparation et de cuisson : 15 minutes

Cette préparation contient six aliments énergisants.

INGRÉDIENTS :

3 pommes, rouges et vertes, dénoyautées et tranchées en morceaux de 2,5 cm (1po)
250 ml (1 tasse) de céleri, tranché en biais
190 ml (¾ tasse) de canneberges, sucrées, séchées
125 ml (½ tasse) de noisettes, rôties et hachées grossièrement
125 ml (½ tasse) de yogourt, nature, faible en gras
45 ml (3 c. à soupe) de jus d'orange concentré, décongelé
1 ml (¼ c. à thé) de sel de table

PRÉPARATION :

Mélangez les pommes, le céleri, les canneberges et les noisettes dans un grand bol ; gardez en réserve. Mélangez le yogourt, le jus d'orange concentré et le sel jusqu'à ce que le mélange soit lisse. Versez sur le mélange de pommes et mélangez tous les ingrédients ensemble.

CHAQUE PORTION CONTIENT :
Calories : 150 ; Lipides : 5 g ; Gras saturés : 0,5 g ; Cholestérol : 0 mg ; Sodium : 110 mg ; Glucides : 26 g ; Fibres : 4 g ; Sucre : 18 g ; Protéines : 2 g.

Pomme de terre (*Solanum tuberosum L.*)

UNE QUESTION D'ÉPAISSEUR

Saviez-vous que... en 1853, le magnat des chemins de fer, le commodore Cornelius Vanderbilt, était mécontent de son chef parce qu'il coupait les pommes de terre trop épaisses ? Pour se moquer de lui, le chef George Crum, a coupé les pommes de terre du commodore aussi fines que du papier, les a frites et les lui a servies ainsi. Vanderbilt a adoré ses nouvelles pommes de terre et les a nommées : « Chips croustillantes de Saratoga », les ancêtres de nos croustilles de pomme de terre !

En bref

Il existe plus de 500 variétés de pommes de terre cultivées dans le monde et cinquante variétés généralement consommées aux États-Unis. La plupart des supermarchés américains n'offrent que cinq à sept sortes de pommes de terre. La Russet féculente, à pelure brune et à chair blanche, est la variété de pommes de terre la plus généralement employée aux États-Unis. Les White Round ont la pelure douce, brun clair et la chair blanche. Les Long Whites sont moyennement féculentes, d'une forme ovale, avec une pelure mince brun clair. La texture de ces pommes de terre est crémeuse et ferme. Les pommes de terre à peau rouge ont des pelures rouge rosé et une chair blanche. On se réfère souvent à ces tubercules fermes comme à des « pommes de terre nouvelles ». Les pommes de terre féculentes à chair jaune ont été popularisées en Europe et elles sont de plus en plus consommées aux États-Unis. Leur texture est dense et crémeuse. Elles peuvent même sembler imbibées de beurre lorsqu'elles sont cuites. Finalement, la Blue et la Purple, originaires d'Amérique du Sud, ont une saveur de noix et une chair qui varie de bleu foncé, ou lavande, à blanc.

Son origine

Autour de l'an 200 avant notre ère, les Incas du Pérou ont été les premiers à cultiver les pommes de terre. En 1536, les conquistadors espagnols les ont rapportés en Europe et c'est Sir Walter Raleigh qui les a introduites en Irlande, en 1589. Étant donné sa ressemblance avec des légumes potentiellement toxiques de la famille des solanacées (dont font partie les mandragores et les belladones), les Européens ont d'abord considéré ce légume comme étant maléfique. En 1621, on a apporté les premières pommes de terre en Amérique coloniale, et les premiers champs de pommes de terre d'Amérique du Nord ont été établis au New Hampshire en 1719. En Irlande, la période entourant l'année 1856, alors qu'un terrible champignon parasite avait détruit les champs de pommes de terre, fut une époque dévastatrice pour l'économie irlandaise. Cette période est maintenant connue sous le nom de « Grande Famine » d'Irlande.

Où les cultive-t-on ?

Les pommes de terre sont principalement cultivées en Pologne, en Inde, dans la Russie fédérée, en Chine et aux États-Unis.

Pourquoi devrais-je en manger ?

Une pomme de terre de taille moyenne contient près de la moitié de la portion quotidienne recommandée de vitamine C, et si on les mange avec la peau, les pommes de terre fournissent vingt et un pour cent de la valeur quotidienne de potassium. En comparaison, la pomme de terre fournit autant de vitamine C qu'une tomate moyenne et deux fois plus de potassium que la banane. Les pommes de terre colorées, surtout celles qui ont la pelure et la chair rouge ou violet, contiennent les niveaux d'antioxydants les plus élevés, surtout des caroténoïdes et des anthocyanines.

TOUT N'EST PAS DANS LA PELURE

Une croyance populaire veut que tous les éléments nutritifs de la pomme de terre soient contenus dans la pelure. En fait, plus de cinquante pour cent de tout le contenu nutritionnel peut être trouvé dans la pomme de terre elle-même ! Mais pourquoi s'en priver ? Mangez-la au complet !

Remèdes maison

Les Incas appliquaient des pommes de terre sur les os brisés pour favoriser la guérison. On portait sur soi des pommes de terre entières pour prévenir les rhumatismes et on les mangeait avec d'autres aliments pour prévenir l'indigestion. Se laver le visage avec du jus de pomme de terre froid fait disparaître les imperfections cutanées. On croyait qu'en conservant une pomme de terre dans sa poche, on pouvait chasser le mal de dents. Un remède ancien pour soigner le mal de gorge consistait à placer une tranche de pomme de terre cuite au four dans une chaussette pour se l'attacher autour de la gorge.

Propriétés étonnantes !

CANCER : Des études de cas portant sur des humains ont démontré que les lectines, comme celles que l'on retrouve dans les pommes de terre, s'attachent aux récepteurs des membranes des cellules cancéreuses, menant à l'apoptose et à la cytotoxicité, freinant ainsi la croissance de tumeurs.

SANTÉ CARDIOVASCULAIRE : Une étude à long terme, qui a fait le suivi de 84 251 femmes, a découvert que la consommation de pommes de terre peut favoriser la santé cardiovasculaire.

DIABÈTE : On a découvert que la pelure de pomme de terre ajoutée à la diète de rats diabétiques diminuait considérablement le glucose du plasma sanguin et réduisait radicalement les complications urinaires fréquentes attribuées au diabète. La consommation totale d'aliments était aussi réduite de façon significative.

HYPERTENSION ET AVC : D'après la *Food and Drug Administration*, « des aliments comme les pommes de terre, qui sont de bonnes sources de potassium et qui ont une faible teneur en sodium, peuvent réduire le risque d'hypertension et d'AVC. »

Conseils pratiques

SÉLECTION ET ENTREPOSAGE :

- Choisissez des pommes de terre fermes et douces. Évitez celles qui ont la peau ridée ou flétrie, des régions foncées, des surfaces avec des entailles, ou dont l'apparence est verdâtre.
- Les pommes de terre se conserveront pendant plusieurs semaines si on les laisse dans un endroit frais et sombre, avec une bonne ventilation. Mais n'entreposez pas les pommes de terre dans le réfrigérateur, parce qu'elles noirciront lorsque vous les ferez cuire.

SUGGESTIONS POUR PRÉPARER ET SERVIR :

- Les pommes de terre de type cireux sont idéales pour les salades, pour faire bouillir ou rôtir. Les types féculents sont extraordinaires pour la cuisson au four et pour les purées.
- Retirez les parties vertes et les germes (« yeux »), mais laissez la pelure pour bénéficier de plus d'éléments nutritifs !
- Lavez bien les pommes de terre en les frottant avec une brosse à légumes avant de les consommer.
- Percez-les à plusieurs endroits et mettez-les au four à micro-ondes jusqu'à ce qu'elles soient tendres — retournez-les après la moitié du temps de cuisson.

- Servez les pommes de terre cuites au four, en purée, rôties ou frites. Elles sont même délicieuses lorsqu'on les mange crues.

Pommes de terre à la Vesuvio

par Arthur Grotto, alias « Noni »

Portions : 12 • Temps de préparation et de cuisson : 90 minutes

Cette recette contient trois aliments énergisants.

INGRÉDIENTS :

1,3 kg (3 lb) de pommes de terre Russet
125 ml (½ tasse) d'huile d'olive
15 ml (1 c. à soupe) de romarin
15 ml (1 c. à soupe) de sauge
3 ml (½ c. à thé) de sel
3 ml (½ c. à thé) de poivre noir
125 ml (½ tasse) de vin blanc sec

PRÉPARATION :

Préchauffez le four à 200°C (400°F). Enduisez légèrement un plat allant au four avec de l'huile d'olive. Tranchez les pommes de terre en quartiers, et frottez chaque morceau avec de l'huile d'olive. Déposez les morceaux de pommes de terre dans le plat et saupoudrez de poivre, de sel, de sauge et de romarin – enrobez bien. Déposez le plat au four, sans le couvrir. Faites cuire pendant environ une heure ou jusqu'à ce que l'on puisse facilement percer les pommes de terre avec une fourchette. Aspergez les morceaux avec du vin et retournez le plat au four jusqu'à ce que le tout soit doré.

CHAQUE PORTION CONTIENT :

Calories : 180; Lipides : 9 g; Gras saturés : 1,5 g;Cholestérol : 0 mg; Sodium : 105 mg; Glucides : 21 g; Fibres : 2 g; Sucre : 1 g; Protéines : 2 g.

Prune ou pruneau (*Prunus domestica*)

QUAND LES SINGES S'EN MÊLENT !

Saviez-vous que... en 1905, un cultivateur de prunes de la Californie a décidé d'« embaucher » cinq cents singes pour cueillir ses prunes ? Malheureusement, il n'a pu matérialiser ses prévisions d'épargne sur le coût de la main-d'œuvre, ses nouveaux « ouvriers agricoles » ayant mangé toutes les prunes qu'ils avaient cueillies !

En bref

Les pruneaux sont des prunes séchées tout comme les raisins secs sont des raisins séchés. Les quatre variétés les plus courantes sont les Quetsches, les Mirabelles, les Reine-Claude et les Prunelles. Depuis les dernières années, l'industrie utilise régulièrement le terme « prunes séchées » sur l'emballage au lieu de pruneaux, ce qui, pour les membres des quelques dernières générations d'Américains, peut parfois porter à confusion. Il faut 3 L (1,35 kg) de prunes fraîches pour produire 1 L (½ kg) de pruneaux.

Son origine

L'idée de préserver le fruit frais en le faisant sécher au soleil a probablement pris naissance dans la région de la Mer Caspienne. En Californie, au milieu du XIXe siècle, Louis Pellier a planté des boutures de pruniers qui provenaient de la France.

Où les cultive-t-on ?

Près de cent pour cent des prunes cultivées aux États-Unis et soixante-dix pour cent de l'approvisionnement mondial proviennent de la Californie.

Pourquoi devrais-je en manger ?

Les prunes sont une riche source de fibres et contiennent d'importants éléments nutritifs, comme le potassium, la vitamine K, et des minéraux comme le fer. Elles contiennent aussi de l'acide caffeoylquinique, un composé phénolique dont l'activité antioxydante est élevée. De fait, le contenu antioxydant des prunes fraîches double lorsqu'elles se transforment en pruneaux.

Remèdes maison

Qu'elles soient en compote ou séchées, les prunes ont toujours été le premier choix de maman pour régler les problèmes de constipation. Une étude allemande importante a découvert que les prunes étaient ce qu'il y avait de plus efficace pour soulager la constipation chez les patients souffrant de constipation chronique et chez ceux qui avaient reçu le diagnostic de syndrome du côlon irritable (SCI). Les prunes contiennent aussi du sorbitol, un alcool de sucre naturel doté d'effets laxatifs.

Propriétés étonnantes !

SANTÉ OSSEUSE : Une étude sur des rats, auxquels on avait donné des prunes, a montré une réduction de leur perte osseuse.

CHOLESTÉROL : Des hommes qui ont ajouté douze pruneaux par jour à leur diète ont vu baisser leur taux de cholestérol LDL de façon significative.

CANCER : Les prunes contiennent de l'acide ursolique, qui interfère avec les voies de transmission des signaux extracellulaires et intracellulaires et peuvent protéger contre certaines formes de cancer.

CANCER DU CÔLON : Une étude portant sur des rats nourris avec une diète comportant différentes proportions de prunes a découvert une diminution significative des facteurs de risque de cancer du côlon.

Conseils pratiques

SÉLECTION ET ENTREPOSAGE :

- Les prunes devraient être charnues, luisantes, sans moisissure et pas trop fermes.
- Prolongez la période de fraîcheur des pruneaux en les entreposant dans un contenant hermétiquement fermé, au réfrigérateur, où ils resteront ainsi frais jusqu'à six mois.

SUGGESTIONS POUR PRÉPARER ET SERVIR :

- Faites tremper les pruneaux très secs dans l'eau chaude pendant quelques minutes. Si vous faites cuire les pruneaux, vous réduirez le temps de cuisson en les trempant à l'avance dans de l'eau ou du jus.
- Mélange de fruits secs et de noix – coupez des pruneaux en dés et mélangez-les avec d'autres fruits séchés et noix.
- Boulangerie – lorsque vous cuisinez, réduisez les gras et augmentez le moelleux en substituant au gras une quantité égale de purée de pruneaux.
- Garnissez les crêpes ou les gaufres de compote de prunes ou de pruneaux trempés.
- Farce – ajoutez des prunes à votre farce favorite.

Flan du petit-déjeuner

De *Stealth Health,* par Evelyn Tribole

Portions : 6 • Temps de préparation et de cuisson : 45 minutes (réfrigérez au moins 2 heures)

Si vos enfants ne sont pas transportés de joie à l'idée de manger des pruneaux, faites l'essai de cette recette. Le goût est merveilleux. Garnissez ce flan avec des petits fruits frais et servez-le après l'avoir réfrigéré… Délicieux ! Cette recette contient quatre aliments énergisants.

INGRÉDIENTS :

1 paquet de 360 g (12 oz)de pruneaux dénoyautés
375 ml (1 ½ tasse) de jus d'orange
5 ml (1 c. à thé) de cannelle
1 ml (¼ c. à thé) de muscade
2 contenants de 240 ml (8 oz) de yogourt à la vanille, sans gras

PRÉPARATION :

Combinez les pruneaux, le jus d'orange, la cannelle et la muscade dans une casserole moyenne ; amenez à ébullition à température moyenne. Retirez du feu et laissez refroidir pendant au moins 30 minutes. Divisez le mélange en deux parts, et réduisez en purée chacune des parts, à tour de rôle, dans un robot culinaire ou dans un mélangeur. Incorporez doucement le yogourt à la vanille jusqu'à ce que le tout soit bien mélangé. Transférez dans des ramequins. Couvrez et réfrigérez au moins deux heures ou toute la nuit.

CHAQUE PORTION CONTIENT :

Calories : 230 ; Lipides : 1,5 g ; Gras saturés : 0,5 g ; Cholestérol : 5 mg ; Sodium : 60 mg ; Glucides : 53 g ; Fibres : 4 g ; Sucre : 41 g ; Protéines : 5 g.

Quinoa (*Chenopodium quinoa Willd.*)

ALIMENT DU GUERRIER

Saviez-vous que... on se servait d'un mélange de quinoa et de gras pour soutenir les armées incas, auxquelles il arrivait fréquemment de marcher pendant plusieurs jours ? Ce mélange était connu sous le nom de « balles de guerre ».

En bref

Le terme quinoa fait référence à la graine du plant Chenopodium, aussi appelé « patte-d'oie ». Ce grain a environ la même taille que celui du millet. Il s'apparente à l'épinard et à la bette suisse et il provient de la région de la cordillère des Andes, en Amérique du Sud. Il existe plus de 1800 variétés connues de quinoa dont les couleurs varient de jaune pâle à rouge à brun et à noir. Lorsqu'on la fait cuire, la graine est douce et crémeuse, mais elle a une « pointe » qui lui donne une texture croustillante. On peut trouver le quinoa sous forme de grain, de farine, de pâtes et de céréales.

Son origine

Le quinoa, dont on trouve des traces datant de plus de 5000 ans, était un aliment de base pour les Aztèques comme pour les Incas. On l'a cultivé dans les Andes, en Amérique du Sud, depuis au moins 3000 ans avant notre ère. Avec l'avènement de la conquête espagnole dans les années 1500, cette production, qui avait un jour constitué une culture de grande importance, a connu un déclin graduel de quatre siècles. Pendant longtemps, le quinoa n'a été cultivé que par des paysans dans des régions éloignées, pour leur propre consommation. De nos jours, le quinoa réapparaît comme un produit agricole qui est apprécié pour sa valeur nutritive.

Où le cultive-t-on ?

En majorité, le quinoa est importé des pays d'Amérique du Sud comme le Pérou, la Bolivie et l'Équateur. Par contre, on le cultive aussi dans les Rocheuses du Colorado, aux États-Unis.

Pourquoi devrais-je en consommer ?

Sur le plan nutritionnel, le quinoa est un grain exceptionnel ! La *Food and Agriculture Organization* des Nations Unies (FAO) a comparé ses qualités nutritionnelles à celle du lait entier en poudre. Le quinoa contient plus de protéines que tout autre grain. Certaines variétés de quinoa contiennent plus de vingt pour cent de protéines ! Et ce qui est unique à propos de la protéine du quinoa, c'est qu'elle est complète, contenant tous les acides aminés essentiels ; elle est particulièrement élevée en acides aminés lysine, méthionine et cystine. En l'ajoutant à d'autres grains, les protéines de ces grains deviennent aussi complètes. Il en est de même avec le soya, dont la teneur en méthionine et en cystine est plus faible. Le quinoa est aussi riche en fer, en potassium et en riboflavine, de même qu'en B6, niacine et thiamine. C'est aussi une bonne source de magnésium, de zinc, de cuivre et de manganèse, et il contient un peu d'acide folique. Le quinoa est composé d'au moins seize différentes saponines triterpéniques qui semblent avoir des propriétés anticancéreuses et anti-inflammatoires et qui freinent possiblement l'absorption du cholestérol.

Propriétés étonnantes !

GESTION DU POIDS : Comparé au riz et au blé, le quinoa est reconnu pour offrir une plus grande satiété ; c'est donc un aliment idéal pour combattre l'obésité.

AIDE AU VACCIN : Le quinoa a amélioré la réaction des anticorps aux antigènes introduits chez des souris. L'étude a démontré le potentiel des saponines du quinoa comme « aides » pour les vaccins.

Conseils pratiques

SÉLECTION ET ENTREPOSAGE :

- Les produits qui sont composés de quinoa à cent pour cent sur le marché incluent la farine, les pâtes, les flocons, les grains bruns, les noirs et les rouges.
- La farine et les grains de quinoa devraient être entreposés dans un contenant hermétiquement fermé au réfrigérateur. Utilisez les grains avant un an et la farine avant 3 mois.

SUGGESTIONS POUR PRÉPARER ET SERVIR :

- Avant de l'employer, rincez le quinoa pour enlever tout résidu poudreux (saponine) qui peut rester sur les graines. Une « mousse » peut se former lorsque vous remuez les grains avec votre main sous l'eau courante : c'est la saponine qui se détache et qui est rincée. En Amérique du Sud, la saponine retirée du quinoa est utilisée comme détergent pour laver les vêtements et comme antiseptique pour favoriser la guérison des blessures cutanées.
- Faites griller le grain dans un poêlon sec pendant cinq minutes avant de le faire cuire pour lui donner une délicieuse saveur rôtie.
- Faites attention de ne pas ajouter trop d'eau ou de le faire cuire trop longtemps, étant donné que le quinoa peut devenir pâteux. Il n'exige que quinze minutes de cuisson !
- Il est excellent dans les plats chauds, les pilafs, les soupes, les ragoûts et les sautés, ou froid sur des salades.
- La texture légère du quinoa en fait un choix idéal comme base de salade. Mélangez du quinoa cuit et refroidi à des légumes hachés crus ou cuits, et à des herbes fraîches, ajoutez ensuite une vinaigrette ou une garniture de sauce soya.

Quinoa caribéen

par Dawn Jackson Blatner

Portions : 6 • Temps de préparation et de cuisson : 30 minutes

D'après Dawn Jackson Blatner, représentante de l'*American Dietetic Association*, le quinoa est un « grain à cuisson rapide, délicieux et nutritif ». Quand vous ferez l'essai de sa recette, je crois que vous serez d'accord ! Cette recette contient sept aliments énergisants.

INGRÉDIENTS :

250 ml (1 tasse) de quinoa
500 ml (2 tasses) d'eau
4 oignons verts, hachés
2 mangues, coupées en dés
65 ml (¼ tasse) d'amandes, tranchées
65 ml (¼ tasse) de canneberges séchées
45 ml (3 c. à soupe) de coriandre fraîche, hachée
Le jus d'une lime
250 ml (1 tasse) de vinaigre balsamique blanc
Sel et poivre, au goût

PRÉPARATION :

Rincez et égouttez le quinoa. Faites rôtir le quinoa dans un poêlon sec et chaud pendant 5 minutes et ajoutez l'eau. Amenez à ébullition, couvrez et laissez mijoter sur un feu à température moyenne pendant environ 15 minutes, jusqu'à ce que toute l'eau soit absorbée. Laissez refroidir le quinoa. Incorporez doucement les ingrédients qui restent dans le quinoa. Servez à la température de la pièce ou comme salade froide.

CHAQUE PORTION CONTIENT :

Calories : 190 ; Lipides : 4 g ; Gras saturés : 0 g ; Cholestérol : 0 mg ; Sodium : 20 mg ; Glucides : 36 g ; Fibres : 3 g ; Sucre : 14 g ; Protéines : 5 g.

Raifort (*Armoracia rusticana*) ou Wasabi (*Wasabia japonica*)

INTERCHANGEABLES ?

Saviez-vous que… la majorité du « wasabi » trouvé à l'extérieur du Japon est en réalité du raifort auquel on a ajouté un colorant alimentaire ? De tous les légumes, le véritable wasabi est l'un des plus rares, des plus difficiles et des plus coûteux à cultiver ; ainsi, son approvisionnement est limité. Mais la bonne nouvelle, c'est que même si ces plants sont tout à fait différents, le raifort est beaucoup plus facile à trouver et il partage de nombreuses caractéristiques bénéfiques qu'offre le wasabi.

En bref

RAIFORT : On a d'abord cru que le nom anglais « horseradish » était une mauvaise traduction du mot allemand *meerrettich* — interprété comme *mare* (jument) et *radis* (racine). En fait, plusieurs noms anglais de plantes emploient le mot « cheval » pour en indiquer la grosseur ou la force. Le raifort fait partie de la famille des choux.

WASABI : Il existe différentes espèces de wasabi, mais la plus courante est la *Wasabia japonica.* Comme le raifort, ces variétés de wasabi font toutes parties de la famille du chou. Aussi connu sous le nom de « raifort japonais », le wasabi n'est pas une racine, mais plutôt une tige noueuse, ou « rhizome ». On l'emploie principalement comme épice et sa saveur est forte, tellement qu'on lui donne le surnom de « namida » ou « larmes » en japonais. Même s'il est « amer », son effet ressemble bien plus à celui de la moutarde forte qu'à celui du poivre de Cayenne — irritant la cavité sinusale plutôt que la langue. Au Japon, le wasabi est un condiment que l'on sert traditionnellement avec des plats de poisson cru (sushi et sashimi) et des plats de nouilles (soba).

Leur origine

RAIFORT : On croit que le raifort est originaire de la région méditerranéenne vers l'an 1500 avant notre ère ; il fait partie des « cinq herbes amères » que les Juifs doivent consommer à la Pâque juive. Sa popularité s'est répandue en Europe entre les années 1300 et 1600 de notre ère. De 1600 à 1700, la « bière de raifort » faisait rage en Angleterre et en Allemagne. Les chefs européens ont découvert que le raifort se mariait merveilleusement à la viande ou aux fruits de mer. Les colons anglais ont apporté le raifort en Amérique dans les années 1700. De nos jours, l'industrie du raifort produit annuellement près de vingt-trois millions de litres de raifort préparé (préservé dans du vinaigre et possiblement d'autres ingrédients).

WASABI : D'après une légende japonaise, il y a des centaines d'années, un fermier d'un village montagnard éloigné a découvert le wasabi. Il a décidé de le cultiver. Il aurait un jour montré le plant à Tokugawa Ieyasu, un chef militaire de la région. Ieyasu, qui devint plus tard Shogun, a tellement aimé le wasabi qu'il l'a déclaré être un trésor à ne cultiver que dans la région de Shizouka. L'utilisation du wasabi remonte aux origines du sushi.

Où les cultive-t-on ?

RAIFORT : C'est à Collinsville, en Illinois, et dans les régions avoisinantes, que l'on cultive près de soixante pour cent de l'approvisionnement mondial de raifort ; cependant, il pousse abondamment ailleurs dans le monde.

WASABI : Le wasabi est une herbe native du Japon qui pousse près des lits des rivières, dans les vallées fluviales montagneuses. Peu de régions géographiques conviennent à la culture du wasabi.

Pourquoi devrais-je en consommer ?

RAIFORT : Il contient de la vitamine C et des minéraux comme le potassium, le calcium, le magnésium et le phosphore. Il est riche en glucosinolates, connus pour combattre le cancer et les bactéries.

WASABI : Le wasabi est riche en fibres et en vitamine C. C'est une bonne source de potassium, de calcium et de magnésium. Il contient les phytochimiques isothiocyanates, dotés de propriétés antibactériennes et anticancéreuses.

Remèdes maison

RAIFORT : Le raifort a été employé par les anciens Grecs comme onguent pour le bas du dos et comme aphrodisiaque. Il a aussi été utilisé comme expectorant dans les cas de toux, comme traitement pour empoisonnement alimentaire, contre le scorbut, la tuberculose et les coliques. Dans le sud des États-Unis, on avait appris à se frotter du raifort sur le front pour se débarrasser des maux de tête.

WASABI : Les propriétés antibactériennes du wasabi ont d'abord été documentées dans une encyclopédie médicale japonaise du Xe siècle. On croyait qu'il constituait un antidote pour l'empoisonnement alimentaire, ce qui en faisait un compagnon naturel au poisson cru.

Propriétés étonnantes !

SANTÉ CARDIOVASCULAIRE : Une étude sur des rats a découvert que les isothiocyanates contenus dans le wasabi inhibent l'agrégation plaquettaire et l'antiagrégant plaquettaire. On a découvert que lors d'une attaque cardiaque, alors que l'on prescrit couramment l'aspirine, les isothiocyanates contenus dans le wasabi ont un effet immédiat, tandis qu'il faut trente minutes à l'aspirine pour réagir.

MÉLANOME : On a constaté une réduction de quatre-vingt-deux pour cent des tumeurs au poumon – résultantes de mélanomes métastatiques – chez des souris auxquelles on avait administré une composante du wasabi.

CANCER DU SEIN : Une étude de lignée cellulaire chez les humains a démontré qu'une concentration relativement faible de wasabi réduisait jusqu'à cinquante pour cent des cellules cancéreuses du sein.

CANCER : Dans une étude in vitro sur des cellules humaines, le wasabi, autant que le raifort, inhibaient la croissance des cellules cancéreuses du côlon, du poumon et de l'estomac.

SANTÉ BUCCO-DENTAIRE : On a constaté que le wasabi réduisait la carie dentaire.

TUE LES BACTÉRIES : Le raifort et la racine de wasabi possèdent des composants, incluant les isothiocyanates, efficaces pour tuer les bactéries *H. pylori* et autres.

Conseils pratiques

SÉLECTION ET ENTREPOSAGE :

Raifort :

- La vaste majorité du raifort vendu aujourd'hui est du raifort préparé et vendu en pots : ce qui permet de le conserver pendant une année s'il n'est pas ouvert. Une fois ouvert, on peut le garder quatre mois.

Wasabi :
Pâte :

- Le wasabi se conserve jusqu'à deux ans s'il est congelé.
- Au réfrigérateur, il peut se conserver jusqu'à 30 jours.

Rhizomes (tiges ou racines) :

- Conservez-les au réfrigérateur.

- Enveloppez-les de serviettes de papier humides.
- Rincez-les à l'eau froide une fois par semaine.
- Ils se conservent sur l'étagère du réfrigérateur pendant environ 30 jours.

SUGGESTIONS POUR PRÉPARER ET SERVIR :

- On prépare le wasabi en râpant le rhizome frais contre une surface rugueuse. Certains chefs japonais, spécialistes du sushi, emploient uniquement un grattoir en peau de requin. Râpez en un mouvement circulaire.
- Après l'avoir râpé, hachez le wasabi frais avec l'envers d'un couteau. Cela libérera plus de saveur.
- Compressez le wasabi frais en forme de boule et laissez-le reposer pendant cinq à dix minutes à la température de la pièce, pour que le goût sucré et piquant aient le temps de se développer.
- Tartinez-en un peu sur le poisson, puis trempez le côté sans wasabi dans la sauce soya de sorte que la sauce ne touche pas au wasabi.
- Mélangez la pâte de wasabi avec de la sauce soya pour créer un « wasabi-joyu », et utilisez ce mélange comme trempette pour le poisson cru ou mélangez directement le wasabi dans un bol de nouilles.
- Ajoutez un soupçon de raifort au jus de tomates.
- Donnez du piquant aux salades de thon, de pommes de terre ou au chou avec un peu de raifort.

Nouilles asiatiques au wasabi

par le chef J. Hugh McEvoy

Portions : 8 (85 g / 3 oz chacune) • Temps de préparation et de cuisson : 30 minutes

Cette recette contient quatre aliments énergisants.

INGRÉDIENTS :

3 ml (½ c. à thé) de wasabi frais ou de pâte de raifort
250 ml (1 tasse) de farine de semoule de blé enrichie
250 ml (1 tasse) de farine de blé entier
125 ml (½ tasse) de farine blanche enrichie non blanchie tout usage
60 ml (4 c. à soupe) de jaunes d'œufs
125 ml (½ tasse) d'eau
45 ml (3 c. à soupe) d'huile d'olive extra vierge
5 ml (1 c. à thé) de sel kacher
Huile et graines de sésame pour garnir les pâtes

PRÉPARATION :

Préparez la machine à pâtes. Mélangez tous les ingrédients dans un mélangeur, ou dans un robot culinaire, jusqu'à ce que la pâte commence à former une boule. Retirez la pâte du mélangeur et pétrissez doucement sur une surface de marbre ou de bois farinée. Employez le moins de farine possible pour empêcher la pâte de coller. Pétrissez la pâte jusqu'à ce qu'elle ait une consistance lisse, environ 10 minutes. Enveloppez la pâte dans une pellicule de plastique et déposez-la dans le réfrigérateur pendant une heure. Roulez la pâte jusqu'à une épaisseur de 3 mm (⅛ po). Coupez-la en linguinis, ou toute autre nouille plate, en vous servant d'une machine à pâtes. Faites cuire les nouilles aussitôt que possible. Garnissez d'huile de sésame et de graines de sésame grillées avant de servir. Formez un lit de pâtes pour créer une entrée couverte de votre sauté préféré ou comme plat d'accompagnement pour un repas asiatique.

CHAQUE PORTION CONTIENT :

Calories : 275; Lipides : 9 g; Gras saturés : 2 g; Cholestérol : 103 mg; Sodium : 59 mg; Glucides : 40 g; Fibres : 2 g; Sucre : 3 g; Protéines : 8 g.

Raisin (*Vitis*)

UNE CULTURE IMPRESSIONNANTE

Saviez-vous que… à travers le monde, le raisin est le fruit le plus cultivé ?

En bref

La forme des raisins varie d'ovale à ronde ; on les trouve avec ou sans pépins ; ils sont verts, rouges, ambrés, violet ou bleu foncé. La peau et les pépins des raisins sont aussi comestibles – même si beaucoup croient qu'il est dommageable de mâcher les pépins, il n'en est rien ! Par contre, vous devriez éviter de les mâcher si vous souffrez d'un symptôme nommé diverticulite (petites poches sur la paroi intestinale). Parmi les milliers de choix de raisins différents, la vaste majorité du raisin que nous consommons de nos jours se résume à une vingtaine de variétés. Le raisin européen, le nord-américain et le raisin hybride français dominent le marché du raisin : du raisin de table, prêt à être consommé, jusqu'au raisin en grappes et au raisin de cuve.

Son origine

En l'an 6000 ans avant notre ère, on cultivait le raisin dans la région du Caucase, située entre les mers Noire et Caspienne, près du nord de l'Iran. Cette culture s'est répandue en Asie environ 5000 ans avant notre ère pour ensuite progresser vers l'Égypte et la Phénicie, près de 2 000 ans plus tard. À l'époque des Grecs et des Romains, on employait le raisin pour fabriquer du vin. Les nombreuses façons de consommer ce fruit se sont ensuite propagées à travers l'Europe. Au XVIIe siècle, c'est dans une mission espagnole au Nouveau-Mexique qu'on a implanté les raisins aux États-Unis, et de là, ils se sont répandus dans la vallée centrale de la Californie.

Où le cultive-t-on ?

De nos jours, les principaux producteurs du raisin sont l'Italie, l'Espagne, la France, le Mexique, les États-Unis et le Chili. Plus de quatre-vingt-dix-neuf pour cent de la production commerciale des raisins de table des États-Unis provient de la Californie.

Pourquoi devrais-je en consommer ?

Les raisins contiennent de la vitamine C, du potassium et une petite quantité de fibres. Les pépins de raisins contiennent une abondance d'antioxydants puissants. Des études démontrent que l'antioxydant prédominant, le proanthocyanidine, possède vingt fois plus de pouvoir antioxydant que la vitamine E et cinquante fois plus que la vitamine C. Le resvératrol, un phytonutriment clé que l'on retrouve principalement dans la peau des raisins, offre des propriétés anti-inflammatoires et anticancéreuses. Les raisins sont aussi très riches en flavonoïdes. Les raisins rouges contiennent le caroténoïde lycopène, un allié dans le combat contre le cancer de la prostate et le cancer du sein.

Remèdes maison

On rapporte que le jus de raisins verts, combiné à l'eau, à l'alun et au sel, forme une substance que l'on peut appliquer sur les cicatrices d'acné du visage pour en diminuer l'apparence. Pour vaincre la constipation, consommez chaque jour environ une tasse et demie de raisins.

Propriétés étonnantes !

SANTÉ CARDIOVASCULAIRE : Une étude portant sur des souris nourries de poudre de raisins lyophilisés a démontré que cette solution empêchait le cholestérol LDL de se convertir en une forme plus dangereuse qui pouvait mener à la maladie cardiovasculaire. Les chercheurs ont découvert que l'extrait de la chair des raisins protégeait le cœur autant que le fait l'extrait de peau. Au-delà de l'importance du resvératrol pour la santé cardiovasculaire – on retrouve cet ingrédient en abondance dans les raisins –, des concentrations considérables d'autres antioxydants comme les acides caféique, caftarique, coumarique et coutarique ont été découvertes dans la peau et dans la chair des variétés rouges et vertes des raisins. En buvant du jus de raisins, on augmente de façon importante le bon cholestérol (HDL) et on abaisse sensiblement deux marqueurs d'inflammation chez les patients atteints de coronaropathie stable.

CANCER : Un certain nombre d'études ont démontré qu'il existe un lien entre le raisin et la prévention du cancer, incluant la capacité d'empêcher la croissance des cellules cancéreuses. Les cancers du sein, du côlon, de l'estomac, ainsi que la leucémie font partie des types spécifiques qui ont été testés. Une étude sur des rats a démontré que la consommation de jus de raisins empêchait la progression des tumeurs cancéreuses du sein.

Une étude in vitro, utilisant des cellules d'un cancer avancé chez les humains, a démontré que le traitement avec l'extrait de pépins de raisins empêchait la croissance des cellules et les faisait mourir. Une autre étude a prouvé qu'en buvant quatre verres, ou plus, de vin rouge par semaine, on réduisait de moitié le risque de cancer de la prostate.

FONCTION COGNITIVE : Le jus de raisins a considérablement amélioré la mémoire à court terme des animaux en laboratoire, dans un test de labyrinthe aquatique, aussi bien que la coordination, l'équilibre et la force.

CONTRÔLE DU POIDS : Une étude a découvert que l'extrait de pépins de raisins pouvait favoriser une limitation de l'absorption et de l'accumulation des gras alimentaires dans des cellules observées sous microscope.

Conseils pratiques

SÉLECTION ET ENTREPOSAGE :

- Cherchez des raisins intacts, charnus et non flétris.
- Les raisins rouges devraient avoir une dominance de rouge, les raisins verts devraient avoir une légère teinte

jaunâtre, et les raisins noirs bleutés et violets devraient avoir une couleur foncée.

- Enveloppez les raisins non lavés dans un essuie-tout, déposez-les dans un sac en plastique et réfrigérez-les, si vous devez les conserver plus longtemps.
- Les raisins demeureront frais pendant plusieurs jours à la température de la pièce.

SUGGESTIONS POUR PRÉPARER ET SERVIR :

- Lavez-les à l'eau froide juste avant de les utiliser et tapotez-les pour les sécher.
- Servez-vous de ciseaux pour couper les petites grappes des tiges ; cela empêche la tige de sécher et permet de conserver la fraîcheur des raisins qui restent.
- Congelez les raisins pour une collation rafraîchissante.

Raisins en tortillas

par Sharon Grotto

Portions : 6 • Temps de préparation et de cuisson : 10 minutes

Cette recette contient huit aliments énergisants.

INGRÉDIENTS :

190 ml (¾ de tasse) de raisins rouges, coupés en quartiers

2 boîtes de conserve de thon ou de poulet, égoutté

125 ml (½ tasse) de céleri, haché grossièrement

85 ml (⅓ tasse) d'oignon rouge, haché grossièrement

5 ml (1 c. à thé) d'aneth, haché finement

65 ml (¼ tasse) de mayonnaise à base d'huile de colza

3 ml (½ c. à thé) de poivre noir

10 ml (2 c. à thé) de miel

5 ml (1 c. à thé) de jus de citron frais

1 ml (¼ c. à thé) d'huile de sésame rôtie (facultatif)

3 ml (½ c. à thé) de moutarde sèche en poudre

6 tortillas de grains entiers

PRÉPARATION :
Combinez tous les éléments (sauf les tortillas) et mélangez bien. Versez un peu de cette salade sur les tortillas de grains entiers. Garnissez de laitue et de tomates, retenez le tout avec un cure-dents, et servez.

CHAQUE PORTION CONTIENT :
Calories : 190; Lipides : 4,5 g; Gras saturés : 0 g; Cholestérol : 20 mg; Sodium : 460 mg; Glucides : 26 g; Fibres : 2 g; Sucre : 4 g; Protéines : 18 g.

Riz brun

VIVE LA MARIÉE !

Saviez-vous que... l'ancien rituel de lancer du riz aux mariés symbolisait la prospérité, l'abondance, et la fertilité ? Un souhait pour que les futurs mariés soient gratifiés de nombreux enfants.

En bref

Le riz est à vrai dire une herbe dont le nom réfère à deux espèces différentes, *Oryza sativa* et *Oryza glaberrima*, la première étant la plus importante. Il existe des milliers de variétés de riz et le riz blanc est le plus fréquemment consommé. Par contre, à l'origine, le riz blanc n'est pas blanc ; il l'est devenu après la transformation du riz à grain entier. Le riz brun à grains entiers se trouve sous forme de riz Basmati, Texmati, à grain rond, à grain court, moyen, et long. Le riz à grains entiers se trouve aussi en variétés noir, rouge et violet.

Son origine

Le riz est le grain le plus consommé au monde, et à part l'Antarctique, il est cultivé sur chaque continent. Il fait partie de la diète de base des pays orientaux depuis des milliers d'années. En Chine, on a retrouvé des écrits remontant à environ 5 000 ans qui parlent de la consommation du riz. Le riz est arrivé en Égypte au IVe siècle avant notre ère et à cette époque, l'Inde l'exportait en Grèce, puis à travers l'Europe et finalement aux États-Unis. La production du riz fait partie de l'agriculture des États-Unis depuis la fin du XVIIe siècle.

Où le cultive-t-on ?

La Chine, l'Inde, l'Indonésie et le Bangladesh sont responsables des deux tiers de la production mondiale de riz. Les États-Unis se placent au onzième rang dans la production, mais c'est un pays exportateur de grande importance. Aux États-Unis les principaux producteurs de riz incluent l'Arkansas, la Californie, la Louisiane, le Mississippi et le Texas.

Pourquoi devrais-je en manger ?

Le riz est souvent le premier aliment solide offert à un enfant. C'est le grain le moins allergène et c'est pourquoi on le recommande souvent comme premier aliment d'introduction. Le riz brun à grains entiers possède les trois couches du grain — le son, le germe et l'endosperme — ces couches contribuent à un apport nutritif supérieur par rapport au riz blanc. Le riz brun est riche en lignanes, en phytoestrogènes et en composés phénoliques qui ont une activité antioxydante importante. Le riz brun à grains entiers contient d'importants aliments nutritifs comme la thiamine, la niacine, le phosphore, le potassium, le fer, la riboflavine et cinq fois la quantité de fibres du riz blanc. Le germe procure la vitamine E naturelle, et le son contient des phytochimiques qui peuvent réduire le taux de cholestérol.

Remèdes maison

Durant les jours rudes d'hiver, les fermiers japonais consommaient le *mochi*, un gâteau difficile à mâcher fait de riz brun, pour augmenter leur énergie.

Propriétés étonnantes !

SANTÉ CARDIOVASCULAIRE : Une petite étude sur échantillon aléatoire a examiné les effets obtenus en ajoutant de l'huile de son de riz à la diète. Alors que le régime témoin n'a pas eu d'effet sur le taux de cholestérol, le régime qui contenait de l'huile de son de riz a abaissé le cholestérol LDL de sept pour cent. Dans des études sur des hommes finnois, la consommation de riz brun est inversement reliée non seulement aux décès causés par la maladie cardiovasculaire, mais à toutes les causes de décès.

CANCER : Le riz brun contient des lignanes végétales, surtout l'entérolactone, qui aide au maintien d'une flore intestinale saine chez les humains et semble protéger de la maladie cardiovasculaire, du cancer du sein et d'autres types de cancers hormono-dépendants. D'après une étude danoise, portant sur 857 femmes en postménopause, on a découvert que celles qui ont consommé le plus de grains entiers, incluant le riz brun, présentaient les niveaux sanguins d'entérolactone les plus élevés.

MALADIE D'ALZHEIMER : Des chercheurs ont découvert, dans des études expérimentales sur animaux, que la consommation de riz brun réduisait les déficits d'apprentissage et de mémoire apportés par la protéine bêta-amyloïde. Cette protéine est considérée comme l'un des principaux déclencheurs de démence dans la maladie d'Alzheimer.

Conseils pratiques

SÉLECTION ET ENTREPOSAGE :

- Le riz à grains longs produit des grains légers et secs qui se séparent aisément.
- Le riz à grains courts produit des grains presque ronds qui constituent un contenu en féculent plus élevé que les variétés à grains longs ou à grains moyens. Ils ont tendance à coller ensemble lorsqu'on les cuit.
- Le riz à grains moyens possède des caractéristiques de taille et de texture qui se situent entre celles des grains courts et des grains longs.
- La durée de conservation du riz brun est de trois à six mois, mais on peut prolonger cette période en entreposant les portions non cuites au réfrigérateur.

- Réfrigérez le riz brun cuit jusqu'à une semaine dans un contenant hermétiquement fermé ou au congélateur pendant environ six mois.

SUGGESTIONS POUR PRÉPARER ET SERVIR :

- Il faut approximativement 45 à 50 minutes pour faire cuire le riz brun. Il existe des versions instantanées et partiellement cuites qui prennent beaucoup moins de temps et dont la valeur nutritionnelle est la même.
- Les cuiseurs à riz munis de minuteurs sont exceptionnels pour préparer du riz parfait en tout temps.
- Utilisez le riz brun comme un ajout santé dans le pain de viande, les burgers ou autres plats de viande hachée.
- Utilisez une combinaison moitié-moitié de riz brun et de riz blanc. Mélanger les deux est une bonne façon d'encourager les enfants à consommer du riz brun.
- Garnissez une portion de riz brun avec des légumes à la vapeur et du tofu, de la viande maigre, de la volaille ou du poisson.

Riz super énergisant

par Dave Grotto

Portions : 6 • Temps de préparation et de cuisson : 30 minutes

Croyez-moi : ce plat est un repas en lui-même. La pâte aux haricots rouges, ajoutée à la fin, donne encore plus de vie à cette recette qui contient huit éléments énergisants.

INGRÉDIENTS :

455 kg (1 lb) de bœuf, de poulet ou de seitan, coupé en lanières
1 petite courge jaune, tranchée en julienne
1 grosse carotte, tranchée en julienne
½ emballage de fèves germées
2 champignons séchés shiitake, réhydratés dans l'eau chaude
250 ml (1 tasse) d'oignons verts, hachés
1 sac d'épinards
4 œufs frits (facultatif)
1 L (4 tasses) de riz brun précuit
30 ml (2 c. à soupe) d'huile de sésame
125 ml (½ tasse) de sauce soya, faible en sodium
65 ml (¼ tasse) d'eau
250 ml (1 tasse) de sirop d'agave
5 gousses d'ail, émincées
Pâte aux haricots rouges, au goût

PRÉPARATION :

Combinez le seitan (ou la viande), l'ail, l'eau, 65 ml (¼ tasse) de sauce soya, 65 ml (¼ tasse) de sirop d'agave, et 15 ml (1 c. à soupe) d'huile de sésame dans un bol de taille moyenne. Couvrez et réfrigérez pendant au moins 3 heures, préférablement toute la nuit. Tranchez la courge, les carottes et les champignons en julienne. Commencez à faire bouillir de l'eau dans une casserole pour les épinards et les fèves germées. Ajoutez 15 ml d'huile de sésame à une grande poêle à frire et chauffez. Faites cuire séparément les carottes, la courge, les oignons verts et les champignons. Ajoutez 15 ml (1 c. à soupe) de sauce soya et 30 ml (2 c. à soupe) de sirop d'agave à chaque légume. Faites sauter chaque légume jusqu'à ce qu'il soit tendre. Placez chaque légume dans des bols séparés. Faites cuire la viande/seitan avec la marinade dans une grande poêle à frire jusqu'à ce que la viande soit bien dorée et qu'elle commence à caraméliser. Placez dans un bol séparé. Faites cuire les épinards pendant une minute, juste assez pour qu'ils diminuent de volume. Faites cuire les fèves germées pendant deux minutes et réservez dans un bol. Faites frire les œufs en laissant le jaune un peu baveux.

Ajoutez 250 ml (1 tasse) de riz brun cuit dans des plats de service individuels. Placez une couche d'épinards sur le riz. Divisez les champignons, les carottes, les fèves germées, la courge, les oignons et la viande sur les épinards. Garnissez chaque plat de service d'un œuf frit. Ajoutez la quantité désirée de pâte aux haricots rouges et servez. Toute la saveur de ce plat est accentuée quand l'œuf est écrasé et que les ingrédients sont bien mélangés à la pâte de haricots avant de le manger.

CHAQUE PORTION CONTIENT :
Calories : 420; Lipides : 10 g; Gras saturés : 2 g; Cholestérol : 165 mg; Sodium : 409 mg; Glucides : 57 g; Fibres : 6 g; Sucre : 25 g; Protéines : 29 g.

Romarin (*Rosmariunus officinalis*)

RÉSISTANT À TOUTE ÉPREUVE

Saviez-vous que… on associe le romarin à la longévité ? Ce n'est pas surprenant puisque l'on sait que certains de ces plants sont connus pour survivre au même endroit pendant aussi longtemps que trente ans !

En bref

Le romarin est une herbe dont les feuilles ressemblent aux aiguilles des arbres à feuillage persistant et qui appartient à la famille de la menthe. On peut trouver plusieurs variétés de romarin dont les usages sont culinaires autant qu'ornementaux. En cuisine, les cultivars les plus populaires sont le « Tuscan Blue », le « Miss Jessup » et le « Spice Island ». Le terme « romarin » provient du latin *rosmarinus* qui signifie « rosée de la mer » — le romarin pousse habituellement près de la mer. En plus de s'en servir comme herbe dans des plats savoureux, on emploie aussi le romarin dans la fabrication de cosmétiques, de désinfectants, de shampoings, de médicaments à base de plantes, et comme pot-pourri. On prépare l'huile de romarin à partir des fleurs distillées ou des tiges et des feuilles. Environ 100 livres (45 kilos) de têtes de fleurs produisent environ 250 ml (1 tasse) d'huile.

Son origine

Le romarin est originaire de la région méditerranéenne. Dans de nombreuses cultures, on considère le romarin comme un symbole d'amour et de fidélité. Des mariées ont souvent porté une guirlande de romarin durant la cérémonie de leur mariage. Les invités assistant à la cérémonie peuvent aussi recevoir une branche de romarin comme gage d'amour et de loyauté. On peut aussi se servir du romarin comme encens dans des funérailles ou autres cérémonies religieuses.

Où le cultive-t-on ?

Les principaux producteurs de romarin sont la France, l'Espagne et les États-Unis, surtout en Californie.

Pourquoi devrais-je en consommer ?

Un grand nombre de composés polyphénoliques dotés d'activité antioxydante, qui empêche l'oxydation et la croissance des bactéries, ont été identifiés dans le romarin.

Remèdes maison

On emploie souvent le thé au romarin pour soulager les maux de tête. Autrefois, on utilisait des brins de romarin pour chasser les « mauvais esprits » et les cauchemars. On disait qu'en déposant un brin de romarin sous son oreiller, on dormirait d'un sommeil paisible. En Espagne et en Italie, beaucoup croient que la Vierge Marie s'était cachée dans un buisson de romarin pour se mettre à l'abri. L'odeur du romarin est censée stimuler la mémoire. Dans certains pays, on a coutume de brûler du romarin près des lits de personnes malades, et dans certains hôpitaux français, on brûle du romarin et des baies de genièvre pour purifier l'air et prévenir les infections. On se sert souvent du romarin pour empêcher les mites d'envahir les vêtements.

Propriétés étonnantes !

CANCER : L'extrait de romarin est doté d'un effet de protection sur le sang humain exposé aux rayons gamma (radiation). Le romarin a aussi démontré des effets antimutagéniques qui peuvent aider à prévenir certains types de cancers. On a administré de l'extrait de romarin à des souris albinos pendant quinze semaines. On a alors constaté une réduction du nombre et de la taille des papillomes chez les animaux traités. Dans une étude de lignée cellulaire, on a constaté que la combinaison d'acide carnosique (le principal polyphénol aux propriétés antioxydantes contenu dans le romarin) et de vitamine D améliorait la différenciation des cellules et réduisait la propagation des cellules cancéreuses de la leucémie humaine. On a observé des résultats similaires chez les souris.

PRÉVENTION DE LA CROISSANCE BACTÉRIENNE : On a découvert que l'huile de romarin était très efficace contre la bactérie *E. Coli* et pouvait prévenir la formation de certains types de prolifération bactérienne dans les aliments.

PROTECTION DES POUMONS : On a découvert que des souris, qui avaient été prétraitées avec un extrait de romarin avant d'être exposées à des émanations d'essence diesel, montraient de façon significative moins d'inflammation aux poumons que celles qui n'avaient pas été prétraitées.

Conseils pratiques

SÉLECTION ET ENTREPOSAGE :

- On peut se procurer du romarin séché, en huile ou frais. Il est préférable de se servir du romarin frais, car il perd la plus grande partie de sa saveur lorsqu'il est séché.

SUGGESTIONS POUR PRÉPARER ET SERVIR :

- Pour augmenter la saveur des plats de la cuisine traditionnelle méditerranéenne, on utilise généralement les feuilles fraîches autant que les feuilles séchées.

- On se sert du romarin pour assaisonner la volaille, l'agneau, le poisson, les plats de riz, les soupes et les légumes.
- On emploie souvent cette herbe pour aromatiser le vin et les bières.

Tartinade au romarin, à l'ail, aux artichauts et haricots

par Dave Grotto

Portions : 8 • Temps de préparation et de cuisson : 20 minutes

Cette recette contient neuf éléments énergisants.

INGRÉDIENTS :

250 ml (1 tasse) de cœurs d'artichauts
250 ml (1 tasse) d'haricots blancs
125 ml (½ tasse) d'oignons, hachés
30 ml (⅛ tasse) d'huile d'olive extra vierge
2 gousses d'ail, émincées
5 ml (1 c. à thé) de brins de romarin, hachés
15 ml (1 c. à soupe) de sauce chili douce
65 ml (¼ tasse) de tomates séchées dans l'huile, égouttées et hachées
5 ml (1 c. à thé) de zeste de citron
30 ml (2 c. à soupe) de jus de citron frais pressé
Sel et poivre de Cayenne, au goût

PRÉPARATION :

Combinez tous les ingrédients dans un robot culinaire et mélangez pendant environ 30 secondes ou jusqu'à ce que le tout soit uniforme. Ajoutez le poivre de Cayenne pour une version épicée. Servez sur du céleri, avec des craquelins de blé entier ou comme pâte à tartiner dans un sandwich.

CHAQUE PORTION CONTIENT :

Calories : 90; Lipides : 4 g; Gras saturés : 0,5 g; Cholestérol : 0 mg; Sodium : 290 mg; Glucides : 11 g; Fibres : 2 g; Sucre : 2 g; Protéines : 4 g.

Sardine (*Sardinops sagax caerulea*)

UN RÉGAL POUR LES PORTUGAIS !

Saviez-vous que... le jour de la Saint-Antoine est une des journées de festival les plus populaires de l'année à Lisbonne, au Portugal ? Les gens envahissent les rues où des sardines grillées constituent une collation de choix.

En bref

On vend plus de vingt espèces de sardines de par le monde. La définition des sardines est quelque peu imprécise et peut s'appliquer à toutes sortes de petits poissons. Mais règle générale, celles qui sont vendues aux États-Unis sont soit des sprats ou des harengs. La plus grande partie de l'approvisionnement mondial de sardines sert d'appâts pour attraper de plus gros poissons.

Son origine

Au XIXe siècle, Napoléon avait pris conscience de la nécessité de préserver les aliments ; c'est ainsi qu'on a apprêté les premières sardines dans de l'huile ou dans du jus de tomates. On retrouvait auparavant une abondance de sardines près des côtes de la Sardaigne, en Méditerranée ; c'est d'ailleurs de cette île qu'elles ont tiré leur nom. On leur donne aussi le nom de sardines de l'Atlantique, hareng ou pilchard.

Où les trouve-t-on ?

On trouve des sardines dans tous les océans du monde. Une grande partie des sardines fraîches et des sardines en conserve proviennent du Portugal.

Pourquoi devrais-je en manger ?

Les sardines sont des poissons qui vivent en eau froide et qui sont de bonnes sources d'acides gras oméga-3, de protéines et de calcium (provenant des arêtes du poisson). Une portion de

90 g (3 oz) de sardines fournit autant de calcium qu'un verre de lait !

Remèdes maison

Les sardines sont une bonne source d'acides gras oméga-3 ; substance liée au soulagement de la dépression.

Propriétés étonnantes !

SANTÉ CARDIOVASCULAIRE : Une étude sur des animaux a découvert qu'il était plus efficace de nourrir des rats démontrant un taux élevé de cholestérol avec des sardines conservées dans l'huile d'olive que de simplement leur administrer de l'huile de poisson pure.

AUGMENTATION DES ACIDES GRAS OMÉGA-3 DANS LE LAIT MATERNEL : Les résultats d'une étude portant sur 31 mères qui allaitaient ont découvert que chez celles qui avaient consommé 100 g (3,5 oz) de sardines deux ou trois fois par semaine, la quantité d'acides gras oméga-3 contenus dans leur lait maternel avait augmentée de façon significative.

Conseils pratiques

SÉLECTION ET ENTREPOSAGE :

- Lorsqu'elles sont offertes au marché des poissons, achetez les sardines fraîches, elles sont délicieuses !
- Cherchez des sardines à chair ferme et aux yeux brillants et clairs.
- Rincez les sardines fraîches et déposez-les en une seule couche dans un contenant hermétiquement fermé ; recouvrez-les de serviettes de papier humides. Entreposez le contenant au réfrigérateur.
- Pour des sardines en conserve, vérifiez la date d'expiration et utilisez-les avant cette date.

SUGGESTIONS POUR PRÉPARER ET SERVIR :

- Pour faire griller les sardines fraîches, écaillez-les et videz-les, mais laissez-leur les arêtes.
- Égouttez l'huile des sardines en conserve avant de les utiliser.
- Ajoutez des sardines à des rôties, recouvrez le tout de fromage suisse râpé et déposez dans un four chaud.
- Dans un poêlon, faites chauffer de l'huile d'olive, de l'oignon, de l'ail et des sardines en conserve avec de la sauce tomate jusqu'à ce que les sardines soient complètement chauffées, et ajoutez-les à vos pâtes cuites favorites.

Sardines pour le petit-déjeuner

Adapté de www.cooks.com

Portions : 2 • Temps de préparation et de cuisson : 15 minutes

Cette recette contient cinq éléments énergisants.

INGRÉDIENTS :

5 ml (1 c. à thé) de mayonnaise à base de colza
2 tranches de pain de grains entiers, rôties
6 sardines dans l'huile d'olive, égouttées
10 ml (2 c. à thé) de câpres, égouttées
1 ml (¼ c. à thé) de poivre noir, fraîchement moulu
1 gousse d'ail, émincée
10 ml (2 c. à thé) d'oignon rouge, haché
Quartier de citron frais, pour son jus

PRÉPARATION :

Tartinez de mayonnaise un côté de chaque rôtie. Écrasez 3 sardines sur chaque tranche et garnir avec les câpres, l'oignon haché, le jus de citron pressé, le poivre et l'ail. Faites griller sous le gril du four, ou dans un four grille-pain, jusqu'à ce que le tout soit doré.

CHAQUE PORTION CONTIENT :

Calories : 159; Lipides : 7 g; Gras saturés : 1 g; Cholestérol : 52 mg; Sodium : 407 mg; Glucides : 15 g; Fibres : 2 g; Sucre : 2 g; Protéines : 12 g.

Sarrasin (*Fagopyrum esculentum Moench*)

FAIT PARTIE DE LA LÉGENDE
Saviez-vous que… Thomas Jefferson et George Washington ont été parmi les premiers Américains à cultiver le sarrasin ?

En bref

Contrairement à la croyance populaire, le sarrasin n'est pas une céréale, mais plutôt un fruit. C'est un grain étroitement apparenté au plant de rhubarbe. Les Hollandais l'ont nommé d'après la faîne, à laquelle il ressemble. Il existe plusieurs variétés de sarrasin, la plus populaire est offerte non rôtie ou rôtie, et est aussi connue sous le nom de « kacha ». Le sarrasin produit des fleurs à partir desquelles les abeilles fabriquent un miel foncé à saveur riche.

Son origine

Le sarrasin provient de la Chine centrale et occidentale, où il était déjà cultivé entre le Xe et le XIIIe siècle. Les gens des Croisades l'ont apporté en Russie et en Europe autour des XIVe et XVe siècles. Il a ensuite été introduit aux États-Unis par les Hollandais au XVIIe siècle. On s'en est servi depuis pour l'alimentation humaine et animale. On utilise aussi des cosses de sarrasin pour faire des oreillers spéciaux pour la tête, le corps et les yeux.

Où le cultive-t-on ?

Le Japon est le principal producteur de sarrasin, suivi par la Russie, la Pologne, le Canada, la France et les États-Unis. Dans ce dernier pays, les trois plus importants producteurs sont le Missouri, l'État de New York et la Pennsylvanie.

Pourquoi devrais-je en manger ?

Le sarrasin possède une teneur élevée en fibres, magnésium, vitamines B et manganèse. Il contient des flavonoïdes, comme la rutine, qui aide à faire diminuer le « mauvais » cholestérol et à maintenir une bonne circulation sanguine. Le sarrasin est doté de lignanes, comme l'entérolactone, qui peut protéger contre le cancer et la maladie cardiaque. Il contient les antioxydants bénéfiques que sont la vitamine E, les tocotriénols, le sélénium, les acides phénoliques et l'acide phytique.

Remèdes maison

L'armée chinoise donne du sarrasin à ses soldats parce qu'ils croient que cet aliment leur procure plus de force et de résistance. Les Indiens Hopis donnaient à leurs femmes une infusion de la plante complète de sarrasin pour arrêter le saignement après un accouchement.

Propriétés étonnantes!

Les rats et les souris, à qui on a donné de la farine de sarrasin, ont présenté des niveaux de cholestérol plus faibles, moins de tissu adipeux, et moins de calculs biliaires que les animaux qui n'en ont pas eu. Lorsqu'on a donné de la farine de sarrasin à des rats qui vieillissaient prématurément, ils ont démontré une amélioration des fonctions des cellules immunes, par comparaison aux rats qui n'en ont pas consommé. Une étude pratiquée sur des rats diabétiques a découvert que le concentré de sarrasin, ajouté à la nourriture des rats, diminuait leurs niveaux de glucose de douze à dix-neuf pour cent après le repas. Des études sur le sarrasin portant sur des humains et sur les comportements d'appétence sont aussi prometteuses. Une étude effectuée en 2005 a découvert que les gens se sentaient plus rassasiés après avoir consommé du sarrasin qu'après avoir consommé d'autres grains.

Conseils pratiques

SÉLECTION ET ENTREPOSAGE :

- Le sarrasin en vrac devrait être libre de condensation, d'agglutination, ou de « toiles » — une indication certaine d'infestation d'insectes.

- Lorsque vous achetez du sarrasin pré-emballé, vérifiez la date d'expiration et assurez-vous qu'il n'y a pas d'humidité dans le sac.
- Le sarrasin peut être entreposé dans un contenant hermétique jusqu'à une année si on le conserve dans un endroit frais et sec.
- On devrait garder la farine de sarrasin au réfrigérateur, où elle peut rester fraîche pendant quelques mois.

SUGGESTIONS POUR PRÉPARER ET SERVIR :

- Pour les débarrasser des saletés, les grains de sarrasin devraient d'abord être rincés sous l'eau froide courante.
- Pour le préparer, utilisez une partie de sarrasin avec deux parties d'eau. Portez à ébullition. Couvrez et laissez mijoter pendant 20 minutes.
- Combinez la farine de blé, ou toute autre farine tout usage, à la farine de sarrasin pour fabriquer du pain, des biscuits ou des crêpes.
- Utilisez le sarrasin comme céréale chaude. Ajoutez des petits fruits, de la cassonade ou de la cannelle pour plus de saveur. Ajoutez du sarrasin cuit aux salades et aux soupes pour augmenter les avantages sur le plan de la santé et du goût.

Pain aux bananes et au sarrasin

Tiré de *Gluten-Free 101*, par Carol Fenster

Portions : 12 (2 tranches par portion) •

Temps de préparation : 15 minutes • Temps de cuisson : 40 minutes

Cette recette contient sept aliments énergisants.

INGRÉDIENTS :

2 gros oeufs
190 ml (¾ tasse) de lait écrémé
85 ml (⅓ tasse) d'huile de colza
5 ml (1 c. à thé) d'extrait de vanille
2 bananes moyennes mûres, en purée
375 ml (1 ½ tasse) de mélange de farine tout usage sans gluten
125 ml (½ tasse) de crème de céréale de sarrasin
190 ml (¾ tasse) de cassonade, pressée
8 ml (1 ½ c. à thé) de gomme xanthane
10 ml (2 c. à thé) de levure chimique
5 ml (1 c. à thé) de sel
5 ml (1 c. à thé) de cannelle, moulue
1 ml (¼ c. à thé) de muscade, moulue
65 ml (¼ tasse) de noix, hachées
65 ml (¼ tasse) de raisins secs

PRÉPARATION :

Préchauffez le four à 180°C (350°F). Graissez généreusement 3 petits moules à gâteaux antiadhésifs de 12 x 7 cm (5 x 3 po). Dans un bol moyen, battez les œufs, le lait, l'huile de colza, la vanille et les bananes à vitesse moyenne avec un mélangeur électrique, jusqu'à ce que le tout soit uniforme. Ajoutez les ingrédients secs (de la farine à la muscade) et mélangez à vitesse basse/moyenne. Incorporez doucement les noix et les raisins en remuant. Transférez la pâte dans les moules préparés. Faites cuire au four pendant 25 à 40 minutes, jusqu'à ce que les pains soient bien dorés. Retirez les plats du four. Laissez-les refroidir sur une grille métallique pendant 10 minutes. Retirez les pains des moules et laissez-les refroidir un peu plus longtemps sur une grille métallique. Coupez chaque pain en 8 tranches.

CHAQUE PORTION CONTIENT :
Calories : 250; Lipides : 10 g; Gras saturés : 1 g; Cholestérol : 35 mg; Sodium : 300 mg; Glucides : 39 g; Fibres : 3 g; Sucre : 21 g; Protéines : 5 g.

Saumon (*Salmonidae*)

TOUT EST DANS LA PEAU !

Saviez-vous que... en fonction de l'espèce et de la région d'où ils proviennent, la composition en gras et en contaminants du saumon d'élevage, tout comme celle du saumon sauvage, peut varier énormément ? Le simple fait d'enlever la peau après la cuisson peut réduire la quantité de plusieurs de ces contaminants dans une proportion de plus de cinquante pour cent !

En bref

Le terme saumon est le nom communément utilisé pour plusieurs types de poissons appartenant à la famille des salmonidées. Certains poissons de cette famille sont des saumons, alors que d'autres sont en fait des truites saumonées. Les espèces les plus courantes provenant de l'océan Atlantique incluent le saumon de l'Atlantique, le saumon d'eau douce et la truite saumonée. Les espèces les plus communes trouvées dans l'océan Pacifique incluent le sockeye — aussi appelé saumon rouge —, le saumon du Pacifique, le saumon rose, le saumon coho, le saumon japonais et le saumon kéta. Le saumon naît habituellement dans l'eau douce et migre vers l'océan ; il revient à l'eau douce pour se reproduire. Le saumon du Pacifique mourra probablement quelques jours ou quelques semaines après le frai.

Son origine

La recherche démontre qu'au moins quatre-vingt-dix pour cent des saumons qui fraient dans un ruisseau donné y sont nés. Représentant, annuellement, une industrie de plus d'un milliard de dollars aux États-Unis, la salmoniculture est la source la plus importante pour la production mondiale de poissons d'élevage à nageoires.

D'où provient-il ?

Le saumon vit dans les océans Atlantique et Pacifique, les Grands Lacs et dans d'autres lacs à travers le monde. La péninsule Kamtchatka, en Russie orientale, renferme le plus grand sanctuaire de saumons au monde. De nos jours, la majorité du saumon de l'Atlantique que l'on peut se procurer sur le marché provient de l'élevage (quatre-vingt-dix-neuf pour cent), alors que la plus grande partie du saumon du Pacifique est pêchée à l'état sauvage (quatre-vingts pour cent). La salmoniculture est populaire en Norvège, en Suède, en Écosse, au Canada et au Chili ; les États-Unis et l'Europe sont les plus grands consommateurs de ce type de poisson. Le saumon sauvage du Pacifique est la variété la plus utilisée aux États-Unis pour les conserves ; le saumon de l'Alaska est toujours à l'état sauvage.

Pourquoi devrais-je en manger ?

Le saumon est une riche source d'acides gras oméga-3. Cet élément est nécessaire au bon fonctionnement du cerveau et du système cardiovasculaire. Le saumon est riche en protéines et en vitamine A. Les caroténoïdes qui sont contenus dans la chair lui donnent habituellement cette teinte orange ou rouge. Les principaux caroténoïdes retrouvés dans la peau du saumon incluent l'astaxanthine et la cantaxantine. Le saumon acquiert ces caroténoïdes par sa diète ; le saumon sauvage les extrait des krills et de minuscules crustacés, et le saumon d'élevage les reçoit de la nourriture dont on les alimente. L'astaxanthine est un antioxydant naturel employé comme agent colorant pour donner une couleur rose aux saumons d'élevage, autrement, ils paraîtraient plutôt gris. Le saumon contient aussi d'importants minéraux incluant le calcium, le phosphore, le potassium, le fer, le magnésium, le sélénium et le zinc.

UNE AUTRE HISTOIRE DE PÊCHE ?

Sauvage ou d'élevage ? Que la version la plus nutritive lève sa nageoire ! Le saumon d'élevage se déplace moins que le saumon sauvage, il a donc tendance à être plus gras. Mais en étant plus gras, il contient plus d'acides gras oméga-3 que sa contrepartie sauvage... mais pas tant que ça. Les deux choix conviennent donc à votre diète.

Propriétés étonnantes !

SANTÉ GLOBALE : Des études d'observation suggèrent que l'inclusion de poisson gras, comme le saumon, accompagné de fruits, de légumes, de grains entiers, de noix et de graines, réduit le risque de cancer, de crise cardiaque, d'AVC et de diabète. Les acides gras oméga-3 trouvés dans le saumon ont aussi démontré leur capacité à améliorer la santé cardiovasculaire et à combattre la dépression, l'asthme et le cancer.

Conseils pratiques

SÉLECTION ET ENTREPOSAGE :

- On peut trouver du saumon frais, congelé, en conserve et fumé.
- Le saumon fraîchement pêché n'est disponible que quelques mois dans l'année ; cependant on peut se procurer le saumon d'élevage toute l'année.
- Il faut consommer ou congeler le saumon frais à l'intérieur de deux jours après son achat.

SUGGESTIONS POUR PRÉPARER ET SERVIR :

- Il faut enlever la peau, ainsi que les arêtes.
- Faites attention de ne pas trop cuire le saumon.
- On peut détruire les acides gras oméga-3 en exposant le saumon à l'air, à la lumière ou à la chaleur, mais la congélation du saumon ne causera que des pertes minimes.
- Le saumon peut être cuit au four ou au barbecue, frit, fumé, et même servi cru dans le sushi.

- Les herbes fréquemment employées pour apprêter le saumon incluent l'aneth et le romarin.

Saumon grillé avec salsa de canneberges et cerises

Adapté de *The Golden Door Cooks Light and Easy,* par le chef Michel Stroot

Portions : 4 • Temps de préparation et de cuisson : 20 minutes

C'est un des mets préférés de ma famille. Lorsque j'ai préparé pour la première fois cette recette à la maison, deux de mes filles en ont redemandé : une première ! Même si elles aiment le saumon, la salsa aux canneberges apporte vraiment une touche particulière que mes filles adorent. Michel Stroot a marié les canneberges et les cerises pour obtenir une saveur exceptionnelle et une excellente valeur nutritive. Les ingrédients réunis dans ce plat – le saumon, les canneberges, les cerises et le gingembre – lui donnent des propriétés anti-inflammatoires extraordinaires. Cette recette contient sept éléments énergisants.

INGRÉDIENTS POUR LA SALSA :

125 ml (½ tasse) de canneberges séchées
125 ml (½ tasse) de cerises, dénoyautées
30 ml (2 c. à soupe) de sucre
30 ml (2 c. à soupe) de jus de pommes
30 ml (2 c. à soupe) de gingembre confit, émincé
5 ml (1 c. à thé) de zeste d'orange

INGRÉDIENTS POUR LE SAUMON :

4 filets de saumon de 120 g (4 oz) chacun
5 ml (1 c. à thé) de thym ou thym au citron, séché
5 ml (1 c. à thé) de sel, si désiré
3 ml (½ c. à thé) de poivre noir moulu, si désiré
12 brins de ciboulette, si désiré

PRÉPARATION :

Préchauffez le gril ou utilisez un poêlon à frire. Faites mijoter les canneberges, les cerises, le sucre, le jus de pomme, le gingembre confit et le zeste d'orange dans une casserole à chaleur moyenne pendant 5 minutes, ou jusqu'à ce que les canneberges soient gonflées et ramollies. Retirez la salsa du feu et laissez refroidir. Assaisonnez les filets de saumon avec du thym, du sel et du poivre noir, au goût. Faites passer au four ou dans le poêlon pendant 3 à 5 minutes de chaque côté, jusqu'à ce que les filets soient à moitié cuits. (Le temps de cuisson dépendra de l'épaisseur des filets). Mettez 85 ml (⅓ tasse) de salsa dans un plat à service. Déposez les filets de saumon au centre du plat et garnissez de ciboulette, si désiré. Vous pouvez conserver la salsa qui reste jusqu'à 3 jours si elle est dans un contenant hermétiquement fermé.

CHAQUE PORTION CONTIENT :

Calories : 260; Lipides : 12 g; Gras saturés : 3,5 g; Cholestérol : 55 mg; Sodium : 640 mg; Glucides : 16 g; Fibres : 1 g; Sucre : 14 g; Protéines : 23 g.

Seigle (*Secale cereale*)

QUAND LE SEIGLE EST À L'HONNEUR !

Saviez-vous que... les Finnois consomment approximativement 50 kilos de pain par personne chaque année, et qu'un tiers de ce pain est fait avec du seigle ?

En bref

Le seigle est une céréale étroitement reliée au blé et à l'orge, et sa couleur varie du brun jaunâtre au vert grisâtre. Le seigle est le principal ingrédient du pain pumpernickel. Son gluten est moins élastique que celui du blé, ce qui rend les pains de seigle plus denses et plus compacts. On peut trouver le seigle sous forme de grains entiers, en farine ou en flocons.

Son origine

Il est probable que le seigle ait d'abord poussé sous forme sauvage dans les champs de blé et d'orge de l'Asie du Sud-Ouest. Il s'est ensuite frayé un chemin en Europe du Nord et en Europe de l'Est où il a d'abord été cultivé en Allemagne vers l'an 400 avant notre ère. Le seigle continue d'être un aliment de base dans les pays scandinaves et en Europe de l'Est.

Où le cultive-t-on ?

Près de quatre-vingt-quinze pour cent de la production mondiale de seigle provient de la région entre les monts Oural et les mers nordiques. Les principaux producteurs de seigle sont la Russie, la Biélorussie, la Pologne et l'Allemagne.

Pourquoi devrais-je en consommer ?

Le seigle à grains entiers contient plusieurs vitamines et minéraux importants, comme les vitamines B, la vitamine E, le calcium, le magnésium, le phosphore, le potassium, le fer, le zinc et l'acide folique. Plus que toute autre céréale cultivée, le seigle à grains entiers possède une concentration élevée de lignanes – une fibre insoluble qui peut offrir des avantages de protection contre le cancer et la maladie cardiovasculaire.

Remèdes maison

À l'état naturel, la céréale de seigle a longtemps été utilisée pour donner de l'énergie.

Propriétés étonnantes !

DIGESTION : D'après une étude, la fibre du seigle serait plus efficace que celle du blé dans l'amélioration globale de la santé des intestins.

CANCER DU SEIN : Une étude finnoise, à laquelle ont participé 194 patientes atteintes du cancer du sein et 208 sujets témoins, a découvert que de hauts niveaux de sérum d'entérolactone étaient associés avec une consommation élevée de produits à base de seigle, et que ces chiffres sont inversement proportionnels au risque de cancer du sein.

MALADIE CARDIOVASCULAIRE : De 1989 à 2000, 3588 personnes âgées, hommes et femmes, ont pris part à une étude à long terme. Dans la richesse des données obtenues, il y avait des indications selon lesquelles consommation de pain de seigle, ou celle d'autres pains noirs, est associée à un risque plus faible d'incidents de maladie cardiovasculaire.

TUMEURS : Une étude de lignée cellulaire a démontré que des extraits de phytoestrogène et de lignage provenant du seigle empêchaient de façon considérable la prolifération des cellules cancéreuses.

CANCER DE LA PROSTATE : Un régime à base de céréale de seigle a été administré à des souris qui avaient développé le cancer de la prostate. L'apoptose (mort cellulaire programmée) a augmenté dans trente pour cent des cas et la réduction des cellules cancéreuses a augmenté de vingt pour cent chez les souris nourries au pain de seigle.

CANCER DU CÔLON : Une autre étude sur des souris a découvert qu'en nourrissant des souris atteintes de cancer du côlon avec une diète équilibrée à haute teneur en gras supplémentée de céréales de seigle, pendant 12 à 31 semaines, il y avait une diminution significative du nombre de tumeurs.

CALCULS BILIAIRES : Une étude sur des hamsters a découvert que lorsqu'on leur administrait un régime comprenant des suppléments de céréales de seigle, la fréquence des calculs biliaires était moins élevée.

Conseils pratiques

SÉLECTION ET ENTREPOSAGE :

- Évitez le seigle qui semble montrer des traces de moisissure ou de filets d'insectes.

- Si vous achetez du pain de seigle, lisez attentivement la liste des ingrédients pour voir si le seigle est un ingrédient prédominant.
- Conservez le seigle dans un contenant hermétiquement fermé, dans un endroit sombre, sec et frais, préférablement réfrigéré, où il se conservera pendant plusieurs mois.

SUGGESTIONS POUR PRÉPARER ET SERVIR :

- Avant de faire cuire le seigle, rincez les grains à l'eau courante pour enlever les traces de saletés.
- Ajoutez une part de seigle à quatre parts d'eau bouillante avec un peu de sel. Quand l'eau bout, diminuer le feu et faites mijoter pendant environ une heure.
- Trempez les grains de seigle pendant toute une nuit et faites-les cuire pendant deux ou trois heures pour une texture plus douce.
- Utilisez la farine de seigle pour fabriquer vos muffins et vos crêpes.
- Essayez des flocons de seigle pour une céréale chaude et savoureuse au petit-déjeuner.
- Utilisez du pain de seigle pour apporter un supplément nutritif à vos sandwiches.

Pâte à pizza ou à petits pains de seigle

par le chef J. Hugh McEvoy

Portions : 8 • Temps de préparation et de cuisson : 60 minutes

Cette recette contient deux éléments énergisants.

INGRÉDIENTS :

250 ml (1 tasse) de farine de seigle légère
500 ml (2 tasses) de farine à pain blanche
250 ml (1 tasse) d'eau chaude
10 ml (2 c. à thé) de levure active sèche de boulanger
5 ml (1 c. à thé) de sel kasher
1 ml (¼ c. à thé) de sucre ou de sirop d'érable
15 ml (1 c. à soupe) d'huile d'olive extra vierge

PRÉPARATION :
Déposez l'eau chaude, le sucre d'érable et la levure dans un bol de grosseur moyenne. Laissez le tout reposer jusqu'à ce que la levure commence à prendre du volume. Incorporez un tiers du mélange de farine, l'huile et le sel. Mélangez pendant une minute jusqu'à ce que le tout soit uniforme. Incorporez le reste de la farine, 65 ml (¼ tasse) à la fois. La pâte sera assez molle, mais elle ne devrait pas être trop collante. Pressez la pâte sur une planche à découper bien enduite de farine. Pétrissez la pâte pendant 5 minutes. Déposez dans un bol beurré, couvrez et laissez monter la pâte jusqu'à ce qu'elle double de volume. Enfoncez votre poing dans la boule de pâte. Déposez la pâte sur une surface enfarinée et pétrissez à nouveau pendant une minute. Replacez dans le bol, couvrez-la et permettez-lui de lever à nouveau. La pâte est prête pour la pizza lorsqu'elle aura à nouveau doublé sa taille.

CHAQUE PORTION CONTIENT :
Calories : 202; Lipides : 3 g; Gras saturés : 0,5 g; Cholestérol : 0 mg; Sodium : 55 mg; Glucides : 38 g; Fibres : 3 g; Sucre : 5 g; Protéines : 6 g.

Sésame (*Sesamum indicum*)

SÉSAME, OUVRE-TOI !

Saviez-vous que... l'expression « Sésame, ouvre-toi » est inspirée de la façon dont les graines de sésame éclatent lorsqu'elles atteignent la maturité ?

En bref

Les graines de sésame sont des grains plats et ovales qui proviennent du plant de sésame et qui se présentent dans une variété de couleurs : jaune, blanc, rouge ou noir. On utilise les graines de sésame pour fabriquer l'huile de sésame, qui est très résistante à la rancidité.

Son origine

Le sésame est originaire de l'Inde et s'est répandu jusqu'au Moyen-Orient, en Afrique et en Asie. Les graines de sésame ont été parmi les premiers produits agricoles traités pour être transformés en huile et en condiments. Au XVIIe siècle, ces graines ont fait leur chemin de l'Afrique jusqu'aux États-Unis.

Où le cultive-t-on ?

Les plus importants producteurs commerciaux de sésame sont la Chine, l'Inde, et le Mexique.

Pourquoi devrais-je en consommer ?

Les graines de sésame sont riches en lignanes, un phytoestrogène qui semble être doté de la capacité de combattre plusieurs cancers de types hormonaux, surtout les cancers du sein et de la prostate. On trouve les plus hauts niveaux de phytostérols dans les graines de sésame et dans le germe de blé. Parmi les noix et les graines, les pistaches et les graines de sésame sont les sources les plus riches en phytostérols ; on croit que cette substance combat la maladie cardiovasculaire et aide à réduire l'hyperplasie prostatique bénigne (enflure de la prostate).

Remèdes maison

DOULEURS : Mélangez du jus de gingembre frais râpé avec une quantité égale d'huile de sésame ; trempez une toile de coton dans le mélange, et frottez énergiquement sur la région affectée.

CONSTIPATION : À une tasse d'eau chaude, ajoutez 15 ml (1 c. à soupe) de miel et un filet d'huile de sésame, remuez avant de consommer, et répétez l'opération chaque matin avant le petit-déjeuner.

CONGESTION : Dans une tasse d'eau, ajoutez 15 g (0,5 oz) de graines de sésame, 15 ml (1 c. à soupe) de graines de lin, une pincée de sel et un peu de miel. Consommez cette infusion chaque jour pour aider à nettoyer les mucosités des tubes bronchiques.

Propriétés étonnantes !

CANCER : Une étude des cellules humaines de leucémie lymphoïde a découvert qu'un traitement avec un extrait de sésame appelé sésamoline a empêché la croissance des cellules cancéreuses en provoquant l'apoptose cellulaire.

HYPERTENSION ET ACV : Une étude portant sur des rats souffrant d'hypertension a découvert qu'une injection de sésamine – un phytochimique contenu dans les graines de sésame – réduisait les hausses de pression sanguine, le stress oxydatif et l'activité de coagulation sanguine. En se servant d'huile de sésame comme seule huile de cuisson pendant soixante jours, on a réussi à diminuer les niveaux de pression sanguine des patients.

MÉLANOMES : Une étude in vitro sur des mélanocytes malins humains a découvert que l'huile de sésame empêchait sélectivement la croissance des mélanomes malins.

Conseils pratiques

SÉLECTION ET ENTREPOSAGE :

- Lorsque vous les achetez dans la section des aliments en vrac, inspectez les graines pour vous assurer qu'il n'y a pas d'insectes ni de toiles.
- Les graines de sésame sont commercialisées entières ou décortiquées.
- L'huile de sésame se présente sous forme nature ou de graines rôties.
- Les graines non décortiquées peuvent être entreposées dans un contenant hermétiquement fermé, dans un endroit sec, frais et sombre.
- Une fois décortiquées, entreposez les graines au réfrigérateur ou au congélateur.

SUGGESTIONS POUR PRÉPARER ET SERVIR :

- Vous pouvez faire rôtir vos graines de sésame vous-même en les déposant sur une plaque à biscuits que vous mettez au four à 180ºC (350ºF) pendant 10 à 15 minutes, ou jusqu'à ce qu'elles soient légèrement dorées.
- Dans la boulangerie : ajoutez des graines de sésame à vos pains, à vos biscuits ou à la pâte à muffins.
- Ajoutez des graines de sésame à du brocoli cuit à la vapeur et aspergez de jus de citron.
- Vinaigrette : mélangez des graines de sésame, de la sauce tamari, du vinaigre de riz et de l'ail écrasé.

Bœuf aux champignons et graines de sésame

par le chef J. Hugh McEvoy

Portions : 5 (170 g [6 oz]) • Temps de préparation et de cuisson : 20 minutes

Pour une version végétarienne, remplacez le bœuf par du seitan à saveur de bœuf — le seitan est fait de gluten de blé et constitue un substitut de viande. Cette recette contient sept éléments énergisants.

INGRÉDIENTS :

60 g (2 oz) de graines de sésame entières, rôties
120 g (4 oz) de lanières de bœuf d'aloyau ou de « bœuf seitan »
120 g (4 oz) de champignons shiitake
120 g (4 oz) de champignons portobello frais, tranchés
120 g (4 oz) de champignons blancs frais, tranchés
240 g (8 oz) de pois mange-tout, entiers
60 g (2 oz) d'oignons verts, hachés
125 ml (½ tasse) de bouillon de bœuf ou de légumes bio, sans gras
15 ml (1 c. à soupe) d'huile de colza
15 ml (1 c. à soupe) d'huile de sésame bio
15 ml (1 c. à soupe) de sauce hoisin

PRÉPARATION :

Coupez le bœuf ou le seitan en tranches très minces : coupez à travers les fibres du bœuf. Enduisez chaque tranche d'huile de sésame. Étendez les graines de sésame dans un large plat. Enduisez la viande de graines de sésame. Préchauffez un grand poêlon antiadhésif sur un feu élevé. Ajoutez l'huile de colza. Faites sauter les champignons jusqu'à ce que les extrémités soient dorées. Ajoutez les oignons verts et faites sauter pendant environ 1 minute. Ajoutez les pois mange-tout ; faites sauter jusqu'à ce qu'ils soient tendres, mais croustillants, environ 1 minute. Ajoutez le bœuf ; faites sauter jusqu'à ce que la viande brunisse, environ 1 à 2 minutes. Ajoutez le bouillon et la sauce hoisin. Réduisez le feu à bas. Mélangez jusqu'à ce que le tout soit uniforme. Retirez du feu dès que la sauce commence à bouillir. Assaisonnez de sel et de poivre, au goût. Servez sur du riz blanc ou brun, ou sur des nouilles asiatiques cuites à la vapeur.

CHAQUE PORTION CONTIENT :

Calories : 200 ; Lipides : 14 g ; Gras saturés : 2 g ; Cholestérol : 12 mg ; Sodium : 100 mg ; Glucides : 10 g ; Fibres : 4 g ; Sucre : 3 g ; Protéines : 8 g.

Sorgho (*Sorghum bicolor*)

À VOTRE SANTÉ !

Saviez-vous que... le sorgho est un ingrédient clé de la bière Guinness ?

En bref

Comme le blé et l'épeautre, le sorgho est en fait une herbe. Il existe de nombreuses variétés et formes hybrides de sorgho, mais aux États-Unis, le sorgho est classé sous une espèce unique : *Shorghum bicolor.* Il existe deux principaux types de sorgho : le grain (non saccharine), et le sorgho sucré (saccharine). Le sorgho est couramment utilisé dans le fourrage ; dans des aliments comme le couscous, la farine, le porridge, le sirop et le sucre; et dans la production de boissons alcoolisées. Son coût minime de production et la facilité avec laquelle il croît dans de nombreuses régions du monde lui ont permis d'acquérir une grande popularité. Il constitue en fait un outil idéal dans le combat mondial contre la faim! Comme le maïs, le sorgho peut servir à la production d'éthanol pour ravitailler les voitures en combustible. Actuellement, douze pour cent du sorgho produit aux États-Unis sont transformés en éthanol; et à la lumière de la crise de l'énergie, on s'attend à ce que ce chiffre augmente.

Son origine

Il est bien possible que le sorgho soit originaire du nord-est de l'Afrique, probablement de l'Égypte, il y a quelque 2000 ans. Mais certains croient qu'on cultivait déjà le sorgho sauvage au Moyen-Orient il y a plus de 8000 ans. Le sorgho a été apporté en Amérique durant la période coloniale; les colons s'y référaient comme au « maïs de poulet ». Le sorgho sucré a été introduit en Amérique, à partir de la Chine, en 1850. Aux États-Unis, on l'emploie principalement pour nourrir les troupeaux. En Chine, il est un ingrédient important de plusieurs boissons, incluant le Maotai et le kaoliang. Dans plusieurs parties de l'Inde, le bhakri (pain sans levain), fabriqué à partir du sorgho, est un élément de base de l'alimentation.

Où le cultive-t-on?

Soixante millions de tonnes de sorgho sont produites annuellement, le principal producteur étant l'Afrique, suivie par l'Amérique du Nord et l'Asie. La majorité de la production de sirop de sorgho se fait dans le centre-sud et dans le sud-est des États-Unis.

Pourquoi devrais-je en consommer?

Le sorgho est une bonne source de vitamines et de minéraux comme la niacine, la riboflavine, la thiamine, le calcium, le fer, le phosphore et le potassium. Les couches de son du sorgho contiennent de fortes quantités de phytochimiques qui sont reconnus pour combattre la maladie cardiovasculaire; on y retrouve entre autres les proanthocyanidines, les désoxy-3-anthocyanines, des acides phénoliques, des phytostérols et des policosanols. Le sorgho possède une teneur élevée en fibres, et en fonction de la variété du grain, chaque portion peut en contenir de 9 à 11 grammes.

Propriétés étonnantes !

SANTÉ CARDIOVASCULAIRE : Le sorgho est une bonne source de phytochimiques comme les composés phénoliques, les stérols végétaux, et les policosanols ; ces éléments peuvent aider à combattre la maladie cardiovasculaire et abaisser le taux de cholestérol. Dans une étude, on a ajouté du sorgho à la diète de rats mâles pendant quatre semaines ; on a ensuite constaté une diminution des niveaux de cholestérol LDL et une réduction de l'absorption de cholestérol.

MALADIE COELIAQUE : Certaines protéines que l'on retrouve dans le blé, le seigle et l'orge contiennent du gluten. Ces protéines sont absentes du sorgho. Ce grain est par conséquent considéré comme étant sécuritaire pour les personnes atteintes de maladie coeliaque ou pour celles qui souffrent d'intolérance au gluten.

Conseils pratiques

SÉLECTION ET ENTREPOSAGE :

- On peut acheter le sorgho sous forme de grains, de farine, de sirop ou de sucre. On peut aussi le retrouver dans certains types de céréales.
- Entreposez la farine de sorgho dans un contenant hermétiquement fermé. Il est ainsi possible de le conserver au réfrigérateur pendant des mois.

SUGGESTIONS POUR PRÉPARER ET SERVIR :

- On peut moudre grossièrement le sorgho et en faire une bouillie, un porridge ou le transformer en farine et l'ajouter à la farine de blé pour faire du pain.

- Ajoutez-le dans vos recettes pour augmenter le contenu en fibres, sans toutefois nuire au goût ou à l'apparence du produit. Étant donné que le goût du sorgho n'est pas prononcé, on peut l'ajouter à presque n'importe quelle recette.

Muffins au sorgho, à la marmelade d'orange et aux canneberges

Adapté de *Gluten-Free 101,* par Carol Fenster

Portions : 12 muffins • Temps de préparation et de cuisson : 60 minutes

Cette recette contient six éléments énergisants.

INGRÉDIENTS :

250 ml (1 tasse) de farine de sorgho
250 ml (1 tasse) de fécule de pommes de terre
85 ml (⅓ tasse) de farine de tapioca
125 ml (½ tasse) de sucre granulé
15 ml (1 c. à soupe) de levure chimique
8 ml (1 ½ c. à thé) de gomme de xanthane
5 ml (1 c. à thé) de sel
2 gros œufs
190 ml (¾ tasse) de lait écrémé
65 ml (¼ tasse) d'huile de colza
190 ml (¾ tasse) de sauce aux pommes
125 ml (½ tasse) de marmelade à l'orange
5 ml (1 c. à thé) d'extrait de vanille
125 ml (½ tasse) de canneberges séchées
65 ml (¼ tasse) de noix, hachées finement

PRÉPARATION :

Préchauffez le four à 190°C (375°F). Enduisez un moule à muffins d'enduit à cuisson antiadhésif. Dans le bol d'un mélangeur, combinez tous les ingrédients, sauf les canneberges et les noix. Mélangez à basse vitesse afin d'incorporer les ingrédients lentement. Augmentez à vitesse moyenne et battez jusqu'à ce que le tout soit bien mélangé. Ajoutez les canneberges et les noix. Transférez la pâte dans le moule à muffins. Mettez au four pendant 20 minutes, ou jusqu'à ce que les muffins soient bien dorés et fermes au toucher. Retirez-les du four et faites refroidir les muffins pendant 5 minutes dans le moule. Transférez-les sur une grille pour leur permettre de refroidir.

CHAQUE PORTION CONTIENT :
Calories : 230; Lipides : 6 g; Gras saturés : 0,5 g; Cholestérol : 30 mg; Sodium : 340 mg; Glucides : 44 g; Fibres : 1 g; Sucre : 22 g; Protéines : 2 g.

Soya (*Glycine max*)

BONNE FERMENTATION

Saviez-vous que... les produits fermentés du soya, comme le miso et le tempeh, contiennent de bonnes bactéries comme celles que l'on retrouve dans le yogourt ?

En bref

Les fèves de soya sont des légumineuses qui poussent dans des cosses et dont les graines sont comestibles. Ces fèves se trouvent dans une variété de couleurs, comme le vert, le brun, le jaune ou le noir. Comme le soya se prête à des préparations variées, il peut être consommé de différentes façons : jeunes fèves de soya vertes (edamame), séchées, lait de soya, noix de soya, tempeh, farine de soya, tofu, et bien d'autres.

Son origine

On croit que la fève de soya est originaire de Chine. Des archives datant du XIe siècle avant notre ère indiquent que l'on cultivait déjà la fève de soya durant cette période, dans le nord de la Chine. On y révérait la fève de soya comme faisant partie des cinq grains sacrés essentiels à l'existence. Au Ier siècle de notre ère, les fèves de soya se sont propagées dans le centre et dans le sud de la Chine, ainsi qu'en Corée. Au VIIe siècle, les fèves de soya se sont répandues vers le Japon et à travers l'Asie. Ce n'est qu'au XVIIe siècle que les Européens visitant l'Orient ont découvert les fèves de soya. À la fin du XVIIe siècle, la sauce soya a été le premier produit de soya à être apporté aux États-Unis. En 1770, Benjamin Franklin a fait envoyer des graines de soya à partir de Londres à un ami botaniste en Amérique du Nord. Depuis lors, les États-Unis sont devenus chef de file mondial dans la culture de la fève de soya.

Où le cultive-t-on ?

Les États-Unis sont les principaux producteurs de fèves de soya, suivis du Brésil et de l'Argentine.

Pourquoi devrais-je en consommer ?

Parmi toutes les légumineuses, le soya est la source la plus riche en protéines. Sous forme de fève entière, le soya est très riche en fibres, mais ce n'est pas le cas de plusieurs des produits qui en sont dérivés. Selon le type d'aliment, le soya peut représenter une excellente source de calcium, variant entre 80 et 750 mg par portion. Même si les aliments contenant du soya ont une teneur élevée en oxalates et en phytate — deux composés susceptibles d'empêcher l'absorption du calcium —, le calcium des produits du soya est très bien absorbé. Les aliments faits de soya fermenté, comme le tempeh et le miso, sont une bonne source de fer. Les aliments faits à partir du soya sont riches en cuivre, en magnésium et en vitamines B ; surtout la niacine, la pyridoxine et la folacine. Les phytochimiques, contenus en grandes quantités dans les fèves de soya, sont connus sous le nom d'isoflavones. Ils peuvent aider à prévenir certains types de cancer, à combattre la maladie cardiovasculaire et à améliorer la densité des os.

Remèdes maison

Depuis plus de 3000 ans, les Chinois ont utilisé le lait de soya, que l'on a fait coaguler et fermenter, pour traiter les infections de la peau. On a aussi employé le soya pour soulager les bouffées de chaleur.

Propriétés étonnantes !

SANTÉ DES OS : Une étude chinoise qui a duré trois ans, et qui a porté sur environ 24 403 femmes, a montré une réduction des risques de fractures chez les femmes qui consommaient du soya, surtout chez celles qui commençaient leur ménopause.

CANCER DE LA PROSTATE : Des études in vitro ont montré que la génistéine, une isoflavone contenue dans le soya, empêche la croissance des cellules cancéreuses de la prostate. La plupart des études sur des animaux ont démontré que les isoflavones du soya empêchaient le développement des tumeurs dans la prostate.

CANCER DU SEIN : La majeure partie de la littérature suggère que l'inclusion du soya dans la diète peut avoir un effet protecteur contre le cancer du sein ; cette propriété est attribuée en partie au contenu d'isoflavone de la fève de soya. Cependant, le rôle du soya chez les personnes qui ont reçu le diagnostic du cancer du sein demeure controversé puisque des données d'études in vitro et des études sur des animaux suggèrent que les isoflavones que l'on retrouve dans le soya, surtout la génistéine, peuvent stimuler la croissance de tumeurs sensibles aux œstrogènes. Malheureusement, les données humaines confirmant directement cette préoccupation demeurent limitées. La plupart des experts dans le domaine conviennent qu'une consommation modérée de soya est sécuritaire pour la population en général. Si vous êtes atteint du cancer du sein, consultez votre médecin, ou un diététicien reconnu, pour savoir si le soya convient à votre diète.

MALADIE CARDIOVASCULAIRE : Plus de cinquante essais, incluant des essais sur le terrain chez les humains, ont démontré que la consommation de produits de soya améliore les proportions de cholestérol, et réduit le cholestérol total et le cholestérol LDL, surtout chez les individus dont le niveau de cholestérol est élevé.

Conseils pratiques

SÉLECTION ET ENTREPOSAGE :

- On peut acheter les fèves de soya séchées en contenants préemballés ou en vrac.
- Les fèves de soya séchées dureront environ un an si elles sont entreposées dans un endroit frais et sec.
- Les fèves de soya cuites doivent être entreposées au réfrigérateur où elles se conserveront pendant environ trois jours.
- On peut acheter l'edamame sous forme congelée ou précuite. L'edamame devrait être verte et ferme, sans cosses abîmées. On peut se procurer l'edamame fraîche en saison dans les épiceries biologiques et les marchés spécialisés.
- L'edamame fraîche doit être conservée au réfrigérateur et se conservera environ deux jours. L'edamame congelée se conservera quelques mois.
- Le tofu est offert en variétés molle, ferme et extra-ferme. Pratiques pour les soupes ou les bouillis, les formes grillées ou rôties sont offertes dans les marchés spécialisés japonais. Vous pouvez trouver de nombreuses variétés et marques dans la section réfrigérée des épiceries ; mais le tofu est aussi offert en emballage aseptique qui n'exige pas de réfrigération avant d'être ouvert.

SUGGESTIONS POUR PRÉPARER ET SERVIR :

- Inspectez les fèves de soya séchées pour vérifier si elles ne contiennent pas de petites pierres, puis rincez-les à l'eau froide. Faites-les tremper à l'avance pour réduire le temps de cuisson.
- Vous pouvez faire cuire les fèves de soya sur le dessus de la cuisinière ou dans une marmite à pression.
- Ajoutez le miso non pasteurisé à la fin de la cuisson pour préserver les bienfaits des bactéries.
- Substituez le lait de soya au lait de vache.

- Augmentez le contenu protéinique de vos aliments cuits au four en remplaçant une petite quantité de farine par la farine aux fèves de soya.
- Faites l'essai de l'edamame comme entrée simple ou comme collation.
- Utilisez du tofu fouetté comme base pour les soupes crémeuses, les mousses et les crèmes.
- Faites griller le tempeh comme solution de rechange à la viande.

Quiche aux saucisses végétariennes avec légumes du printemps

par le chef Nick Spinelli

Portions : 6 • Temps de préparation et de cuisson : 60 minutes

Cette recette contient six éléments énergisants.

INGRÉDIENTS :

500 ml (2 tasse) de produit d'œuf sans cholestérol
4 saucisses végétariennes, coupées en morceaux de 1,25 cm (0,5 po)
190 ml (¾ tasse) de pois, congelés
65 ml (¼ tasse) d'oignon rouge, haché finement
190 ml (¾ tasse) de fromage cottage à faible teneur en gras
85 ml (⅓ tasse) de fromage cheddar doux faible en gras, râpé
65 ml (¼ tasse) de poivron rouge, coupé en dés
15 ml (1 c. à soupe) de moutarde de Dijon
30 ml (2 c. à soupe) de persil, haché finement
30 ml (2 c. à soupe) de basilic, haché finement

PRÉPARATION :

Préchauffez le four à 180°C (350°F). Pulvérisez d'enduit à cuisson une assiette à tarte de 22 cm (9 po). Combinez tous les ingrédients et mélangez bien. Versez dans l'assiette à tarte déjà préparée — assurez-vous que les ingrédients soient également répartis dans l'assiette. Faites cuire au four pendant 45 minutes ou jusqu'à ce que le centre soit gonflé et le dessus doré.

CHAQUE PORTION CONTIENT :
Calories : 150; Lipides : 6 g; Gras saturés : 2,5 g; Cholestérol : 80 mg; Sodium : 340 mg; Glucides : 5 g; Fibres : moins de 1 g; Sucre : 1 g; Protéines : 17 g.

Tef (*Eragrostis tef*)

FIN COMME DU SABLE

Saviez-vous que... « tef » signifie « perdu », parce que si vous laissiez tomber une de ces graines sur le sol, il vous serait impossible de la retrouver ? En fait, c'est la plus petite graine au monde, puisqu'elle mesure à peine 0,08 cm (0,03 po) !

En bref

Le tef est une herbe annuelle de l'Éthiopie, dotée de très minuscules graines qui ont une légère saveur de noix. Il existe trois principaux types de tef : blanc, rouge et brun.

- Le tef blanc a un goût de châtaigne et il n'est possible de le cultiver que dans la région du plateau intérieur de l'Éthiopie, où on le considère comme une marque de prestige. On emploie la farine de tef blanc pour fabriquer la matière première du pain *injera* – une crêpe fermentée au goût plutôt aigre qui constitue un plat favori de la cuisine éthiopienne.
- Le tef rouge est le moins dispendieux et le moins aimé des grains de tef ; il devient tout de même de plus en plus populaire en Éthiopie à cause de son contenu élevé en fer. Dans les populations où l'on consommait du tef rouge, on a constaté une augmentation des niveaux d'hémoglobine, accompagnée d'une diminution des risques d'anémie.

- Le goût du tef brun est semblable à celui des noisettes ; on peut en faire un gruau délicieux pour le petit-déjeuner. En Éthiopie, on l'emploie couramment comme ingrédient dans les boissons alcooliques préparées à la maison.

Son origine

On situe les origines du tef entre l'an 4000 et 1000 avant notre ère, en Éthiopie. On a découvert des grains de tef dans une brique de la pyramide égyptienne de Dassour, construite en l'an 3359 avant notre ère. De nos jours, la paille de tef est toujours utilisée en Éthiopie pour fabriquer les adobes, et on le cultive pour en faire du foin au Kenya et en Australie.

Où le cultive-t-on ?

L'Éthiopie est le principal producteur de tef. Cette graine représente environ trente et un pour cent de tout le grain cultivé dans ce pays ; suivi par dix-sept pour cent de maïs et treize pour cent de blé. On le cultive aussi dans d'autres pays incluant l'Érythrée, l'Ouganda, l'Australie, le Canada, les États-Unis et le Kenya. Aux États-Unis, le tef est surtout cultivé en Idaho, et sur une plus petite échelle, dans le Dakota du Sud.

Pourquoi devrais-je en consommer ?

Le tef est une excellente source d'acides aminés essentiels, surtout la lysine, et il contient la totalité des huit acides aminés essentiels nécessaires à la diète humaine. Le tef contient aussi des niveaux élevés d'oligominéraux. Gramme pour gramme, il fournit plus de fibres (15,3 g de fibre par 112 g/4 oz de farine) que tout autre grain. Le tef ne contient pas de gluten, il convient donc aux personnes atteintes de maladie coeliaque. L'*injera,* la crêpe éthiopienne fabriquée avec le tef, subit un procédé de fermentation qui améliore son contenu en acides aminés et en éléments nutritifs.

Remèdes maison

Les variétés plus foncées de tef étaient réservées aux soldats, aux serviteurs et aux paysans. Il semblerait qu'ils étaient ainsi plus en santé et qu'ils survivaient aux plus riches !

Propriétés étonnantes !

CANCER DE L'OESOPHAGE : Une étude par observation, portant sur des humains, a montré qu'en comparaison à ceux qui consommaient du blé, on rencontrait moins de cancers de l'œsophage chez les sujets qui consommaient du tef (soit la majorité des sujets).

Conseils pratiques

SÉLECTION ET ENTREPOSAGE :

- On peut acheter le tef sous forme de farine ou de grain. On peut se le procurer dans un magasin de produits diététiques local ou dans des épiceries ethniques.
- Entreposez la farine ou les grains de tef dans un contenant hermétiquement fermé et déposez-le dans un endroit sec. On peut réfrigérer le tef pour un entreposage prolongé.
- On devrait utiliser le tef cuit à l'intérieur de quelques jours.

SUGGESTIONS POUR PRÉPARER ET SERVIR :

- Pour du pain au levain, utilisez de la farine de blé en ajoutant jusqu'à vingt pour cent de farine de tef.
- Pour faire cuire le tef, utilisez 500 ml (2 tasses) d'eau pour 125 ml (½ tasse) de tef (pincée de sel de mer facultatif) dans une casserole. Portez à ébullition, réduisez la température et laissez mijoter, couvert, pendant 15 à 20 minutes ou jusqu'à ce que l'eau soit absorbée. Retirez du feu et laissez reposer couvert pendant 5 minutes.
- Le tef est un bon épaississant pour la sauce, le flan, la soupe ou le ragoût.
- Servez-vous du tef dans les plats sautés, les casseroles, les aliments cuits au four et les crêpes.
- On peut ajouter des herbes, des graines, des haricots ou du tofu, de l'ail et des oignons au tef cuit pour en fabriquer des « burgers ».

Pain *injera* éthiopien

Adapté de www.BobsRedMill.com

Portions : 10 à 12 injeras • Temps de préparation : 2 à 3 jours • Temps de cuisson : 2 à 3 minutes

Cette recette contient un élément énergisant.

INGRÉDIENTS :

190 ml (¾ tasse) de farine de tef
875 ml (3 ½ tasses) d'eau
Une pincée de sel
15 ml (1 c. à soupe) d'huile de colza, de tournesol ou d'arachides

PRÉPARATION :

Mélangez le tef moulu à l'eau et laissez-le reposer dans un bol couvert d'une serviette, à la température de la pièce, jusqu'à ce que des bulles se forment à la surface et que le mélange devienne aigre. Cela pourrait prendre jusqu'à 3 jours. Le mélange devrait avoir la consistance d'une pâte à crêpes. Ajoutez graduellement le sel, en remuant jusqu'à ce que vous puissiez détecter le goût du sel. Huilez légèrement un poêlon de 20 cm (8 po), et faites-le chauffer à température moyenne. Versez-y assez de pâte pour couvrir le fond du poêlon – environ 65 ml (¼ tasse) donnera une crêpe mince. Étendez la pâte sur toute la surface du poêlon en tournant et en faisant pivoter le poêlon. C'est la méthode française classique pour fabriquer de très minces crêpes. L'*injera* n'est pas censé être mince comme du papier, vous devriez donc utiliser un peu plus de pâte que vous le feriez pour des crêpes, mais moins que vous n'en prendriez pour une crêpe épaisse. Faites cuire brièvement, jusqu'à ce qu'il se forme des trous dans la crêpe et que les extrémités se soulèvent du poêlon. Retirez et laissez refroidir.

CHAQUE PORTION CONTIENT :

Calories : 70; Lipides : 1,5 g; Gras saturés : 0 g; Cholestérol : 0 mg; Sodium : 100 mg; Glucides : 14 g; Fibres : 1 g; Sucre : 0 g; Protéines : 2 g.

Thé (*Camellia sinensis*)

ENSACHEZ-LE!

Saviez-vous que... le thé qui se vend sous forme de sachets peut être meilleur pour vous que les variétés en vrac? La mouture du thé contenue dans ces sachets a tendance à être plus fine, offrant plus de surface de contact pour permettre l'extraction des polyphénols bienfaisants (antioxydants) lorsqu'ils sont immergés dans l'eau chaude.

En bref

Le terme « thé » peut faire référence à toute boisson incluant des herbes comme la menthe ou la camomille. Mais le *vrai* thé est fabriqué des feuilles, des tiges et des bourgeons du plant *Camellia sinensis*. Que vous préfériez le thé noir, vert, blanc ou oolong, toutes les variétés proviennent exactement du même petit arbuste : *Camellia sinensis*. Ce qui différencie les variétés les unes des autres, c'est la méthode de traitement. Le thé vert est fabriqué de feuilles séchées immédiatement après la moisson, et les feuilles utilisées pour faire du thé noir sont fermentées après la moisson. Les feuilles du thé oolong sont fermentées pendant un court moment, et les feuilles de thé blanc ne subissent aucune oxydation; protégées du soleil, on ne leur permet pas de produire de chlorophylle.

Son origine

On situe les origines du *Camellia sinensis* il y a quelque 5000 ans, dans la partie nord de la Chine. De là, le thé s'est ensuite propagé vers le nord-est de l'Inde, puis vers le sud-ouest de la Chine. On l'a apporté au Japon à partir de la Chine vers l'an 805. La Russie a fait connaissance avec le thé en 1618, après qu'un empereur Ming de Chine en eut offert en cadeau au tsar Michel le Grand. Le thé a ensuite été introduit en Angleterre en 1650, où il était considéré comme une marque de prestige et de richesse. Les colons ont apporté le thé en Amérique du Nord et en 1904, le thé glacé, après avoir été présenté à l'Exposition universelle de St.Louis, est devenu une boisson populaire.

Où le cultive-t-on ?

De par le monde, les principaux producteurs de thé sont l'Inde, la Chine, le Kenya, le Sri Lanka, l'Indonésie, la Turquie, le Taiwan, le Japon, le Népal et le Bangladesh.

Pourquoi devrais-je en consommer ?

Le thé est une bonne source des flavonoïdes appelés catéchines – d'importants antioxydants qui peuvent aider à prévenir certains types de maladies. Les principales catéchines trouvées surtout dans le thé vert incluent : l'épigallocatéchine-3-gallate (EGCG), l'épigallocatéchine (EGC), l'épicatéchine-3-gallate (ECG), et l'épicatéchine (EC). L'EGCG est le polyphénol du thé le plus abondant et le plus largement étudié ; de plus, l'EGCG et l'ECG fournissent l'activité d'élimination des radicaux la plus élevée. Les niveaux de caféine ont tendance à être plus élevés dans le thé en sachets (la mouture plus fine permettant la libération de plus de caféine), et contiennent habituellement entre 20 et 90 milligrammes de caféine par tasse de 250 ml (8 oz) – le café infusé en contient entre 60 à 120 mg.

Remèdes maison

D'anciens textes médicaux en Chine et au Japon présentent les qualités médicinales du thé ; on y trouve des discussions sur les propriétés de stimulation, sur la capacité de guérir les plaques cutanées, de désaltérer, de soulager l'indigestion, de guérir le béribéri, de prévenir la fatigue et d'améliorer les fonctions urinaires et cérébrales.

Propriétés étonnantes !

PRÉVENTION DU CANCER : Les polyphénols du thé sont d'importants antioxydants qui peuvent aider à prévenir certains types de cancers, comme le cancer de la bouche, de la peau, du système digestif, des ovaires et des poumons.

SANTÉ CARDIOVASCULAIRE : Même si diverses études suggèrent que la consommation de thé vert ou noir permet de réduire le risque de maladie cardiovasculaire en améliorant la fonction endothéliale (favoriser l'ouverture des parois des artères pour permettre un meilleur flux sanguin), d'abaisser la pression sanguine, de réduire le cholestérol total et d'empêcher le cholestérol LDL de se transformer en une forme plus nuisible, la *Food and Drug Administration* n'a pas encore accordé le titre d'aliment santé au thé vert ou noir. Ce n'est probablement qu'une question de temps, étant donné que d'autres recherches d'envergure seront possiblement en mesure de fournir encore plus de raisons de boire du thé à cœur joie.

OBÉSITÉ : Plusieurs études, la plupart menées au Japon, ont présenté des résultats prometteurs : la consommation du thé vert (en fait, des catéchines du thé vert) semble avoir un effet positif pour réduire le gras corporel. Tout de même, dans ces études, la quantité de catéchine utilisée serait équivalente à une consommation de plus de 10 tasses de thé vert par jour ! Le thé vert peut constituer un moyen utile pour atteindre un poids santé, mais il ne s'agit certainement pas d'une solution miracle.

OSTÉOPOROSE : Même si la surconsommation de caféine est une préoccupation pour la santé des os, une étude a découvert que les femmes plus âgées qui boivent du thé possèdent une meilleure densité osseuse que celles qui n'en boivent pas.

STIMULATION DE L'ACTIVITÉ DE L'INSULINE : Une étude menée par des chercheurs du *U.S. Department of Agriculture*, au cours de tests utilisant des cellules graisseuses prélevées chez des rats, a découvert que les thés noir, vert et oolong augmentent l'activité de l'insuline de quinze pour cent.

Conseils pratiques

SÉLECTION ET ENTREPOSAGE :

- Toutes les variétés de *Camellia sinensis* sont offertes soit en vrac ou sous forme de sachets.

- De toutes les formes de thé, le thé instantané est celui qui contient le moins de catéchine.
- Les thés embouteillés ne contiennent au départ que de faibles niveaux de flavonoïdes, et ils ont tendance à perdre de leur concentration avec le temps.
- Le thé décaféiné est un bon choix, même s'il possède environ dix pour cent de moins de phytochimiques que le thé avec caféine.
- Entreposez le thé dans un placard frais et sombre dans un contenant hermétiquement fermé, le protégeant de l'humidité et de l'air, tel qu'un pot en verre.

SUGGESTIONS POUR PRÉPARER ET SERVIR :

- Les thés vert et blanc sont meilleurs lorsqu'on les prépare à une température plus basse : environ 27°C (80°F). Si l'eau est trop chaude, les feuilles de thé risquent de brûler, donnant au thé un goût amer.
- Les thés noirs doivent être préparés à une température plus élevée, environ 38°C (100°F).
- Pour obtenir la meilleure saveur, on ne devrait pas laisser tremper le thé noir moins de 30 secondes, ni plus que cinq minutes. Quatre-vingts pour cent des catéchines sont libérées dans une période de 5 minutes.
- Pour un goût plus sucré et plus savoureux, on peut y ajouter du miel, du citron, du sucre ou des confitures de thé.
- Du lait dans votre thé ? Le composé protéinique du lait nommé caséine peut réduire l'absorption de catéchine.

Petits biscuits au thé, au miel et à l'abricot

Adapté de www.Lipton.com

Portions : 36 petits biscuits • Temps de préparation et de cuisson : 80 minutes

Cette recette contient cinq éléments énergisants.

INGRÉDIENTS :

190 ml (¾ tasse) de lait de soya léger
4 sachets de thé noir, aromatisé au miel & citron
440 ml (1 ¾ tasse) de farine de blé entier
250 ml (1 tasse) de farine tout usage
315 ml (1 ¼ tasse) de sucre
4 ml (¾ c. à thé) de poudre à pâte
4 ml (¾ c. à thé) de bicarbonate de soude
3 ml (½ c. à thé) de sel
2 jaunes d'œuf
85 ml (⅓ tasse) d'amandes entières, légèrement rôties
85 ml (⅓ tasse) d'abricots séchés, hachés grossièrement

PRÉPARATION :

Préchauffez le four à 180°C (350°F). Dans une petite casserole, amenez le lait à ébullition. Retirez du feu et ajoutez les sachets de thé noir ; couvrez et laissez infuser pendant 5 minutes. Retirez les sachets de thé en les pressant et laissez refroidir. Dans un grand bol, combinez la farine, le sucre, le bicarbonate de soude, la poudre à pâte et le sel. Avec un mélangeur électrique, incorporez le mélange de thé et les jaunes d'œuf aux ingrédients secs pour former une pâte. Incorporez les amandes et les abricots. Versez la pâte sur une surface légèrement farinée, puis pétrissez légèrement. Divisez en deux portions. Avec les mains enfarinées, sur une plaque à biscuits graissée et farinée, formez deux rouleaux de pâte de 30 x 5 cm (12 x 2 po). Faites cuire au four pendant 35 minutes ou jusqu'à ce que la pâte soit dorée. Retirez du four ; laissez refroidir pendant 10 minutes. Avec un couteau dentelé, coupez des tranches en diagonale de 2 cm (¾ po). Disposez les tranches, le côté coupé vers le bas, sur la plaque à biscuits. Faites cuire pendant 10 minutes ou jusqu'à ce que le tout soit doré. Retournez une fois. Faites refroidir complètement sur une grille en métal.

CHAQUE PORTION CONTIENT :
Calories : 80; Lipides : 1 g; Gras saturés : 0 g; Cholestérol : 10 mg; Sodium : 70 mg; Glucides : 16 g; Fibres : 1 g; Sucre : 8 g; Protéines : 2 g.

Tomate (*Lycopersicon lycopersicum*)

LA GUERRE DES TOMATES !

Saviez-vous que... à Buñol, dans la province de Valence, en Espagne, il existe une tradition annuelle, appelée « la Tomatina », qui consiste à bombarder son voisin de tomates ?

En bref

La tomate provient de la famille des *Solanaceae* qui inclut les poivrons, les pommes de terre et les aubergines. Il existe plus d'un millier de variétés de tomates qui diffèrent en taille, en forme et en couleur, allant de rouge, jaune et orange à vert et brun.

Son origine

On croit que la tomate est originaire de l'Amérique du Sud, mais c'est au Mexique qu'on en a commencé la culture. Ce sont les explorateurs espagnols qui ont rapporté des semences de tomates en Europe. La tomate a été introduite en Italie au XVIe siècle, mais les Italiens craignaient de les manger étant donné que les tomates appartenaient à la famille des solanacées, et l'on croyait qu'elles étaient vénéneuses. Les colons qui se sont installés en Virginie ont apporté les tomates, mais ce n'est qu'au XIXe siècle que la tomate est devenue populaire.

Où la cultive-t-on ?

Les principaux pays producteurs de tomates sont les États-Unis, l'Italie, la Russie, l'Espagne, la Turquie et la Chine.

Pourquoi devrais-je en manger?

Les tomates sont riches en vitamine C et en potassium. Elles sont une bonne source de phytochimiques comme les phytostérols, le bêta-carotène et le lycopène – un antioxydant puissant qui devient plus abondant quand les tomates sont cuites. Des études épidémiologiques ont démontré que le lycopène réduit le risque du cancer de la prostate et qu'il a aussi des propriétés cardioprotectrices, antimutagènes, anticancérogènes et anti-inflammatoires. Les tomates contiennent aussi des polyphénols qui ont montré leur efficacité dans l'interruption de la croissance des cellules cancéreuses du foie et de la prostate dans des études de lignée cellulaire.

Remèdes maison

Pour traiter l'eczéma et d'autres problèmes de peau, on recommande de boire du jus de tomates et de prendre un bain de jus de tomates. Certains considèrent qu'en se gargarisant avec du jus de tomates 3 à 4 fois par jour, il est possible de soulager les ulcères de la bouche. Un mélange de 10 ml (2 c. à thé) de jus de tomates et de 65 ml (¼ tasse) de babeurre, appliqué pendant environ une demi-heure sur une région brûlée, peut procurer un soulagement. Il suffit ensuite de rincer.

Propriétés étonnantes!

MALADIE CARDIOVASCULAIRE : À ce jour, la majorité des recherches suggèrent que les produits de la tomate peuvent apporter plus de protection pour la santé cardiovasculaire que le lycopène seul. Une étude portant sur des animaux à qui l'on avait administré soit du jus de tomates, soit un supplément de lycopène, et chez qui on a ensuite provoqué des dommages au cœur, a découvert que les deux réduisaient la peroxydation des lipides; mais que seul le jus de tomates réduisait la mortalité des cellules du cœur et les dommages au cœur tout en améliorant la fonction du cœur. Une étude in vitro utilisant un extrait de tomates a découvert que les tomates contiennent des composés qui réduisent l'agrégation plaquettaire (adhésivité sanguine).

CANCER : Une étude de la *UC Davis* a découvert que les produits de la tomate permettent un effet synergique entre le lycopène et les autres éléments nutritifs trouvés naturellement dans les tomates. Cet effet produit de meilleurs résultats que les suppléments de lycopène pour diminuer la présence de biomarqueurs de stress oxydatif et de carcinogenèse.

CANCER COLORECTAL : Une étude cas-témoins sur 1,953 cas a découvert que la consommation de tomates a un effet protecteur significatif contre le cancer colorectal.

CANCER DES OVAIRES : Une étude complémentaire sur 71 femmes qui avaient reçu un diagnostic de cancer des ovaires a montré qu'une consommation plus élevée de tomates était reliée à un risque significativement réduit de cancer des ovaires.

CANCER DE LA PROSTATE : Les sujets qui ont consommé de la sauce tomate quotidiennement pendant trois semaines avant l'ablation de leur prostate ont vu une diminution significative des dommages à l'ADN dans les tissus prostatiques, et une augmentation de la mort des cellules cancéreuses de la prostate. Une étude cas-témoins a découvert une association inverse significative entre un taux plus élevé de lycopène plasmatique dérivé des sources végétales, comme les tomates, et un risque diminué de cancer de la prostate.

Conseils pratiques

SÉLECTION ET ENTREPOSAGE :

- Choisissez des tomates rouges, charnues et lourdes avec une pelure lisse.
- Elles devraient avoir une légère fragrance (l'absence de fragrance signifie que la tomate a été cueillie avant d'être mûre et qu'elle ne mûrira jamais).

- Déposez-les dans un sac de papier, la tige vers le haut, avec une banane ou une pomme pour accélérer le mûrissement.
- Entreposez-les à la température de la pièce.
- Les tomates complètement mûres dureront une journée ou deux.

SUGGESTIONS POUR PRÉPARER ET SERVIR :

- Ne faites pas cuire les tomates dans une batterie de cuisine en aluminium, parce que leur contenu acide interagira avec le métal et l'aluminium risque d'adhérer à la nourriture.
- Ajoutez des tranches de tomate à vos sandwiches et à vos salades.
- Préparez de la salsa, des soupes, ou ajoutez du jus de tomate au riz pour fabriquer du riz espagnol.

Sauce marinara de Noni

par Arthur Grotto

Portions : 8 (112 g [4 oz]) • Temps de préparation : 20 minutes • Temps de cuisson : au moins 60 minutes. Plus longtemps pour une sauce plus épaisse.

Mon père dit que vous devez laisser cuire une sauce pour pâtes au moins une heure pour que la sauce adhère aux pâtes. Cette recette contient sept éléments énergisants.

INGRÉDIENTS :

30 ml (2 c. à soupe) d'huile d'olive
30 ml (2 c. à soupe) de persil frais, haché finement
30 ml (2 c. à soupe) de feuilles de céleri, hachées finement
30 ml (2. c. à soupe) d'oignon jaune, haché finement
1 grosse gousse d'ail, coupée en quartiers
5 ml (1 c. à thé) de pâte de tomates
1,3 L (42 oz) de tomates entières en conserve, style italien
480 ml (16 oz) de sauce tomate
125 ml (½ tasse) de vin blanc sec
3 ml (½ c. à thé) de bicarbonate de soude
Une pincée de poivre de Cayenne ou de poivre noir
Sel, au goût

PRÉPARATION :

Versez les tomates entières dans une passoire. Pressez le jus des tomates à la main, jusqu'à ce qu'elles soient plutôt sèches, mais conservez le jus. Hachez grossièrement les tomates (vous pouvez aussi les hacher finement si vous préférez cette texture). Une fois que les tomates sont hachées, ajoutez-les au jus réservé. Faites chauffer un poêlon large et profond pendant 1 ½ minute. Ajouter l'huile d'olive à la casserole. Ajoutez immédiatement les oignons, l'ail, le persil et les feuilles de céleri, et faites sauter, en remuant de temps en temps, jusqu'à ce que les oignons soient transparents. Ajoutez le vin, remuez, et laissez cuire jusqu'à ce que le vin soit réduit. Ajoutez une pincée de poivre de Cayenne et augmentez la chaleur jusqu'à température moyenne. Ajoutez-y les tomates avec le jus, la sauce tomate, et la pâte de tomates ; augmentez la température du feu jusqu'à élevée. Lorsque la sauce commence à bouillir, réduisez la température et laissez mijoter jusqu'à ce que l'ail ait ramolli — environ 50 minutes à une heure — testez de temps en temps en pressant les morceaux d'ail contre les parois de la casserole. Lorsque l'ail a ramolli, enlevez-le et hachez-le finement. Rajoutez-le ensuite à la sauce. Laissez mijoter environ 15 minutes. Goûtez la sauce pendant qu'elle cuit et ajoutez du sel, au besoin. Incorporez le bicarbonate de soude à la fin de la cuisson, jusqu'à ce qu'il soit dissout pour réduire l'acidité de la sauce. Servez.

CHAQUE PORTION CONTIENT :

Calories : 78 ; Lipides : 4 g ; Gras saturés : 0 g ; Cholestérol : 0 mg ; Sodium : 498 mg ; Glucides : 7 g ; Fibres : 1 g ; Sucre : 4 g ; Protéines : 2 g.

Yogourt

POUR RAFRAÎCHIR L'HALEINE

Saviez-vous que... une étude japonaise a découvert que les volontaires qui avaient consommé quotidiennement 180 ml (6 oz) de yogourt non sucré – contenant les bactéries *Streptococcus thermophilus* et *Lactobacillus bulgaricus* – ont constaté une réduction du nombre de bactéries responsables de la mauvaise haleine ?

En bref

D'après la *US Food and Drug Administration*, pour qu'un produit puisse porter le nom de « yogourt », il doit être fabriqué à partir de lait fermenté avec des *Lactobacillus bulgaricus* et *Streptococcus thermophilus*, ces bactéries spécifiques en font un produit plus dense et semi-solide.

Son origine

Selon les écrits historiques, le yogourt semble faire partie des aliments les plus anciens. On croit qu'il date d'il y a 10 000 ans, et que son lieu d'origine est la Turquie ou l'Iran. C'était probablement par accident qu'on a produit le yogourt, la première fois – peut-être même était-ce lorsque le lait était entreposé dans des sacs de peau de chèvre ou des urnes pour usage ultérieur. Plus tard, les civilisations ont reconnu les bienfaits du yogourt sur la digestion et ont parlé des pouvoirs « nettoyants » du yogourt et de sa contribution à la longévité. Ce n'est pas avant le début du XXe siècle que les cultures entrant dans la fabrication du yogourt ont été isolées par le gagnant du prix Nobel, Elie Metchnikoff, de l'Institut Pasteur.

Où est-il fabriqué ?

Le yogourt est maintenant fabriqué partout à travers le monde. La plus grande usine de fabrication de yogourt au monde est située à Minster, en Ohio.

Pourquoi devrais-je en consommer?

Le yogourt est le roi du calcium!

Les 5 sources de calcium les plus importantes

Nourriture	*Quantité (ml)*	*Calcium (mg)*
Yogourt aromatisé	250 (1tasse)	389
Ricotta, partiellement écrémé	125 (½ tasse)	334
Lait écrémé	250 (1 tasse)	302
Lait faible en gras 1%	250 (1 tasse)	300
Lait faible en gras 2%	250 (1 tasse)	297

Grâce à son contenu réduit en lactose, plusieurs personnes souffrant d'intolérance au lactose peuvent tolérer le yogourt. Comme la plupart des autres produits laitiers, un des bienfaits les plus importants du yogourt, c'est qu'il est une bonne source de calcium, de vitamines et d'autres minéraux. Le yogourt est considéré comme étant probiotique parce qu'il contient des bactéries qui produisent de l'acide lactique. La consommation de ces bactéries est bénéfique pour stimuler le système immunitaire, améliorer la santé des voies intestinales, diminuer les symptômes d'intolérance au lactose, et réduire le risque de certains cancers.

Remèdes maison

La consommation quotidienne de yogourt qui contient des cultures de *Lactobacillus acidophilus* introduit de bonnes bactéries et aide à traiter une infection aux levures.

Propriétés étonnantes!

ARTHRITE : Une étude portant sur des rats a découvert que si on nourrissait des rats qui souffraient d'arthrite avec du yogourt contenant la bactérie *Lactobacillus* GG, les inflammations dont ils souffraient étaient moins graves.

SANTÉ CARDIOVASCULAIRE : Une étude sur des humains, à laquelle ont participé 33 volontaires féminines qui ont consommé du yogourt ordinaire pendant quatre semaines, a démontré que le yogourt améliorait leurs rapports de LDL/HDL de cholestérol. Les chercheurs ont découvert que le yogourt était l'un des aliments qui déclenchaient une relation inverse par rapport aux niveaux de sérum d'homocystéine.

CANCER DU CÔLON : Une étude sur des souris, chez lesquelles on avait provoqué un carcinome colorectal, a découvert que lorsqu'on ajoutait du yogourt à leur diète, il y avait une augmentation de l'apoptose (mort cellulaire programmée) et une activité anticancéreuse.

SANTÉ DE L'INTESTIN : Un essai sur le terrain, auquel participaient 59 hommes volontaires infectés avec la *Helicobacter pylori (H. pylori)* et auxquels on a donné du yogourt contenant la *Lactobacillus* et la *Bifidobacterium*, deux fois par jour pendant six semaines, a découvert que la bactérie *H. pylori* était effectivement supprimée. Une étude sur un échantillon aléatoire portant sur 160 sujets a montré que ceux qui recevaient une thérapie antibiotique avec des suppléments de yogourt contenant des *Lactobacillus* et des *Bifidobactérium* avaient moins d'infection à la *H. Pylori.*

Conseils pratiques

SÉLECTION ET ENTREPOSAGE :

- Choisissez du yogourt qui porte le seau « cultures vivantes et actives » ou dont l'étiquette énonce que ce produit contient des « cultures vivantes et actives ».
- Vérifiez la date d'expiration pour vous assurer de sa fraîcheur.
- Entreposez le yogourt au réfrigérateur, et s'il n'est pas ouvert, il se conservera environ une semaine de plus que la date d'expiration.

SUGGESTIONS POUR PRÉPARER ET SERVIR :

- Ajoutez au yogourt des céréales granolas et des fruits frais ou séchés.
- Préparez une salade rafraîchissante en ajoutant de l'aneth et du concombre haché à du yogourt nature. Le yogourt nature est aussi fantastique comme plat d'accompagnement avec du poulet grillé ou de l'agneau.

Parfait au yogourt et granolas avec petits fruits

par Mary Corlett

Portions : 8 • Temps de préparation et de cuisson : 60 minutes

Cette recette contient huit éléments énergisants.

INGRÉDIENTS POUR LES CÉRÉALES GRANOLAS :

375 ml (1 ½ tasse) de miel
190 ml (¾ tasse) de sirop d'érable
0,5 ml (⅛ c. à thé) de cannelle moulue
0,5 ml (⅛ c. à thé) de gingembre
Une pincée de muscade
Une pincée de clous de girofle, moulus
65 ml (¼ tasse) de graines de sésame blanches
65 ml (¼ tasse) de noix, concassées
125 ml (½ tasse) de graines de tournesol
125 ml (½ tasse) de pacanes, concassées
125 ml (½ tasse) de pistaches, décortiquées
375 ml (1 ½ tasse) de noix de coco, en flocons
750 ml (3 tasses) de flocons d'avoine

DANS UN PETIT BOL, COMBINEZ :

65 ml (¼ tasse) de cerises séchées
65 ml (¼ tasse) de canneberges séchées
65 ml (¼ tasse) d'abricots séchés
65 ml (¼ tasse) de raisins secs

GARNITURE :

500 ml (2 tasses) de petits fruits frais

YOGOURT :

500 ml (2 tasses) de yogourt à la vanille faible en gras

PRÉPARATION :

Préchauffez le four à 180ºC (350ºF). Dans une casserole, mélangez le miel, le sirop d'érable, la cannelle, le gingembre, la muscade et les clous de girofle. Faites chauffer à feu moyen sur la cuisinière jusqu'à ce que le miel et le sirop d'érable soient d'une texture plus claire, formant un liquide qui se verse plus facilement ; retirez du feu. Déposez les ingrédients restants (sauf le mélange de petits fruits et les fruits séchés) dans un grand bol et versez le sirop de miel sur les ingrédients du bol. Remuez avec une cuiller de bois jusqu'à ce que le mélange de miel et de sirop d'érable enrobe tous les ingrédients. Répartissez le contenu du bol sur deux plaques à biscuits, ou sur une plaque à pâtisserie, en fine couche et déposez la plaque dans le four. Faites cuire de 15 à 20 minutes ou jusqu'à ce que l'avoine, les noix et les graines soient dorées et rôties. Assurez-vous de remuer de temps en temps avec une cuiller pour obtenir une couleur uniforme. Grattez soigneusement le mélange de céréales granolas chaudes pour le remettre dans le grand bol. Ajoutez les fruits séchés et remuez bien. Laissez refroidir les granolas et réduisez les gros morceaux avec une cuiller de bois. Dans un verre à parfait, alternez les couches de granolas et de yogourt à la vanille avec des couches de petits fruits frais, et servez.

CHAQUE PORTION CONTIENT :

Calories : 190 ; Lipides : 8 g ; Gras saturés : 1,5 g ; Cholestérol : 0 mg ; Sodium : 20 mg ; Glucides : 29 g ; Fibres : 3 g ; Sucre : 20 g ; Protéines : 5 g.

ANNEXE A

Plan de repas à 2000 calories

DIMANCHE

Petit-déjeuner	Déjeuner	Collation	Dîner	Collation/soir
2 crêpes à l'avoine à grains entiers d'Ina (240) 250 ml (1 tasse) de lait écrémé (90) ½ banane (60) 250 ml (1 tasse) de café (5)	250 ml (1 tasse) de salade estivale au couscous (120) 250 ml (1 tasse) de soupe aux haricots noirs à la lime et au cumin (255) 2 kakis (60)	Kebabs de fruits variés (150)	3 tacos de bette (360) 250 ml (1 tasse) de salade de mangue râpée (126) 250 ml (1 tasse) de salade italienne à l'oignon, aux tomates et au basilic (110)	½ pizza aux petits fruits et aux amandes (280) 250 ml (1 tasse) de lait de soya (100)
				1956 calories au total

LUNDI

Petit-déjeuner	Déjeuner	Collation	Dîner	Collation/soir
2 gauffres à grains entiers rôties avec 85 ml (⅓ tasse) de sauce aux petits fruits de Sharon (305) 250 ml (1 tasse) lait de soya (100) 250 ml (1 tasse) de thé noir (0)	250 ml (1 tasse) de salade d'orge avec pâtes d'orzo (140) 250 ml (1 tasse) de spaghetti fromagé d'Elisa aux aubergines et tomates (370) Salade de pamplemousse grillé (110)	65 ml (¼ tasse) de guacamole riche (120) 12 croustilles de maïs (140)	6 crevettes marinées à la tequila et aux clous de girofle (258) 125 ml (½ tasse) de nouilles japonaises épicées à la menthe (180) 190 ml (¾ tasse) d'asperges avec vinaigrette au citron frais et amandes grillées (90)	125 ml (½ tasse) de croustilles aux patates douces (114) 250 ml (1 tasse) de lait écrémé (90)
				2017 calories au total

MARDI

Petit-déjeuner	Déjeuner	Collation	Dîner	Collation/soir
Bol d'açaï style brésilien avec 60 ml (¼ tasse) de muesli à la canelle et aux noix (307) 250 ml (1 tasse) de café (5)	Soupe aux haricots noirs, à la lime et au cumin (221) Burger à l'épeautre (190) 1 petit pain hamburger à l'épeautre (240)	190 ml (¾ tasse) de salade de fruits aux pommes et canneberges (150)	375 ml (1½ tasse) de salade à la pastèque grillée (270) 250 ml (1 tasse) de poulet marocain aux figues (370) 190 ml (¾ tasse) de pommes de terre à la Vesuvio (180)	750 ml (3 tasses) de maïs soufflé (80)
				2013 calories au total

MERCREDI

Petit-déjeuner	Déjeuner	Collation	Dîner	Collation/soir
1 tranche de pain aux bananes et aux bleuets (132) 180 ml (6 oz) de yogourt aux fruits (180) Omelette fromagée aux asperges et aux champignons (190) 250 ml (1 tasse) de thé vert (0)	250 ml (1 tasse) de gaspacho aux noix et au concombre (275) 1 tranche de quiche aux saucisses végétariennes avec légumes du printemps (150) 1 petit pain de seigle (202)	60 g (2 oz) de tartinade sicilienne (80) Triangles de pita de blé entier (140)	250 ml (1 tasse) de tofu frit dans une sauce au curry (210) 190 ml (¾ tasse) de salade de kamut et de canneberges (261)	125 ml (½ tasse) de croquant simple aux mûres (220)
				2040 calories au total

JEUDI

Petit-déjeuner	Déjeuner	Collation	Dîner	Collation/soir
190 ml (¾ tasse) de gruau aux cerises cuit au four (210) 125 ml (½ tasse) de flan du petit déjeuner (230) 250 ml (1 tasse) café (5)	250 ml (1 tasse) de sauté à la romaine et au sésame (112) 250 ml (1 tasse) de boeuf aux champignons et aux graines de sésames (200) 170 ml (⅔ tasse) de riz brun (160)	65 ml (¼ tasse) de hummus au poivron rouge (210) ¼ pita de blé entier au zahtar(210)	1 cigare au chou polonais végétarien (360) ½ artichaut cuit à la vapeur avec aïoli à la coriandre (147) 1 tranche de pudding au pain et aux bleuets (230)	190 ml (¾ tasse) de glace aux abricots, canneberges et mangues (150)

2014 calories au total

VENDREDI

Petit-déjeuner	Déjeuner	Collation	Dîner	Collation/soir
250 ml (1 tasse) de smoothie au lactosérum de mes filles (220) Muffin au sorgho, à la marmelade d'orange et aux canne-berges (230) 250 ml (1 tasse) de thé noir (0)	Raisins en tortillas (190) 250 ml (1 tasse) de soupe aux carottes et courges grillées (80) 190 ml (¾ tasse) de salade aux poires et canneberges avec noisettes au cari (210)	1 tranche de gâteau aux noix et au caroube (160) 250 ml (1 tasse) de lait de soya (100)	120 g (4 oz) de saumon grillé avec salsa de canneberges et cerises (260) 250 ml (1 tasse) de nouilles asiatiques au wasabi (275) 250 ml (1 tasse) de sauté d'épinards (100)	65 ml (¼ tasse) de hummus au poivron rouge avec ¼ de pita (210)

2040 calories au total

SAMEDI

Petit-déjeuner	Déjeuner	Collation	Dîner	Collation/soir
1 portion de frittata au brocoli préférée de la famille (200) 1 tarte melba aux framboises et aux pêches (220) 250 ml (1 tasse) de lait écrémé (90) 250 ml (1 tasse) de café (5)	250 ml (1 tasse) de pâtes aux haricots (273) 190 ml (¾ tasse) de quinoa caribéen (190) Shortcake aux fraises (170)	30 g (1 oz) d'arachides aztèques piquantes au cacao (160) 1 mini-scone aux graines de tournesol (80)	180 g (6 oz) de poisson grillé avec patates douces au cumin (300) 250 ml (1 tasse) de soupe réconfortante au chou frisé et aux lentilles (130)	1 pain perdu à la banane et à la canelle (155)

1973 calories au total

ANNEXE B

Phytochimiques et éléments nutritifs que l'on retrouve communément dans les 101 aliments

Classe / composés	Source*	Bienfait potentiel
Acide gras		
Acides gras monoinsaturés **	Noix, huile d'olive, huile de colza	Peuvent réduire le risque de maladie cardiovasculaire
Acides gras polyinsaturés — acides gras oméga-3 — AAL	Noix, lin	Peuvent favoriser la santé cardiovasculaire; peuvent favoriser les fonctions mentales et visuelles
Acides gras polyinsaturés — acides gras oméga-3 — DHA/EPA**	Saumon, thon, huiles et graisses de poissons et d'autres animaux marins	Peuvent réduire la maladie cardiovasculaire; peuvent favoriser les fonctions mentales et visuelles
Acides phénoliques		
Acide caféique, acide férulique	Pommes, poires, agrume, certains légumes, café	Peuvent maximiser la protection antioxydante des cellules; peuvent favoriser les fonctions visuelles et la santé cardiovasculaire
Caroténoïdes		
Bêta-carotène	Carottes, citrouille, patate douce	Neutralise les radicaux libres qui peuvent endommager les cellules; maximise la protection antioxydante des cellules; peut être transformé en vitamine A dans le corps
Lutéine, zéaxanthine	Chou frisé, épinard, maïs, oeufs, agrumes	Peuvent favoriser les fonctions visuelles
Lycopène	Tomates et produits transformés de la tomate, pastèque, pamplemousse rouge et rose	Peut contribuer au bon fonctionnement de la prostate
Fibre alimentaires (fonctionnelles et totales)		
Bêta-glucanes**	Son d'avoine, flocons d'avoine, farine d'avoine, orge, seigle	Peuvent réduire le risque de maladie cardiovasculaire

Classe/composés	Source*	Bienfait potentiel
Fibres insolubles	Son de blé, son de maïs, pelures de fruits	Peuvent contribuer au bon fonctionnement de l'appareil digestif ; peuvent réduire le risque de certains types de cancers
Fibres solubles**	Pois, haricots, pommes, agrumes	Peuvent réduire le risque de maladie cardiovasculaire et de certains types de cancers
Grains entiers*	Grains céréaliers, pain à grains entiers, flocons d'avoine, riz brun	Peuvent réduire le risque de maladie cardiovasculaire et de certains cancers ; peuvent contribuer au maintien d'un taux de glycémie favorable
Flavonoïdes		
Anthocyanes — cyanidine, delphinidine, malvidine	Baies, cerises, raisins rouges	Maximisent la protection antioxydante des cellules ; peuvent favoriser les fonctions cérébrales
Flavonols — catéchines, épicatéchines, épigallocatéchine, procyanidines	Thé, cacao, pommes, raisins	Peuvent favoriser la santé cardiovasculaire
Flavanones — hespérétine, sélénium	Agrumes, poisson, grains, ail, oeufs	Neutralisent les radicaux libres qui peuvent endommager les cellules ; peuvent favoriser les fonctions immunitaires
Phytoestrogènes		
Isoflavones — dadzéine, génistéine	Fèves de soya et aliments composés de soya	Peuvent favoriser la santé des os, la santé cérébrale et la fonction immunitaire ; pendant la ménopause, peuvent favoriser l'équilibre chez les femmes
Phytostérols		
Stanols/stérols libres	Maïs, soya, blé, graines de tournesol	Peuvent réduire le risque de maladie cardiovasculaire
Lignanes	Lin, seigle, certains légumes	Peuvent contribuer à maintenir la santé cardiovasculaire et les fonctions immunitaires
Prébiotiques		
Inuline, fructo-oligosaccharides (FOS), polydextrose	Grains entiers, oignons, certains fruits, ail, miel, poireaux	Peuvent améliorer la santé gastro-intestinale ; peuvent favoriser l'absorption du calcium

Classe/composés	Source*	Bienfait potentiel
Probiotiques		
Levure, Lactobacilli, Bifidobacteria et autres souches de b actéries bénéfiques	Yogourt et autres produits laitiers de culture, miso non pasteurisé, choucroute	Peuvent améliorer la santé gastro-intestinale et l'immunité systémique ; les bienfaits sont propres aux lignées
Sulfides/thiols		
Sulfure de diallyle, trisulfure d'allyle et de méthyle	Ail, oignons, poireaux, échalotes	Peuvent favoriser la détoxication des composés indésirables ; peuvent contribuer à maintenir la santé cardiovasculaire et les fonctions immunitaires
Dithiolthiones	Légumes crucifères	Peuvent améliorer la détoxication des composés indésirables ; peuvent favoriser un meilleur fonctionnement du système immunitaire
Vitamines		
A***	Lait, oeufs, carottes, patates douces, épinards	Peut favoriser les fonctions visuelles et immunitaires ; peut contribuer à une meilleure santé de l'ossature et à l'intégrité cellulaire
B1 (thiamine)	Lentilles, pois, riz brun à grains longs	Peut favoriser les fonctions mentales ; aide à régulariser le métabolisme
B2 (riboflavine)	Viandes maigres, oeufs, légumes verts feuillus	Favorise la croissance cellulaire ; aide à régulariser le métabolisme
B3 (niacine)	Produits laitiers, volaille, poisson, noix, oeufs	Favorise la croissance cellulaire ; aide à régulariser le métabolisme
B5 (acide pantothénique)	Fèves de soya, lentilles	Aides à régulariser le métabolisme et la synthèse hormonale
B6 (pyridoxine)	Haricots, noix, légumes, poisson, viande, grains entiers	Peut favoriser les fonctions immunitaires ; aide à régulariser le métabolisme
B9 (acide folique)**	Haricots, légumes, agrumes, légumes verts feuillus, pains et céréales enrichies	Peut réduire le risque de donner naissance à un enfant avec des malformations du tube neural

Classe/composés	Source*	Bienfait potentiel
B12 (cobalamine)	Oeufs, viande, volaille, lait	Peut favoriser les fonctions mentales; aide à régulariser le métabolisme et soutient la formation de cellules sanguines
Biotine	Saumon, produits laitiers, oeufs	Aide à régulariser le métabolisme et la synthèse des hormones
C	Goyave, poivrons rouges et verts, kiwis, agrumes, fraises	Neutralise les radicaux libres qui peuvent endommager les cellules; peut favoriser une meilleure santé de l'ossature et améliorer les fonctions immunitaires
D	Rayons du soleil, poisson, céréales et lait enrichis	Aide à régulariser le calcium et le phosphore; favorise une meilleure santé osseuse; peut améliorer les fonctions immunitaires et aider à soutenir la croissance cellulaire
E	Graines de tournesol, amandes, noisettes, feuilles de navet	Neutralise les radicaux librees qui peuvent endommager les cellules; peut améliorer les fonctions immunitaires et favoriser la santé cardiovasculaire

* Ces listes ne sont pas exhaustives.
** Le composant a été approuvé par la FDA comme étant bon pour la santé.
*** On retrouve la vitamine A dans plusieurs fruits et légumes de couleur foncée qui constituent une source importante de vitamine A pour les végétariens.

Adaptation de l'*International Food Information Council Foundation*

Mention de provenance des recettes

J'aimerais exprimer ma sincère reconnaissance à tous les individus, organismes, et entreprises pour leur contribution aux 101 recettes. Leur temps et leur talent ont certainement contribué à conférer aux aliments qui sont sains pour vous un goût irrésistible !

Christine M. Palumbo, MBA, RD – www.christinepalumbo.com
Rick Bayless – auteur de plusieurs livres de recettes, chef et propriétaire de Frontera Grill et Topolobambo, Chicago, Illinois ; www.rickbayless.com
Dave Hamlin – chef-cadre d'entreprise des supermarchés Price Chopper www.pricechopper.com
Cheryl Bell, MS, RD, LDN, CHE –chef responsable et experte en nutrition pour Meijer Foods ; www.meijer.com
Allen Susser – auteur de *The Great Mango Book* (Ten Speed Press, 2001) ; www.chefallens.com
Kyle Shadix, CCC, MS, RD – www.chefkyle.com
Steven Raichlen – auteur de *Healthy Latin Cooking* (Rodale, 1988) et hôte de *Barbeque University* ; www.barbequebible.com
Mary Corlett – propriétaire de Chow à Elmhurst, en Illinois ; www.chow-togo.com
Cynthia Sass, MPH, MA, RD, CSSD, LD/N – directrice de la nutrition pour la revue *Prevention* ; www.prevention.com
Elisa Zied, MS, RD – auteure de *Feed Your Family Right !* (Wiley, 2007) ; www.elisazied.com
Lisa Dorfman, MS, RD – auteure de *The Tropical Diet* (Food Fitness International, 2004) ; www.runningnutritionist.com
Jane Reinhardt-Martin, RD, LD – auteure de *The Amazing Flax Cookbook* (TSA Press, 2004) ; www.FlaxRD.com
Ina Pinkney – www.breakfastqueen.com
Rosalie Gaziano – auteure de *Mothers Speak... for Love of Family* (Durban House, 2006).
Produce for Better Health Foundation – www.fruitsandveggiesmorematters.org
Georgia Pecan Commission – www.georgiapecans.org
Nick Spinelli – chef responsable, Kraft Foods
Nicki Anderson – auteure de *Reality Fitness : Inspiration for Your Health and Well-Being* (New World Library, 2000) ; www.realityfitness.com
Royce Gracie – vedette internationale de jujitsu ; www.roycegracie.tv

The Cranberry Marketing Committee – www.uscranberries.com
The Cherry Marketing Institute – www.choosecherries.com
The Cranberry Institute – www.cranberryinstitute.org
The Almond Board of California – www.almondsarein.com
The Hazelnut Council – www.hazelnutcouncil.org
www.cooks.com
www.purityfoods.com
Bob's Red Mill – www.BobsRedMill.com
Lipton Tea – www.liptontea.com
Folgers – www.folgers.com
Heather Jose – survivante d'un cancer du sein de stade IV et auteure de *Letters to Sydney: Hope, Faith, and Cancer* (Author House, 2004); www.heatherjose.com
Arthur P. Grotto – « Noni »
Evelyn Tribole, MS, RD – auteure de *Stealth Health* (Viking, 2000); www.evelyntribole.com
Michel Nischan and Mary Goodbody, auteurs de *Homegrown Pure and Simple: Great Healthy Food for Garden to Table* (Chronicle Books, 2005); www.michelnischan.com
Duskie Estes et John Stewart – Restaurants Zazu et Bovolo dans le comté de Sonoma, en Californie; www.zazurestaurant.com
Dawn Jackson Blatner, RD, LDN – conférencière nationale, American Dietetic Association; www.dawnjacksonblatner.com
Michel Stroot – auteur de *The Golden Door Cooks Light and Easy* (Gibbs Smith, 2003)
Carol Fenster, Ph.D. – auteure de *Gluten-Free 101* (Savory Palate, 2006); www.savorypalate.com
Sandy Tomich – « Ma »
Giselle Ruecking – filleule extraordinaire
Treena et Graham Kerr, auteurs; www.grahamkerr.com
Michael Sena et Kirsten Straughan RD, LD – auteurs de *Lean Mom, Fit Family : The 6-Week Plan for a Slimmer You and a Healthier Family* (Rodale, 2005)
Un merci très spécial à mon bon ami J. Hugh McEvoy, CRC, CEC – alias « Chef J », qui a gracieusement offert 21 des 101 délicieuses recettes; et à ma merveilleuse épouse, Sharon, qui a inventé une pléthore de plats délicieux afin que notre famille soit bien nourrie.

Références

Les références fournies plus bas se concentrent sur les nombreux rapports de recherche inclus dans la section « Propriétés étonnantes » que l'on trouve sous chaque entrée d'aliment. Il ne s'agit pas de la liste complète de toutes les études et sources couvertes dans ce livre. Vous trouverez toutes les sources à www.FoodsThatCouldSaveYourLife.com. J'inclus aussi des sites Internet que j'ai trouvés particulièrement utiles pendant que je faisais des recherches sur l'origine, l'histoire et les bienfaits des 101 aliments.

Abricot California Fresh Apricot Council : www.califapricot.com

American Cancer Society. Disponible à : www. cancer.org. Consulté le 16 mai 2006.

Hankinson SE, Stampfer MJ, Seddon JM, et al. Nutrient intake and cataract extraction in women: a prospective study. *BMJ* 1992 ; 305(6849) : 335-339.

Jacques PF, Chylack LT. Epidemiologic evidence of a role for the antioxidant vitamins and carotenoids in cataract prevention. *Am J Clin Nutr.* 1991.

Otsuka T et al. Suppressive effects of fruit-juice concentrate of Prunus mume Sieb. et Zucc. (Japanese apricot, Ume) on Helicobacter pylori-induced glandular stomach lesions in Mongolian gerbils. *Asian Pac J Cancer Prev.* 2005 ; 6(3) : 337-341.

Yusuf S et al. Effect of potentially modifiable risk factors associated with myocardial infarction in 52 countries (the INTERHEART study): case-control study. *Lancet.* Sep 2004 ; 364(9438) : 937-952.

Açai www.acaifacts.com/main

Del Pozo-Insfran D, Percival SS, Talcott ST, J. Açai (Euterpe oleracea Mart.) polyphenolic in their glycoside and aglycone forms induce apoptosis of HL-60 leukemia cells. *J. Agric Food Chem.* 2006 Fév 22 ; 54(4) : 1222-9.

Hong W, Cao G, Prior P: Oxygen radical absorbance capacity of anthocyanins. *J. Agric. Food Chem.* 45, 304-309, 1997.

Schauss AG et al. Antioxidant capacity and other bioactivities of the freeze-dried Amazonian palm berry, Euterpe oleraceae Mart. (Açai). *J Agric Food Chem.* 1er nov 2006 ; 54(22) : 8604-8610.

Agave www.succulent-pant.com/agave.html

Da Silva BP, de Sousa AC, Silva G., Mendes TP, Parente JP. A new bioactive steroidal saponin from Agave attenuata. *Z Naturforsch.* Mai-Juin 2002 ; 57 (5-6) : 423-428.

Davidson JR, Ortiz de Montellano BR. The antibacterial properties of an Aztec wound remedy. *J Ethnopharmacol.* Août 1983 ; 8(2) : 149-161.
Garcia MD, Quilez AM, Saenz MT, Martinez-Dominguez ME, de la Puerta R. Anti-inflammatory activity of Agave intermixta Trel. and Cissus sicyoides L., species used in the Caribbean traditional medicine. *J Ethnopharmacol.* Août 2000 ; 71(3) : 395-400.
Ohtsuki T, Koyano T, Kowithayakorn T, Sakai S, Kawahara N, Goda Y, Yamaguchi N, Ishibahi M. New chlorogenin hexasaccharide isolated from Agave fourcroydes with cytotoxic and cell cycle inhibitory activities. *Bioorganic & Medicinal Chemistry,* Juil 2004 ; 12(14) : 3841-3845.
Peana AT et al. Anti-inflammatory activity of aqueous extracts and steroidal sapogenins of Agave americana. *Planta Med.* Juin 1997 ; 63(3) : 199-202.
Saenz MT, Garcia MD, Quilez A, Ahumada MC Cytotoxic activity of Agave intermixta L. (agavaceae) and Cissus sicyoides L. (vitaceae). *Pytother Res.* Nov 2000 ; 14(7) : 552-554.
Verastegui MA, Sanchez CA, Heredia NL, Garcia-Alvarado JS. Antimicrobial activity of extracts of three major plants from the Chihuahuan desert. *J Ethnopharmacol.* 5 juil 1996 ; 52(3) : 175-177.
Yokosuka A, Mimaki Y, Kuroda M Sashida Y. A new steroidal saponin from the leaves of Agave Americana. *Planta Med.* Mai 2000 ; 66(4) : 393-396.

Ail http://anrcatalog.ucdavis.edu/pdf/7231.pdf

Garlic: Effects on Cardiovascular Risks and Disease, Proliferative Effects Against Cancer, and Clinical Adverse Effects. http://ahrq.gov/clinic/epc sums/garlicsum.htm. Consulté le 2 juin 2007.
Allium Vegetables and Organosulfur Compounds: Do They Help Prevent Cancer?
http://ehpnet1.niehs.nih.gov/members/2001/109p893-902bianchini/bianchini-full.html. Consulté le 3 juin 2006
Efendy, J. L., et al. The effect of the aged garlic extract, "Kyolic", on the development of experimental atherosclerosis. *Arterosclerosis.* 1997 ; 132 : 37-42.
Fleischauer, A.T. and Arab, L. (2001) Garlic and cancer: a critical review of the epidemiologic literature. *J. Nutrition* 131:1032S-1040S.
Gonzalez C et al. Fruit and vegetable intake and the risk of stomach and oesophagus adenocarcinoma in the European Prospective Investigation into Cancer and Nutrition (EPIC-EURGAST). *Int J Cancer.* 15 mai 2006 ; 118(10) : 2559-2566.
Hsing AW, Chokkalingam AP, Gao YT, et al. Allium vegetables and risk of prostate cancer: a populationbased study. *J Natl Cancer Inst.* 2002 ; 94(21) : 1648-1651.
Jain AK. Can garlic reduce levels of serum lipids ? A controlled clinical study. *American Journal of Medicine.* 1993 ; 94 : 632-635.
Johnston N. Garlic: A natural antibiotic. *Modern Drug Discovery.* 2002 ; (5) : 12.
Mader FH. Treatment of hyperlipidemia with garlic-powder tablets. *Arzneimittel-Forschung/Drug Research.* 1990 ; 40 : 3-8.
Milner JA. Mechanisms by which garlic and allyl sulfur compounds suppress carcinogen bioactivation. Garlic and carcinogenesis. *Adv. Exp. Med. Biol.* 2001 ; 492 : 69-81.

Milner, JA. A historical perspective on garlic and cancer. *J. Nutrition.* 2001. 131 : 1027S-1031S.
Steiner M, Lin RS. Changes in platelet function and susceptibility of lipoproteins to oxidation associated with administration of aged garlic extract. *J Cardiovasc Pharmacol.* 1998 ; 31 : 904-908.

Amande www.almondsarein.com

Burton-Freeman B, Davis PA, Schneeman BO. Interaction of fat availability and sex on postprandial satiety and cholecystokinin after mixed-food meals. *Am J Clin Nutr.* Nov 2004 ; 80(5) : 1207-14.
Davis PA, Iwahashi CK. Whole almonds and almond fractions reduce aberrant crypt foci in a rat model of colon carcinogenesis. *Cancer Lett.* 10 avr 2001 ; 165(1) : 27-33.
Ellis PR, Kendall CW, Ren Y, Parker C, Pacy JF, Waldron KW, Jenkins DJ. Role of cell walls in the bioaccessibility of lipis in amond seed. *Am J. Clin Nutr.* Sept 2004 ; 80(3) : 604-613.
Fraser GE, Bennet HW, Jaceldo KB, Sabate JM. Effect on body weight of a free 76 kilojoule (320 Calorie) daily supplement of almonds for six months. *Journal of the American College of Nutrition.* 202 ; vol. 21, no 3 : 275-283.
Jenkins DJ et al. Assessment of the longer-term effects of a dietary portfolio of cholesterol-lowering foods in hypercholesterolemia. *Am J Clin Nutr.* Mar 2006 ; 83(3) : 582-91.
Jenkins DJ et al. Direct comparison of dietary portfolio vs statin on C-reactive protein. *Eur J Clin Nutr.* Juil 2005 ; 59(7) : 851-60
Sabate J, Haddad E, Tanzman JS, Jambazian P, Rajaram S. Serum lipid response to a graded enrichment of a Step 1 Diet with almonds : A randomized feeding trial. *American Journal of Clinical Nutrition.* 2003 ; 77 : 1379-1384.
Wien MA, Sabate JM, Ikle DN, Cole SE, Kandeel FR. Almonds vs complex carbohydrates in a weight reduction program. *Int J Obes Relat Metab Disord.* Nov 2003 ; 27(11) : 1365-1372.

Amarante www.jeffersoninstitute.org/pubs/amaranth.shtml

Gorenstein S, Katrich E. Trakhtenberg S, Lange E, Bartnikowska E, Leontowicz M, Leontowicz H, Czerwinski, J. Oat (Avena sativa L. et amaranth (Amaranthus hypochondriacus) meals positively affect plasma lipid profile in rats fed cholesterol-containing diets. *J Nutr Biochem.* Oct 2004 ; 15(10) : 622-629.
Kim HK, Kim MJ, Cho HY, Kim EK, Shin DH. Antioxidative and antidiabetic effects of amaranth (Amaranthus esculantus) in streptozotocin-induced diabetic rats. *Cell Biochem Funct.* Mai-Juin 2006 ; 24(3) : 195-199.
Kim HK, Kim MJ, Shin DH. Improvement of lipid profile by amaranth (Amaranthus esculantus) supplementation in streptozotocin-induced diabetic rats. *Ann Nutr Metab.* 2006 ; 50(3) : 277-281.
Shin DH, Heo HJ, Lee YJ, Kim HK. Amaranth squalene reduces serum and liver lipid levels in rats fed a cholesterol diet. *Br J Biomed Sci.* 2004 ; 61(1) : 11-14.
Silvia-Sanchez, Gonzalez Castaneda J, de Leon-Rodriguez A, De la Rosa B. Functional and rheological properties of amaranth albumins extracted from two Mexican varieties. *Plant Foods Hum Nutr.* Automne 2004 ; 59(4) : 169-174.

Ananas www.howtocutapineaple.com; www.crfg.org/pubs/ff/pineapple.html

Glaser D, Hilberg T. The influence of bromelain on platelet count and platelet activity in vitro. *Platelets.* Fév 2006; 17(1) : 37-41.
Helser MA, Hotchkiss JH, Roe DA. Influence of fruit and vegetable juices on the endogenous formation of N-nitrosoproline and N-nitrosothiazolidine-4-carboxylic acid in humans on controlled diets. *Carcinogenesis.* Déc 1992; 13(12) : 2277-2280.
Taussig SJ, Batkin S. Bromelain, the enzyme complex of pineapple (Ananas comosus) and its clinical application. An update. *J Ethnopharmacol.* Fév-Mar 1988; 22(2) : 191-203.

Arachide www.peanut-institute.org; www.peanutusa.com

Awad AB, Chan KC, Downie AC, Fink CS. Peanuts as a source of B-sitosterol, a sterol with anticancer properties. *Nutrition and Cancer.* 2000; 36(2) : 238-241.
Jiang R et al. Nut and peanut butter consumption and risk of type 2 daibetes in women. *JAMA.* 2002; 288 : 2554-2560.
Kris-Etherton et al. Improved diet quality with peanut consumption. *JADA.* 2004; 23(6) : 660-668.
Sanders TH, McMichael RW, Hendrix KW. Occurrence or resveratrol in edible peanuts. *Journal of Agricultural and Food Chemistry.* 2000; 48(4) : 1243-1246. Avril 2003 AJCN.
Yeh CC, You SL, Chen CJ, Sung FC. Peanut consumption and reduced risk of colorectal cancer in women : a prospective study in Taiwan. *World J Gastroenterol.* 14 jan 2006; 12(2) : 222-227.

Artichaut California Artichoke Advisory Board : www.artichokes.org

Bundy R, Walker AF, Middleton RW, Marakis G, Booth J. Artichoke leaf extract reduces symptoms of irritable bowel syndrome and improves quality of life in otherwise healthy volunteers suffering from concomitant dyspepsia : a subset analysis. *J Altern Complemt Med.* Août 2004; 10(4) : 667-669.
Emendorfer F, Emendorfer F, Bellato F, Noldin VF, Cechinel-Filho V, Yunes R, Delle Monache F, Cardozo A. Antispasmodic activity of fraction and cynaropicrin from Cynara scolymus on guinea-pig ileum. *Bil Pharm Bull.* Mai 2005; 28(5) : 902-904.
Gebhardt R. Inhibition of Cholesterol Biosynthesis in Primary Cultured Rat Hepatocytes by Artichoke Extracts. *J Pharmacol Exp Ther.* Sep 1998; (286) : 1122-1128.
Pittler MH, Thonpson CO, Ernst E. Artichoke leaf extract for treating hypercholesterolaemia. *Cochrane Database Syst Rev.* 2002; (3) : CD003335.
Rossoni G, Grande S, Galli C, Visioli F. Wild artichoke prevents the age-associated of vasomotor function. *J Agric Food Chem.* 28 déc 2005; 53(26) : 10291-10296.

Asperge Michigan Asparagus Advisory Board : http://www.asparagus.org; California Asparagus Commission : http://www.calasparagus.com

Clarke R, et al. Hyperhomocystenemia : an independent risk factor for. *New Eng J Med* 324 (1991) : 1149-55.
Mathews JN, Flatt PR, Abdel-Wahab YH. Asparagus adscendens (Shweta musali) stimulates insulin secretion, insulin action and inhibits starch digestion. *Br J Nutr.* Mar 2006 ; 95(3) : 576-581.

Aubergine asiafood.org

Baek EJ, Chang EY, Chang JS, Friedman M, Han JS, Kozukue N, Lee KR, Park JH. Glycoalkaloids and metabolites inhibit the growth of human colon (HT29) and liver (HepG2) cancer cells. *J Agric Food Chem.* 19 mai 2004 ; 52(10) : 2832-2839.
Bragagnoio N, de Almeida E, Jorge PA, Neyra LC, Osaki RM. Effect of eggplant on plasma lipid levels, lipidic peroxidation and reversion of endothelial dysfunction in experimental hypercholesterolemia. *Arg Bras Carduik.* Fév 1998 ; 70(2) : 87-91.
Kaneyuki T, Matsubara K, Miyake T, Mori M. Antiangiogenic activity of nasunin, an antioxidant anthocyanin, in eggplant peels. *J Agric Food Chem.* 10 août 2005 ; 53(16) : 6272-6275.
Yeh CT, Yen GC. Effect of vegetablea on human phenolsulfotransferases in relation to their antioxidant activity and total phenolics. *Free Radic Res.* Août 2005 ; 39(8) : 893-904.

Avocat California Avocado Commission : www.avocado.org. Chilean Avocado Importers Association : www.chileanavocados.org

Angermann, P. Avocado/soybean unsaponifiables in the treatment of knee and hip osteoarthritis. *Ugeskr Laeger.* 15 août 2005 ; 167(33) : 3023-3025.
Kut-Lassere C, Miller CC, Ejeil AL, Gogly B, Dridi M, Piccardi N, Guillou B, Pellat B, Godeau G. Effect of avocado and soybean unsaponifiables on gelatinase A (MMP-2), stromelysin (MMP-3), and tissue inhibitors of matrix metalloproteinase (TIMP-1 and TIMP-2) secretion by human fibroblasts in culture. *J Periodontal.* Déc 2001 ; 72(12) : 1685-1694.
Lerman-Garber I et al. Effect of a high-monounsaturated fat diet enriched with avocado in NIDDM patients. *Diabetes Care.* Avr 1994 ; 17(4) : 311-315.
Lopez R, Frati AC, Hernandez BC, Cervantes S, Hernandez MH, Juarez C, Moran L. Monounsaturated fatty acid (avocado) rich diet for mild hypercholesterolemia. *Arch Med Res.* Hiver 1996 ; 27(4) : 519-523.
Lu QY, Arteaga JR, Zhang Q, Huerta S, Go VL, Heber D. Inhibition of prostate cancer cell growth by an avocado extract : role of lipid-soluble bioactive substances. *J Nutr Biochem.* Jan 2005 ; 16(1) : 23-30.
Stucker M, Memmel U, Hoffmann M, Hartung J, Altmeyer P. Vitamin B(12) cream containing avocado oilin the therapy of plaque psoriasis. *Dermatology.* 2001 ; 203(2) : 141-147.

Avoine www.namamillers.org

Pins JJ, Geleva D, Keenan JM, Frazel C, O'Connor PJ, Cherney LM. Do wholegrain oat cereals reduce the need for antihypertensive medications and improve blood pressure control ? *J Fam Pract.* 2002 ; 51 : 353-359.
Pomeroy S, Tupper R, Cehun-Anders, Nestel P. Oat Beta-glucan lowers total and LDL-cholesterol. *Aust J Nut Diet.* 2001 ; 58 : 51-54.

Queenan KL et al. Concentrated oat beta-glucan, a fermentable fiber, lowers serum cholesterol in hypercholesterolemic adults in a randomized controlled trial. *Nutr J.* 26 mars 2007 ; 6 : 6.

Reyna-Villasmil N et al. Oat-derived beta-glucan significantly improves HDLC and diminishes LDLC and non-HDL cholesterol in overweight individuals with mild hypercholesterolemia. *Am J Ther.* Mar-Avr 2007 ; 14(2) : 203-212.

Slavin JL, Jacobs D, Marquart L, Wiemer K. The role of whole grains in disease prevention. *J Am Diet Assoc.* 2001 ; 101 : 780-785.

Baie de goji http://www.mbhs.org/healthgate/GetHGContent.aspx?token=9C315661-83b7-472d-a7ab-bc8582171f868cgybjuud=146769

Breithaupt DE, Weller P, Wolters M, Hahn A. Comparison of plasma responses in human subjects after the ingestion of 3R,3R'-zeaxanthin dipalmitate from wolfberry (Lycium barbarum) and non-esterified 3R,3R'- zeaxanthin using chiral high-performance liquid chromatography. *Br J Nutr.* Mai 2004 ; 91(5) : 707-713.

Chao JC et al. Hot water-extracted Lycium barbarum and Rehmannia glutinosa inhibit proliferation and induce apoptosis of hepatocellular carcinoma cells. *World J Gastroenterol.* 28 juil 2006 ; 12(28) : 4478-4484.

Gan L, Wang J, Zhang S. [Inhibition the growth of human leukemia cells by Lycium barbarum polysaccharide]. *Wei Sheng Yan Jiu.* 2001 ; 30 : 333-335.

Gan L, Zhang SH, Liu Q, Xu HB. A polysaccharide-protein complex from Lycium barbarum upregulates cytokine expression in human peripheral blood mononuclear cells. *Eur J Pharmacol.* 2003 ; 471 : 217-222.

Lu CX, Cheng BQ. Radiosensitizing effects of Lycium barbarum polysaccharide for Lewis lung cancer. *Zhong Xi Yi Jie He Za Zhi.* 1991 ; 11 : 611-612, 582.

Luo Q et al. Hypoglycemic and hypolipidemic effects and antioxidant activity of fruit extracts from Lycium barbarum. *Life Sci.* 26 nov 2004 ; 76(2) : 137-149.

Wu, X., G. R. Beecher, J. M. Holden, D. B., Haytowitz, S. E. Gebhardt, Prior RL. Lipophilic and Hydrophilic Antioxidant Capacities of Common Foods in the United States. *Journal of Agricultural Food Chemistry.* 2004 ; 52 : 4026-4037.

Zhao R, Li Q, Xiao B. Effect of Lycium barbarum polysaccharide on the improvement of insulin resistance in NIDDM rats. *Yakugaku Zasshi.* Déc 2005 ; 125(12) : 981-988.

Baie de sureau http://plants.usda.gov/plantguide/pdf/cs_sanic5.pdf

Bobek P, Nosalova V, Cerna S. Influence of diet containing extract of black elder (sambucus nigra) on colitis in rats. *Biologia Bratislava.* 2001 ; 56(6) : 643-648

Zakay-Rones Z et al. Randomized study of the efficacy and safety of oral elderberry extract in the treatment of influenza A and B virus infections. *J Int Med Res.* Mar-Avr 2004 ; 32(2) : 132-140.

Banane www.banana.com

Emery EA, Ahmad S, Koethe JD, Skipper A, Perlmutter S, Paskin DL. Banana flakes control diarrhea in enterally fed patients. *Nutr Clin Pract.* Avr 1997 ; 12(2) : 72-75.
Rabbani GH et al. Clinical studies in persistent diarrhea : dietary management with green banana or pectin in Bangladeshi children. *Gastroenterology.* Sept 2001 ; 121(3) : 554-560.
Rabbani GH et al. Green banana and pectin improve small intestinal permeability and reduce fluid loss in Bangladeshi children with persistent diarrhea. *Dig Dis Sci.* Mar 2004 ; 49(3) : 475-484.
Rao NM. Protease inhibitors from ripened and unripened bananas. *Biochem Int.* 1991 ; 24(1) : 13-22.
Rashidkhani B, Lindblad P, Wolk A. Fruits, vegetables and risk of renal cell carcinoma : a prospective study of Swedish women. *Int J Cancer.* 2005 ; 113(3) : 451-455

Basilic www.basil.com

Geetha RK, Vasudevan DM. Inhibition of lipid peroxidation by botanical extracts of Ociumem sanctum : in vivo and in vitro studies. *Life Sci.* 19 nov 2004 ; 76(1) : 21-28.
Mediratta PK, Sharma KK, Singh S. Evaluation of immunomodulatory potential of Ocimum sanctum seed oil and its possible mechanism of action. *J Ethnopharmacol.* Avr 2002 ; 80(1) : 15-20.
Opalchenova G, Obreshkova D. Comparative studies on the activity of basil — an essential oil from Ocimum basilicum L. — against multidrug resistant clinical isolates of the genera Staphylococcus, Enterocuccus and Pseudomonas by using different test methods. *J Microbiol Methods.* Juil 2003 ; 54(1) : 105-110.
Sharma M, Kishore K, Gupta SK, Joshi S, Arva DS. Cardioprotective potential of ocimum sanctum in isoproterenol induced myocardial infarction in rats. *Mol Cell Biochem.* Sep 2001 ; 225(1) : 75-83.
Tohti I. Tursun M, Umar A, Turdi S, Imin H, Moore N. Aqueous extracts of Ocimum basilicum L. (sweet basil) decrease platelet aggregation induced by ADP and thrombin in vitro and rats arterio-venous shunt thrombosis in vivo. *Thromb Res.* 7 fév 2006 ; 118(6) : 733-739.

Bette http://food.oregonstate.edu/faq/uffva/swisschard2.html

Ayanoglu-Dulger G, Sacan O, Sener G, Yanardaq R. Effects of chard (Beta vulgaris L. var. cicla) extract on oxidative injury in the aorta and heart of streptozotocin-diabetic rats. *J Med Food.* Printemps 2002 ; 5(1) : 37-42.
Bobek P, Galbavy S, Mariassyova M. The effect of red beet (Beta vulgaris var. rubra) fiber on alimentary hypercholesterolemia and chemically induced colon carcinogenesis in rats. *Nahrung* Juin 2000 ; 44(3) : 184-187.
Senner G et al. Effects of chard (Beta vulgaris L. var. cicla) extract on oxidative injury in the aorta and heart of streptozotocin-diabetic rats. *J Med Food.* Printemps 2002 ; 5(1) : 37-42.

Yanardag R, Bolkent S, Ozsoy-Sacan O et al. The effects of chard (Beta vulgaris L. var. cicla) extract on the kidney tissue, serum urea and creatinine levels of diabetic rats. *Phytother Res.* Déc 2002 ; 16(8) : 758-761.

Blé www.wheatfoods.org

Adam A, Lopez HW, Tressol JC, Leuillet M, Demigne C, Remesy C. Impact of whole wheat flour and its milling fractions on the cecal fermentations and the plasma and liver lipids in rats. *J Agric Food Chem.* 23 oct 2003 ; 50(22) : 6557-6562.
Anderson JW, Gilinsky NH, Deakins DA, Smith SF, O'Neal DS, Dillon DW, Oeltgen PR. Lipid responses of hypercholesterolemic men to oat-bran and wheat bran intake. *Am J Clin Nutr.* 1991 ; 56 : 355-359.
Balint G, Apathy A, Gaal M, Telekes A, Resetar A, Blazso G, Falkay G, Szende B, Paksy A, Ehrenfeld M, Shoenfeld Y, Hidvegi M. Effect of Avemar – a fermented wheat germ extract – on rheumatoid arthritis. Preliminary data. *Clin Exp Rheumatol.* Mai-Juin 2000 ; 24(3) : 325-328.
Carter JW, Madl R, Padula F. Wheat antioxidants suppress intestinal tumor activity in Min mice. *Nutrition Research.* Jan 2006 ; 26(1) : 33-38.
Jacobs DR, Marquart L, Slavin J, Kushi L. Whole-grain intake and cancer : An expanded review and metaanalysis. *Nutr Cancer.* 1998 ; 130 : 85-96.
Jenkins DJA et al. Effect of wheat bran on glycemic control and risk factors for cardiovascular disease in type 2 diabetes. *Diabetes Care.* 2002 ; 25 : 1522-1528.
Jenkins DJA et al. Low glycemic response to traditionally processed wheat and rye products : bulgur and pumpernickel bread. *Am J Clin Nutr.* 1986 ; 43 : 516-520.
Pereira MA et al. Effect of whole grains on insulin sensitivity in overweight hyperinsulinemic adults. *Nutr Cancer.* 1998 ; 30(2) : 85-96.

Bleuet www.wildbluberries.com ; www.blueberry.com

Goyarzu O et al. Blueberry Supplemented Diet: Effects on object recognition memory and nuclear factorkappa B levels in aged rats. *Nutritional Neuroscience.* 2004 ; 7 : 75-83.
Joesph JA et al. Blueberry supplementation enhances signaling and prevents behavioral deficits in an Alzheimer disease model. *Nutritional Neuroscience,* 6 : 153-162, 2003.
Joesph JA et al. Reversals of age-related declines in neuronal signal transduction, cognitive, and motor behavioral deficits with blueberry, spinach, or strawberry dietary supplementation. *Journal of Neuroscience,* 15 sep 1999 ; 19(18) ; 8114-8121.
Kalea AZ et al. Wild blueberry (Vaccinium angustifolium) consumption affects the composition and structure of glycosaminoglycans in Sprague-Dawley rat aorta. *J Nutr Biochem.* Fév 2006 ; 17(2) : 109-116.
Schmidt BM et al. Effective separation of potent antiproliferation and antiadhesion components from wild blueberry (Vaccinium angustifolium Ait.) fruits. *J Agric Food Chem.* 20 oct 2004 ; 52(21) : 6433-6342.
Schmidt BM, Erdman JW Jr, Lila MA. Differential effects of blueberry proanthocyanidins on androgen sensitive and insensitive human prostate cancer cell lines. *Cancer Lett.* 18 jan 2006 ; 231(2) : 240-246.

Sweeney MI, Kalt W, MacKinnon SL, Ashby J, Gottschall-Pass KT. Feeding rats diets enriched in lowbush blueberries for six weeks decreases ischemia-induced brain damage. *Nutri. Neuroscience,* Déc 2002 ; 5(6) : 427-431
United States National Institute of Health, National Institute on Aging. Disponible à : www.alzheimers.org/nianews23.html. Accès le 2 mai 2006.

Brocoli www.answers.com/topic/broccoli

Fahey JW et al. Sulforaphane inhibits extracellular, intracellular, and antibiotic-resistant strains of Helicobacter pylori and prevents benzo [a]pyrene-induced stomach tumors. *Proc Natl Acad Sci USA.* 28 mai 2002 ; 99(11) : 7610-7615.
Fahey JW, Zhang Y,Talalay P. Broccoli sprouts: an exceptionally rich source of inducers of enzymes that protect against chemical carcinogens. *Proc Natl Acad Sci USA.* 16 sep 1997 ; 94(19) : 10367-10372
Jackson SJ, Singletary KW. Sulforaphane inhibits human MCF-7 mammary cancer cell mitotic progression and tubulin polymerization. *J Nutr.* Sep 2004 ; 134(9) : 2229-2236.
Le HT, Schaldach CM, Firestone GL, Bjeldanes LF. Plant-derived 3,3'-Diindolylmethane is a strong androgen antagonist in human prostate cancer cells. *J Biol Chem.* 6 juin 2003 ; 278(23) : 21136-21145.
Matusheski NV, Juvik JA, Jeffery EH. Heating decreases epithiospecifier protein activity and increases sulforaphane formation in broccoli. *Phytochemistry.* Mai 2004 ; 65(9) : 1273-1281.
McGuire KP, Ngoubilly N, Neavyn M, Lanza-Jacoby S. 3,3'-diindolylmethane and paclitaxel act synergistically to promote apotosis in HER2/Neu human breast cancer cells. *J Surg Res.* 15 mai 2006 ; 132(2) : 208-213.
Myzak MC, Hardin K, Wang R, Dashwood RH, Ho E. Sulforaphane inhibits histone deacetylase activity in BPH-1, LnCaP and PC-3 prostate epithelial cells. *Carcinogenesis.* Avril 2006 ; 27(4) : 811-819.
Tadi K, Chang Y, Ashok B, Chen Y, Moscatello A, Schaefer SD, Schantz SP, Policastro AJ, Geliebter J, Tiwari RK. 3,3'-Diindolylmethane, a cruciferous vegetable derived synthetic anti-proliferative compound in thyroid disease. *Biochem Biophys Res Commun.* 25 nov 2005 ; 337(3) : 1019-1025.
Takai M, Suido H, Tanaka T, Kotani M, Fujita A, Takeuchi A, Makino T, Sumikawa K, Origasa H, Tsuji K, Nakashima M. LDL-cholesterol-lowering effect of a mixed green vegetable and fruit beverage containing broccoli and cabbage in hypercholesterolemic subjects. *Rinsho Byori.* Nov 2003 ; 51(11) : 1073-1083.

Café www.ncausa.org

Andersen LF, Jacobs DR Jr, Carlsen MH, Blomhoff R. Consumption of coffee is associated with reduced risk of death attributed to inflammatory and cardiovascular diseases in the Iowa Women's Health Study. *Am J Clin Nutr.* Mai 2006 ; 83(5) : 1039-1046.
Ascherio A et al. Coffee consumption, gender, and Parkinson's disease mortality in the cancer prevention study II cohort: the modifying effects of estrogen. *Am J Epidemiol.* 15 nov 2004 ; 160(10) : 977-984.
Buijsse B, Giampaoli S, Kalmijn S, Kromhout D, Nissinen A, Tijhuis M, van Gelder BM. Coffee consumption is inversely associated with cognitive

decline in elderly European men: the FINE study. *Eur J Clin Nutr.* 16 août 2006.
Folsom AR, Parker ED, Pereira MA. Coffee consumption and risk of type 2 diabetes mellitus: an 11-year prospective study of 28,812 postmenopausal women. *Arch Intern Med.* 26 juin 2006 ; 166(12) : 1311-1316.
Klatsky AL, Morton C, Udaltsova N, Friedman GD. Coffee, cirrhosis, and transaminase enzymes. *Arch Intern Med.* 12 juin 2006 ; 166(11) : 1190-1195.
Lee WJ, Zhu BT. Inhibition of DNA methylation by caffeic acid and chlorogenic acid, two common catechol-containing coffee polyphenols. *Carcinogenesis.* Fév 2006 ; 27(2) : 269-277.
Paluska SA. Caffeine and exercise. *Curr Sports Med Rep.* Août 2003 ; 2(4) : 213-219.
Van Dam RM, Hu FB. Coffee consumption and risk of type 2 diabetes: a systematic review. *JAMA.* 6 juil 2005 ; 294(1) : 97-104.

Canneberge wwww.cranberryinstitute.com ; http://ncam.nih.gov/health/cranberry/

Antioxidant and antiproliferative activities of common fruits. *J Agric Food Chem.* 4 déc 2002 ; 50(25) : 7449-7454.
Crews WD et al. A double-blinded, placebo-controlled, randomized trial of the neuropsychologic efficacy of cranberry juice in a sample of cognitively intact older adults: pilot study findings. *J Altern Complement Med.* Avr 2005 ; 11(2) : 305-309.
Labrecque J, Bodet C, Chandad F, Grenier D. Effects of a high-molecular-weight cranberry fraction on growth, biofilm formation and adherence of Porphyromonas gingivalis. *J Antimicrob Chemother.* Août 2006 ; 58(2) : 439-443.
Ruel G et al. Changes in plasma antioxidant capacity and oxidized low-density lipoprotein levels in men after short-term cranberry juice consumption. *Metabolism.* Juil 2005 ; 54(7) : 856-861.
Ruel G et al. Favourable impact of low-calorie cranberry juice consumption on plasma HDL-cholesterol concentrations in men. *Br J Nutr.* Aug 2006 ; 96(2) : 357-364.
Turner A. Inhibition of uropathogenic Escherichia coli by cranberry juice: a new antiadherence assay. *J Agric Food Chem.* 16 nov 2005 ; 53(23) : 8940-8947.
Weiss EI et al. Inhibiting interspecies coaggregation of plaque bacteria with a cranberry juice constituent [erratum publié dans *J Am Dent Assoc.* Jan 1999 ; 130(1) : 36 et Mar 1999 ; 130(3) : 332] *J Am Dent Assoc.* Déc 1998 ; 129(12) : 1719-1723.
Yan X, Murphy BT,Hammond GB, Vinson JA,Neto CC. Antioxidant activities and antitumor screening of extracts from cranberry fruit (Vaccinium macrocarpon).
J Agric Food Chem. 9 oct 2002 ; 50(21) : 5844-5849.
Zhang L. Efficacy of cranberry juice on Helicobacter pylori infection: a double-blind, randomized placebocontrolled trial. *Helicobacter.* Avr 2005 ; 10(2) : 139-145.

Cannelle www.ars.usda.gov/is/video/vnr/cinnamon.htm

Anderson R, Echard B, Polansky MM, Preuss HG. Whole cinnamon and aqueous extracts ameliorate sucrose-induced blood pressure elevations in spontaneously hypertensive rats. *J Am Coll Nutr.* 25 avr 2006 ; 25(2) : 144-150.

Hahn A, Kelb K, Lichtinghagen R, Mang B, Schmitt B, Stichtenoth DO, Wolters M. Effects of a cinnamon extract on plasma glucose, HbA, and serum lipids in diabetes mellitus type 2. *Eur J Clin Invest.* Mai 2006 ; 36(5) : 340-344.

Kahn A et al. Cinnamon improves glucose and lipids of people with type 2 diabetes.

Diabetes Care. Déc 2003 ; 26(12) : 3215-3218.

Kam SL, Li Y, Ooi LS, Ooi VE, Wang H, Wong EY. Antimicrobial Activities of Cinnamon Oil and Cinnamaldehyde from the Chinese Medicinal Herb Cinnamomum cassia Blume. *Am J Chin Med.* 2006 ; 34(3) : 511-522.

Kim W et al. Naphthalenemethyl ester derivative of dihydroxyhydrocinnamic acid, a component of cinnamon, increases glucose disposal by enhancing translocation of glucose transporter 4. *Diabetologia.* 9 août 2006.

Kong LD, Cai Y, Huang WW, Cheng CH, Tan RX. Inhibition of xanthine oxidase by some Chinese medicinal plants used to treat gout. *J Ethnopharmacol.* Nov 2000 ; 73(1-2) : 199-207.

Mang B et al. Effects of a cinnamon extract on plasma glucose, HbA, and serum lipids in diabetes mellitus type 2. *Eur J Clin Invest.* Mai 2006 ; 36(5) : 340-344.

Cardamome www.cardamom.com

al-Zuhair H, el-Sayeh B, Ameen HA, al-Shoora H. Pharmacological studies of cardamom oil in animals. *Pharmacol Res.* Juil-Août 1996 ; 34(1-2) : 79-82.

Jamal A, Javed K, Aslam M, Jafri MA. Gastroprotective effect of cardamom, Elettaria cardamomum Maton. fruits in rats. *J Ethnopharmacol.* Jan 2006 ; 103(2) : 149-153.

Mahady GB et al. In vitro susceptibility of Helicobacter pylori to botanical extracts used traditionally for the treatment of gastrointestinal disorders. *Phytother Res.* Nov 2005 ; 19(11) : 988-991.

Sengupta A, Ghosh S, Bhattacharjee S.Dietary cardamom inhibits the formation of azoxymethane-induced aberrant crypt foci in mice and reduces COX-2 and iNOS expression in the colon. *Asian Pac J Cancer Prev.* Avr-Juin 2005 ; 6(2) : 118-122.

Suneetha WJ, Krishnakantha TP. Cardamom extract as inhibitor of human platelet aggregation. *Phytother Res.* Mai 2005 ; 19(5) : 437-440.

Carotte http://plantanswers.tamu.edu/publications/vegetable travelers/carrot.html

Baybutt RC, Hu L, Molteni A. Vitamin A deficiency injures lung and liver parenchyma and impairs function of rat type II pneumocytes. *J Nutr.* Mai 2000 ; 130(5) : 1159-1165.

Gaziano JM, Manson JE, Branch LG, et al. A prospective study of consumption of carotenoids in fruits and vegetables and decreased cardiovascular mortality in the elderly. *Ann. Epidemiol.* 1995 ; 5 : 255-260.

Gustafsson K, Asp NG, Hagander B, Nyman M, Schweizer T. Influence of processing and cooking of carrots in mixed meals on satiety, glucose and hormonal response. *Int J Food Sci Nutr.* Fév 1995; 46(1) : 3-12.
Kritchevsky SB. beta-Carotene, carotenoids and the prevention of coronary heart disease. *J Nutr.* Jan 1999; 129(1) : 5-8.
Michaud DS, Feskanich D, Rimm EB, et al. Intake of specific carotenoids and risk of lung cancer in 2 prospective US cohorts. *Am J Clin Nutr.* 2000; 72(4) : 990-997.
ProteKobaek-Larsen M, Christensen LP, Vach W, Ritskes-Hoitinga J, Brandt K. Inhibitory effects of feeding with carrots or (-)-Falcarinol on development of azoxymethane-Induced preneoplastic lesions in the rat colon. *J Agric Food Chem.* 9 mar 2005; 53(5) : 1823-1827
Suzuki K, Ito Y, Nakamura S et al. Relationship between serum carotenoids and hyperglycemia: a population-based cross-sectional study. *J Epidemiol.* 12 sep 2002; 12(5) : 357-366.
Wood, Rebecca. *The Whole Foods Encyclopedia.* New York, NY: Prentice-Hall Press; 1988.
Ylonen K, Alfthan G, Groop, L et al. Dietary intakes and plasma concentrations of carotenoids and tocopherols in relation to glucose metabolism in subjects at high risk of type 2 diabetes: The Botnia Dietary Study. *Am J Clin Nutr.* Juin 2003; 77(6) : 1434-1441.

Caroube www.gilead.net/heart/carob.html

Garcia AL, Gruendel S, Katz N, Koebnick C, Mueller C, Otto B, Speth M, Steinger J, Weickert MO. Carob pulp preparation rich in insoluble dietary fiber and polyphernols enhances lipid oxidation and lowers postprandial acylated ghrelin in humans. *J Nutr.* Juin 2006; 136(6) : 1533-1538.
Graubaum HJ, Grunwald J, Haber B, Harde A, Koebnick C, Zunft HJ. Carob pulp preparation rich in insoluble fibre lowers total and LDL cholesterol in hypercholesterolemic patients. *Eur J Nutr.* Oct 2003; 42(5) : 235-242.
Peng G, Tsai AC. Effects of locust bean gum on glucose tolerance, sugar digestion, and gastric motility in rats. *J Nutr.* Déc 1981; 111(12) : 2152-2156.

Céleri www.michigancelery.com/celeryinfo.htm

Belanger JT. Perillyl alcohol: applications in oncology. *Altern Med Rev.* Déc 1998; 3(6) : 448-457.
Sultana S, Ahmed S, Jahangir T, Sharma S. Inhibitory effect of celery seeds extract on chemically induced hepatocarcinogenesis: modulation of cell proliferation, metabolism and altered hepatic foci development. *Cancer Lett.* 18 avr 2005; 221(1) : 11-20.
Tsi D, Das NP, Tan BK. Effects of aqueous celery (Apium graveolens) extract on lipid parameters of rats fed a high fat diet. *Planta Med.* Fév 1995; 61(1) : 18-21.
Tsi D, Tan BK. The mechanism underlying the hypocholesterolaemic activity of aqueous celery extract, its butanol and aqueous fractions in genetically hypercholesterolaemic RICO rats. *Life Sci.* 2000; 66(8) : 755-767.

Cerise www.usacherries.com; www.calcherry.com

Bourquin LD, Kang SY, Nair MG, Seeram NP. Tart cherry anthocyanins inhibit tumor development in Apc (Min) mice and reduce proliferation of human colon cancer cells. *Cancer Lett.* 8 mai 2003; 194(1) : 13-19.

Carlson L, Connolly DA, McHugh MP, Padilla-Zakour OI, Sayers S. Efficacy of a tart cherry juice blend in preventing the symptoms of muscle damage. *Br J Sports Med.* Août 2006; 40(8) : 679-683.

He YH, et al. Antioxidant and anti-inflammatory effects of cyanidin from cherries on rat adjuvant-induced arthritis. *Zhongguo Zhong Yao Za Zhi.* Oct 2005; 30(20) : 1602-1605

Heo H, Kim D, Kim Y, Lee C, Yang H. Sweet and sour cherry phenolics and their protective effects on neuronal cells. *J Agric Food Chem.* Oct 2005; 53(26).

Jacob RA, Kader AA, Kelley DS, Mackey BE, Rasooly R. consumption of bing sweet cherries lowers circulating concentrations of inflammation markers in health men and women. *J Nutr.* Avr 2006; 136(4) : 981-986.

Jacob RA, Spinozzi GM, Simon VA, Kelley DS, Prior RL, Hess-Pierce B, Kader AA. Consumption of cherries lowers plasma urate in healthy women. *J Nutr.* Juin 2003; 133(6) : 1826-1829.

Kelley SD, Rasooly R, Jacob RA, Kader AA, Mackey BE. Consumption of bing sweet cherries lowers circulating concentrations of inflammation markers in healthy men and women. *J. Nutr.* 136 : 981-986, avril 2006.

Kim DO et al. Sweet and sour cherry phenolics and their protective effects on neuronal cells. *J Agric Food Chem.* 28 déc 2005; 53(26) : 9921-9927

Meyer RA, Nair MG, Raja SN, Seeram NP, Tall JM, Zhao C. Tart cherry anthocyanins suppress inflammation-induced pain behavior in rats. *Behav Brain Res.* 12 août 2004; 153(1) : 181-8.

Schlesinger N. Dietary factors and hyperuricaemia. *Curr Pharm Des.* 2005; 11(32) : 4133-4138

Champignon www.mushroomcouncil.com

Aruoma OI, Spencer JP, Mahmood N. Protection against oxidative damage and cell death by the natural antioxidant ergothioneine. *Food Chem Toxicol.* Nov 1999; 37(11) : 1043-1053.

Chen S, Phung S, Hur G, Kwok S, Ye J, et Oh SR. Breast cancer prevention with phytochemicals in mushrooms. *Proceedings of the American Association for Cancer*
Research, vol. 46, Rés. 5186.

Duffield-Lillico AJ, Shureiqu I, Lippman SM. Can selenium prevent colorectal cancer? A signpost from epidemiology. *J. Natl Cancer Inst.* 2004; 92 : 1645-1647.

Lull C, Wichers HJ, Savelkoul HF. Antiinflammatory and immunomodulating properties of fungal metabolites. *Mediators Inflamm.* 9 juin 2005; 2005(2) : 63-80.

Phung S, Ye J, Hur G, Kwok S, Lui K et Chen S. White button mushrooms and prostate cancer prevention. *Proceedings of the American Association for Cancer Research*; 46 : Rés. 1580.

Wasser SP. Medicinal mushrooms as a source of antitumor and immunomodulating polysaccharides. *Appl Microbiol Biotechnol.* Nov 2002; 60(3) : 258-274.

Chocolat/Cacao www.icco.org

Buijsse B, Feskens EJ, Kok FJ, Kromhout D. Cocoa intake, blood pressure, and cardiovascular mortality: the Zutphen Elderly Study. *Arch Intern Med.* 2006; 166 : 411-417.
Engler MB et al. Flavonoid-rich dark chocolate improves endothelial function and increases plasma epicatechin concentrations in healthy adults. *J Am Coll Nutr.* Juin 2004; 23(3) : 197-204.
Grassi D et al. Cocoa reduces blood pressure and insulin resistance and improves endothelium-dependent vasodilation in hypertensives. *Hypertension.* Août 2005; 46(2) : 398-405.
Grassi D et al. Short-term administration of dark chocolate is followed by a significant increase in insulin sensitivity and a decrease in blood pressure in healthy persons. *Am J Clin Nutr.* Mar 2005; 81(3) : 611-614.
Heinrich U, Neukam K, Tronnier H, Sies H, Wilhelm S. Long-term ingestion of high flavanol cocoa provides photoprotection against UV-induced erythema and improves skin condition in women. *Journal of Nutrition.* 2006; 136 : 1-5.
Noe V et al. Epicatechin and a cocoa polyphenolic extract modulate gene expression in human Caco-2 cells. *J Nutr.* Oct 2004; 134(10) : 2509-2516.
Schuier M, Sies H, Illek B, Fischer H. Cocoa-related flavonoids inhibit CFTR-mediated chloride transport across T84 human colon epithelia. *J Nutr.* Oct 2005; 135(10) : 2320-2325.
Taubert D, Berkels R, Roesen R, Klaus W. Chocolate and blood pressure in elderly individuals with isolated systolic hypertension. *JAMA.* 27 août 2003; 290(8) : 1029-1030.
Usmani OS et al. Theobromine inhibits sensory nerve activation and cough. *FASEB J.* Fév 2005; 19(2) : 231-233.
Vlachopoulos C et al. Effect of dark chocolate on arterial function in healthy individuals. *Am J Hypertens.* Juin 2005; 18(6) : 785-791.

Chou www.answers.com/topic/sauerkraut

Beecher C. Cancer preventive properties of varièties of Brassica oleracea: a review. *Am J Clin Nutr.* 1994; 59 : 1166S-1170S.
Caragay AB. Cancer-preventative foods and ingredients. *Food Tech.* 1992; 46(4) : 65-68.
Cheney G. Rapid healing of peptic ulcers in patients receiving fresh cabbage juice. *Cal Med* 70 (1949) : 10-14.
Cohen JH, Kristal AR, et al. Fruit and vegetable intakes and prostate cancer risk. *J Natl Cancer Inst.* 2000; 92(1) : 61-68.
Fowke JH, Chung FL, Jin F, Qi D, Cai Q, Conaway C, Cheng JR, Shu XO, Gao YT, Zheng W. Urinary isothiocyanate levels, brassica, and human breast cancer. *Cancer Res.* 15 juil; 63(14) : 3980-6.
Pathak DR et al. Joint association of high cabbage/sauerkraut intake at 12-13 years of ago and adulthood with reduced breast cancer risk in polish migrant women: results from the US component of the Polish women's health study. Résumé numéro 3697. Présenté à la AACR 4th Annual Conference on Frontiers in Cancer Prevention Research, 30 oct-2 nov 2005, Baltimore, Maryland.

Qi M, Anderson AE, Chen DZ, Sun S, Auborn KJ. Indole-3-carbinol prevents PTEN loss in cervical cancer in vivo. *Mol Med.* 2005 ; 11(1-12) : 59-63.

Chou-fleur www.dole5aday.com/ReferenceCenter/Encyclopedia/Cauliflower

Anand R, Biedebach M, Jevning R. Cruciferous vegetables and human breast cancer: An important interdisciplinary hypothesis in the field of diet and cancer. *Family Economics and Nutrition Review.* 1999 ; 12(2).
Brandi G et al. Mechanisms of action and antiproliferative properties of Brassica oleracea juice in human breast cancer cell lines. *J Nutr.* Juin 2005 ; 135(6) : 1503-1509.
Cerhan J, Criswell L, Merlino L, Mikuls T, Saag K. Antioxidant micronutrients and risk of rheumatoid arthritis in a cohort of older women. *Am J Epidemiol.* 2003 ; 157 : 345-354.
Fan S, Meng Q, Auborn K, Carter T, Rosen EM. BRCA1 and BRCA2 as molecular targets for phytochemicals indole-3-carbinol and genistein in breast and prostate cancer cells. *Br J Cancer.* 13 fév 2006 ; 94(3) : 407-426.
Herman-Antosiewicz A, Johnson DE, Singh SV. Sulforaphane causes autophagy to inhibit release of cytochrome C and apotosis in human prostate cancer cells. *Cancer res.* 1er juin 2006 ; 66(11) : 5828-5835.
Kuttan G, Thejass P. Antimetastatic activity of Sulforaphane. *Life Sci.* 22 mai 2006 ; 78(26) : 3043-3050.

Chou frisé http://plantanswers.tamu.edu/publications/vegetabletravelers/kale.html

Brown L et al. A prospective study of carotenoid intake and risk of cataract extraction in US men. *Am J Clin Nutr.* Oct 1999 ; 70(4) : 517-524.
Kopsell DE et al. Kale carotenoids remain stable while flavor compounds respond to changes in sulfur fertility. *J Agric Food Chem.* 27 août 2003 ; 51(18) : 5319-5325.
Radosavljevic V, Jankovic S, Marinkovic J, Dokic M. Diet and bladder cancer: a case-control study. *Int Urol Nephrol.* 2005 ; 37(2) : 283-239.
Van Duyn MA, Pivonka E. Overview of the health benefits of fruit and vegetable consumption for the dietetics professional: Documentation sélectionnée. *J Am Diet Assoc.* 2000 ; 100 : 1511-1521.

Citron www.hort.purdue.edu/newcrop/morton/lemon.html

Khaw KT, Day N, Symmons DP. Vitamin C and the risk of developing inflammatory polyarthritis: prospective nested case-control study. *Ann Rheum Dis.* Juil 2004 ; 63(7) : 843-847.
Manners GD at al. Bioavailability of citrus limonoids in humans. *J Agric Food Chem.* 2 juil 2003 ; 51(14) : 4156-4161
Pattison DJ, Silman AJ, Goodson NJ, Lunt M, Bunn D, Luben R, Welch A, Bingham S, Poulose SM, Harris ED, Patil BS. Citrus limonoids induce apoptosis in human neuroblastoma cells and have radical scavenging activity. *J Nutr.* Avr 2005 ; 135(4) : 870-877.
Sun J, Chu YF, Wu X, Liu RH. Antioxidant and antiproliferative activities of common fruits. *J Agric Food Chem.* 4 déc 2002 ; 50(25) : 7449-7454.

Citrouille www.urbanext.uiuc.edu/pumpkins/history.html
Binns C.W, jian L, Lee AH. (The relationship between dietary carotenoids and prostate cancer risk in Southeast Chinese men. *Asia Pac J Clin Nutr.* 2005 ; 13 : S117.
Huang XE, Hirose K, Wakai K, Matsuo K, Ito H, Xiang J, Takezaki T, Tajima K. Comparison of lifestyle risk factors by family history of gastric, breast, lung and colorectal cancer. *Asian Pac J Cancer Prev.* Oct 2004 ; 5(4) : 419-427.
Jaber R. Respiratory and allergic diseases: from upper respiratory tract infections to asthma. *Prim Care.* Juin 2002 ; (2) : 231-261.
Schleich S, Papaioannou M, Baniahmad A, Matusch R.Extracts from Pygeum africanum and Other Ethnobotanical Species with Antiandrogenic Activity. *Planta Med.* Juil 2006 ; 72(9) : 807-13.
Suzuki K, Ito Y, Nakamura S, Ochiai J, Aoki K. Relationship between serum carotenoids and hyperglycemia: a population-based cross-sectional study. J *Epidemiol.* Sep 2002 ; 12(5) : 357-366.
Zuhair HA, Abd El-Fattah AA, El-Sayed MI.Pumpkin-seed oil modulates the effect of felodipine and captropril in spontaneously hypertensive rats. *Pharmacol Res.* Mai 2000 ; 41(5) : 555-563.

Clou de girofle www.intelihealth.com
Ahmad N, Alam MK, Bisht D, Hakim SR, Khan A, Mannan A, Owais M, Shehbaz A. Antimicrobial activity of clove oil and its potential in the treatment of vaginal candidiasis. *J Drug Target.* Déc 2005 ; 13(10) : 555-561.
Algareer A, Alyhaya A, Andersson L. The effect of clove and benzocaine versus placebo as topical anesthetics. *J Dent.* 10 mar 2006.
Banerjee S, Das S, Panda CK. Clove (Syzgium aromaticum L.), a potential chemopreventive agent for lung cancer. *Carcinogenesis.* Août 2006 ; 27(8) : 1645-1654.
Choi HK, Jung GW, Moon KH et al. Clinical study of SS-cream in patients wi life-long premature ejaculation. *Urology.* 2000 ; 55(2) : 257-261.
Diwakr BT, Lokesh BR, Naidu KA, Raghavenra H. Eugenol — the active principle from cloves inhibits 5-lipoxygenase activity and leukotriene-C4 in human PMNL cells. *Prostaglandins Leukot Essent Fatty Acids.* Jan 2006 ; 74(1) : 23-27.

Coriandre (Cilantro) http:/whatscookingamerica.net/cilantro.htm
Chithra V, Leelamma S. Coriandrum sativum changes the levels of lipid peroxides and activity of antioxidant enzymes in experimental animals. *Indian J Biochem Biophys.* Fév 1999 ; 36(1) : 59-61.
Chithra V, Leelamma S. Hypolipidemic effect of coriander seeds (Coriandrum sativum): mechanism of action. *Plant Foods Hum Nutr.* 1997 ; 51(2) : 167-172.
Delaquis PJ, Stanich K, Girard B et al. Antimicrobial activity of individual and mixed fractions of dill, cilantro, coriander and eucalyptus essential oils. *Int J Food Microbiol.* 25 mar 2002 ; 74(1-2) : 101-109.
Gray AM, Flatt PR. Insulin-releasing and insulin-like activity of the traditional anti- diabetic plant Coriandrum sativum (coriander). *Br J Nutr.* Mar 1999 ; 81(3) : 203-209.

Kubo I, Fujita K, Kubo A, Nihei K, Ogura T. Antibacterial Activity of Coriander Volatile Compounds against Salmonella choleraesuis. *J Agric Food Chem.* 2 juin 2004; 52(11) : 3329-3332.

Platel K, Rao A, Saraswathi G, Srinivasan K. Digestive stimulant action of three Indian spice mixes in experimental rats. Deptartment of Biochemistry and Nutrition, Central Food Technological Research Institute, Mysore, 570 013, Inde.

Cumin http://www.hort.purdue.edu/newcrop.med-aro/fa

Ensminger AH, Esminger M. et al. *Food for Health: A Nutrition Encyclopedia.* Clovis, California: Pegus Press; 1986.

Hypolipidemic effect of Cuminum cyminum L. on alloxan-induced diabetic rats. *Pharmacol Res.* Sep 2002; 46(3) : 251-255.

Lee HS. Cuminaldehyde: Aldose Reductase and alpha-Glucosidase Inhibitor Derived from Cuminum cyminum L. Seeds. *J Agric Food Chem.* 2005; 53(7) : 2446-2450

Martinez-Tome M, Jimenez AM, Ruggieri S, et al. Antioxidant properties of Mediterranean spices compared with common food additives. *J Food Prot.* Sep 2001; 64(9) : 1412-1419.

Nalini N, Manju V,Menon VP. Effect of spices on lipid metabolism in 1,2-dimethylhydrazine-induced rat colon carcinogenesis. *J Med Food.* Été 2006; 9(2) : 237-245.

O'Mahoney R et al. Bactericidal and anti-adhesive properties of culinary and medicinal plants against Helicobacter pylori. *World J Gastroenterol.* 21 déc 2005; 11(47) : 7499-7507.

Tekeoglu I, Dogan A, Demiralp L. Effects of thymoquinone (volatile oil of black cumin) on rheumatoid arthritis in rat models. *Phytother Res.* 11 juil 2006.

Curcuma http://nccqm.nig.gov/health/turmeric/

Aggarwal BB et al. Curcumin suppresses the paclitaxel-induced nuclear factor-kappaB pathway in breast cancer cells and inhibits lung metastasis of human breast cancer in nude mice. *Clin Cancer Res.* 15 oct 2005; 11(20) : 7490-7498.

Asai A, Miyazawa T. Dietary curcuminoids prevent high-fat diet-induced lipid accumulation in rat liver and epididymal adipose tissue. *J Nut.* 2001; 131 : 2932-2935.

Cruz-Correa M et al. Combination treatment with curcumin and quercetin of adenomas in familial adenomatous polyposis. *Clin Gastroenterol Hepatol.* Août 2006; 4(8) : 1035-1038.

Hong JH. The effects of curcumin on the invasiveness of prostate cancer in vitro and in vivo. *Prostate Cancer Prostatic Dis.* 2006; 9(2) : 147-152.

Lim GP, Chu T, Yang F, Beech W, Frautschy SA, Cole GM. The curry spice curcumin reduces oxidative damage and amyloid pathology in an Alzheimer transgenic mouse. *J Neuro Sci.* 2001; 21 : 8370-8377.

Ng TP et al. Curry consumption and cognitive function in the elderly. *Am J Epidemiol.* 1er nov 2006; 164(9) : 898-906.

Peschel D, Koerting R, Nass N. Curcumin induces changes in expression of genes involved in cholesterol homeostasis. *J Nutr Biochem.* Fév 2007; 18(2)113-119.

Singletary K. Inhibition of 7,12-dimethylbenz[a] anthracene (DMBA)-induced mammary turmorigenisis and DMA-DNA adduct formation by curcumin. *Cancer Letters.* 1996 ; 103 : 137-141.
Swiak DR et al. Curcumin-induced antiproliferative and proapoptotic effects in melanoma cells are associated with suppression of IkappaB kinase and nuclear factor kappaB activity and are independent of the B-Raf/mitogen-activated/extracellular signal-regulated protein kinase pathway and the Akt pathway. *Cancer.* 15 août 2005 ; 104(4) : 879-90.
Villasenor IM, Simon MKB, Villanueva AMA. Comparative potencies of nutraceuticals in chemically induced skin tumor prevention. *Nut and Cancer.* 2002 ; 44 : 66-70.
Wu A, Ying Z, Gomez-Pinilla F. Dietary curcumin counteracts the outcome of traumatic brain injury on oxidative stress, synaptic plasticity, and cognition. *Exp Neurol.* 2006 ; 197(2) : 309-317.

Épeautre www.agmrc.org/agmrc/commodity/grainsolseeds/spelt/

Erkkila AT, Herrington DM, Mozaffarian D, Lichtenstein AH. Cereal fiber and whole-grain intake are associated with reduced progression of coronary-artery atherosclerosis in postmenopausal women with coronary artery disease. *Am Heart J.* 2005 ; 150 : 94-101.
Ruibal-Mendieta NL et al. Spelt (Triticum aestivum ssp. spelta) as a source of breadmaking flours and bran naturally enriched in oleic acid and minerals but not phytic acid. *J Agric Food Chem.* 6 avr 2005 ; 53(7) : 2751-2759.
Ruibal-Mendieta NL et al. Spelt (Triticum spelta L.) and winter wheat (Triticum aestivum L.) wholemeals have similar sterol profiles, as determined by quantitative liquid chromatography and mass spectrometry analysis. J *Agric Food Chem.* 28 juil 2004 ; 52(15) : 4802-4807.

Épinard www.uga.edu/vegetable/spinach.html

Abu J, Batuwangala M, Herbert K, Symonds P Retinoic acid and retinoid receptors: potential chemopreventive and therapeutic role in cervical cancer. *Lancet Oncol.* Sep 2005 ; 6(9) : 712-720.
Brown L, Rimm EB, Seddon JM, Giovannucci EL, Chasan-Taber L, Spiegelman D, Willett WC, Hankinson SE. A prospective study of carotenoid intake and risk of cataract extraction in US men. *Am J Clin Nutr.* Oct 1999 ; 70(4) : 431-432.
Chu YF, Sun J, Wu X, Liu RH. Antioxidant and antiproliferative activities of common vegetables. *J Agric Food Chem.* 6 nov 2002 ; 50(23) : 6910-6916.
Kelemen et al. Vegetables, fruit, and antioxidant-related nutrients and risk of non-Hodgkin lymphoma: a National Cancer Institute-Surveillance, Epidemiology, and End Results population-based case-control study. *Am J Clin Nutr.* Juin 2006 ; 83(6) : 1401-1410.
Kuriyama I, Musumi K, Yonezawa Y, Takemura M, Maeda N, Iijima H, Hada T, Yoshida H, Mizushina Y. Inhibitory effects of glycolipids fraction from spinach on mammalian DNA polymerase activity and human cancer cell proliferation. *Journal of Nutritional Biochemistry.* Oct 2005 ; 16(10) : 594-601.
Nyska A, Suttie A, Bakshi S, Lomnitskia L, Grossman S, Bergman M, Ben-Shaul V, Crocket P, Haseman JK, Moser G, Goldsworthy TL, Maronpot RR. Slowing tumorigenic progression in TRAMP mice and prostatic carcinoma

cell lines using natural anti-oxidant from Spinach, NAO — A comparative study of three anti-oxidants. *Toxicologic Pathology.* Jan-Fév 2003 ; 31(1) : 39-51.
Rai A, Mohapatra SC, Shukla H. Correlates between vegetable consumption and gallbladder cancer. *Eur J Cancer Prev.* Avr 2006 ; 15(2) : 134-137.
Sani HA, Rahmat A, Ismail M, Rosli R, Endrini S. Potential anticancer effect of red spinach (Amaranthus gangeticus) extract. *Asia Pacific Journal of Clinical Nutrition.* 2004 ; 13(4) : 396-400.
Seddon JM, Ajani UA, Sperduto RD, Hiller R, Blair N, Burton TC, Farber MD, Gragoudas EX, Haller J, Miller DT Dietary carotenoids, vitamins A,C, and E, and advanced age-related macular degeneration. Eye disease case-control study group. *JAMA.* 9 nov 1994 ; 272(18) : 1413-1420.
Wang Y, Chang C, Chou J, Chen H, Deng X, Harvey B, Cadet JL, Bickford PC. Dietary supplementation with blueberries, spinach, or spirulina reduces ischemic brain damage. *Experimental Neurology.* Mai 2005 ; 193(1) : 75-84.

Fenouil www.hort.purdue.edu/newcrop/NewCropsNews/93-3-1/fennel.html

Alexandrovich I, Rakovitskaya O, Kolmo E, et al. The effect of fennel (Foeniculum vulgare) seed oil emulsion in infantile colic: a randomized, placebo-controlled study. *Altern Ther Health Med.* 2003 ; 9 : 58–61
Chainy GB, Manna SK, Chaturvedi MM, Aggarwal BB. Anethole blocks both early and late cellular responses transduced by tumor necrosis factor: effect on NF-kappaB, AP-1, JNK, MAPKK and apoptosis. *Oncogene.* 8 juin 2000 ; 19(25) : 2943-2950.
Forster HB, Niklas H, Lutz S. Antispasmodic effects of some medicinal plants. *Plant Med.* 1980 ; 40 : 303-319.
Tanira MOM, Shah AH, Mohsin A, et al. Pharmacological and toxicological investigations on Foeniculum vulgare dried fruit extract in experimental animals. *Phytother Res.* 1996 ; 10 : 33-36.

Figue www.calfresh.figs.com ; www.californiafigs.com ; www.nafex.org/figs.htm

Brown L, Rosner B, Willet W, Sacks FM. Cholesterol lowering effects of dietary fiber: a meta-analysis. *Amer J Clin Nutr.* 1999 ; 69 : 30-42.
Emenaker NJ. Short-chain fatty acids derived from dietary fiber may protect against invasive human colon cancer. On-line. 1999 ; 7(1) : 1, 4-9.
Ferguson LR, Chavan RR, Harris PJ. Changing concepts of dietary fiber: implications for carcinogenesis. *Nutr & Cancer.* 2001 ; 39(2) : 155-169.
Hosein S. Immunomodulators : psoralens. CATIE. 1994 ; 48. Accès en mai 2006 à http://www.aegis.com/pub/catie/1994/CATI4807.html
Lairon D, et al. Dietary fiber intake and risk factors for cardiovascular disease in French adults. *Amer J Clin Nutr.* 2005 ; 82 : 1185-1194.
Lebwohl M. A clinician's paradigm in the treatment of psoriasis. *J Am Acad Dermatol.* 2005 ; 53 : S59-69.
Montonen J, et al. Whole-grain and fiber intake and the incidence of type 2 diabetes. *Amer J Clin Nutr.* 2003 ; 77 : 622-629.

Rubnov S, Kashman Y, Rabinowitz R, Schlesinger M, Mechoulam R. Suppressors of cancer cell proliferation from fig (ficus carica) resin: isolation and structure elucidation. *J Nat Prod.* 64 : 993-996, 2001.
Slavin JL. Dietary fiber and body weight. Nutrition. 2005; 21 : 411-418.
Streppel MT, et al. Dietary fiber and blood pressure. *Arch Intern Med.* 2005; 165 : 150-156.
Upton J. New roles for fiber focus on heart disease, diabetes, blood pressure. *Environmental Nutrition.* 2205; 28(4) : 1,6.

Fraise www.calstrawberry.com; www.urbaext.uiuc.edu/strawberries/

Hannum SM Potential impact of strawberries on human health: a review of the science. *Crit Rev Food Sci Nutr.* 2004; 44(1) : 1-17.
McDougall GJ Stewart D. The inhibitory effects of berry polyphenols on digestive enzymes. *Biofactors.* 2005; 23(4) : 189-195.
Naemura A, Mitani T, Ijiri Y, Tamura Y, Yamashita T, Okimura M, Yamamoto J.Anti-thrombotic effect of strawberries. *Blood Coagul Fibrinolysis.* Oct 2005; 16(7), 501-509.
Olsson ME, Andersson CS, Oredsson S, Berglund RH, Gustavsson KE. Antioxidant levels and inhibition of cancer cell proliferation in vitro by extracts from organically and conventionally cultivated strawberries. *J Agric Food Chem.* 22 fév 2006; 54(4) : 1248-1255.
Papoutsi Z, et al. Evaluation of estrogenic/anti-estrogenic activity of ellagic acid via the estrogen receptor subtypes ER alpha and ER beta. *J Agric Food Chem.* 2005; 53 : 7715-7720.
Rampersaud GC, Kauwell GP, Bailey LB. (Folate: a key to optimizing health and reducing disease risk in the elderly. *J Am Coll Nutr.* Fév 2003; 22(1) : 1-8.
Skupien K, Oszmianski J, Kostrzewa-Nowak D, Tarasiuk J. In vitro antileukaemic activity of extracts from berry plant leaves against sensitive and multidrug resistant HL60 cells. *Cancer Lett.* 18 mai 2006; 236(2) : 282-291.
Spiller GA et al. Health Research Studies Center. Los Altos, Ca. Non publié. 2003 et 2005.
Stoner GD, Chen T, Kresty LA, Aziz RM, Reinemann T, Nines R. Protection against esophageal cancer in rodents with lyophilized berries: potential mechanisms. *Nutr Cancer.* 2006; 54(1) : 33-46.

Framboise www.raspberries.us; www.raspberryblackberry.com

Casto BC et al.Chemoprevention of oral cancer by black raspberries. *Anticancer Res.* Nov-Déc 2002; 22(6C) : 4005-4015.
Chen T, Hwang H, Rose ME, Nines RG, Stoner GD. Chemopreventive properties of black raspberries in N-nitrosomethylbenzylamine-induced rat esophageal tumorigenesis: downregulation of cyclooxygenase-2, inducible nitric oxide synthase, and c-Jun. *Cancer Res.* Mar 2006; 66(5) : 2853-2859.
Han C, Ding H, Casto B, Stoner GD, D'Ambrosio SM Inhibition of the growth of premalignant and malignant human oral cell lines by extracts and components of black raspberries. *Nutr Cancer.* 2005; 51(2) : 207-217.
Larrosa M, Tomas-Barberan FA, Espin JC. The dietary hydrolysable tannin punicalagin releases ellagic acid that induces apoptosis in human colon

adenocarcinoma Caco-2 cells by using the mitochondrial pathway. *J Nutri Biochem.* Oct 2005 (En attente de publication en ligne).
Liu M, Li XQ, Weber C, Lee CY, Brown J, Liu RH Antioxidant and antiproliferative activities of raspberries. *J Agric Food Chem.* Mai 2002 ; 50(10) : 2926-2930.
McDougall GJ Stewart D. The inhibitory effects of berry polyphenols on digestive enzymes. *Biofactors.* 2005 ; 23(4) : 189-195.
Morimoto C, Satoh Y, Hara M, Inoue S, Tsujita T, Okuda H Anti-obese action of raspberry ketone. *Life Sciences.* Mai 2005 ; 77(2) : 194-204.

Fruit de la passion www.crfg.org/pubs/ff/passionfruit.html

Chau CF, Huang YL.Effects of the insoluble fiber derived from Passiflora edulis seed on plasma and hepatic lipids and fecal output. *Mol Nutr Food Res.* Août 2005 ; 49(8) : 786-790.
Ichimura T et al. Anttihypertensive Effect of an Extract of Passiflora edulis Rind in Spontaneously Hypertensive Rats. *Biosci Biotechnol Biochem.* Mar 2006 ; 70(3) : 718-721.
Talcott ST, Percival SS, Pittet-Moore J, Celoria C. Phytochemical composition and antioxidant stability of fortified yellow passion fruit (Passiflora edulis). *J Agric Food Chem.* 12 fév 2003 ; 51(4) : 935-941.
Rowe CA, Nantz MP, Deniera C, Green K, Talcott ST, Percival SS. Inhibition of neoplastic transformation of benzo[alpha]pyrene-treated BALB/c 3T3 murine cells by a phytochemical extract of passionfruit juice. *J Med Food.* Hiver 2004 ; 7(4) : 402-407.

Gingembre www.mayoclinic.com/health/ginger/NS_patient-ginger ; www.umm.edu/altmed/consherbs/gingerch.html#overview

Altman RD and Marcussen KC. Effects of ginger extract on knee pain in patients with osteoarthritis. *Arthritis Rheum.* 2001 ; 44(11) : 2461-2462.
American Association for Cancer Research 97th annual meeting, 1-5 avril 2005, Washington, D.C. Auteur de l'étude: J. Rebecca Liu, M.D., assistant-professeur d'obstétrique et de gynécologie au U-M Medical School et member du U-M Comprehensive Cancer Center.
Grontved A, Brask T, Kambskard J, Hentzer E. Ginger root against sea sickness: a controlled trial on the open sea. *Otorhinolaryngol Relat Spec.* 1986 ; 48(5) : 282-286.
Han-Chung L, et al. Effects of ginger on motion sickness and gastric slow-wave dysrythmias induced by circular vection. *Am J Physiol Gastrintest Liver Physiol.* 2003 ; 283 : G481-G489.
Manju V, Nalini N. Chemopreventive efficacy of ginger, a naturally occurring anticarcinogen during the initiation, post-initiation stages of 1,2 dimethylhydrazine-induced colon cancer. *Clin Chim Acta.* Août 2005 ; 358 (1-2) : 60-67.
Étude de Phase II sur échantillon aléatoire de patients souffrant de cancer et de nausée provoquée par la chimiothérapie. (CCUM-0201). http://www.cancer.gov/clinicaltrials/ft-CCUM-0201
Phillips S, Ruggier R, Hutchinson SE. Zingiber officinale (ginger)1: an antiemetic for day case surgery. *Anaesthesia.* 1993 ; 48(12) : 1118.

Smith C, et al. A randomized controlled trial of ginger to treat nausea and vomiting in pregnancy. *Obstets & Gynecol.* 2004 ; 103 : 639-645.
Willets KE, Ekangaki A, Eden JA. Effect of ginger abstract on pregnancy induced nausea: a randomized controlled trial. *Australian and New Zealand J Obstetrics & Gyn.* 2003 ; 43 : 139-144.

Goyave www.hort.purdue.edu/newcrop/morton/guava.html

Abdelrahim SI et al. Antimicrobial activity of Psidium guajava L. *Fitoterapia.* 2002 ; 73(7-8) : 713-715.
Arima H et al. Isolation of antimicrobial compounds from guava (Psidium guajava L.) and their structural elucidation. *Biosci Biotechnol Biochem* 2002 ; 66(8) : 1727-1730.
Cheng JT et al. Hypoglycemic effect of guava juice in mice and human subjects. *Am. J. Clin. Med.* 1983 ; 11(1-4) : 74-76.
Conde Garcia EA et al. Inotropic effects of extracts of Psidium guajava L. (guava) leaves on the guinea pig atrium. *Braz J of Med & Biol Res.* 2003 ; 36 : 661-668.
Lozoya X et al. Intestinal anti-spasmodic effect of a phytodrug of Psidium guajava folia in the treatment of acute diarrheic disease. *J Ethnopharmacol.* 2002 ; 83(1-2) : 19-24.
Lozoya X et al. Quercetin glycosides in Psidium guajava L. leaves and determination of a spasmolytic principle. *Arch. Med. Res.* 1994 ; 25(1) : 11-15.
Lutterodt GD. Inhibition of gastrointestinal release of acetylcholine by quercetin as a possible mode of action of Psidium guajava leaf extracts in the treatment of acute diarrhoeal disease. *J. Ethnopharmcol.* 1989 ; 25(3) : 235-247.
Morales MA et al. Calcium-antagonist effect of quercetin and its relation with the spasmolytic properties of *Psidium guajava* L. *Arch Med Res.* 1994 ; 25(1) : 17-21.
Mukhtar HM et al. Effect of water extract of Psidium guajava leaves on alloxan-induced diabetic rats. *Pharmazie.* Sep 2004 ; 59(9) : 734-735.
Oh WK et al. Antidiabetic effects of extracts from Psidium guajava. *J Ethnopharmacol.* 15 jan 2005 ; 96(3) : 411-415.
Singh RB et al. Can guava fruit intake decrease blood pressure and blood lipids ? *J Hum Hypertens.* 1993 ; 7(1) : 33-38.
Singh RB et al. Effects of guava intake on serum total and high-density lipoprotein cholesterol levels and on systemic blood pressure. *Am. J. Cardiol.* 1992 ; 70(15) : 1287-1291.
Wei L et al. Clinical study on treatment of infantile rotaviral enteritis with *Psidium guajava L. Zhongguo Zhong Xi Yi Jie He Za Zhi.* 2000 ; 20(12) : 893-895.
Yamashiro S et al. Cardioprotective effects of extracts from Psidium guajava L. and Limonium wrigth II, Okinawan medicinal plants, against ischemia-reperfusion injury in perfused rat hearts. *Pharmacology* 2003 ; 67(3) : 128-135.

Graines de tournesol www.sunflowerusa.org

Allman-Farinelli MA, Gomes K, Favaloro EJ, Petocz P A diet rich in high-oleic-acid sunflower oil favorably alters low-density lipoprotein cholesterol, triglycerides, and factor VII coagulant activity. *J Am Diet Assoc.* Juil 2005 ; 105(7) : 1071-1079.

Binkoski AE, Kris-Etherton PM, Wilson TA, Mountain ML, Nicolosi RJ. Balance of unsaturated fatty acids is important to a cholesterol-lowering diet: comparison of mid-oleic sunflower oil and olive oil on cardiovascular disease risk factors. *J Am Diet Assoc.* Juil 2005 ; 105(7) ; 1080-1086.

Kapadia GJ, Azuine MA, Tokuda H, Takasaki M, Mukainaka T, Konoshima T, Nishino H. Chemopreventive effect of resveratrol, sesamol, sesame oil and sunflower oil in the Epstein-Barr virus early antigen activation assay and the mouse skin two-stage carcinogenesis. *Pharmacol Res.* Juin 2002 ; 45(6) ; 499-505.

Grenade www.pomegranates.org

Adams LS, Seeram NP, Aggarwal BB, Takada Y, Sand D, Heber, D. Pomegranate juice, total pomegranate ellagitannins, and punicalagin suppress inflammatory cell signaling in colon cancer cells. *J Agric Food Chem.* 8 fév 2006 ; 54(3) : 980-985.

Aviram M, Dornfeld L. Pomegranate juice consumption inhibits serum angiotensin converting enzyme activity and reduces systolic blood pressure. *Atherosclerosis.* Sep 2001 ; 158(1) ; 195-198.

Aviram M, Dornfeld L, Kaplan M, Coleman R, Gaitini D, Nitecki S, Hofman A, Rosenblat M, Volkova N, Presser D, Attias J, Hayek T, Fuhrman B. Pomegranate juice flavonoids inhibit low-density lipoprotein oxidation and cardiovascular diseases: studies in atherosclerotic mice and in humans. Drugs *Exp Clin Res.* 2002 ; 28(2-3) : 49-62.

Azadzoi KM, Schulman RN, Aviram M, Siroky MB.Oxidative stress in arteriogenic erectile dysfunction: prophylactic role of antioxidants. *J Urol.* Juil 2005 ; 174(1) : 386-393.

De M, Krishna De A, Banerjee AB. Antimicrobial screening of some Indian spices. *Phytother Res.* Nov 1999 ; 13(7),616-623.

Jeune MA, Kumi-Diak, J, Brow, J. Anticancer activities of pomegranate extracts and genistein in human breast cancer cells. *J Med Food.* 2005 ; 8(4) : 469-475.

Loren DJ, Seeram NP, Schulman RN, Holtzman DM. Maternal dietary supplementation with pomegranate juice is neuroprotective in an animal model of neonatal hypoxicischemic brain injury. *Pediatr Res.* Juin 2005 ; 57(6) : 858-864.

Malik A, Afaq F, Sarfaraz S, Adhami VM, Syed DN, Hukhtar H. Pomegranate fruit juice for chemoprevention and chemotherapy of prostate cancer. *Proc Natl Acad Sci USA.* 11 oct 2005 ; 02(41) : 14813-14818.

Mori-Okamoto J, Otawara-Hamamoto Y, Yamato H, Yoshimura H. Pomegranate extract improves a depressive state and bone properties in menopausal syndrome model ovariectomized mice. *J Ethnopharmacol.* Mai 2004 ; 92(1) : 93-101.

Pantuck AJ, Leppert JT, Zomorodian N, Aronson W, Hong J, Barnard RJ, Seeram N, Liker H, Wang H, Elashoff R, Heber D, Aviram M, Ignarro L, Belldegrun A. Phase II study of pomegranate juice for men with rising prostate-specific antigen following surgery or radiation for prostate cancer. *Clin Cancer Res.* 1er juil 2006 ; 12(13) : 4018-4026.

Summer MD, Elliott-Eller M, Weidner G, Daubenmier JJ, Chew MH, Marlin R, Risin CJ, Ornish D. Effects of pomegranate juice consumption on myocardial perfusion in patients with coronary heart disease. *Am J. Cardiol.* 15 sep 2005 ; 96(6) : 810-813.

Groseille http://asktheberryman.com

Carey AN, Fisher DR, Joseph JA. Fruit extracts antagonize Abeta- or DA-induced deficits in Ca2+ flux in M1-transfected COS-7 cells. *J Alzheimer's Dis.* Août 2004 ; 6(4) : 403-411.
Deferne JL, Leeds AR. Resting blood pressure and cardiovascular reactivity to mental arithmetic in mild hypertensive males supplemented with black currant seed oil. *J Hum Hypertens.* Août ; 10(8) : 531-537.
Konno O, Okubo T, Takata R, Yamamoto R, Yanai T. Immunostimulatory effects of a polysaccharide-rich substance with antitumor activity isolated from black currant (Ribes nigrum L.). *Biosci Biotechnol Biochem.* Nov 2005 ; 69(11) : 2042-2050.

Haricot www.americanbean.org; www.vegetablewithmore.com

Azevedo L, Gomes JC, Stringheta PC, Gontijo AM, Padovani CR, Ribeiro LR, Salvadori DM. Black bean (Phaseolus vulgaris L.) as a protective agent against DNA damage in mice. *Food Chem Toxicol.* Déc 2003 ; 41(12) : 1671-1676.
Bazzano LA, He J, Ogden LG, Loria CM, Whelton PK. Dietary fiber intake and reduced risk of coronary heart disease in US men and women: the National Health and Nutrition Examination Survey I Epidemiologic Follow-up Study. *Arch Intern Med.* 8 sep 2003 ; 163(16) : 1897-904.
Darmadi-Blackberry et al. Legumes: the most important dietary predictor of survival in older people of different ethnicities. *Asia Pac J Clin Nutr.* 2004 ; 13(2) : 217-220.
McIntosh M, Miller C. A diet containing food rich in soluble and insoluble fiber improves glycemic control and reduces hyperlipidemia among patients with type 2 diabetes mellitus. *Nutr Rev.* 2001 ; 59(2) : 52-55.
Menotti A, Kromhout D, Blackburn H, et al. Food intake patterns and 25-year mortality from coronary heart disease: cross-cultural correlations in the Seven Countries Study. The Seven Countries Study Research Group. *Eur J Epidemiol.* Juil 1999 ; 15(6) : 507-515.
Sacks FM. American Heart Association's annual meeting in Dallas 2005
Velie EM, Schairer C, Flood A, He JP, Khattree R, Schatzkin A. Empirically derived dietary patterns and risk of postmenopausal breast cancer in a large prospective cohort study. *Am J Clin Nutr.* Déc 2005 ; 82(6) : 1308-1319.

Kaki www.crfg.org/pubs/ff/persimmon.html

Achiwa Y, Hibasami H, Katsuzaki H, Imai K, Komiya T. Inhibitory effects of persimmon (Diospyros kaki) extract and related polyphenol compounds on growth of human
Gorinstein S et al. Comparative contents of dietary fiber, total phenolics, and minerals in persimmons and apples. *J Agric Food Chem.* Fév 2001 ; 49(2) : 952-957.

Gorinstein S., Bartnikowska E., Kulasek G., Zemser M., Trakhtenberg S. Dietary persimmon improves lipid metabolism in rats fed diets containing cholesterol. *J Nutr.* 1998 ; 128 : 2023-2027.
Hibasami H, Achiwa Y, Fujikawa T, Komiya T. Induction of programmed cell death (apoptosis) in human lymphoid leukemia cells by catechin compounds. *Anticancer Res.* Juil-août 1996 ; 16(4A) : 1943-1946.

Kiwi www.kiwifruit.org; www.crfg.org/pubs/ff/kiwifruit.html

Collins BH, Horska A, Hotten PM, Riddoch C, Collins AR. Kiwifruit protects against oxidative DNA damage in human cells and in vitro. *Nutr Cancer.* 2001 ; 39(1) : 148-153.
Duttaroy AK, Jorgensen A. Effects of kiwi fruit consumption on platelet aggregation and plasma lipids in healthy human volunteers. *Platelets.* Août 2004 ; 15(5) : 287-292.
Kopsell D, Kopsell D, Curran-Celentano J. Carotenoid variability among kale and spinach cultivars. *Hortscience.* 2004 ; 39(2) : 34.
Motohashi N et al. Cancer prevention and therapy with kiwifruit in Chinese folklore medicine: a study of kiwifruit extracts. *J Ethnopharmacol.* Août 2002 ; 81(3) : 357-364.
Rinzler CA. *The new complete book of food: A nutritional, medical, and culinary guide.* New York: Checkmark Books, 1999.

Lactosérum www.wheyoflife.org; www.wheyprotein.com

Agin D et al, 2000. Effects of whey protein and resistance exercise on body composition and muscle strength in women with HIV infection. *AIDS.* 7 déc 2001 ; 15(18) : 2431-2440.
Aoe S et al. A controlled trial of the effect of milk basic protein (MBP) supplementation on bone metabolism in healthy menopausal women. *Osteoporos Int.* Déc 2005 ; 16(12) : 2123-2128.
Aoe S et al. Controlled trial of the effects of milk basic protein (MBP) supplementation on bone metabolism in healthy adult women. *Biosci Biotechnol Biochem.* Avr 2001 ; 65(4) : 913-918.
Beeh M, Schlaak J, Buhl R. Oral supplementation with whey proteins increases plasma glutathione levels of HIV infected patients. *European Journal of Clinical Investigation.* Fév 2001 ; 31(2) : 171-178.
Belobrajdic D, McIntosh G, Owens J. Whey proteins protect more than red meat against azoxymethane induced ACF in Wistar rats. *Cancer Letters,* 2003 ; 198 : 43-51.
Belobrajdic D, McIntosh G, Owens J. A high whey protein diet reduces body weight gain and alters insulin sensitivity relative to red meat in Wistar rats. *Journal of Nutrition.* 2004 ; 134 : 1454-1458.
Bounous G. Whey protein concentrate (WPC) and glutathione modulation in cancer treatment. *Anticancer Research.* 2000 ; 20 : 4785-4792.
Bounous G et al, Immunoenhancing property of dietary whey protein in mice: role of glutathione. *Clinical Investigative Medicine.* 1989 ; 12 : 154-161.
Eason R, Badger T, et al, Dietary exposure to whey proteins alters rat mammary gland proliferation, apoptosis, and gene expression during post-natal development: implications for cancer protective mechanism. *Journal of Nutrition.* 2004 ; 134(12).

Fitzgerald R, et al, Hypotensive peptides from milk proteins. *Journal of Nutrition.* 2003 ; 134 : S980-S988.
Hannan M, et al, Effect of dietary protein on bone loss in elderly men and women: The Framingham Osteoporosis Study. *Journal of Bone & Mineral Research.* 2000 ; 15(12) : 2504-2512.
Markus CR, et al. The bovine protein -lactalbumin increases the plasma ratio of tryptophan to the other large neutral amino acids and in vulnerable subjects raises brain serotonin activity, reduces cortisol concentration and improves mood under stress. *American Journal of Clinical Nutrition.* 2000 ; 71 : 1536-1544.
Markus CR, Olivier B, de Haan EH. Whey protein rich in alpha-lactalbumin increases the ratio of plasma tryptophan to the sum of the other large neutral amino acids and improves cognitive performance in stress-vulnerable subjects. *Am J Clin Nutr.* Juin 2002 ; 75(6) : 1051-1056.
Miller GD, et al, Benefits of dairy product consumption on blood pressure in humans: a summary of the biomedical literature. *Journal of the American College of Nutrition.* 2000 ; 19(2) : 147S-164S.
Wong CW et al Effects of purified bovine whey factors on cellular immune functions in ruminants. *Veterinary Immunology and Immunopathology.* 1997 ; 56 : 85-96.
Zemel MB. Mechanisms of dairy modulation of adiposity. *J Nutr.* 2003 ; 133 ; 252-256

Laitue romaine http://edis.ifas.ufl.edu/MV125

Ingster LM, Feinleib M. Could salicylates in food have contributed to the decline in cardiovascular disease mortality ? A new hypothesis. *Am J Public Health.* 1997 ; 87 : 1554-1557.
Mozaffarieh M, Sacu S, Wedrich A. The role of carotenoids, lutein and zeaxanthin, in protecting against age-related macular degeneration: A review based on controversial evidence. *Nut J.* 2003 ; 2 : 20-28.
Paterson JR, Lawrence JR. Salicylic acid: a link between aspirin, diet and the prevention of colorectal cancer. *QJM.* 2001 ; 94 : 445-448.
Rolls Bj, Roe LS, Meengs JS. Salad and satiety: Energy density and portion size of a first-course salad affect energy intake at lunch. *J Am Diet Assoc.* 2004 ; 104 : 1570-1576.
Scheier L. Salicylic Acid: One more reason to eat your fruits and vegetables. *J Am Diet Assoc.* 2001 ; 101 : 1406-1408.

Lime www.fruitsandveggiesmatter.gov

Gharagozloo M, Ghaderi A. Immunomodulatory effect of concentrated lime juice extract on activated human mononuclear cells. *J Ethnopharmaco.* l 2001 ; 77(1) : 85-90.
Kawaii S, Tomono Y, Katase E, et al. Antiproliferative effects of the readily extractable fractions prepared from various citrus juices on several cancer cell lines. *J Agric Food Chem.* 1999 ; 47(7) : 2509-2512.
Rodrigues A, Brun H, Sandstrom A. Risk factors for cholera infection in the initialphase of an epidemic in Guinea-Bissau: protection by lime juice. *Am J Trop Med Hyg.* 1997 ; 57(5) : 601-604.

Lin www.flaxcouncil.ca ; www.flaxrd.com

Bloedon LT, Szapary PO. Flaxseed and cardiovascular risk. *Nutr Rev.* 2004 ; 62 : 18-27.

Chen J, Hui E, Thompson L. Proceedings of the AACR, Volume 44, 2nd éd., Juillet 2003. Department of Nutritional Sciences, University of Toronto, Toronto, ON

Dwivedi C, Natarajan K, Matthees DP. Chemopreventive effects of dietary flaxseed oil on colon tumor development. *Drug News Perspect.* 2000 ; 13(2) : 99.

Johnson, P.V. Flaxseed oil and cancer: alpha-linolenic acid and carcinogenesis. *Flaxseed in Human Nutrition,* et. S.C. Cunnane and L.U. Thompson. AOCS Press, Champaign, IL. 1995 : pp 207-218.

Joshi K et al. Supplementation with flax oil and vitamin C improves the outcome of Attention Deficit Hyperactivity Disorder (ADHD). *Prostaglandins Leukot Essent Fatty Acids.* Jan 2006 ; 74(1) : 17-21.

Piller RA, Chang-Claude JB, Linseisen, Jakob AB. Plasma enterolactone and genistein and the risk of premenopausal breast cancer. *European Journal of Cancer Prevention.* 2006 (Vol. 15, pp. 225-232).

Prasad K, Mantha SV, Muir AD, Wstcott ND. Reduction of hypercholesterolemic athersclerosis by CDC-flaxseed with very low alpha linolenic acid. *Atherosclerosis.* 1998 ; 136 : 367-375.

Prasad K. Secoisolariciresinol diglucoside from flaxseed delays the development of type 2 diabetes in Zucker rat. Lab Clin Med. Juil 2001 ; 138(1) : 32-39.

Velasquez MT et al. Dietary flaxseed meal reduces proteinuria and ameliorates nephropathy in an animal model of type II diabetes mellitus. *Kidney Int.* Déc 2003 ; 64(6) : 2100-7.

Maïs www.resistantstarch.com ; www.urbanext.uluc.edu/corn

Adom KK, Liu RH. Antioxidant activity of grains. *J Agric. Food Chem.* 2002 ; 50 : 6182-6187.

Bauer-Marinovic M, Florian S, Muller-Schmehl K, Glatt H, Jacobasch G. Dietary resistant starch type 3 prevents tumor induction by 1,2-dimethylhydrazine and alters proliferation, apoptosis and dedifferentiation in rat colon. *Carcinogenesis.* 20 avr 2008.

Bazzano LA, He J, Odgen LG et al. Dietary intake of folate and risk of stroke in US men and women: NHANES I Epidemiologic Follow-up Study. *Stroke.* Mai 2002 ; 33(5) : 1183-1189.

Behall KM, Scholfield DJ, Hallfrisch JG, Liljeberg-Elmstahl HG. Consumption of both resistant starch and beta-glucan improves postprandial plasma glucose and insulin in women. *Diabetes Care.* Mai 2006 ; 29(5) : 976-981.

Erichsen-Brown, C. *Medicinal and Other Uses of North American Plants.* Mineola, NY: Courier Dover Publications, 1989.

Hylla S, Gostner A, Dusel G, Anger H, Bartram H-P, Christl S, Kasper H, Scheppach W: Effects of resistant starch on the colon in healthy volunteers: possible implications for cancer prevention. *Am J Clin Nutr* 1998, 67 : 136-142.

Maksimovic Z, Dobric S, Kovacevic N, Milovanovic Z. Diuretic activity of Maydis stigma extract in rats. *Pharmazie.* 2004 ; 59 : 967–971.

Toden S, Bird AR, Topping DL, Conlon MA. Resistant starch prevents colonic DNA damage induced by high dietary cooked red meat or casein in rats. *Cancer Biol Ther.* Mar 2006 ; 5(3) : 267-272.
Velazquez DVO, Xavier HS, Batista JEM, de Castro-Chaves D. Zea mays L extracts modify glomerular function and potassium urinary excretion in conscious rats. *Phytomedicine.* 2005 ; 12 : 363–369.
Yuan JM, Stram DO, Arakawa K, Lee HP, Yu MC. Dietary cryptoxanthin and reduced risk of lung cancer: the Singapore Chinese Health Study. *Cancer Epidemiol Biomarkers Prev.* Sep 2003 ; 12(9) : 890-898.

Mangue www.crfg.org/pubs/ff/mango/htlm ; www.freshmangos.com

Monterrey-Rodriguez J. Interaction between warfarin and mango fruit. *Ann Pharmacother.* 2002 ; 36(5) : 940-941.
Percival SS, Talcott ST, Chin ST, Mallak AC, Lounds-Singleton A, Pettit-Moore J. Neoplastic transformation of BALB/3T3 cells and cell cycle of HL-60 cells are inhibited by mango (Mangifera indica L.) juice and mango juice extracts. *J Nutr.* Mai 2006 ; 136(5) : 1300-1304.
Pott I, Marx M, Neidhart S, Muhlbauer W, Carle R. Quantitative determination of beta-carotene stereoisomers in fresh, dried, and solar-dried mangoes. *J Agric Food Chem.* 2003 ; 51 : 4527-4531.
Van Duyn MAS, Pivonka E. Overview of the health benefits of fruit and vegetable consumption for the dietetics professional: Selected literature. *J Am Diet Assoc.* 2000 ; 100 : 1511-1521.

Menthe www.herbsociety-stu.org/mint.htm

Kozan E, Kupeli E, Yesilada E. Evaluation of some plants used in Turkish folk medicine against parasitic infections for their in vivo anthelmintic activity. *J Ethnopharmacol.* 16 mai 2006 ; 108(2) : 211-216.
McKay DL, Blumberg JB. A review of the bioactivity and potential health benefits of peppermint tea (Mentha piperita L.). *Phytother Res.* Août 2006 ; 20(8) : 619-633.
Moreira MR, Ponce AG, del Valle CE, Roura SI. Inhibitory parameters of essential oils to reduce a foodborne pathogen. *LWT.* 2005 ; 38 : 565-570.
Salleh MN, Runnie I, Roach PD, Mohamed S, Abeywardena MY. Inhibition of low-density lipoprotein oxidation and up-regulation of low-density lipoprotein receptor in HepG2 cells by tropical plant extracts. *J Agric Food Chem.* 2002 ; 50 : 3693-3697.
Samarth RM, Panwar M, Kumar M, Kumar A. Protective effects of Mentha piperita Linn on benzo[a]pyrene-induced lung carcinogenicity and mutagenicity in Swiss albino mice. *Mutagenesis.* Jan 2006 ; 21(1) : 61-66.
Scheier L. Salicylic acid: One more reason to eat your fruits and vegetables. *J Am Diet Assoc.* 2001 ; 101 : 1406-1408.
Spirling LI, Daniels IR. Botanical perspectives on health peppermint: more than just an after-dinner mint. *J R Soc Health.* Mar 2001 ; 121(1) : 62-63.

Miel www.honey.com

Al-Waili NS. Natural honey lowers plasma glucose, C-reactive protein, homocysteine, and blood lipids in healthy, diabetic, and hyperlipidemic

subjects: comparison with dextrose and sucrose. *J Med Food.* Printemps 2004; 7(1) : 100-107.
Mahgoub AA, el-Medany AH, Hagar HH & Sabah DM. Protective effect of natural honey against acetic acid-induced colitis in rats. *Trop Gastroenterol.* Printemps 200423(2) : 82-87.
Osuagwu RC, Oladejo OW, Imosemi IO, Aiku A, Ekpos OE, Salami AA, Oyedele OO, & Akang, EU. Enhanced wound contraction in fresh wounds dressed with honey in Wistar rats (Rattus Novergicus). *West Afr J Med.* Avril-Juin 2004; 23(2) : 114-118.
Simon A et al. Wound care with antibacterial honey (Medihoney) in pediatric hematology-oncology. *Support Care Cancer.* Jan 2006; 14(1) : 91-97.
Swellam T et al. Antineoplastic activity of honey in an experimental bladder cancer implantation model: in vivo and in vitro studies. *Int J Urol.* Avr 2003; 10(4) : 213-9.
Wilkinson JM, Cavanagh HM. Antibacterial activity of 13 honeys against Escherichia coli and Pseudomonas aeruginosa. *J Med Food.* Printemps 2005; 8(1) : 100-103.
Worthington HV, Clarkson JE, Eden OB. Interventions for preventing oral mucositis for patients with cancer receiving treatment. *Cochrane Database Syst Rev.* 19 avril 2006; (2) : CD000978.

Millet http://www.hort.purdue.edu/newcrop/afcm/millet.html

Choi YY et al. Effects of dietary protein of Korean foxtail millet on plasma adiponectin, HDL-cholesterol, and insulin levels in genetically type 2 diabetic mice. *Biosci Biotechnol Biochem.* Jan 2005; 69(1) : 31-37.
Nishizawa N. Proso millet protein elevates plasma level of high-density lipoprotein: a new food function of proso millet. *Biomed Environ Sci. Sep* 1996; 9(2-3) : 209-212.
Shimanuki S, Nagasawa T, Nishizawa N. Plasma HDL subfraction levels increae in rats fed proso-milet protein concentrate. *Med Sci Monit.* Juil 2006; 12(7) : BR221-6.

Mûre www.oregon-berries.com

Ding M et al. Cyanidin-3-glucoside, a natural product derived from blackberry, exhibits chemopreventive and chemotherapeutic activity. *J Biol Chem.* 23 juin 2006; 281(25) : 17359-17368.
Feng R, Bowman LL, Lu Y, Leonard SS, Shi X, Jiang BH, Castranova V, Vallyathan V, Ding M. Blackberry extracts inhibit activation protein 1 activation and cell transformation by perturbing mitogenic signaling pathway. *Nutr Cancer.* 2004; 50(1) : 80-9.
Guerra MC, Galvano F, Bonsi L, Speroni E, Costa S, Renzulli C, Cervellati R. Cyanidin-3-O-beta-glucopyranoside, a natural free-radical scavenger against aflatoxin B1- and ochratoxin A-induced cell damage in a human hepatoma cell line and a human colonic adenocarcinoma cell line. *Br J Nutr.* Aout 2005; 94(2) : 211-20.
Stoner GD, Chen T, Kresty LA, Aziz RM, Reinemann T, Nines R. Protection against esophageal cancer in rodents with lyophilized berries: potential mechanisms. *Nutr Cancer.* 2006; 54(1) : 33-46.

Noisette www.hazelnutcouncil.org

Bayer A et al. Doxorubicin-induced cataract formation in rats and the inhibitory effects of hazelnut, a natural antioxidant: a histopathological study. *Med Sci Monit.* Août 2005 ; 11(8) : BR300-304.

Mercanligil SM, Arslan P, Alasalvar C, Okut E, Akgul E, Pinar A, Geyik PO, Tokgozoglu L, Shahidi F.. Effects of hazelnut-enriched diet on plasma cholesterol and lipoprotein profiles in hypercholesterolemic adult men. *Eur J Clin Nutri.* 13 sep 2003 (en attente de publication en ligne).

Noix www.walnuts.org

Feldman EB. The scientific evidence for a beneficial health relationship between walnuts and coronary heart disease. *J Nutr.* Mai 2002 ; 132(5) : 1062S-1101S.

Griel AE, Kris-Etherton PM, Hilpert KF, Zhao G, West SG et Corwin RL. An increase in dietary n-3 fatty acids decreases a marker of bone resorption in humans. *Nutrition Journal.* Jan 2007, Vol. 6, doi : 10.1186/1475-2891-6-2.

Lavedrine F, Zmirou D, Ravel A, Balducci F, Alary J. Blood cholesterol and walnut consumption: a cross-sectional survey in France. *Prev Med.* Avr 1999 ; 28(4) ; 333-339.

Patel G. Essential fats in walnuts are good for the heart and diabetes. *J Am Diet Assoc.* Juil 2005 ; 105(7) : 1096-1097.

Reiter et al. Melatonin in walnuts: Influence on levels of melatonin and total antioxidant capacity of blood. *Inter. J. Appl. Basic Nut Sci.* 2005 ; 21 : 920-924.

Sabate et al. Does regular walnut consumption lead to weight gain ? British journal of Nutrition. 2005 ; 94 : 859-846. Zibaeenezhad MJ, Shamsnia SJ, Khorasani M. Walnut consumption in hyperlipidemic patients. *Angiology.* Sep-Oct 2005 ; 56(5) : 581-583.

Œuf www.aeg.org

Blumberg JB, Jacques PF, Moeller SM. The potential role of dietary xanthophylls in cataract and age-related macular degeneration. *J Am Coll Nutr.* Oct 2000 ; 19(5) : 522S-527S.

Colditz G, Frazier L, Rockett H, Tomeo Ryan C, Willett W. Adolescent diet and risk of breast cancer. Disponible à : http://breast-cancer-research.com/content/5/2/R59. Accès le 29 août 2006.

Dhurandhar N, Jen C, Khosla P, Marth JM, Vander Wal J. Short-term effect of eggs on satiety in overweight and obese subjects. *Journal of the American College of Nutrition.* 2005 ; 24(6) : 510-515.

Oignon www.onions-usa.org

Arai Y, Watanabe S, Kimira M, Shimoi K, Mochizuki R, Kinae N. Dietary intakes of flavonols, flavones and isoflavones by Japanese women and the inverse correlation between quercetin intake and plasma LDL cholesterol concentration. *J Nutr.* Sep 2000 ; 130(9) : 2243-2250.

Chu YF, Sun J, Wu X, Liu RH. Antioxidant and antiproliferative activities of common vegetables. *J Agric Food Chem.* 6 nov 2000 ; 50(23) : 6910-6916.

Craig WJ. Phytochemicals: Guardians of our health. *J Am Diet Assoc.* 1997 ; 97 : S199-S204.

Dole Nutrition Institute. Onions Boost Bone Health. 2005. Disponible à : www.dolenutrition.com - Consulté le 18 mai 2006.
Grant WB. A multicountry ecologic study of risk and risk reduction factors for prostate cancer mortality. *Eur Urol.* Mar 2004 ; 45(3) : 271-279.
Knekt P et al. Flavonoid intake and risk of chronic diseases. *Am J Clin Nutr.* Sep 2002 ; 76(3) : 560-568.
Le Marchand L, Murphy SP, Hankin JH, Wilkens LR, Kolonel LN. Intake of flavonoids and lung cancer. *J Natl Cancer Inst.* 19 jan 2000 ; 92(2) : 154-160.
Onion extract gel versus petrolatum emollient on new surgical scars: prospective double-blinded study. *Dermatol Surg.* Fév 2006 ; 32(2) : 193-197.
Osmont KS, Arnt CR, Goldman IL. Temporal aspects of onion-induced antiplatelet activity. *Plant Foods Hum Nutr.* Hiver 2003 ; 58(1) : 27-40.
Yang J, Meyers KJ, van der Heide J, Liu RH. Varietal differences in phenolic content and antioxidant and antiproliferative activities of onions. *J Agric Food Chem.* 3 nov 2004 ; 52(22) : 6787-6793.

Olive www.caloive.org

Bondia-Pons I et al. Moderate consumption of olive oil by healthy European men reduces systolic blood pressure in non-Mediterranean participants. *J Nutr.* Jan 2007 ; 137(1)84-87.
Covas MI et al. The effect of polyphenols in olive oil on heart disease risk factors: a randomized trial. *Ann Intern Med.* 5 sep 2006 ; 145(5) : 333-341.
Juan ME et al. Olive fruit extracts inhibit proliferation and induce apoptosis in HT-29 human colon cancer cells. *J Nutr.* Oct 2006 ; 136(10) : 2553-2557.
Lee, A. ; Thurnham, D.I. ; Chopra, C. Consumption of Tomato Products with Olive Oil but not Sunflower Oil increases the Antioxidant Activity of Plasma. *Free Radical Biology & Medicine,* 2000 ; 29 : 1051-1055.
Owen RW et al. Olives and olive oil in cancer prevention. *Eur J Cancer Prev.* Août 2004 ; 13(4) : 319-26.

Orange www.hort.purdue.edu/newcrop/morton/orange.html

Daher CF, Abou-Khalil J, Baroody GM. Effect of acute and chronic grapefruit, orange, and pineapple juice intake on blood lipid profile in normolipidemic rat. *Med Sci Monit.* Déc 2005 ; 11(12) : BR465-72.
Lehrner J, Marwinski G, Lehr S, Johren P, Deecke L. Ambient odors of orange and lavender reduce anxiety and improve mood in a dental office. *Physiol Behav.* 15 sep 2005 ; 86(1-2) : 92-95.
Nyyssönen et al. Vitamin C deficiency and risk of myocardial infarction: prospective population study of men from Eastern Finland. *Journal of American Dietetic Association.* Mars 1997.
Rolls, Barbara. *The Volumetrics Weight-Control Plan, HarperCollins,* New York, 2005.
Tiwary CM, Ward JA, Jackson BA. *Journal of the American College of Nutrition.* 1997 ; 16(5) : 423-428.
Vitali F et al. Effect of a standardized extract of red orange juice on proliferation of human prostate cells in vitro. *Fitoterapia.* Avr 2006 ; 77(3) : 151-5. Publication en ligne le 23 fév 2006.

Orge Barley Foods Council : www.barleyfoods.com

Behall KM, Scholfield DJ, Hallfrisch J. Diets containing barley significantly reduce lipids in mildly hypercholesterolemic men and women. *Am J Clin Nutr.* Nov 2004 ; 80(5) : 1185-1193.

Behall KM, Scholfield DJ, Hallfrisch J. Lipids significantly reduced by diets containing barley in moderately hypercholesterolemic men. *J Am Coll Nutr.* Fév 2004 ; 23(1) : 55-62.

Kanauchi O, Hitomi Y, Agata K, Nakamura T, Fushiki T. Germinated barley foodstuff improves constipation induced by lopermide in rats. *Biosci Biotechnol Biochem.* Sep 1998 ; 62(9) : 1788-1790.

McIntosh GH, Jorgensen L, Royle P. The potential of an insoluble dietary fiber-rich source from barley to protect from DMH-induced intestinal tumors in rats. *Nutr Cancer.* 1993 ; 19(2) : 213-221.

Pick M, Hawrysh Z, Gee M, Toth E. Barley Bread Products improve glycemic control of Type 2 subjects. *Int. J. Food sci. nutr.* 1998 ; 49(1) : 71-78.

Yu YM, Wu CH, Tseng YH, Tsai CE, Chang WC. Antioxidative and hypolipemic effects of barley leaf essence in a rabbit model of atherosclerosis. *Jpn J Pharmacol.* Juin 2002 ; 89(2) : 142-148.

Origan www.answers.com/topic/oregano

Burt SA, Reinders RD. Antibacterial activity of selected plant essential oils against Escherichia coli O157 : H. *Soc for applied microbio.* 2003 ; 36 : 162-167.

Lin YT, Kwon YI, Labbe RG, Shetty K. Inhibition of Helicobacter pylori and associated urease by oregano and cranberry phytochemical synergies. *Appl Environ Microbiol.* Déc 2005 ; 71(12) : 8558-8564.

Oussalah M, Caillet S, Lacroix M. Mechanism of action of Spanish oregano, Chinese cinnamon, and savory essential oils against cell membranes and walls of Escherichia coli O157 : H7 and Listeria monocytogenes. *J Food Prot.* Mai 2006 ; 69(5) : 1046-1055.

Rao BS et al. Antioxidant, anticlastogenic and radioprotective effect of Coleus aromaticus on Chinese hamster fibroblast cells (V79) exposed to gamma radiation. *Mutagenesis.* 30 mai 2006.

Shan B, Cai YZ, Sun M, and Corke H. Antioxidant capacity of 26 spice extracts and characterization of their phenolic constitutes. *J Agric Food Chem.* 2005 ; 53 : 7749-7759.

Talpur N, Echard B, Ingram C, Bagchi D, and Preuss H. Effects of a novel formulation of essential oils on glucose-insulin metabolism in diabetic and hypertensive rats: A pilot study. *Doi.* 2005 ; 7 : 193-199.

Pacane www.georgiapecans.org www.ilovepecans.org

Bes-Rastrollo M. et al. Nut consumption and weight gain in a Mediterranean cohort The SUN study. *Obesity.* (Silver Spring). Jan 2007 ; 15(1) : 107-116.

Halvorsen BL et al. Content of redox-active compounds (ie, antioxidants) in foods consumed in the United States. *Am J Clin Nutr.* Juil 2006 ; 84(1) : 95-135.

Morgan et al. Pecans Lower Low-Density Lipoprotein Cholesterol in People with Normal Lipid Levels. *JADA.* 2000. 100 : 312-318

Rajaram et al. A monounsaturated fatty acid-rich pecan-enriched diet favorably alters the serum lipid profile of healthy men and women. *J Nutr.* Sep 2001 ; 131(9) : 2275-2279.
Xianli W et al. Lipophilic and hydrophilic antioxidant capacities of common foods in the United States. *Journal of Agricultural and Food Chemistry.* 2004 ; 52 : 4026-4037.

Pamplemousse www.floridajuice.com

Fujioka K, Greenway F, Sheard J, Ying Y. The effects of grapefruit on weight and insulin resistance: relationship to the metabolic syndrome. *J Med Food.* 2006 ; 9 : 49-54.
Gao K, Henning SM, Niu Y, Youssefian AA, Seeram NP, Xu A, Heber D. The citrus flavonoid naringenin stimulates DNA repair in prostate cancer cells. *J Nutr Biochem.* 2006 ; 17 : 89-95.
Gorinstein S, et al. Red Grapefruit positively influences serum triglyceride level in patients suffering from coronary atherosclerosis: Studies in vitro and in humans. *J Agric Food Chem.* 2006 ; 54 : 1887-1892.
Staudte H, Sigusch BW, Glockmann E. Grapefruit consumption improves vitamin C status in periodontitis patients. *British Dental Journal.* 2005 ; 199 : 213-217.
Vanamala J et al. Suppression of colon carcinogenesis by bioactive compounds in grapefruit. *Carcinogenesis.* Juin 2006 ; 27(6) : 1257-1265.

Papaye www.crfg.org/pubs/ff/papaya.html

The General Practitioner. The power of papaya could speed burn healing. *GP.* 2005 ; 83.
Giuliano AR, Siegel EM, Roe DJ, Ferreira S, Baggio ML, Galan L, Duarte-Franco E, Villa LL, Rohan TE, Marshall, and Franco EL. Dietary intake and risk of persistent human papillomavirus (HPV) infection: The Ludwig-mcgill HPV natural history study. *JID.* 2003 ; 188 : 1508-1506.
Leclerc D et al. Proteasome-independent major histocompatibility complex class I cross-presentation mediated by papaya mosaic virus-like particules leads to expansion of specific human T cells. *J Virol* Fév 2007 ; 81(3) : 1319-1326. Publication en ligne le 22 nov 2006.
Mozaffarieh M, Sacu S, and Wedrich A. The role of the carotenoids, lutein and zeaxanthin, in protecting against age-related macular degeneration. *Nutr J.* 2003 ; 2 : 20-28.

Pastèque www.watermelon.org

Ghazizadeh M, Razeghi A. Valaee N, Mirbagheri E, Tahbaz F, Motevallizadeh H, Seyedahmadian F, Mirzapour H. Watermelon juice concentrate. *Asia Pac J Clin Nutr.* 2004 ; 13(Suppl) : S162.
Jian L, Du CJ, Lee AH, Binns CW Do dietary lycopene and other carotenoids protect against prostate cancer ? *Int J Cancer.* 1er mar 2005 ; 113(6) : 1010-4.
Lee SY, Choi KY, Kim MK, Kim KM, Lee JH, Meng KH, Lee WC The relationship between intake of vegetables and fruits and colorectal adenoma-carcinoma sequence. *Korean J Gastroenterol.* Jan 2005 ; 45(1) : 23-33.

Patate douce www.sweetpotato.org; www.cayam.com; www.ncsweet potato.org

Bohle K, Spiegelman D, Trichopoulou A, Katsouyanni K, Trichopoulos D. Vitamins A, C and E and the risk of breast cancer: results from a case-control study in Greece. *British Journal of Cancer.* Jan 1999 ; 79(1) : 23-27.

Cho J, Kang JS, Long PH, Jing J, Back Y, Chung KS. Antioxidant and memory enhancing effects of purple sweet potato anthocyanin and cordyceps mushroom extract. *Arch Pharm Res.* Oct 2003 ; 26(10) : 821-825.

Hagiwara A, Yoshino H, Ichihara T, Kawabe M, Tamano S, Aoki H, Koda T, Nakamura M, Imaida K, Ito N, Shirai T. Prevention by natural food anthocyanins, purple sweet potato color and red cabbage color, of 2-amino-1-methyl-6-phenylimidazo [4,5-b]pyridine (PhIP)- associated colorectal carcinogenesis in rats initiated with 1,2-dimethlyhydrazine. *J Toxicol Sci.* Fév 2002 ; 27(1) ; 57-68.

Kusano S, Abe H. Antidiabetic activity of white skinned sweet potato (Ipomoea batatas L.) in obese Zucker fatty rats. Biol Pharm Bull. 2000 ; 23(1) : 23-26.

Ludvik B, Waldhausl W, Prager R, Kautzky-Willer A, Pacini G. Mode of action of ipomoea batatas (Caiapo) in type 2 diabetic patients. *Metabolism.* 2003 ; 52(7) : 875-880.

Pandey M, Shukla VK. Diet and gallbladder cancer: a case-control study. *Eur J Cancer Prev.* Août 2002 ; 11(4) : 365-372.

Rabah IO, Hou DX, Komine S, Fujii M. Potential chemopreventive properties of extract from baked sweet potato (Ipomoea batatas Lam. Cv. Kogane-sengan.), *J Agric Food Chem.* Nov 2004 ; 52(23) : 7152-7159.

Washio M, Mori M, Sakauchi F, Watanabe Y, Ozasa K, Hayashi K, Miki T, Nakao M, Mikami K, Ito Y, Wakai K, Tamakoshi A. Risk factors for kidney cancer in a Japanese population: findings from the JACC study. *J Epidemol.* Juin 2005 ; 15(2) : 203-211.

Persil www.health-topic.com/Dictionary-P.aspx

Bolkent S, Yanardag R, Ozsoy-Sacan O, Karabulut-Bulan O. Effects of parsley (Petroselinum crispum) on the liver of diabetic rats: a morphological and biochemical study. *Phytother Res.* Déc 2004 ; 18(12) : 996-999.

Ozsoy-Sacan O, Yanardag R, Orak H, Ozgey Y, Yarat A, Tunali T.Effects of parsley (Petroselinum crispum) extract versus glibornuride on the liver of streptozotocin-induced diabetic rats. *J Ethnopharmacol.* 8 mar 2006 ; 104(1-2) : 175-181.

Yoshikawa M et al. Medicinal foodstuffs. XVIII. Phytoestrogens from the aerial part of Petroselinum crispum MIll. (Parsley) and structures of 6″-acetylapiin and a new monoterpene glycoside, petroside. *Chem Pharm Bull.* (Tokyo). Juil 2000 ; 48(7) : 1039-1044.

Zheng GQ, Kenney PM, Zhang J, Lam LK. Inhibition of benzo[a]pyrene-induced tumorigenesis by myristicin, a volatile aroma constituent of parsley leaf oil. *Carcinogenesis.* Oct 1992 ; 13(10) : 1921-1923.

Pistache **www.pistachios.org**

Awad AB, Chinnam M. Fink CS, Bradford PG. Beta-Sitosterol activates Fas signaling in human breast cancer celle. *Phytomedicine.* 9 mar 2007 [En attente de publication en ligne]

Kocyigit A, Koylu AA, Keles H. Effects of pistachio nuts consumption on plasma lipid profile and oxidative status in healthy volunteers. *Nutr Metab Cardiovasc Dis.* Avr 2006 ; 16(3) : 202-9.

Poire **www.usapears.com www.calpear.com**

Butler LM, Koh WP, Lee HP, Yu MC, London SJ. Dietary fiber and reduced cough with phlegm: A cohort study in Singapore. *Am J Respir Crit Care Med.* 2004 ; 170 : 279-287.

Conceicao de Olivceira M, Sichieri R, and Moura AS. Weight loss associated with a daily intake of three apples or three pears among overweight women. Nutrition (*International Journal of Applied and Basic Nutritional Sciences*). 2003 ; 19 : 253-256.

Mink PJ. Flavonoid intake and cardiovascular disease mortality: a prospective study in postmenopausal women. *Am J Clin Nutr.* Mar 2007 ; 85(3) 895-909.

Poivron **www.fruitsandveggiesmatter.gov**

Belza A, Frandsen E, Kondrup J. Body fat loss achieved by stimulation of thermogenesis by a combination of bioactive food ingredients: a placebo-controlled, double-blind 8-week intervention in obese subjects. *Int J Obes.* (Lond). 25 avr 2006.

Diepvens K, Westerterp KR, Westerterp-Plantenga MS. Obesity and thermogenesis related to the consumption of caffeine, ephedrine, capsaicin and gree tee. *Am J Physiol Regul Interg Comp Physiol.* Jan 2007 ; 292(1)R77-85.

Macho A et al. Non-pungent capsaicinoids from sweet pepper synthesis and evaluation of the chemipreventive and anticancer potential. *Eur J Nutr.* Jan 200342(1) : 2-9.

Mori A et al. Capsaicin, a component of red peppers, inhibits the growth of androgen-independent, p53 mutant prostate cancer cells. *Cancer Res.* 15 mar 2006 ; 66(6)L3222-3229.

Sancho R et al. Immunosuppressive activity of capsaicinoids: capsiate derived from sweet peppers inhibits NF-kappaB activation and is a potent antiinflammatory compound in vivo. *Eur J Immunol.* Juin 2002 ; 32(6) 1753-1763.

Tandan R et al. Topical capsaicin in painful diabetic neuropathy. Controlled Study with long-term follow-up. *Diabetes Care.* Jan 1992 ; 15(1)8-14.

Zhang W et al. Eular Evidence based recommendations for the management of hand osteoarthritis – report of a task force of the Eular Standing Committee for International Clinical Studies Including Therapeutics (ESCISIT). *Ann Rheum Dis.* 17 oct 2006.

Pomme **US Apple Association : www.usapple.org**

Conceicao M, Sichieri R, Sanchez Moura A. Weight loss associate with a daily intake of three apples or three pears among overweight women. *Nutrition.* Mar 2003 ; 19(3) : 253-256.

Davis, PA et al. Effect of apple extracts on NF-KB activation in human umbilical vein endothelial cells. *Experimental Biology and Medicine.* 2006 ; 231 : 594-598

Hertog MG, Feskens EJ, Hollman PC, Katan MB, Kromhout D. Dietary antioxidant flavinoids and risk of coronary heart disease: The Zutphen Elderly Study. *Lancet.* 23 oct 1993 ; 342(8878) : 1007-1011.

Knekt P, Isotupa S, Rissanen H, Heliovaara M, Jarvinen R, Hakkinen S, Aromaa A, Reunanen A. Quercetin intake and the incidence of cerebrovascular disease. *Eur J Clin Nutr.* Mai 2000 ; 54(5) : 415-417.

Liu RH, Liu J, Chen B. Apples prevent mammary tumors in rats. *J Agric Food Chem.* 23 mar 2005 ; 53(6) : 2341-2343.

Marchand L, Murphy S, Hankin J, Wilkens L, Kolonel L. Intake of Flavinoids and Lung Cancer. *Journal of the National Cancer Institute.* 19 jan 2000 ; 92(2) : 154-160.

Tchantchou F, Chan A, Kifle L, Ortiz D, Shea TB. Apple juice concentrate prevents oxidative damage and impaired maze performance in aged mice. *J Alzheimers Dis.* Déc 2005 ; 8(3) : 283-287.

Tchantchou F., Graves M., Ortiz D., Rogers E, Shea TB. Dietary supplementation with apple juice concentrate alleviates the compensatory increase in glutathione synthase transcription and activity that accompanies dietary- and genetically-induced oxidative stress. *J Nutr Health Aging.* 2004 ; 8(6) : 492-496.

Tirgoviste C, Poppa E, Sintu E, Mihalache N, Che D, Mincu I. Blood glucose and plasma insulin responses to various carbohydrates in Type 2 (non-insulin dependent) diabetes. *Diabetologia.* Sept 1983 ; 24(2) : 80-84.

Veeriah S, Kautenburger T, Habermann N, Sauer J, Dietrich H, Will F, Pool-Zobel BL. Apple flavonoids inhibit growth of HT29 human colon cancer cells and modulate expression of genes involved in the biotransformation of xenobiotics. *Mol Carcinog.* Mar 2006 ; 45(3) : 164-74.

Pomme de terre www.healthypotato.com

Albert NM. We are what we eat: women and diet for cardiovascular health. *J of Cardiovas Nurs.* 2005 ; 20(6) : 451-460.

Betturer K. Better than a banana. *Health.* Avr 1997 ; 11(3) : 38.

De Mejía EG, Prisecaru V. Lectins as bioactive plant proteins: a potential in cancer treatment. *Critical Reviews in Food Science & Nutrition.* Nov 2005 ; 45(6) : 425-445.

Ruano-Ravina A, Figueiras A, Dosil-Diaz O, Barreiro-Carracedo A, Barros-Dios JM. (A population-based case-control study on fruit and vegetable intake and lung cancer: a paradox effect ? *Nutrition and Cancer.* 2002 ; 43(1) : 47-51.

Russo P, Barba G, Venezia A, Siani A. Dietary potassium in cardiovascular prevention: nutritional and clinical implications. *Current Medicinal Chemistry – Immunology, Endocrine & Metabolic Agents.* Jan 2005 ; 5(1) ; 23-31.

Singh N, Kamath V, Rajini PS. Protective effect of potato peel powder in ameliorating oxidative stress in streptozotocin diabetic rats. *Plant Foods Hum Nutr.* Juin 2005 ; 60(2) : 49-54.

Prune (pruneau) www.californiadriedplums.org

Aggarwal, B.B., & Shishodia, S. (2006, May). Molecular targets of dietary agents for prevention and therapy of cancer. *Biochemical Pharmacology.* Mai 2007 ; 71(10), 1397-1421.
Arjmandi BH et al. Dried plums improve indices of bone formation in postmenopausal women. *J Womens Health Gend Based Med.* Jan-Fév 2002 ; 11(1) : 61-68.
Franklin M, Bu SY, Lerrner MR, Lancaster EA, Bellmer D, Marlow D, Lightfoot SA, Arjmandi BH, Brackett DJ, Lucas EA, Smith BJ. Dried plum prevents bone loss in a male osteoporosis model via IGF-I and the RANK pathway. *Bone.* Oct 2006.
Kayano S, Kikuzaki H, Yamada NK, Aoki A, Kasamatsu K, Yamasaki Y, Ikami T, Suzuki T Mitani T, Nakatani N. Antioxidant properties of prunes (Prunus domestica L.) and their constituents. Biofactors. 2004 ; 21(1-4) : 309-313.
Muller-Lissner S, Kaatz V, Brandt W, Keller J, & Layer P. (Janvier 2005). The perceived effect of various foods and beverages on stool consistency. *European Journal of Gastroenterology & Hepatology.* Jan 2005 ; 17(1) : 109-112.
Mühlbauer RC, Lozano A, Reinli A, Wetli H. Various selected vegetables, fruits, mushrooms and red wine residue inhibit bone resorption in rats. *Journal of Nutrition.* Nov 2003 ; 133(11) : 3592-3597.
Piga A, Del Caro A, Corda G. From plums to prunes: influence of drying paramerters on polyphenols and antioxidant activity. *J Agriç Food Chem.* Juin 2003 ; 51(12) ; 3675-3681.
Tinker LF, Schneeman BO, Davis PA, Gallaher DD, Waggoner C.R. Consumption of prunes as a source of dietary fiber in men with mild hypercholesterolemia. *Am J Clin Nutri.* Mai 1991 ; 53(5) : 1259-1265.
Yuqing Y, Gallaher, D.D. Effect of dried plums on colon cancer risk factors in rats. *Nutrition & Cancer.* 2005 ; 53(1) ; 117-125.

Quinoa www.quinoa.net

Berti C, Riso P, Brusamolino A, Porrini M. Effect on appetite control of minor cereal and pseudocereal products. *Br J Nutr.* Nov 2005 ; 94(5) : 850-858.
Estrada A, Li B, Laarveld B. Adjuvant action of Chenopodium quinoa saponins on the induction of antibody responses to intragastric and intranasal administered antigens in mice. *Comp Immunol Microbiol Infect Dis.* Juil 1998 ; 21(3) : 225-236.

Raifort/Wasabi www.japan-guide.com/e/e2311.html ; www.horseradish.org

Fuke Y et al. Preventive effect of oral administration of 6- (methylsul finyl)hexyl isothiocyanate derived from wasabi (Wasabia japonica Matsum) against pulmonary metastasis of B16-BL6 mouse melanoma cells. *Cancer Detect Prev.* 2006 ; 30(2) : 174-179.
Kinae N et al. Functional properties of wasabi and horseradish. *Biofactors.* 2000 ; 13(1-4) : 265-269.
Morimitsu Y et al. Antiplatelet and anticancer isothiocyanates in Japanese domestic horseradish, wasabi. *Biofactors.* 2000 ; 13(1-4) : 271-276.

Nomura T et al. Selective sensitivity to wasabi-derived 6-(methylsul finyl)hexyl isothiocyanate of human breast cancer and melanoma cell lines studied in vitro. Cancer Detect Prev. 2005 ; 29(2) : 155-160.

Ono H et al. 6-Methylsulfinylhexyl isothiocyanate and its homologues as food-originated compounds with antibacterial activity against Escherichia coli and Staphylococcus aureus. *Biosci Biotechnol Biochem.* Fév 1998 ; 62(2) : 363-365.

Shin IS, Masuda H, Naohide K. Bactericidal activity of wasabi (Wasabia japonica) against Helicobacter pylori. *Int J Food Microbiol.* 1er août 2004 ; 94(3) : 255-261.

Weil MJ, Zhang Y, Nair MG. Colon cancer proliferating desulfosinigrin in wasabi (Wasabia japonica). *Nutr Cancer.* 2004 ; 48(2) : 207-123.

Weil MJ, Zhang Y, Nair MG. Tumor cell proliferation and cyclooxygenase inhibitory constituents in horseradish (Armoracia rusticana) and Wasabi (Wasabia japonica). *J Agric Food Chem.* 9 mar 2005 ; 53(5) : 1440-1444.

Raisin www.tablegrape.com

Agarwal C, Singh RP, Agarwal R. Grape seed extract induces apoptotic death of human prostate carcinoma DU145 cells via caspases activation accompanied by dissipation of mitochondrial membrane potential and cytochrome c release. *Carcinogenesis.* Nov 2002 ; 23(11) : 1869-1876.

Albers AR et al. The antiinflammatory effects of purple grape juice consumption in subjects with stable coronary artery disease. *Arterioscler Thromb Vasc Biol.* Nov 2004 ; 24(11) : e179-180.

Falchi M et al. Comparison of cardioprotective abilities between the flesh and skin of grapes. *J Agric Food Chem.* 6 sep 2006 ; 54(18) : 6613-6622.

Fuhrman B, Volkova N, Coleman R, Aviram M. Grape powder polyphenols attenuate atherosclerosis development in apolipoprotein E deficient (E0) mice and reduce macrophage atherogenicity. *J Nutr.* Août 2006 ; 136(8) : 2272.

Jung KJ, Wallig MA, Singletary KW. Purple grape juice inhibits 7,12-dimethylbenz[a]anthracene (DMBA)-induced rat mammary tumorigenesis and in vivo DMBA-DNA adduct formation. *Cancer Letters.* Fév 2006 ; 233(2) : 279-288.

Kim H. New nutrition, proteomics, and how both can enhance studies in cancer prevention and therapy. *J Nutr.* Nov 2005 ; 135(11) : 2715-2722.

Moreno DA, ILIC N, Poulev A, Brasaemle DL, Fried, S.K., & Raskin, I. Inhibitory effects of grape seed extract on lipases. *Nutrition.* Oct 2003 ; 11(10) : 876-879.

Shukitt-Hale B et al. Effects of Concord grape juice on cognitive and motor deficits in aging. *Nutrition.* Mar 2006 ; 22(3) : 295-302.

Riz brun www.usarice.com

Anderson JW, Hanna TJ, Peng X, Kryscio RJ. Whole grain foods and heart disease risk. *J Am Coll Nutr.* Juin 2000 ; 19(Suppl 3) : 291S-299S.

Jensen MK, Koh-Banerjee P, Hu FB, Franz M, Sampson L, Gronbaek M, Rimm EB. Intakes of whole grains, bran, and germ and the risk of coronary heart disease in men. *Am J Clin Nutr.* 2004 ; 80(6) : 1492-1499.

Johnsen NF, Hausner H, Olsen A, Tetens I, Christensen J, Knudsen KE, Overvad K, Tjonneland A. Intake of whole grains and vegetables determines

the plasma enterolactone concentration of Danish women. *J Nutr.* Oct 2004 ; 134(10) : 2691-2697.
Mamiya T et al. Effects of pre-germinated brown rice on beta-amyloid protein-induced learning and meory deficits in mice. *Biol Pharm Bull.* 24 juil ; 27(7) : 1041-1045.
Most MM, Tulley R, Morales S, Lefevre M. Rice bran oil, not fiber, lowers cholesterol in humans. *Am J Clin Nutr.* Jan 2005 ; 81(1) : 64-68.

Romarin www.botanical.com/botanical/mgmh/r/rosema17.html

Del Bano MJ, Castillo J, Benavente-Garcia O, Lorente J, Martin-Gil R, Acevedo C, Alcaraz M. Radioprotective-antimutagenic effects of rosemary phenolics against chromosomal damage induced in human lymphocytes by gamma-rays. *J agric Food Chem.* 2006 ; 54 : 2064-2068.
Inoue K et al. Effects of volatile constituents of rosemary extract on lung inflammation induced by diesel exhaust particles. *Basic Clin Pharmacol Toxicol.* Juil 2006 ; 99(1) : 52-57.
Moreira MR, Ponce AG, del Valle CE, Roura SI. Inhibitory parameters of essential oils to reduce a foodborne pathogen. *LWT.* 2005 ; 38 : 565-570.
Sancheti G, Goyal P. Modulatory influence of Rosemarinus officinalis on DMBA-induced mouse skin tumorigenesis. *Asian Pac J Cancer Prev.* Avr-Juin 2006 ; 7(2) : 331-335.
Sharaboni H. Cooperative antitumor effects of vitamin D3 derivatives and rosemary preparations in a mouse model of myeloid leukemia. *Int J Cancer.* 15 juin 2006 ; 118(12) : 3012-3021.

Sardine www.oceansalive.org

Patent RV et al. The influence of sardine consumption on the omega-3 fatty acid content of mature human milk. *J Pediatr (Rio J).* Jan-Fév 2006 ; 82(1) : 63-69.
Sanchez-Muniz FJ, Garcia-Linares MC, Garcia-Arias MT, Bastida S, Viejo J. Fat and protein from olive oil-fried sardines interact to normalize serum lipoproteins and reduce liver lipids in hypercholesterolemic rats. *J Nutr.* Juil 2003 ; 133(7) : 2302-2308.

Sarrazin www.hort.purdue.edu/newcrop/crops/Buckwheat.html

Alvarez P, Alvarado C, De la Fuente M, Jimenez L, Puerto M, Schlumberger A. Improvement of leukocyte functions in prematurely aging mice after five weeks of diet supplementation with polyphenol-rich cereals. *Nutrition.* 27 juin 2006.
Berti C, Brusamolino A, Porrini M, Riso P. Effect on appetite control of minor cereal and psuedocereal products. *Br J Nutr.* Nov 2005 ; 94(5) : 850-858.
Kato N, Kayashita J, Ohinata H, Tomotake H, Yamamoto N, Yamazaki R, Yanaka N. High protein buckwheat flour suppresses hypercholesterolemia in rats and gallstone formation in mice by hypercholesterolemic diet and body fat in rats because of its low protein digestibility. *Nutrition.* Fév 2006 ; 22(2) : 166-173.
Kawa JM, Przybylski R, Taylor CG. Buckwheat concentrate reduces serum glucose in streptozotocindiabetic rats. *J Agric Food Chem.* 3 déc 2003 ; 51(25) : 7287-7291.

Saumon www.great-salmon-recipes.com; www.salmonoftheamericas.com

De Lorgeril M, et al. Mediterranean diet, traditional risk factors, and the rate of cardiovascular complications after myocardial infarction. *Circulation.* 1999; 99 : 779-785.
Harris WS, Isley WL. Clinical trial evidence for the cardioprotective effects of omega-3 acids. *Curr Atheroscler Rep.* 2001; 3(2) : 174-179.
Jho DH, Cole SM, Lee EM, Espat NJ. Role of Omega-3 Fatty Acid Supplementation in Inflammation and Malignancy. *Integr Cancer Ther.* Juin 2004; 3(2) : 98-111.
Kris-Etherton P, Harris WS, Appel LJ. Fish Consumption, Fish Oil, Omega-3 Fatty Acids, and Cardiovascular Disease. *Am Heart Assoc Sci Statement.* 2002; 2747-2757.
Marchioli R, Barzi F, Bomba E, et al. Early protection against sudden death by n-3 polyunsaturated fatty acids after myocardial infarction. *Circulation.* 2002; 05 : 1897-1903.
Singh RB, et al. Effect of an Indo-Mediterranean diet on progression of coronary artery disease in high risk patients. *Lancet.* 2002; 360 : 1455-1461.
Surette ME, Koumenis IL, Edens MB, Tramposch KM, Clayton B, Bowton D, Chilton FH. Inhibition of leukotriene biosynthesis by a novel dietary fatty acid formulation in patients with atopic asthma: a randomized, placebo-controlled, parallel-group, prospective trial. *Clin Ther Mar.* 2003; 25(3) : 972-979.
Suzuki S, Akechi T, Kobayashi M, Taniguchi K, Goto K, Sasaki S, Tsugane S, Nishiwaki Y, Miyaoka H, Uchitomi Y. Daily omega-3 fatty acid intake and depression in Japanese patients with newly diagnosed lung cancer. *Br J Cancer.* Fév 2004; 23 : 90(4) : 787-793.
Von Schacky C, Angerer P, Kothny W, Thiesen K, Mudra H. The effect of dietary n-3 fatty acids on coronary atherosclerosis. *Ann Intern Med.* 1999; 130 : 554-562.

Seigle www.wholegrainscouncil.org

Davies MJ, Bowey EA, Adlercreutz H, Rowland IR, Rumsby PC. Effects of soy or rye supplementation of high-fat diets on colon tumour development in azoxymethane-treated rats. *Carcinogenesis.* Juin 1999; 20(6) : 927-931.
Matscheski A, Richter DU, Hartmann AM, Effmert U, Jeschke U, Kupka MS, Abarzua S, Briese V, Ruth W, Kragl U, Piechulla B. Effects of phytoestrogen extracts isolated from rye, green and yellow pea seeds on hormone production and proliferation of trophoblast tumor cells Jeg3. *Horm Res.* 2006; 65(6) : 276-288.
McIntosh GH et al. Whole-grain rye and wheat foods and markers of bowel health in overweight middleaged men. *Am J Clin Nutr.* Avr 2003; 77(4) : 967-974.
Mozaffarian D, Kumanyika SK, Lemaitre RN, Olson JL, Burke GL, Siscovick DS. Cereal, fruit, and vegetable fiber intake and the risk of cardiovascular disease in elderly individuals. *JAMA,* 2 avr 2003; 289(13) : 1659-1666.

Pietinen P, Stumpf K, Mannisto S, Kataja V, Uusitupa M, Adlercreutz H Serum enterolactone and risk of breast cancer: a case-control study in eastern Finland. *Cancer Epidemiol Biomarkers Prev.* Avr 2001 ; 10(4) : 339-344.
Wikstrom P et al. Rye bran diet increases epithelial cell apoptosis and decreases epithelial cell volume in TRAMP (transgenic adenocarcinoma of the mouse prostate) tumors. *Nutr Cancer.* 2005 ; 53(1) : 111-116.
Zhang JX, Lundin E, Reuterving CO, Hallmans G, Stenling R, Westerlund E, Aman P Effects of rye bran, oat bran and soya-bean fibre on bile composition, gallstone formation, gallbladder morphology and serum cholesterol in Syrian golden hamsters (Mesocricetus auratus). *Br J Nutr.* Juin 1004 ; 71(6) : 861-870.

Sésame www.hort.purdue.edu/newcrop/afcm/sesame.html

Liu Z, Saarinen NM, Thompson LU Sesamin is one of the major precursors of mammalian lignans in sesame seed (Sesamum indicum) as observed in vitro and in rats. *J Nutr.* Avr 2006 ; 136(4) : 906-912.
Miyahara Y, Hibasami H, Katsuzaki ., Imai K, Komiya T. Sesamolin from sesame seed inhibits proliferation by inducing apoptosis in human lymphoid leukemia Molt 4B cells. *Int J Mol Med.* Avr 2001 ; 7(4) : 369-371.
Noguchi T, Ikeda K, Sasaki Y, Yamamoto J, Yamori Y. Effects of vitamin e and sesamin on hypertension and cerebral thrombogenesis in stroke-prone spontaneously hypertensive rats. *Clin Exp Pharmacol Physiol.* Déc 2004 ; 31 Suppl 2 : S24-S26.
Smith DE, Salerno JW. Selective growth inhibition of a human malignant melanoma cell line by sesame oil in vitro. *Prostaglandins Leukot Essent Fatty Acids.* Juin 1992 ; 46(2) : 145-150.

Sorgho www.sorghumgrowers.com

Awika JM, McDonough CM, Rooney LW. Decorticating sorghum to concentrate healthy phytochemicals. *J Agric Food Chem.* 2005 ; 53 : 6230-6234.
Carr TP, Weller CL. Schlegel VL, Cuppett SL. Grain sorghum lipid extract reduces cholesterol absorption and plasma non-HDL cholesterol concentration in hamsters 1,2. *J Nut.* 2005 ; 135 : 2236-2240.

Soya www.soybean.org; www.thesoyfoodscouncil.com

Hermansen K, Dinesen B, Hoie LH, Morgenstern E, Gruenwald, J. Effects of soy and other natural products on LDL : HDL ratio and other lipid parameters: a literature review. *Adv Ther.* Jan-Fév 2003 ; 20(1) : 50-78.
Jin Z, MacDonald RS. Soy isoflavones increase latency of spontaneous mammary tumors in mice. *J Nutr.* Oct 2002 ; 132(10) : 3186-3190.
Messina M, McCaskill-Stevens W, Lampe JW. Addressing the soy and breast cancer relationship: review, commentary, and workshop proceedings. *J Natl Cancer Inst.* 20 sep 2006 ; 98(18) : 1275-1284.
Messina MJ. Emerging evidence on the role of soy in reducing prostate cancer risk. *Nutr Rev.* 6 avr 2004 ; 61(117-131).
Reinwald S, Weaver CM. Soy isoflavones and bone health: a double edged sword ? *J Nat Prod.* Mar 2006 ; 69(3) : 450-459.
Totta P, Acconcia F, Virgili F, Cassidy A, Weinberg PD, Rimback G, Marino M. Daidzein-sulfate metabolites affect transcriptional and antiproliferative

activities of estrogen receptor-beta in cultured human cancer cells. *J Nutr.* Nov 2005 ; 135(11) : 2687-2693.
Zhang X, Shu XO, Li H, Yang G, Li Q, Gao YT, Zheng W. Prospective cohort study of soy food consumption and risk of bone fracture among postmenopausal women. *Arch Intern Med.* Sep 2005 ; 165(16) : 1890-1895.

Tef www.ethnomed.org/cultures/ethio/teff.html

Mengesha B, Ergete W. Staple Ethiopian diet and cancer of the oesophagus. *East Afr Med J.* Juil 2005 ; 82(7) : 353-356.

Thé www.tea.co.uk ; www.teausa.com

Anderson RA, Polansky MM. Tea enhances insulin activity. *J Agric Food Chem.* 20 nov 2002 ; 50(24) : 7182-7186.
Arts IC, Jacobs DR Jr, Gross M, et al. Dietary catechins and cancer incidence among postmenopausal women: the Iowa Women's Health Study (United States). *Cancer Causes Control.* 2002 ; 13(4) : 373-382.
Arts ICW, Hollman PCH, Feskens EJM, Bueno de Mesquita HB, Kromhout D. Catechin intake might explain the inverse relation between tea consumption and ischemic heart disease: The Zutphen Elderly Study. *Am J Clin Nutr.* 2001 ; 74 : 227-232.
Cabrera C, Artacho R, Gimenez R. Beneficial effects of green tea — a review. *J Am Coll Nutr.* Avr 2006 ; 25(2) : 79-99. Critique.
Conney AH, Lu Y, Lou Y-R, et al. Inhibitory effect of green and black tea on tumor growth. *Proc Soc Exp Biol Med.* 1999 ; 220 : 229-233.
Davies MJ, Judd JT, Baer DJ, et al. Black tea consumption reduces total and LDL cholesterol in mildly hypercholesterolemic adults. *J Nutr.* 2003 ; 133(10) : 3298S-3302S.
Dora I, Arab L, Martinchik A, et al. Black tea consumption and risk of rectal cancer in Moscow population. *Ann Epidemiol.* 2003 ; 13(6) : 405-411
Hakim IA, Harris RB. Joint effects of citrus peel use and black tea intake on the risk of squamous cell carcinoma of the skin. *BMC Dermatol.* 2001 ; 1 : 3.
Hegarty VM, May HM, Khaw K-T. Tea drinking and bone mineral density in older women. Am J Clin Nutr. 2000 ; 71 : 1003-1007.
Isemura M, Saeki K, Kimura T, et al. Tea catechins and related polyphenols as anti-cancer agents. *Biofactors.* 2000 ; 13(1-4) : 81-85.
Kim W et al. Effect of green tea consumption on endothelial function and circulating endothelial progenitor cells in chronic smokers. *Circ J.* Août 2006 ; 70(8) : 1052-1057.
Kobayashi M, Unno T, Suzuki Y, et al. Heat-epimerized tea catechins have the same cholesterol-lowering activity as green tea catechins in cholesterol-fed rats. *Biosci Biotechnol Biochem.* 2005 ; 69(12) : 2455-2458.
Nagao T, Komine Y, Soga S, Meguro S, Hase T, Tanaka Y, and Tokimitsu I. Ingestion of a tea rich in catechins leads to a reduction in body fat and malondialdehyde-modified LDL in men. *Am J Clin Nutr.* 2005 ; 81 : 122-129.
Yang YC, Lu FH, Wu JS, et al. The protective effect of habitual tea consumption on hypertension. *Arch Intern Med.* 2004 ; 164(14) : 1534-1540.

Tomate www.tomato.org

Basu A.,Imrhan V. Tomatoes versus lycopene in oxidative stress and carcinogenesis: conclusions from clinical trials. *Eur J Clin Nutr.* Mar 2007 ; 61(3) : 295-303.

Bhuvaneswari V. Nagini S. Lycopene: a review of its potential as an anticancer agent. *Current Medicinal Chemistry - Anti-Cancer Agents.* Nov 2005 ; 5(6) ; 627-635.

Das S, Otani H, Maulik N, Das DK. Lycopene, tomatoes, and coronary heart disease. *Free Radic Res.* Avr 2005 ; 39(4) : 449-455.

Dutta-Roy AK, Crosbie L, Gordon MJ. (Effects of tomato extract on human platelet aggregation in vitro. *Platelets.* Juin 2001 ; 12(4) : 218-227.

Guns ES Cowell SP. Drug insight: lycopene in the prevention and treatment of prostate cancer. *Nat Clin Pract Urol.* Jan 2005 ; 2(1) ; 38-43.

Kiani F, Knutsen S, Singh P, Ursin G, Fraser G. Dietary risk factors for ovarian cancer: the Adventist Health Study (États-Unis). *Cancer Causes Control.* Mars 2006 ; 17(2) : 137-146.

King JL, Lila MA, Erdman Jr JW, Campbell JK Antiproliferation effects of tomato polyphenols in Hepa1c1c7 and LNCaP cell lines. *Journal of Nutrition.* Nov 2003 ; 133(11) : 3858S-3859S.

La Vecchi C Mediterranean epidemiological evidence on tomatoes and the prevention of digestive-tract cancers. *Proc Soc Exp Biol Med.* Juin 1998 ; 218(2) : 125-128.

Stacewicz-Sapuntzakis M, Bowen PE. Role of lycopene and tomato products in prostate health. *Biochim Biophys Acta.* 30 mai 2005 ; 1740(2) : 202-205.

Tomatoes, red, ripe, raw, year round average. (2005). USDA National Nutrient Database for Standard Reference. Récupéré le 30 juillet 2006 de http://www.nal.usda.gov/fnic/foodcomp/cgi-bin/list_nut_edit.pl

Wu K, Erdman JW Jr, Schwartz SJ, Platz EA, Leitzmann M, Clinton SK, DeGroff V, Willett WC, Giovannucci E. Plasma and dietary carotenoids, and the risk of prostate cancer: a nested case-control study. *Cancer Epidemiol Biomarkers Prev.* Fév 2004 ; 13(2) : 260-269.

Yogourt www.aboutyogurt.com

Bharav E, Mor F, Halpern M, Weinberger A. Lactobacillus GG bacteria ameliorate arthritis in Lewis rats. *Journal of Nutrition.* Août 2004 ; 134(8) 1964-1969.

Fabian E, Elmadfa I. Influence of daily consumption of probiotic and conventional yoghurt on the plasma lipid profile in young healthy women. *Annals of Nutrition & Metabolism.* Juil 2006 ; 50(4) : 387-393.

Ganji V, Kafai MR. Frequent consumption of milk, yogurt, cold breakfast cereals, peppers, and cruciferous vegetables and intakes of dietary folate and riboflavin but not vitamins B-12 and B-6 are inversely associated with serum total homocysteine concentrations in the US population. *Am J Clin Nutr.* Déc 2004 ; 80(6) : 1500-1507.

Parvez S, Malik KA, Ah Kang S, Kim HY Probiotics and their fermented food products are beneficial for health. *J Appl Microbiol.* Juin 2006 ; 100(6) : 1171-1185.

Perdigon G, de Moreno de LeBlanc A, Vasdez J, Rachid M. Role of yoghurt in the prevention of colon cancer. *Eur J Clin Nutr.* Août 2002 ; 56(Suppl 3 : s65-68).
Sheu BS, Wu JJ, Lo CY, et al. Impact of supplement with Lactobacillus- and Bifidobacterium-containing yogurt on triple therapy for Helicobacter pylori eradication. *Aliment Pharmacol Ther.* 2002 ; 16(9) : 1669-1676.
Wang TN, Wang WM. Effects of ingesting Lactobacillus- and Bifidobacterium-containing yogurt in subjects with colonized Helicobacter pylori. *Am J Clin Nutr.* Sep 2004 ; 80(3) ; 737-734.

Au sujet de l'auteur

DAVID GROTTO est porte-parole auprès des médias pour l'*American Dietetic Association* et fondateur de *Nutrition Housecall, LLC*, une firme de consultation sur la nutrition qui offre des services alimentaires diététiques personnalisés à domicile et à des groupes. Il est conseiller scientifique pour la revue *Men's Health* et il est le président-conseil pour la campagne nationale *Produce for Kids/PBS Kids* pour la bonne alimentation des enfants. Dave habite à Chicago, en Illinois, avec son épouse, Sharon, ses filles, Chloe, Katie et Madison et leurs chiens, Gracie et Abbey.

Index

Abricots : 33-36, Bêta-carotène dans les, 34, Caroténoïdes dans les, 34, Fibres dans les, 34, Glace aux abricots, canneberges et mangues, 36, Petits biscuits au thé, au miel et à l'abricot, 462, Phytochimiques dans les, 34, Potassium dans les, 34, Pour la vision, 35, Pour les cataractes, 35, Prévention du cancer, 35, Santé cardiovasculaire, 35, Traitement du cancer, 34, Vitamine A dans les, 34, 35, Vitamine C dans les, 34

Açai : 37-40, Anthocyanines dans l', 38, Bol d'açai style brésilien, 40, Comme antioxydant, 37,38, Smoothie au lactosérum de mes filles, 277-278, Pour l'hyperplasie prostatite bénigne, 38, Pour la performance sexuelle, 38, Pour réduire le cholestérol, 38, Prévention du cancer, 38, Propriétés d'embellissement, 38, Renforcement du système immunitaire, 38

Acide folique : Dans l'amarante, 56, Dans l'asperge, 74, 75, Dans l'aubergine, 78, Dans l'avocat, 82, Dans l'épinard, 216, Dans la choucroute, 172, Dans la laitue romaine, 280, Dans la menthe, 301, Dans la papaye, 362, Dans le brocoli, 122, Dans le chou frisé, 180, Dans le chou-fleur, 176, Dans le fenouil, 221, Dans le maïs, 293, Dans le quinoa, 404, Dans le seigle, 438, Dans les artichauts, 70, Dans les citrons, 185, Dans les fraises, 228, Dans les graines de tournesol, 250, Dans les haricots, 261, Dans les noisettes, 318, Dans les noix, 323, Dans les oignons, 331, Dans les oranges, 340

Acide panthothénique (vitamine B5) : Dans le maïs, 293

Acides aminés : Arginine, 318, 379, Chaîne ramifiée des, 274, Citrulline, 374, Cystéine, 274, Cystine, 404, Dans l'amarante, 56, Dans l'épeautre, 212, Dans la pastèque, 374, Dans le lactosérum, 274-275, Dans le miel, 307, Dans le quinoa, 404, Dans le tef, 456, Dans les noisettes, 318, Dans les œufs, 327, Dans les pistaches, 378, Lysine, 56, 404, 456, Méthionine, 404, Tryptophane, 327, 212, 275

Acides phénoliques : Dans l'orge, 345, Dans la coriandre, 199, Dans le basilic, 105, Dans le miel, 307, Dans le sarrasin, 430, Dans les bleuets, 116, Dans les cerises, 158

Acné : Blé pour l', 113, Cicatrices, raisins pour les, 414, Huile de lin pour l', 290, Oranges pour l', 341

Activité de l'insuline. Voir *diabète*.

Affections cutanées : Avocat pour les, 82, Beurre de cacao pour les vergetures, 167, Céleri pour les, 154, Chocolat pour les, 167, Figues pour les, 225, Kaki pour les, 267, Maïs pour les, 293, Soya pour les, 450, Tomates pour les, 464

Agave : 41-44, Bifidobacterium dans l', 42-43, Comme anti-inflamma-

toire, 42-43, Comme antimicrobien, 42-43, Dans l'inuline, 42-43, Smoothie au lactosérum de mes filles, 277, Prévention du cancer, 42-43, Saponine dans l', 42-43, Sauce aux petits fruits de Sharon, 44
Aide au vaccin : Quinoa, 405
Ail : 45-48, Comme antibactérien, 45-47, Fenouil farci à l'ail, 223, Tartinade au romarin, à l'ail, aux artichauts et haricots, 425, Tartinade sicilienne, 48, Phytochimiques dans l', 45, Pour abaisser le cholestérol, 45, Pour la prévention du cancer de l'estomac, 46-47, Pour les rhumes, 45, Pour réduire le risque de prééclampsie, 46-47, Prévention du cancer de la prostate, 46-47, Prévention du cancer, 45-47, Propriétés antifongiques, 45, Propriétés antimicrobiennes, 45, Santé cardiovasculaire, 46-47
Aliment antivieillissement (pamplemousse) : 357
Aliments antibactériens : Ail, 45, Basilic, 104-105, Bleuets, 118, Canneberges, 118, 132, Caroube, 150, Clous de girofle, 193, Coriandre (cilantro), 199, Cumin, 203, Goyave, 246-247, Lime, 284, Menthe, 302, Miel, 307-308, Origan, 349, Raifort et wasabi, 408, Romarin, 423, Wasabi, 409
Aliments antifongiques : Ail, 46, Céleri, 154, Goyave, 247, Origan, 349, Pamplemousse, 357
Aliments anti-inflammatoires : Agave, 42, Ananas, 59, Asperge, 74, Baies de goji, 92, Baies de sureau, 96, Café, 128, Cardamome, 141, Céleri, 154, Cerise, 158-159, Clous de girofle, 193-194, Fenouil, 221, Fraise, 229, Groseilles, 258, Huile d'olive, 336, Laitue romaine, 280, Poivron (rouge et vert) 387, Quinoa, 404, Raisin, 414
Aliments antiparasitiques : Curcuma, 207, Origan, 349, Papaye, 362
Aliments antimicrobiens : Agave, 42, Ail, 45, Avocat, 82, Goyave, 246, Grenade, 254, Menthe, 302, Miel, 307
Allergies : Amarante pour éviter les, 57, Basilic pour les, 106, Petits gâteaux au lait de soya de Giselle, 170, Dioxyde de soufre, dans les abricots, et, 33, Groseilles pour les, 316, Pamplemousse pour les, 357, Produits laitiers et les, 171, 274, Riz, brun, pour éviter les, 418
Amandes : 49-54, Antioxydants dans les, 50, Asperges avec vinaigrette au citron frais et amandes grillées, 76-77, Calcium dans les, 50, Contenu protéinique, 50, Contre la maladie d'Alzheimer, 51, Fer dans les, 50, Fibres dans les, 50, Magnésium dans les, 50, Noyaux d'abricot contre, 51-53, Pizza aux petits fruits et aux amandes, 54, Pour la fertilité, 49, Pour la perte de poids, 50, Prévention du cancer du côlon, 51, Prévention du cancer, 50, Réduire le cholestérol, 50, Santé cardiovasculaire, 51, Vitamine E dans les, 50
Amarante : 55-59, Acide folique dans l', 56, Acides aminés dans l', 56, Calcium dans l', 56, Comme source de protéine, 56, Crêpes d'amarante aux petits fruits, 58, Fer dans l', 56, Lysine dans l', 56, Magnésium dans l', 56, Phytochimiques dans l', 56, Pour abaisser le cholestérol, 56, 57, Pour éviter les allergies, 57, Pour le diabète, 57, Prévention du cancer, 56-57, Squalène dans l', 56-57
Ampoules : Oignon pour les, 331
Ananas : 59-63, Filet de porc avec chutney d'ananas grillé, sur lit de mesclun, 62-63, Arthrite, 60-61, Broméline dans les, 59-61,

Comme anti-inflammatoire, 59, Cuivre dans les, 59, Manganèse dans les, 59, Prévention du cancer, 60-61, Vitamine B6 dans les, 59, Vitamine C dans les, 59
Ankylostomiase : Cumin pour l', 203
Anorexie : Orange pour l', 340
Anthocyanines : Cyanidine, 255, Dans l'açai, 38, Dans l'asperge, 74, Dans l'aubergine, 78, Dans la grenade, 254, Dans le chou rouge, 172, Dans le kiwi, 272, Dans les baies de sureau, 96, Dans les bleuets, 117, 173, Dans les cerises, 158-159, Dans les fraises, 228, Dans les canneberges, 133, Dans les groseilles, 258, Dans les haricots, 262-263, Dans les patates douces, 366, Dans les pommes de terre, 396, Dans les raisins, 262, Delphinidine, 255, Pélargonidine, 255
Antiadhérant dans le sang : Basilic pour l', 106, Broméline pour l', 60, Cannelle pour l', 137, Céleri pour l', 154, Fraise pour l', 230, Kaki pour l', 268, Kiwi pour l', 271, Oignon pour l', 333, Pamplemousse, 357, Tomates pour l', 464, Wasabi pour l', 410
Antioxydants : Dans l'açai 37-38, Dans l'huile d'olive, 336, Dans l'orge, 345, Dans l'origan, 348-349, Dans la cannelle, 137, Dans la cardamome, 141, Dans la caroube, 150, Dans la grenade, 254, Dans la laitue romaine, 280, Dans la menthe, 301, Dans le basilic, 105, Dans le blé, 113, Dans le brocoli, 122, Dans le café, 127, Dans le chocolat, 167-168, Dans le gingembre, 241-242, Dans le kaki, 267-268, Dans le kiwi, 271, Dans le miel, 213, Dans le pamplemousse, 357, Dans le riz, brun, 418, Dans le romarin, 423, Dans le sarrasin, 430, Dans les amandes, 50, Dans les artichauts, 70, Dans les asperges, 74, Dans les bleuets, 116, Dans les pacanes, 65, Dans les arachides, 353, Dans les canneberges, 132, Dans les cerises, 158, Dans les champignons, 163, Dans les citrons, 185, Dans les figues, 225-226, Dans les fraises, 228, Dans les framboises, 234, Dans les groseilles, 258, Dans les haricots, 262-263, Dans les limes, 283-284, Dans les mangues, 298, Dans les mûres, 314-315, Dans les noisettes, 318, Dans les patates douces, 366, Dans les poires, 383, Dans les pommes, 391, Dans les pommes de terre, 396, Dans les prunes ou les pruneaux, 400, Dans les raisins, 414, Flavonoïdes, 50, Valeur ORAC, 37, 116
Antispasmodique : Cardamome, 141
Anxiété : Céleri pour l', 154, Coriandre pour l', 199, Orange pour l', 342
Appétit : Artichaut pour stimuler l', 70, Coriandre pour stimuler l', 199, Gingembre pour stimuler l', 242, Orange pour réduire l', 340, Sarrasin pour réduire l', 430
Arachides : 64-68, Antioxydants dans les, 67-68, Arachides aztèques piquantes au cacao, 67-68, Dissolvant d'autocollants et d'encre, 65, Phytochimiques dans les, 65, Pour abaisser les triglycérides, 66-67, Pour la gomme dans les cheveux, 65, Pour la perte de poids, 66-67, Pour le diabète, 66-67, Pour prévenir le cancer du côlon, 66-67, Resvératrol dans les, 65, Santé cardiovasculaire, 65-67
Arthrite : Asperge pour l', 75, Artichaut pour l', 70, Avocat pour l', 84, Cannelle pour l', 137, Céleri pour l', 154, Cerise pour l', 159, Chou-fleur pour l', 178, Citron pour l', 185, Gingembre pour l', 242, Groseilles pour l', 258, Poivron pour l', 387, Papaye pour l', 362, Cumin pour l', 203,

Yogourt pour l', 469, Ananas pour l', 60
Arthrite rhumatoïde : Blé pour l', 114, Chou-fleur pour la prévention de l', 178, Citron pour l', 185-186, Gingembre pour l', 242, Papaye pour l', 362
Arthrose : Gingembre pour l', 242
Artichauts : 68-73, Acide folique dans les, 70, Antioxydants dans les, 70, Artichauts vapeur avec aïoli à la coriandre, 72-73, Artichauts vapeur avec sauce au citron et wasabi, 187-188, Fibres dans les, 70, Flavonoides dans les, 70, Magnésium dans les, 70, Tartinade au romarin, à l'ail, aux artichauts et haricots, 425, Phytochimiques dans les, 70, Pour l'arthrite, 70, Pour l'œdème, 70, Pour la circulation, 70, Pour la digestion, 70, Pour la dyspepsie, 70, Pour la fertilité, 69, Pour la performance sexuelle, 70, Pour la régularité des intestins, 70, Pour le syndrome du côlon irritable, 70, Pour les démangeaisons, 70, Pour les problèmes d'estomac, 70, Santé cardiovasculaire, 70, Santé du foie, 70, Stimuler l'appétit, 70, Vitamine C dans les, 70, Voir aussi *Arthrite rhumatoïde*.
Asperges : 73-77, Acide folique dans les, 74-75, Anthocyanines dans les, 74, Antioxydants dans les, 74, Asperges avec vinaigrette au citron frais et amandes grillées, 76-77, Comme anti-inflammatoire, 74, Comme diurétique, 75, Digestion, 75, FOS (fructo-oligosaccharides), 75, Inuline dans les, 75, Omelette fromagée aux asperges et auxchampignons, 329-330, Pour l'arthrite, 75, Pour l'athérosclérose, 75, Pour l'œdème et la rétention d'eau, 75, Pour la fertilité, 75, Pour la performance sexuelle, 74-75, Pour le diabète, 75, Prévention des défauts de naissance, 74, Prévention du cancer, 74, Protodioscine dans les, 74, Rutine dans les, 74, Santé cardiovasculaire, 74, 75, Santé des os, 74, Santé du cerveau, 74,Vitamine B6 dans les, 74, Vitamine C dans les, 74
Asthme : Citrouille pour l', 190, Petits gâteaux d'anniversaire au lait de soya de Giselle, 170, Fruit de la passion pour l', 238, Mangue pour l', 298, Origan pour l', 349, Poire comme, 383, Produits laitiers et l', 170, Saumon pour l', 434,
Astringent : Poire en tant que, 383,
Athérosclérose : Asperge pour l', 75, Canneberge pour l' 132, Épeautre pour l', 213, Menthe pour l', 302, Oignon pour l', 332
Aubergine : 77-81, Acide folique dans l', 78, Anthocyanines dans l', 78, Fibres dans l', 78, Flavonoïides dans l' 78, Magnésium dans l' 78, Phytochimiques dans l' 78, Potassium dans l' 78, Pour la désintoxication, 78, Pour le mal de gorge, 78, Pour le saignement des gencives, 78, Pour les gencives saines, 78, Pour les virus, 78, Protection contre le cancer du foie, 78, Santé cardiovasculaire, 78, Spaghetti fromagé d'Elisa aux aubergines et tomates, 80-81
Avocat : 81-86, Acide folique dans l', 82, Contrôle protéique, 82, Gras mono-insaturés dans l', 82, Guacamole riche, 85-86, Magnésium dans l', 82, Phytochimiques dans l', 82, Potassium dans l', 82, Pour abaisser le cholestérol, 82-83, Pour l'arthrite, 84, Pour la dégénérescence maculaire, 82, Pour la vision, 82, Pour le diabète, 84, Pour les pellicules, 82, Prévention du cancer, 82, Prévention du cancer de la prostate, 82, 83, Problèmes de peau, 82, Santé cardiovascu-

laire, 82, Vitamine E dans l', 82, Vitamine K dans l', 82
Avoine : 86-91, Béta-glucanes dans l', 87-88, Calcium dans l', 87-88, Gruau aux cerises cuit au four, 161, Crêpes d'avoine aux grains entiers d'Ina, 90-91, Cuivre dans l', 87-88, Fer dans l', 87-88, Fibres alimentaires dans l', 87-88, Magnésium dans l', 87-88, Manganèse dans l', 87-88, Muesli au miel pour les pompiers, 310, Parfait au yogourt et granolas avec petits fruits, 471-472, Potassium dans l', 87-88, Pour abaisser le cholestérol, 57, 87-88, Pour l'hypertension, 87-89, Pour la perte de poids, 89, Pour le diabète, 89, Santé cardiovasculaire, 87-88, Sélénium dans l', 87-88, Vitamine B complexe dans l', 87-88, Vitamine E dans l', 87-88, Zinc dans l', 87-88

Baies de goji : 91-95, Bêta-carotène dans les, 92, Comme anti-inflammatoire, 92, Phytochimiques dans les, 92, Pour abaisser le cholestérol, 92, Pour la fertilité, 92, Pour la longévité, 93, Pour la résistance à l'insuline, 93, Pour la vision, 93, Pour le soulagement de la douleur, 93, Prévention du cancer, 93, Pudding au riz aux baies de goji, 94-95 Santé cardiovasculaire, 94, Santé du foie, 94, Zéaxanthine dans les, 94
Baies de sureau : 95-99, Anthocyanines dans les, 96, Antioxydants dans les, 96, Caroténoïdes dans les, 96, Comme anti-inflammatoire, 96, Comme diurétique, 96, Digestion, 96, Flavonoïdes dans les, 96, Polyphénols dans les, 97, Pour la colite, 97-98, Pour la fièvre, 98, Pour la grippe, 98, Pour la régularité des intestins, 98, Pour le mal de gorge, 98, Pour le scorbut, 98, Pour le soulagement de la douleur, 98, Pour les rhumes, 98, Pour les virus, 98, Prévention du cancer, 98, Tarte à la glace aux baies de sureau du 4 juillet, 98-99, Vitamine A dans les, 99, Vitamine C dans les, 99
Bananes : 99-103, Amidon résistant dans les, 100, Carotenoïdes dans les, 100, Fibres dans les, 101, Kebabs aux fruits variés, 273-274, Pain aux bananes et au sarrasin, 432, Pain aux bananes et aux bleuets, 102-103, Pain doré aux bananes et à la cannelle, 139, Potassium dans les, 100, Pour la démangeaison, 100, Pour la diarrhée, 100, Pour les ulcères (bactérie H. pylori), 100, Prévention des AVC, 100, Prévention du cancer du côlon, 100, Prévention du cancer du rein, 101, Prévention du cancer, 101, Vitamine B6 dans les, 101, Vitamine C dans les, 101, Tourbillon moka-banane, 130
Basilic : 104-108, Acides phénoliques dans le, 105, Anti-adhérant, 106, Antioxydants dans le, 105, Bêta-carotène dans le, 105, Caroténoïdes dans le, 105, Comme antibactérien, 105,106, Enrouement, 105, Flavonoïdes dans le, 105, Gingivite et maladie des gencives, 105, Pesto au basilic et aux pistaches, 107, Pour la démangeaison, 105, Pour le mal d'oreilles, 105, Pour les allergies, 106, Pour les pellicules, 105, Pour les ulcères/douleurs de la bouche, 105, Répulsif contre les insectes, 105, Salade italienne à l'oignon, aux tomates et au basilic, 334, Santé cardiovasculaire, 105

Beauté : Açai pour la, 38, Avocat pour la, 82, Canneberges pour le masque facial, 258, Cannelle pour la, 137, Citron pour les boutons, 185, Pomme de terre pour les boutons, 396

Bêta-carotène : Dans l'épinard, 216, Dans l'origan, 348, Dans le basilic, 105, Dans le brocoli, 122, Dans la pastèque, 374, Dans le poivron, 387, Dans les abricots, 34, Dans les baies de goji, 92, Dans les carottes, 145, Dans les citrouilles, 190, Dans les mangues, 298, Dans les patates douces, 366, Dans les pommes, 391, Dans les tomates, 240
Bêta-glucanes : Dans l'avoine, 87, Dans l'orge, 344-345
Bette : 108-111, Caroténoïdes dans la, 109, Fer dans la, 109, Magnésium dans la, 109, Pour la vision, 109, Pour le diabète, 109, Pour les ulcères (bactérie H. pylori) 110, Prévention du cancer, 110, Santé cardiovasculaire, 110, Tacos garnis de bette, oignon caramélisé, fromage et chili, 110-111, Vitamine A dans la, 111, Vitamine B dans la, 111, Vitamine E dans la, 111, Vitamine K dans la, 111, Zéaxanthine dans la, 111
Blanchiment des dents : Fraises pour le, 229
Blé : 112-116, Antioxydants dans le, 113, Crêpes d'avoine aux grains entiers d'Ina, 90, Pour abaisser le cholestérol, 114, Pour l'arthrite rhumatoïde, 114, Pour la longévité, 113, Pour la perte de poids, 114, Pour le diabète, 114, Pour les maux de dents, 113, Pour les symptômes de la ménopause, 113, Pour prévenir le cancer colorectal, 114, Pour prévenir les cancers gastriques, 114, Prévention du cancer, 114, Salade estivale de couscous, 115-116, Santé cardiovasculaire, 114
Bleuets : 116-121, Anthocyanines dans les, 117, 172-173, Antioxydants dans les, 117, Comme antibactérien, 118, Pain aux bananes et aux bleuets, 102-103, Pour la désintoxication et la purification, 118, Pour la maladie d'Alzheimer, 118, Pour la mémoire et les fonctions cognitives, 118, Pour la nausée, 118, Pour la toux, 118, Pour le scorbut, 117, Pour les infections des voies urinaires, 118, Pour les maux de tête, 118, Prévention de l'AVC, 118, Prévention du cancer de la prostate, 118, Prévention du cancer, 118, Pudding au pain et aux bleuets, 120, Santé cardiovasculaire, 118, Valeur ORAC, 117
Boissons : Cocktail de papaye au gingembre, 364, Smoothie au lactosérum de mes filles, 278, Thé, 458, Tourbillon moka-banane, 130
Brocoli : 121-125, Acide folique dans le, 122, Antioxydants dans le, 122, Bêta-carotène dans le, 122, Calcium dans le, 122, 123, Chrome dans le , 122, Frittata au brocoli préférée de la famille, 125, Indoles et isothiocynates dans le, 122, 123, Penne rigate avec brocoli et curcuma, 210, Pour le cycle menstruel, 123, Pour les maux de tête, 123, Pour les problèmes de sinus, 122, Pour les symptômes de l'herpès, 122,123, Pour les ulcères (bactérie H. pylori), 124, Prévention du cancer de la prostate, 124, Prévention du cancer de la thyroïde, 124, Prévention du cancer du sein, 124, Prévention du cancer, 124, Santé cardiovasculaire, 124, Vitamine A dans le, 123, Vitamine C dans le, 123
Brûlures : Gingembre pour les, 242, Groseilles pour les, 315, Miel pour les, 307, Papaye pour les, 362, Tomate pour les, 464
Brûlures d'estomac (reflux gastrique) : Canneberges pour les, 134, Pomme pour les, 391
Broméline : Bénéfices pour le cœur dans la, 60, Dans les ananas, 59

Café : 126-130, Antioxydants dans le, 127, Caféine dans le, 128, Comme anti-inflammatoire, 128, Phytochimiques dans le, 127, Pour la désintoxication et la purification, 128, Pour la fièvre, 128, Pour la maladie de Parkinson, 128, Pour la mémoire et la fonction cognitive, 128, Pour la régularité des intestins, 128, Pour le diabète, 128, Pour les rhumes et les maladies des voies respiratoires, 129, Protection du foie, 129, Santé cardiovasculaire, 129, Traitement du cancer du sein, 129, Tourbillon moka-banane, 130

Calcium : Cinq sources de calcium les plus importantes dans les produits laitiers, 469, Dans l'amarante, 56, Dans l'avoine, 87, Dans l'épinard, 215, Dans la cannelle, 137, Dans la caroube, 150, Dans la menthe, 301, Dans le brocoli, 122-123, Dans le céleri, 154, Dans le chocolat, 167, Dans le chou frisé, 180, Dans le fruit de la passion, 185, Dans le pamplemousse, 357, Dans le raifort, 408, Dans le saumon, 434, Dans le seigle, 438, Dans le sorgho, 446, Dans le wasabi, 408, Dans le yogourt, 469, Dans les amandes, 50, Dans les noisettes, 319, Dans les cerises, 158, Dans les citrons, 185, Dans les clous de girofle, 193, Dans les figues, 225, Dans les groseilles, 258, Dans les sardines, 427, Soya pour le, 450

Calculs biliaires : Épeautre pour les, 213, Maïs pour les, 293, Sarrasin pour les, 430, Seigle pour les, 439

Calculs rénaux : Orange pour les, 342

Cancer colorectal : Blé pour prévenir le, 114, Citrouille pour prévenir le, 190, Menthe pour prévenir le, 302, Pastèque pour réduire le risque de, 374, Patate douce pour prévenir le, 367, Tomate pour prévenir le, 464

Cancer de l'endomètre : Blé pour prévenir le, 114

Cancer de l'estomac : Ail pour la prévention du, 114, Blé pour la prévention du, 114, Citron pour combattre le, 186, Citrouille pour la prévention du, 190, Raifort pour le, 409, Raisin pour le, 415, Wasabi pour le, 409

Cancer de l'œsophage : Carotte pour prévenir le, 145, Chou frisé pour diminuer le risque du, 181, Fraise pour combattre le, 229, Mûres pour prévenir le, 315, Tef pour prévenir le, 455

Cancer de la bouche : Chou frisé pour diminuer le risque de, 181, Citron pour combattre le, 186, Kiwi pour combattre le, 271

Cancers de la peau : Citron pour combattre les, 186, Curcuma pour combattre les, 208, Poivron pour prévenir les, 387

Cancer de la prostate : Ail pour réduire le risque du, 46, Avocat pour prévenir le, 82, Bleuets pour prévenir le, 118, Brocoli pour prévenir le, 123, Carotte pour la prévention du, 145, Champignons pour prévenir le, 163, Chou-fleur pour prévenir le, 178, Citrouille pour prévenir le, 190, Curcuma pour prévenir le, 208, Épinard pour combattre le, 216, Graines de tournesol pour combattre le, 250, Grenade pour prévenir le, 254, Lin pour prévenir le, 288, Noix pour combattre le, 324, Oignon pour prévenir le, 332, Pamplemosse pour prévenir le, 358, Pastèque pour diminuer le risque du, 374, Poivron pour prévenir le, 387, Raisin pour combattre le, 414-416, Seigle pour prévenir le risque de tumeur, 439, Sésame pour combattre le, 441,

Soya pour prévenir le, 450, Tomate pour la prévention du, 64
Cancer de la thyroïde : Brocoli pour prévenir le, 123
Cancer de la vésicule biliaire : Épinard pour réduire le risque de, 216, Patate douce pour prévenir le, 367
Cancer du col de l'utérus : Carotte pour la prévention du, 145, Chou et choucroute pour le, 174, Épinard pour combattre le, 216, Fraise pour combattre le, 229
Cancer du côlon : Agave pour combattre le, 42, Amandes pour prévenir le, 51, Banane pour le, 100, Arachides pour prévenir le, 66, Canneberges pour combattre le, 132, Cardamome pour prévenir le, 141, Carotte pour prévenir le, 145, Chocolat pour prévenir le, 169, Chou et choucroute pour prévenir le, 174, Citron pour combattre le, 186, Cumin pour prévenir le, 203, Curcuma pour prévenir le, 208, Épinard pour combattre le, 216, Fraise pour combattre le, 229, Gingembre pour prévenir le, 243, Lin pour prévenir le, 288, Maïs pour prévenir le, 294, Mûres pour prévenir le, 315, Oignon pour prévenir le, 332, Olives (huile d'olive) pour prévenir le, 336, Orge pour prévenir le, 345, Pamplemousse pour prévenir le, 358, Papaye pour prévenir le, 362, Prunes ou pruneaux pour prévenir le, 400, Raifort pour prévenir le, 409, Raisin pour prévenir le, 415, Seigle pour réduire le risque de tumeur, 439, Wasabi pour prévenir le, 409, Yogourt pour combattre le, 470
Cancer du foie : Aubergine pour le, 78, Canneberges pour combattre le, 186, Céleri pour le, 154, Citron pour combattre le, 186, Épinard pour combattre le, 216, Mûres pour prévenir le, 315, Oignon pour prévenir le, 332
Cancer du larynx : Carotte pour la prévention du, 145
Cancer des ovaires : Gingembre pour le traitement du, 242, Thé pour la prévention du, 459, Tomate pour la prévention du, 464
Cancer du pancréas : Céleri pour prévenir le, 154
Cancer du pharynx : Chou frisé pour abaisser le risque du, 181
Cancer du poumon : Canneberges pour combattre le, 132, Carotte pour prévenir le, 145, Chou et choucroute pour prévenir le, 174, Chou frisé pour diminuer le risque, 181, Chou-fleur pour prévenir le, 178, Citron pour combattre le, 186, Citrouille pour prévenir le, 190, Clous de girofle pour prévenir le, 194, Maïs pour prévenir le, 294, Menthe pour prévenir le, 302, Mûres pour prévenir le, 315, Noix pour combattre le, 324, Oignon pour prévenir le, 332, Papaye pour prévenir le, 362, Raifort pour prévenir le, 409, Wasabi pour prévenir le, 409
Cancer du rein : Banane pour réduire le risque du cancer du, 100, Patate douce pour réduire le risque, 367
Cancer du sein : Amarante pour prévention du, 57, Avertissement au sujet du soya, 450, Bette pour le, 109, Café pour combattre le, 129, Canneberges pour combattre le, 132, Carotte pour prévention du, 145, Céleri pour combattre le, 154, Champignons pour prévenir le, 163, Chou et choucroute pour prévention du, 174, Chou-fleur pour prévention du, 178, Citron pour combattre le, 186, Citrouille pour prévenir le, 190, Curcuma pour combattre, 208, Épinard pour prévenir le, 216, Fraise

pour combattre le, 229, Haricot pour prévention du, 263, Lin pour combattre le, 288, Patate douce pour réduire le risque du, 366, Raisin pour combattre le, 414-415, Sarrasin pour prévention du, 430, Seigle pour prévenir le, 438, Sésame pour combattre le, 441, Wasabi pour combattre, 409

Canneberges : 131-135, Anthocyanines dans les, 262, Antioxydants dans les, 132-133, Comme antibactérien, 118, 132-133, Digestion, 134, Fibres dans les, 132-133, Flavonoïdes dans les, 132-133, Glace aux abricots, aux canneberges et aux mangues, 36, Muffins au sorgho, à la marmelade d'orange et aux canneberges, 448, Pour abaisser le cholestérol, 132-134, Pour brûlures d'estomac (reflux gastrique), 134, Pour combattre la leucémie, 132-133, Pour combattre le cancer du côlon, 132-133, Pour combattre le cancer du poumon, 132-133, Pour combattre le cancer du sein, 132-133, Pour l'athérosclérose, 132-133, Pour la diarrhée, 134, Pour la maladie parodontaire, 134, Pour les infections des voies urinaires, 132-133, Pour les ulcères (bactérie H. pylori), 134, Prévention du cancer du foie, 186, Prévention du cancer, 132-133, Proanthocyanidines (PAC) dans les, 132-133, Salade de fruits aux pommes et canneberges, 393, Salade aux poires et canneberges avec noisettes au cari, 320-321, Salade de kamut et canneberges, 135, Salsa aux canneberges et aux cerises, 436, Santé cardiovasculaire, 132-134, Sauce à la grenade et aux canneberges pour le poulet ou la dinde, 256, Utilisées avec l'origan, 349-350, Vitamine C dans les, 133

Cannelle : 136-140, Antioxydants dans la, 137, Calcium dans la, 137, Dessert crémeux au millet, avec sucre à la cannelle, 313, Fer dans la, 137, Fibres alimentaires dans la, 137, Manganèse dans la, 137, Muesli à la cannelle et aux noix, 291, Pain doré aux bananes et à la cannelle, 139, Pour l'antiadhésion du sang, 137, Pour l'arthrite, 137, Pour l'hypertension, 137, Pour la beauté, 137, Pour la mauvaise haleine, 137, Pour le cycle menstruel, 137, Pour le diabète, 138, Pour le soulagement de la douleur, 138, Santé cardiovasculaire, 138

Cardamome : 140-143, Comme anti-inflammatoire, 141, Comme antispasmodique, 141, Digestion, 141, Pour la constipation, 141, Pour la diarrhée, 141, Pour la maladie parodontaire, 141, Pour la toux, 142, Pour le cancer du côlon, 142, Pour le mal de gorge, 142, Pour les ulcères (bactérie H. pylori), 142, Tofu frit dans une sauce au curry, 142-143

Carie dentaire : Wasabi pour la, 409

Caroténoïdes : Dans l'épinard, 216, Dans l'origan, 348, Dans la bette, 109, Dans la goyave, 246, Dans la laitue romaine, 280, Dans la papaye, 362, Dans le basilic, 105, Dans le fruit de la passion, 238, Dans le maïs, 294, Dans le millet, 311, Dans le pamplemousse, 357, Dans le saumon, 434, Dans les abricots, 34, Dans les baies de sureau, 96, Dans les bananes, 100, Dans les carottes, 145, Dans les citrouilles, 190, Dans les mangues, 298, Dans les pommes, 391, Dans les pommes de terre, 396, Dans les raisins, 414

Carotte : 144-148, Bêta-carotène dans la, 144, Caroténoïdes dans la, 144, Manganèse dans la, 144,

Phytochimiques dans la, 145, Potassium dans les, 145, Pour l'emphysème, 147, Pour la vision, 147, Pour le diabète, 147, Pour les cataractes, 147, Prévention du cancer de l'œsophage, 145, Prévention du cancer de la prostate, 145, Prévention du cancer de la vésicule biliaire, 145, Prévention du cancer du col de l'utérus, 146, Prévention du cancer du côlon, 146, Prévention du cancer du larynx, 146, Prévention du cancer du sein, 146, Prévention du cancer, 146, Salade crue au céleri, 156, Salade de mangue râpée, 300, Santé cardiovasculaire, 146, Soupe aux carottes et courges grillées, 148, Vitamine A dans les, 146, Vitamine B2 (niacine) dans les, 146, Vitamine B6 dans les, 146, Vitamine C dans, 146

Caroube : 149-152, Abaissement du cholestérol et la, 150, Antioxydants dans la, 150, Calcium dans la, 150, Comme antibactérien, 150, Contenu protéinique, 150, Digestion, 151, Fer dans la, 151, Fibres dans la, 151, Gâteau aux noix et au caroube, 152, Magnésium dans la, 151, Pour la perte de poids, 151, Pour le diabète, 151, Santé cardiovasculaire, 151, Vitamine A dans la, 151, Vitamine B complexe dans la, 151, Vitamine D dans la, 151,

Cataractes : Abricots pour les, 35, Carotte pour les, 147, Épinard pour les, 218, Kiwi pour les, 271, Œufs pour les, 327, Orange pour les, 340

Céleri : 153-156, Alcool péryllique dans le, 154, Antiadhérant du sang et le, 154, Calcium dans le, 154, Comme antibactérien, 154, Comme diurétique, 154, Fer dans le, 154, Magnésium dans le, 154, Phosphore dans le, 155, Potassium dans le, 155, Pour abaisser le cholestérol, 155, Pour l'anxiété, 155, Pour l'hypertension, 155, Pour la gueule de bois, 155, Pour la performance sexuelle, 155, Pour les affections cutanées, 155, Prévention du cancer, 155, Propriétés antifongiques, 155, Salade crue au céleri, 156, Vitamine A dans le, 155, Vitamine B1 dans le, 155, Vitamine B2 dans le, 155, Vitamine C dans le, 155

Cellulite : Noisettes pour le, 319

Cerise : 157-161, Acides ou aigres, SOD et composés phénoliques dans la, 158, Anthocyanines dans la, 158, 159, Antioxydants dans la, 158, Calcium dans la, 158, Gruau aux cerises cuit au four, 161, Comme anti-inflammatoire, 158, 159, Fer dans la, 158, Mélatonine dans la, 159, Parfait aux cerises noires, biscuits au gingembre et pacanes, 355, Phytochimiques dans les, 158, Pour abaisser le cholestérol, 157, Pour l'arthrite, 159, Pour la constipation, 158, Pour la douleur musculaire, 158, 159, Pour la goutte, 159, Pour la toux, 158,Pour le diabète, 159, Pour le mal de tête, 159, Prévention du cancer, 158, 158, Santé cardiovasculaire, 158, 159, Saumon grillé avec salsa aux canneberges et cerises, 436, Troubles du sommeil et insomnie, 159, Vitamine A dans la, 158, Vitamine B complexe dans la, 158, Vitamine C dans la, 158

Champignons : 162-166, Antioxydants dans les, 163, Bœuf aux champignons et graines de sésame, 444, Champignons farcis et crevettes tigrées, 165, Omelette fromagée aux asperges et champignons, 329, Polyphénols dans les, 163, Potassium dans les, 163, Pour la migraine, 163, Pour le système immunitaire, 163, Pour prévenir le cancer du sein, 164, Sélénium dans les, 164, Vitamine B complexe dans le, 165, Vitamine D dans le, 165

Chasse moustiques : Romarin comme, 423

Chocolat : 166-171, Antioxydants dans le, 167, 168, Beurre de cacao pour les vergetures, 167, Arachides aztèques piquantes au cacao, 67-68, Calcium dans le, 167, Cuivre dans le, 167, Petits gâteaux d'anniversaire au lait de soja de Giselle, 170-171, Digestion, 167, Fer dans le, 167, Flavonoïdes dans le, 167, Magnésium dans le, 167, Manganèse dans le, 168, Potassium dans le, 168, Pour abaisser le cholestérol, 168-169, Pour la diarrhée, 168, Pour la fonction cognitive, 169, Pour la toux, 169, Pour le cancer du côlon, 169, Pour le diabète, 169, Pour les affections cutanées, 167, Santé cardiovasculaire, 168-169, Vitamine A dans le, 167, Vitamine B complexe dans le, 167, Zinc dans le, 167

Cholestérol (et trigycérides) : Açai pour abaisser le, 38, Ail pour abaisser le, 45, Amandes pour prévenir l'oxydation du LDL, 50, Amarante pour abaisser le, 56, Artichaut pour prévenir l'oxydation du LDL, 50, Avocat pour abaisser le, 82-83, Avoine pour abaisser le, 57, 87-88, Baies de goji pour abaisser le, 92, Blé pour abaisser le, 114, Arachides pour abaisser le, 66-67, Canneberges pour abaisser le, 132-133, Caroube pour abaisser le, 150, Céleri pour abaisser le, 154, Cerise pour abaisser le, 158, Chocolat pour abaisser le, 167-168, Citrouille pour abaisser le, 190, Clous de girofle pour abaisser le, 194, Curcuma pour abaisser le, 208, Fruit de la passion pour abaisser le, 238, Goyave pour abaisser le, 247, Haricots pour abaisser le, 262, Huile d'olive pour abaisser le, 336, Huile de son de riz pour abaisser le, 418, Huile de tournesol pour abaisser le, 251, Kaki pour abaisser le, 267, Mangue pour abaisser le, 298, Menthe pour régler le, 302, Miel pour abaisser le, 307, Millet pour augmenter le HDL, 312, Noisettes pour le, 319, Noix pour abaisser le, 323, Oignon pour abaisser le, 332, Orge pour abaisser le, 344, Pacanes pour abaisser le, 353, Pamplemousse pour abaisser le, 358, Pistaches pour le HDL, 378, Prunes ou pruneaux pour abaisser le, 400, Quinoa pour abaisser le, 404, Raisin pour abaisser le, 414, Sarrasin pour abaisser le, 430, Sorgho pour abaisser le, 446, Soya pour abaisser le, 452, Thé pour abaisser le, 459, Yogourt pour abaisser le, 470

Chou : 171-176, Acide folique dans la choucroute, 172, Anthocyanines dans le, 172, Lactobacillus acidophilus dans la choucroute, 173, Pour désinfecter les blessures, 173, Prévention du cancer, 172-174, Phytochimiques dans le, 172-174, Potassium dans la choucroute, 172, Pour le scorbut, 172, Glucosinolate de sulforaphane dans le, 173, Pour les ulcères (bactérie H. pylori), 172-173, Cigares au chou polonais végétariens, 175, Pour les virus, 174, Vitamine C dans le, 173, Vitamine K dans la choucroute, 173

Chou-fleur : 176-180, Biotine dans le, 176, Fibres dans le, 177, Pour l'arthrite rhumatoïde, 178, Pour la santé des ongles, 178, Pour les pellicules, 178, Prévention du cancer, 178, Soupe crémeuse au

chou-fleur, 179, Vitamine C dans le, 176
Chou frisé : 180-184, Acide folique dans le, 180, Calcium dans le, 180, Fer dans le, 180, Phytochimiques (lutéine) dans le, 181, Potassium dans le, 180, Pour diminuer le risque du cancer de l'œsophage, 181, Pour diminuer le risque du cancer de la bouche, 181, Pour diminuer le risque du cancer de la vésicule biliaire, 181, Pour diminuer le risque du cancer du pharynx, 182, Pour diminuer le risque du cancer du poumon, 182, Soupe réconfortante au chou frisé et aux lentilles, 183, Vitamine A dans le, 180, Vitamine C dans le, 180
Chrome : Dans le brocoli, 122
Citrons : 184-188, Antioxydants dans les, 185, Artichauts vapeur avec sauce au citron et wasabi, 187-188, Calcium dans les, 185, Limonène dans les, 185, Potassium dans les, 186, Potassium dans les, 185, Pour l'arthrite rhumatoïde, 185-186, Pour l'arthrite, 185, Pour la constipation, 185, Pour le cancer du côlon, 186, Pour le cancer du sein, 186, Pour le scorbut, 184, Pour les boutons, 185, Pour les rhumes et les maladies des voies respiratoires supérieures, 185, Prévention du cancer de l'estomac, 186, Prévention du cancer de la bouche, 186, Prévention du cancer de la peau, 186, Prévention du cancer du foie, 186, Prévention du cancer du poumon, 186, Prévention du cancer, 186, Sauce au citron, 121, Vitamine A dans les, 185, Vitamine C dans les, 185
Citrouilles : 189-193, Bébés citrouilles rôties avec pommes de terre rouges, 192-193, Bêta-carotène dans les, 190, Caroténoïdes dans les, 190, Fibres dans les, 190, Lutéine dans les, 190, Phytostérols dans les, 190, Potassium dans les, 190, Pour abaisser le cholestérol, 191, Pour l'asthme, 191, Pour l'hyperplasie prostatite bénigne, 191, Pour l'hypertension, 191, Pour la nausée, 191, Pour la prévention du cancer colorectal, 192, Pour le diabète, 192, Prévention du cancer de l'estomac, 192, Prévention du cancer de la prostate, 192, Prévention du cancer du poumon, 192, Prévention du cancer du sein, 192, Sélénium dans les, 192, Vitamine A dans les, 190
Clous de girofle : 193-197, Calcium dans les, 193, Comme antibactérien, 193, Comme anti-inflammatoire, 193, 194, Crevettes marinées à la tequila et aux clous de girofle, 196, Eugénol dans les, 193, Fibres dans les, 193, Infection aux levures, 194, Magnésium dans les, 193, Manganèse dans les, 193, Pour abaisser le cholestérol, 194, Pour la performance sexuelle, 194, Pour le mal de tête, 195, Pour le soulageent de la douleur, 195, Pour les maux de tête, 195, Prévention du cancer du poumon, 194, Santé cardiovasculaire, 194, Vitamine C dans les, 193, Vitamine K dans les, 193
Colique : Fenouil pour la, 221, Gingembre pour la, 242, Œufs pour la, 328, Raifort pour la, 409
Colite : Baies de sureau pour la, 97, Miel pour le, 308
Constipation : Cardamome pour la, 141, Cerises pour la, 158, Citron pour la, 185, Haricots pour la, 263, Lin pour la, 288, Orange pour la, 340, Orge pour la, 345, Pomme pour la, 391, Prunes ou pruneaux pour la, 400, Raisin pour la, 414, Sésame pour la, 442
Coriandre (cilantro) : 198-202, Acides phénoliques dans la, 199, Arti-

chauts vapeur avec aïoli à la coriandre, 72, Comme antibactérien, 199, Dans le brocoli, 122, Fer dans la, 199, Flavonoïdes dans la, 199, Kampférol dans le, 199, Limonène dans le, 199, Magnésium dans la, 199, Manganèse dans la, 199, Pour l'anxiété, 199, pour la digestion, 199, 200, Pour la performance sexuelle, 200, Pour la toux, 200, Pour le diabète, 201, Pour les troubles du sommeil et l'insomnie, 201, Quercétine dans la, 201, Santé cardiovasculaire, 201, Sauce à la lime et à la coriandre, 201, Stimuler l'appétit, 199

Cors : Amandes pour les, 50, Ananas pour enlever les, 60

Coup de soleil : Pâte d'orge pour le, 345

Cuivre : Dans l'aubergine, 78, Dans l'avoine, 87, Dans l'épeautre, 212, Dans l'orge, 345, Dans le chocolat, 167, Dans le millet, 311, Dans le quinoa, 404, Dans les ananas, 59, Dans les graines de tournesol, 250, Dans les noix, 323, Dans les pistaches, 379, Soya pour le, 450

Cumin : 202-206, Comme antibactérien, 203, Digestion, 203, Fer dans le, 204, Huiles essentielles dans les, 204, Poisson grillé avec patates douces au cumin, 205, Pour l'ankylostomiase, 103, Pour l'arthrite, 103, Pour la lactation, 103, Pour la performance sexuelle, 103, Pour le cancer du côlon, 104, Pour le diabète, 104, Pour le hoquet, 104, Pour les ulcères (bactérie H. pylori), 104, Soupe aux haricots noirs à la lime et au cumin, 286

Curcuma : 206-211, Digestion, 207, Fer dans le, 207, Manganèse dans le, 207, Penne rigate avec brocoli et curcuma, 210, Phytochimiques dans le, 207, Potassium dans le, 207, Pour abaisser le cholestérol, 208, Pour combattre le cancer du sein, 208, Pour combattre les cancers de la peau, 208, Pour la maladie d'Alzheimer, 208, Pour le cycle menstruel, 207, Pour les rhumes et maladies des voies respiratoires, 207, Pour les ulcères (bactérie H. pylori), 207, Pour prévenir le cancer de la prostate, 209, Pour prévenir le cancer du côlon, 209, Pour une blessure au cerveau, 209, Propriétés antiparasitiques, 207, Santé cardiovasculaire, 210, Santé du cerveau, 210, Vitamine B6 dans le, 210, Vitamine C dans le, 210

Cycle menstruel : Amarante pour le, 56, Brocoli pour le, 123, Cannelle pour le, 137, Curcuma pour le, 207, Goyave pour le, 247

Défauts de naissance : Asperge pour prévenir les, 74, Voir aussi *Acide folique*.

Dégénérescence maculaire : Avocat pour la, 82, Épinard pour la, 216, Kiwi pour la, 271, Laitue romaine pour la, 280, Œufs pour la, 327, Pistaches pour la, 378

Démangeaison : Artichaut pour la, 70, Banane pour la, 100, Basilic pour la, 105, Pastèque pour la, 374

Dépression : Épinard pour la, 216, Noisettes pour la, 318, Sardines pour la, 427, Saumon pour la, 434

Désintoxication et purification : Agave pour la, 42, Amarante pour la, 56, Artichaut pour la, 70, Aubergine pour la, 78, Bleuets pour la, 118, Café pour la, 128

Desserts : Gruau aux cerises cuit au four, 161, Compote à l'orange et aux poires séchées, 343, Croquant simple aux mûres, 317, Petits gâteaux au lait de soya de Giselle, 170-171, Dessert crémeux au millet, avec sucre à la cannelle, 313, Gâteau aux noix et au caroube, 152, Glace aux abricots, canneberges et mangues, 36, Parfait au yogourt et granolas avec petits fruits, 471, Parfait aux cerises noires, biscuits au gingembre et pacanes, 355, Poire farcie cuite au four, 385, Pudding au pain et aux bleuets, 120, Shortcake aux fraises, 231-232, Sorbet aux fruits de la passion, 240, Tarte à la glace aux baies de sureau du 4 juillet, 98, Tarte melba aux framboises et aux pêches, 236

Diabète : Amarante pour le, 57, Arachides pour le, 66, Asperge pour le, 75, Avocat pour le, 84, Avoine pour le, 89, Bette pour le, 109, Blé pour le, 114, Café pour le, 128, Cannelle pour le, 137, Carotte pour le, 147, Caroube pour le, 150, Cerise pour le, 159, Chocolat pour le, 169, Citrouilles pour le, 190, Coriandre pour le, 199, Cumin pour le, 203, Figues pour le, 226, Fraise pour le, 229, Framboises pour le, 235, Goyave pour le, 247, Haricots pour le, 264, Lin pour le, 288, Maïs pour le, 294, Millet pour le, 312, Noix pour le, 324, Orge pour le, 345, Patate douce pour le, 366, Persil pour le, 370, Pomme pour le, 393, Pomme de terre pour le, 396, Sarrasin pour le, 430, Saumon pour le, 434, Thé pour l'activité de l'insuline, 461

Diarrhée : Banane pour la, 100, Canneberges pour la, 134, Cardamome pour la, 141, Chocolat pour la, 167, Feuilles de maïs pour la, 294, Gingembre pour la, 242, Goyave pour la, 161, Grenade pour la, 254, Menthe pour la, 302

Dietary Approaches to Stop Hypertension (DASH) : 263, 275

Digestion : Artichaut pour la, 70, Asperge pour la, 75, Baies de sureau pour la, 96, Cardamome pour la, 141, Caroube pour la, 150, Chocolat pour la, 167, Coriandre pour la, 199-200, Cumin pour la, 203, Curcuma pour la, 207, Fenouil pour la, 221, Figues pour la, 225, Fruit de la passion pour la, 238, Grenade pour la, 254, Laitue romaine pour la, 280, Mangue pour la, 298, Menthe pour la, 302, Miel pour la, 307, Orge pour la, 345, Poire pour la, 383, Seigle pour la, 438, Thé pour la, 459, Yogourt pour la santé des intestins, 470

Dissolvant d'autocollants et d'encre : Beurre d'arachides pour le, 65

Diurétique : Asperge comme, 75, Baies de sureau comme, 96, Céleri comme, 258, Fenouil comme, 221, Groseilles noires comme, 258, Pastèque comme, 374, Persil comme, 370, Soie de maïs comme, 293

Dommage au cerveau : Curcuma pour le, 208

Douleurs musculaires : Origan pour les, 349, Sésame pour les, 442

Dyspepsie : Artichaut pour la, 70, Cardamome pour la, 141, Gingembre pour la, 242

Eczéma marginé : Pamplemousse pour, 357

Emphysème : Carotte pour l', 147

Empoisonnement alimentaire : Menthe pour l', 302, Raifort pour l', 409, Wasabi pour l', 409,

Énergie : Seigle pour l', 438, Thé pour l', 459

Enrouement : Basilic pour l', 105

Épeautre : 211-215, Acides aminés dans l', 212, Burgers d'épeautre, 214, Comme source de protéine, 212, Cuivre dans l', 212, Fer dans l', 212, Fibres dans l', 212, Manganèse dans l', 212, Pour l'athérosclérose, 213, Pour les calculs biliaires, 213, Santé cardiovascu-

laire, 213, Tryptophane dans l', 212, Vitamine B complexe dans l', 212
Épinard : 215-219, Acide folique dans l', 216, Bêta-carotène dans l', 216, Calcium dans l', 215, Caroténoïdes dans l', 216, Fer dans l', 215, Fibres dans l', 215, Glycolipides dans l', 216, Lutéine dans l', 216, 218, Magnésium dans l', 215, Manganèse dans l', 215, Pour combattre le cancer de l'utérus, 217, Pour combattre le cancer de la prostate, 217, Pour combattre le cancer du côlon, 217, Pour combattre le cancer du foie, 217, Pour combattre le cancer du sein, 217, Pour diminuer le risque de lymphome non hodgkinien, 218, Pour la dégénérescence maculaire, 216, Pour la dépression, 217, Pour la neuroprotection, 218, Pour la névrite, 216, Pour la vision, 216, Pour les cataractes, 218, Pour réduire le risque du cancer de la vésicule biliaire, 217, Salade aux poires et canneberges avec noisettes au cari, 320-321, Salade de pamplemousse grillé, 360, Sauté d'épinards, 219, Vitamine A dans l', 217, Vitamine K dans l', 218, Zéaxanthine dans l', 219
Eugénol : Dans les clous de girofle, 193
Fenouil : 220-223, Acide folique dans le, 221, Comme anti-inflammatoire, 221, Digestion, 221, Fenouil farci à l'ail, 223, Fibres dans le, 221, Phytochimiques dans le, 221, Potassium dans le, 221, Pour la colique, 221, Pour la lactation, 221, Pour la mauvaise haleine, 221, Pour les gaz et les crampes intestinales, 222, Prévention du cancer, 221-222, Santé du foie, 221, Vitamine C dans le, 221
Fer : Dans l'amarante, 56, Dans l'avoine, 87, Dans l'épeautre, 212, Dans l'épinard, 215, Dans l'orge, 344, Dans la bette, 109, Dans la cannelle, 137, Dans la caroube, 150, Dans la coriandre, 199, Dans le céleri, 154, Dans le chocolat, 167, Dans le chou frisé, 180, Dans le chou, 173, Dans le cumin, 203, Dans le curcuma, 207, Dans le fruit de la passion, 237, Dans le persil, 370, Dans le quinoa, 404, Dans le riz, brun, 418, Dans le saumon, 434, Dans le seigle, 439, Dans le sorgho, 446, Dans les amandes, 50, Dans les cerises, 158, Dans les figues, 225, Dans les groseilles, 258, Dans les prunes ou les pruneaux, 400, Soya pour le, 450
Fertilité : Amandes pour la, 49, Artichaut pour la, 69, Asperge pour la, 75, Baies de goji pour la, 92
Fibres alimentaires : Dans l'avoine, 87, Dans l'épeautre, 212, Dans l'épinard, 215, Dans l'orge, 344, Dans la cannelle, 137, Dans la caroube, 150, Dans la goyave, 246, Dans la laitue romaine, 280, Dans la papaye, 362, Dans le chou, 172, Dans le chou-fleur, 176, Dans le fenouil, 221, Dans le fruit de la passion, 237, Dans le kaki, 267, Dans le kiwi, 271, Dans le lin, 288, Dans le maïs, 293, Dans le millet, 311, Dans le riz, brun, 418, Dans le sarrasin, 430, Dans le seigle, 438, Dans le sorgho, 446, Dans le tef, 455, Dans le wasabi, 408, Dans les abricots, 34, Dans les amandes, 50, Dans les artichauts, 70, Dans les aubergines, 78, Dans les bananes, 100, Dans les canneberges, 132, Dans les carottes, 145, Dans les citrouilles, 190, Dans les clous de girofle, 193, Dans les figues, 225, Dans les fraises, 228, Dans les framboises, 234,

Dans les groseilles, 258, Dans les haricots, 261-263, Dans les mûres, 314, Dans les noisettes, 318, Dans les oignons, 331, Dans les pacanes, 353, Dans les patates douces, 366, Dans les pistaches, 378, Dans les poires, 382-384, Dans les pommes, 390-392, Dans les prunes ou les pruneaux, 400, Santé cardiovasculaire, 391, Soya pour, 449

Fièvre : Amarante pour la, 56, Baies de sureau pour la, 96, Cacao pour la, 167, Café pour la, 128, Fraise pour la, 229, Groseilles noires pour la, 258, Poire pour la, 383

Figues : 224-228, Antioxydants dans les, 225, 226, Calcium dans les, 225, Digestion, 225, Fer dans les, 225, Fibres dans les, 225, Magnésium dans les, 225, Polyphénols dans les, 225, Potassium dans les, 225, Poulet marocain aux figues, 227, Pour la perte de poids, 226, Pour le diabète, 226, Pour les affections cutanées 225, Pour prévenir le lymphome, 225, Santé cardiovasculaire, 226,

Flavonoïdes : Dans l'aubergine, 78, Dans l'huile d'olive, 336, Dans la coriandre, 199, Dans la goyave, 246, Dans le basilic, 105, Dans le chocolat, 167, Dans le miel, 414, Dans le pamplemousse, 357, Dans le persil, 370, Dans le sarrasin, 430, Dans le thé, 459, Dans les artichauts, 70, Dans les asperges, 74, Dans les baies de sureau, 96, Dans les canneberges, 132, Dans les citrons, 185, Dans les fraises, 228, Dans les mûres, 314, Dans les oignons, 331, Dans les oranges, 340, Dans les poivrons, 387, Dans les poires, 383, Dans les pommes, 391, Dans les raisins, 414

FOS (fructo-oligosaccharides) : Dans l'asperge, 75

Fraises : 228-232, Acide folique dans les, 228-229, Anthocyanines dans les, 228, Antioxydants dans les, 228, Fibres alimentaires dans les, 228, Flavonoïdes dans les, 228, Kampférol dans les, 228, Kebabs aux fruits variés, 273-274, Phytochimiques dans les, 229, Potassium dans les, 228, Pour combattre la leucémie, 229, Pour combattre le cancer de l'œsophage, 229, Pour combattre le cancer de l'utérus, 229, Pour combattre le cancer du côlon, 230, Pour combattre le cancer du sein, 230, Pour l'antiadhésion du sang, 231, Pour la fièvre, 230, Pour le diabète, 230, Prévention du cancer, 230, Quercétine dans les, 228, Santé cardiovasculaire, 230-231, Santé du cerveau, 230, Sauce au gingembre et aux fraises, 244, Shortcake aux fraises, 231-232, Vitamine C dans les, 228

Framboises : 233-237, Antioxydants dans les, 234, Fibres dans les, 234, Nausée, 234, Phosphore, 234, Pour la nausée, 234, Pour la perte de poids, 235, Pour le diabète, 235, Pour les problèmes de sinus, 234, Prévention du cancer, 234-235, Santé du foie, 235, Sélénium dans le, 234, Tarte melba aux framboises et aux pêches, 236, Vitamine C dans le, 234

Fruit de la passion : 237-241, Calcium dans le, 237, Caroténoïdes dans le, 238, Digestion, 239, Fer dans le, 238, Fibres alimentaires dans le, 237-239, Lycopène, 239, Phytochimiques dans le, 239, Polyphénols dans le, 239, Potassium dans le, 237, Pour abaisser le cholestérol, 238, Pour abaisser les triglycérides, 238, Pour l'asthme, 238, Pour l'hypertension, 238, Pour les symptômes de la ménopause, 239, Pour les troubles du sommeil et l'insomnie, 239, Prévention du cancer, 239, Santé cardiovascu-

laire, 239, Sorbet aux fruits de la passion, 240, Vitamine A dans le, 237, Vitamine C dans le, 237
Furoncles et abcès : Lin pour les, 288, Oignon pour les, 331, Papaye pour les, 362

Gastrite : Cardamome pour la, 141,
Gâteaux : Petits gâteaux d'anniversaire au lait de soya de Giselle, 170-171, Gâteau aux noix et au caroube, 152, Shortcake aux fraises, 231-232
Gaz et crampes intestinales : Fenouil pour les, 222, Gingembre pour les, 242, Lin pour les, 288, Menthe pour les, 302, Pomme pour les, 391
Gueule de bois : Amandes pour la, 50, Céleri pour la, 154, Œufs pour la, 328
Gingembre : 241-245, Antioxydants dans les, 241, Cocktail de papaye au gingembre, 364, Dans les antioxydants, 242, Pour l'arthrite, 242, Pour l'arthrite rhumatoïde, 242, Pour l'arthrose, 242, Pour la colique, 242, Pour la diarrhée, 242, Pour la dyspepsie, 242, Pour la migraine, 242, Pour la nausée, 242, Pour la nausée en général et due à la chimiothérapie, 242, Pour la perte de l'appétit, 242, Pour la toux, 242, Pour le cancer des ovaires, 242, Pour le soulagement de la douleur, 242, Pour les brûlures, 242, Pour les gaz et les crampes intestinales, 242, Pour les problèmes d'estomac, 242, Pour les rhumes et les maladies des voies respiratoires supérieures, 242, Prévention du cancer du côlon, 244, Prévention du cancer, 242, Propriétés anticoagulantes, 243, Sauce au gingembre et aux fraises, 244
Gingivite et maladie des gencives : Aubergine pour la, 78, Avocat pour la, 82, Basilic pour la, 105, Canneberges pour la, 134, Cardamome pour la, 141, Goyave pour la, 246, Mûres pour la, 315, Pamplemousse pour la, 358
Glucosinolate de sulforaphane : Dans le chou, 172, Dans le chou-fleur, 178, Dans les germes de brocoli, 122-123
Gomme dans les cheveux : Beurre d'arachide pour la, 65,
Goyave : 245-248, Caroténoïdes dans la, 246, Comme antibactérien, 246, 247, Empanadas à la goyave et au fromage, 248, Fibres dans les, 246, Flavonoïdes dans les, 246, Phosphore dans la, 246, Phytochimiques dans la, 246, Potassium dans la, 246, Pour abaisser le cholestérol, 247, Pour l'hypertension, 247, Pour la diarrhée, 246, Pour la gingivite et la maladie des gencives, 246, Pour la mauvaise haleine, 247, Pour le cycle menstruel, 247, Pour le diabète, 247, Pour le saignement des gencives, 246, Pour le soulagement de la douleur, 247, Propriétés antifongiques, 247, Propriétés antimicrobiales, 246, Quercétine dans la, 246, Santé cardiovasculaire, 247, Vitamine A dans la, 246, Vitamine C dans la, 246
Grains entiers. Voir *Grains spécifiques.*
Graines de tournesol : 249-252, Acide folique dans les, 250, Cuivre dans les, 250, Mini-scones aux graines de tournesol, 252, Phytostérols dans les, 250, Pour combattre le cancer de la prostate, 251, Prévention du cancer, 251, Sélénium dans les, 250, Vitamine E dans les, 250
Graisse alimentaire : Acide oléique, 251, Gras oméga-3, 288, 190, 434, 427, 323, Gras oméga-9, 38, Monoinsaturée, 82, 84, 336, 378
Grenade : 253-257, Aliments antimicrobiens, 254, Anthocyanines

dans la, 254, Antioxydants dans la, 254, Digestion, 254, Polyphénols dans la, 254, Pour l'hypertension, 255, Pour prévenir l'AVC, 255, Pour prévenir le cancer de la prostate, 254-255, Prévention du cancer, 256, Santé cardiovasculaire, 254, Santé des os, 254, Sauce à la grenade et aux canneberges pour le poulet ou la dinde, 256, Vitamine C dans la, 254

Grippe : Canneberges pour la, 96

Groseilles : 257-261, Anthocyanines dans les, 258, Antioxydants dans les, 258, Calcium dans les, 258, Comme anti-inflammatoire, 258, Comme diurétique, 258, Fer dans les, 258, Fibres dans les, 258, Phytochimiques dans les, 258, Potassium dans les, 258, Pour l'arthrite, 258, Pour l'hypertension, 258, Pour la fièvre, 258, Pour la régularité des intestins, 258, Pour le mal de gorge, 258, Pour le rhume, 258, Pour le scorbut, 258, Pour le soulagement de la douleur, 258, Pour les traitements de beauté, 258, Prévention du cancer, 258, Sauce aux groseilles rouges pour les grillades, 260, Vitamine A dans les, 258, Vitamine C dans les, 258

Guérison des blessures : Broméline pour la, 60, Miel pour la, 308, Oignon pour la, 331, Papaye pour la, 362

Haricots : 261-266, Acide folique dans les, 261, Anthocyanines dans les, 262-263, Fibres dans les, 262-263, Gaz et les, 264, Magnésium dans les, 262, Manganèse dans les, 262, Molybdène dans les, 262, Tartinade au romarin, à l'ail, aux artichauts et haricots, 425, Pâtes aux haricots, 265, Potassium dans les, 261, Pour l'hypertension, 263, Pour la constipation, 263, Pour la longévité, 263, Pour la régularité des intestins, 261, Pour le cholestérol, 261-263, Pour le diabète, 264, Prévention du cancer du sein, 263, Prévention du cancer, 261, Protéine dans les, 262, Santé cardiovasculaire, 263, Soupe aux haricots noirs à la lime et au cumin, 286, Vitamine B1 (thiamine) dans les, 262

Hoquet : Cumin pour le, 203

Hyperplasie prostatite bénigne : Açai pour l', 38, Citrouille pour l', 190, Sésame pour l', 441

Hypertension : Avoine pour l', 87-88, Cannelle pour l', 137, Céleri pour l', 154, Citrouille pour l', 190, Fruit de la passion pour l', 238, Goyave pour l', 247, Grenade pour l', 255, Groseilles pour l', 258, Haricots pour l', 263, Kaki pour l', 48, Lactosérum pour l', 275, Mangue pour l', 298, Noisettes pour l', 319, Olive (huile d'olive) pour l', 338, Pomme de terre pour l', 396, Sésame pour l', 442, Thé pour l', 459

Infection aux levures : Clous de girofle pour la, 194, Yogourt pour la, 469

Infection au rein : Orge pour l', 345

Infection de la vésicule biliaire : Orge pour l', 345

Infections des voies urinaires : Baies de sureau pour les, 96, Bleuets pour les, 118, Canneberges pour les, 132

Inuline : Dans l'agave, 42, Dans l'asperge, 75

Iode : Dans le persil, 370

Kaki : 266-269, Antioxydants dans le, 267-268, Fibres dans le, 267-268, Muffins au kaki, 269-270, Phytochimiques dans le, 267-268, Pour abaisser le cholestérol, 267-268, Pour l'antiadhésion du sang, 267-268, Pour l'hypertension, 267-268, Pour les affections cutanées 268, Pour prévenir la leucémie, 268,

Prévention du cancer, 268, Vitamine A dans le, 268, Vitamine C dans le, 268,
Kampférol : Dans la coriandre, 199, Dans les amandes, 50, Dans les fraises, 228, Dans la lime, 283
Kiwi : 270-274, Anthocyanines dans le, 271, Fibres dans les, 271, Kebabs aux fruits variés, 273, Lutéine dans le, 271, Potassium dans le, 271, Pour abaisser le cholestérol, 271, Pour combattre le cancer de la bouche, 271, Pour l'antiadhésion du sang, 272, Pour la dégénérescence maculaire, 272, Pour les cataractes, 272, Prévention du cancer, 272, Santé cardiovasculaire, 272, Vitamine C dans le, 271, Vitamine E dans le, 271, Zéaxanthine dans le, 271

Lactation : Cumin pour la, 203, Fenouil pour la, 221, Sardines pour la, 427
Lactosérum : 274-278, Acides aminés dans le, 274, 275, Allergie aux produits laitiers et le, 274, Comme source de protéine, 274, 275, Smoothie au lactosérum de mes filles, 278, Phytochimiques dans le, 274, 275, Pour l'hypertension, 275, Pour la fonction cognitive, 275, Pour la perte de poids, 275, Prévention du cancer, 275, Renforcement du système immunitaire, 276-277, Santé des os, 275, Virus de l'immunodéficience humaine (VIH), 276
Laitue romaine : 279-283, Acide folique dans la, 281, Acide salicylique dans la, 281, Antioxydants dans la, 281, Caroténoïdes dans la, 281, Comme anti-inflammatoire, 281, Digestion, 281, Fibre alimentaire dans le, 281, Lactucaxanthine dans la, 281, Lutéine dans la, 281, Phosphore dans la, 281, Potassium dans la, 281, Pour la dégénérescence maculaire, 281, Pour la perte de poids, 281, Pour la vision, 281, Pour le virus Epstein-Barr, 281, Pour les troubles du sommeil et l'insomnie, 281, Salade à la pastèque grillée, 376, Santé cardiovasculaire, 280, Sauté à la romaine et au sésame, 282, Vitamine A dans la, 280, Vitamine C dans la, 280, Zéaxanthine dans la, 280
Leucémie : Canneberges pour combattre la, 132, Fraises pour combattre la, 229, Kaki pour prévenir la, 267, Raisins pour la, 415, Romarin pour prévenir la, 423
Lignane : Dans le lin, 288, Dans le riz, brun, 418, Dans le sarrasin, 430, Dans le seigle, 438, Dans le sésame, 441, Dans la poire, 383
Limes : 283-287, Antioxydants dans les, 283-284, Comme antibactérien, 285, Phytochimiques dans les, 283, Pour le scorbut, 284, Pour le système immunitaire, 284, Prévention de l'AVC, 285, Prévention du cancer, 285, Sauce à la lime et à la coriandre, 201, Soupe aux haricots noirs à la lime et au cumin, 286
Lin : 287-291, Fibres dans le, 288, Gras oméga-3, 288, Lignanes dans le, 288, Muesli à la cannelle et aux noix, 291, Pour la constipation, 288, Pour la toux, 288, Pour le diabète, 288, Pour les furoncles et les abcès, 288, Pour les gaz et les crampes intestinales, 288, Pour prévenir le cancer de la prostate, 288, Pour prévenir le cancer du côlon, 288, Pour prévenir le cancer du sein, 288, Pour THDA (trouble d'hyperactivité avec déficit de l'attention), 289-290, Santé cardiovasculaire, 288
Longévité : Baies de goji pour la, 92, Blé pour la, 113, Haricots pour la, 263, Patate douce pour la, 366, Tef pour la, 455

Lutéine : Dans l'épinard, 216, Dans l'origan, 348, Dans la laitue romaine, 280, Dans la papaye, 362, Dans le kiwi, 271, Dans le millet, 311, Dans la citrouille, 190, Dans les pistaches, 378,

Lycopène : Dans l'abricot, 34, Dans la pastèque, 374, Dans le fruit de la passion, 238, Dans la patate douce, 366, Dans la tomate, 463-465

Lymphome : Figues pour prévenir le, 225

Lymphome non hodgkinien : Épinard pour diminuer le risque du, 218

Magnésium : Dans l'amarante, 56, Dans l'aubergine, 78, Dans l'avocat, 82, Dans l'avoine, 87, Dans l'épinard, 215, Dans l'orge, 344, Dans la bette, 109, Dans la caroube, 150, Dans la coriandre, 199, Dans le céleri, 154, Dans le chocolat, 167, Dans le millet, 311, Dans le quinoa, 404, Dans le raifort, 408, Dans le sarrasin, 430, Dans le saumon, 434, Dans le seigle, 438, Dans le wasabi, 408, Dans les amandes, 50, Dans les artichauts, 70, Dans les clous de girofle, 193, Dans les figues, 225, Dans les graines de tournesol, 250, Dans les haricots, 261, Dans les noisettes, 319, Dans les noix, 323, Dans les pacanes, 353, Dans les pistaches, 378, Soya pour le, 450

Maïs : 292-296, Acide folique dans le, 293, 294, Aice pantothénique (vitamine B5) dans le, 293, Chaudrée de maïs, 295, Épis pour la coagulation sanguine, 294, Feuilles pour la diarrhée, 294, Fibres dans le, 293, Phytochimiques dans le, 293, Pour le cancer du colon, 294, Pour le diabète, 294, Pour les affections cutanées, 293, Pour les calculs biliaires, 293, 294, Prévention du cancer du poumon, 294, Santé cardiovasculaire, 294, Soie du maïs comme diurétique, 293, Vitamine B1 dans le, 293, Vitamine C dans le, 293

Mal de gorge : Aubergine pour le, 78, Baies de sureau pour le, 96, Bleuets pour le, 315, Cardamome pour le, 141, Groseilles noires pour le, 258, Menthe pour le, 302, Miel pour le, 307

Mal de tête : Bleuets pour le, 118, Brocoli pour le, 123, Cerise pour le, 159, Clous de girofle pour le, 195, Raifort pour le, 409, Romarin pour le, 423

Mal d'oreille : Basilic pour le, 105, Olives (huile d'olive) pour le, 336

Maladie d'Alzheimer : Amandes pour réduire les effets de la, 51, Bleuets pour réduire les effets de la, 118, Curcuma pour la, 208, Noisettes pour la, 318, Riz brun pour la, 418

Maladie cardiovasculaire. Voir *Santé cardiovasculaire.*

Maladie coeliaque : Sorgho pour la, 446

Maladie de Parkinson : Café pour la, 128

Maladie parodontale. Voir *Gingivite et maladie des gencives.*

Manganèse : Dans l'ananas, 59, Dans l'avoine, 87, Dans l'épeautre, 212, Dans l'épinard, 215, Dans la bette, 109, Dans la cannelle, 137, Dans la coriandre, 199, Dans le chocolat, 167, Dans le curcuma, 207, Dans le millet, 311, Dans la patate douce, 366, Dans le quinoa, 404, Dans le sarrasin, 430, Dans les carottes, 145, Dans les clous de girofle, 193, Dans les haricots, 261,

Mangues : 296-301, Antioxydants dans les, 298, Bêta-carotène dans les, 298, Caroténoïdes dans les, 298, Digestion, 298, Glace aux abricots, canneberges et mangues, 36, Smoothie au lactosérum de mes filles, 278, Potassium dans les, 298, Pour abaisser le cholestérol, 298, Pour l'asthme, 298, Pour l'hypertension, 298, Pour l'hypertension, 298, Pour la santé du système immunitaire, 298, Prévention de l'AVC, 298, Prévention du cancer, 298, Quinoa caribéen, 406, Salade de mangue râpée, 300, Santé cardiovasculaire, 298, Vitaimne C dans les, 298, Vitamine A dans les, 298, Vitamine K dans les, 298

Mauvaise haleine : Cannelle pour la, 137, Fenouil pour la, 221, Goyave pour la, 247, Persil pour la, 370

Maux de dents : Amarante pour les, 56, Blé pour les, 113, Clous de girofle pour les, 194, Menthe pour les, 302, Orange pour les, 340, Origan pour les, 349

Mélanome : Sésame pour le, 442, Wasabi pour le, 409

Mélatonine : Dans les cerises, 159

Menthe : 301-305, Acide folique dans la, 301, Athérosclérose, 302, Antioxydants dans la, 301, Calcium dans la, 301, Comme antibactérien, 302, Digestion, 303, Nouilles japonaises épicées à la menthe, 305, Phosphore dans la, 301, Potassium dans la, 301, Pour l'oxyure, 302, Pour la diarrhée, 302, Pour la nausée, 302, Pour le cancer colorectal, 302, Pour le cancer du poumon, 302, Pour le mal de gorge, 303, Pour le syndrome du côlon irritable, 303, Pour les gaz et les crampes intestinales, 303, Pour les maux de tête, 303, Pour les rhumes et les maladies des voies respiratoires supérieures, 302-304, Pour régulariser le cholestérol, 302, Pour l'empoisonnement alimentaire, 302, Prévention du cancer, 303, Santé cardiovasculaire, 303, Vitamine A dans la, 301

Mets : Filet de porc avec chutney d'ananas grillé, sur lit de mesclun, 62, Bœuf aux champignons et aux graines de sésame, 444, Burgers d'épeautre, 214, Champignons farcis et crevettes tigrées, 165, Crevettes marinées à la tequila et aux clous de girofle, 196, Pâte à pizza ou petits pains de seigle, 296, Pizza aux petits fruits et aux amandes, 54, Poisson grillé avec patates douces au cumin, 205, Poulet marocain aux figues, 227, Quiche aux saucisses végétariennes avec légumes du printemps, 453, Riz super énergisant, 421, Saumon grillé avec salsa aux canneberges et aux cerises, 436, Sole panée aux pistaches, 381, Tofu frit dans une sauce au curry, 142-143

Miel : 306-310, Acides aminés dans le, 307, Acides phénoliques dans le, 307, Antioxydants dans le, 307, Comme antibactérien, 307-308, Digestion, 307, Flavonoïdes dans le, 307, Muesli au miel pour les pompiers, 310, Oligo-éléments dans le, 307, Petits biscuits au thé, au miel et à l'abricot, 462, Pour abaisser les triglycérides, 307, Pour la colite, 308, Pour la guérison des blessures, 308, Pour le cancer de la vésicule biliaire, 308, Pour le mal de gorge, 307, Pour les brûlures, 307, Pour les ulcères/douleurs de la bouche, 308, Prévention du cancer, 308, Propriétés antimicrobiennes, 307, Vinaigrette balsamique au miel, 339

Migraine : Champignons pour le, 163, Gingembre pour le, 242

Millet : 311-314, Caroténoïdes dans le, 311, Cuivre dans le, 311, Dessert crémeux au millet, avec du sucre à la cannelle, 313, Fibres alimentaires dans le, 311, Lutéine dans le, 311, Magnésium dans le, 311,

Manganèse dans le, 311, Phosphore dans le, 311, Pour augmenter le cholestérol HDL, 312, Pour la perte de poids, 312, Pour le diabète, 312, Protéine, 311, Santé cardiovasculaire dans le, 312, Vitamine B1 (thiamine) dans le, 311, Vitamine B3 (niacine) dans le, 311, Zéaxanthine dans le, 311, Zinc dans le, 311
Molybdème : Dans les haricots, 261
Morsures d'insecte : Banane pour les, 100
Muffins : Muffins au sorgho, à la marmelade d'orange et aux canneberges, 448, Muffins au kaki, 269
Mûre : 314-317, Antioxydants dans les, 314-316, Croquant simple aux mûres, 317, Fibres dans les, 314, Flavonoïdes dans les, 314, Phytochimiques dans les, 314, Pour le mal de gorge, 315, Pour le saignement des gencives, 315, Pour les allergies, 315, Prévention du cancer de l'œsophage, 315, Prévention du cancer du côlon, 316, Prévention du cancer du foie, 316, Prévention du cancer du poumon, 316, Quercétine dans les 316, Santé cardiovasculaire, 316, Vitamine C dans les, 314

Nausée : Citrouille pour la, 190, Gingembre pour la, 242
Nausée en général et due à la chimiothérapie : Citrouille pour la, 190, Fraise pour la, 234, Gingembre pour la, 242, Menthe pour la, 302
Neuroblastomes (tumeurs) : Citron pour combattre les, 186
Névrite : Épinard pour la, 218
Noisettes : 318-322, Acide folique dans les, 318, Acides aminés dans les, 318, Antioxydants dans les, 318, Calcium dans les, 319, Comme source de protéine, 318, Fibres dans les, 318, Magnésium dans les, 319, Maladie d'Alzheimer, 318, Potassium dans les, 319, Pour abaisser le cholestérol, 319, Pour l'hypertension, 319, Pour la cellulite, 319, Pour la dépression, 318-319, Pour la restauration des cheveux, 319, Pour la santé du système immunitaire, 318, Pour la toux, 319, Pour les rhumes et les maladies des voies respiratoires supérieures, 319, Prévention du cancer, 318, 319, Salade aux poires et canneberges avec noisettes au cari, 320-321, Santé cardio vasculaire, 318, Squalène dans la, 319, Vitamine E dans les, 318
Noix : 322-326, Acide folique dans les, 323, Comme aliment du cerveau, 323, Cuivre dans les, 323, Gaspacho aux noix et au concombre, 325, Gâteau aux noix et au caroube, 152, Gras oméga-3 dans les, 323, Magnésium dans les, 323, Muesli à la cannelle et aux noix, 291, Phosphore dans les, 323, Polyphénols dans les, 323, Pour abaisser le cholestérol, 323-324, Pour combattre le cancer de la prostate, 324, Pour combattre le cancer du poumon, 324, Pour le diabète, 324, Pour les troubles du sommeil et l'insomnie, 324, Prévention du cancer, 324, Santé cardiovasculaire, 323-324, Vitamine B complexe dans les, 323, Vitamine E dans les, 323

Obésité : Voir *Perte de poids*
Œdème (enflure) : Artichaut pour, 70, Asperge pour, 75, Bromeline pour, 60
Œufs : 326-330, Acides aminés dans les, 327, Choline dans les, 327, Contenu protéinique, 327, Frittata au brocoli préférée de la famille, 125, Omelette fromagée aux asperges et aux champignons, 329, Œufs verts et jambon, 372, Phytochimiques dans les, 327, Pour la colique, 328, Pour la perte de poids, 328, Pour les cataractes

et la dégénérescence maculaire, 327-328, Pour les gueules de bois, 328, Sélénium dans les, 327, Tryptophane dans les, 327, Vitamine B12 dans les, 327, Vitamine B2 dans les, 327, Vitamine D dans les, 327, Zéaxantine dans les, 327-328

Oignons : 330-335, Acide folique dans les, 331, Anthocyanines dans les oignons des Bermudes, 172, Chaudrée de maïs, 131, Fibres alimentaires dans les, 331, Flavonoïdes dans les, 331, Phytochimiques dans les, 331, Pour abaisser le cholestérol, 332, Pour l'antiadhésion du sang, 332, Pour l'athérosclérose, 332, Pour la guérison des blessures, 331, Pour la santé des os, 332, Pour les ampoules, 331, Pour les furoncles, 331, Pour prévenir le cancer de la prostate, 332, Pour prévenir le cancer du côlon, 332, Pour prévenir le cancer du foie, 332, Prévention de l'AVC, 332, Prévention du cancer, 332, Quercétine dans les, 331, Salade italienne à l'oignon, aux tomates et basilic, 334, Santé cardiovasculaire, 333, Tacos garnis de bette, oignon caramélisé, fromage et chili, 110-111, Vitamine A dans les, 331, Vitamine C dans les, 331,

Olives (huile d'olive) : 335-339, Aliments anti-inflammatoires, 336, Flavonoïdes dans les, 336, Polyphénols dans les, 337, Pour abaisser le cholestérol, 337, Pour l'hypertension, 338, Pour le cancer du côlon, 336, Pour les maux d'oreille, 336, Prévention du cancer, 337, Santé cardiovasculaire, 337, Squalène dans les, 319, Vinaigrette balsamique au miel, 339

Oranges : 339-343, Acide folique pour les, 341, Compote à l'orange et aux poires séchées, 343, Flavonoïdes dans les, 341, Muffins au sorgho, à la marmelade d'orange et aux canneberges, 448, Potassium dans les, 341, Pour l'acné, 341, Pour l'anorexie, 341, Pour l'anxiété, 342, Pour la constipation, 341, Pour la perte de poids, 341, Pour les calculs rénaux, 342, Pour les cataractes, 341, Pour les maux de dents, 341, Pour les rhumes et les maladies des voies respiratoires supérieures, 341, Pour réduire l'appétit, 341, Prévention de l'AVC, 341, Santé cardiovasculaire, 341, Vitamine C dans les, 341

Orge : 344-348, Acides phénoliques dans l', 346, Antioxydants dans l', 346, Bêta-glucane dans l', 345, Chrome dans l', 346, Constipation, 346, Cuivre dans l', 346, Digestion, 346, Fer dans l', 344, Fibres dans l', 344, Phosphore dans l', 346, Pour l'infection de la vésicule biliaire, 346, Pour la fonction immunitaire, 106, Pour le coup de soleil, 346, Pour le diabète, 346, Pour les ulcères (bactérie H. pylori), 346, Prévention du cancer du côlon, 346, Prévention du cancer, 346, Querctine dans l', 346, Salade d'orge avec pâtes orzo, 347, Santé cardiovasculaire, 346, Sélénium dans l', 346, Tocols et tocotriénols dans l', 346, Vitamine B complexe dans l', 344, Zinc dans l', 345

Origan : 348-351, Antioxydants dans les, 349, 350, Bétacarotène dans l', 348, Caroténoïdes dans l', 348, Comme antibactérien, 350, Lutéine dans l', 348, Crostinis à l'ail grillés à la mozarella, aux tomates et à l'origan, 351, Pour l'asthme, 349, Pour la restauration des cheveux, 349, Pour la toux, 349, Pour le soulagement de la douleur, 350, Pour les douleurs

musculaires, 350, Pour les maux de dents, 350, Pour les ulcères (bactérie H. Pilori), 350, Prévention du cancer, 350, Propriétés antifongiques, 350, Propriétés antiparasitiques, 350, Utilisées avec les canneberges, 350, Zéaxanthine dans l', 348
Ostéoporose : Thé pour l', 461
Oxyure : Menthe pour l', 302

Pacanes : 352-356, Antioxydants dans les, 353, Fibres alimentaires dans les, 354, Magnésium dans les, 354, Muffins au kaki, 269, Parfait aux cerises noires, biscuits au gingembre et pacanes, 355, Pour abaisser le cholestérol, 353, Pour abaisser les triglycérides, 353, Protéine, 354, Santé cardiovasculaire, 354, Vitamine B1 (thiamine) dans les, 354, Vitamine E dans les, 354
Pain : Mini-scones aux graines de tournesol, 252, Pain aux bananes et au sarrasin, 32, Pain aux bananes et aux bleuets, 102-103, Pain injera éthiopien, 457, Pâte à pizza ou petits pains de seigle, 440-441
Pamplemousse : 356-360, Antioxydants dans le, 357, Calcium dans le, 357, Caroténoïdes dans le, 357, Flavonoïdes dans le, 357, 358, Phytochimiques dans le, 357, Potassium dans le, 357, Pour abaisser le cholestérol, 358, Pour l'eczéma marginé, 357, Pour l'infection, 357, Pour la maladie parodontaire, 358, Pour la perte de poids, 358, Pour la résistance à l'insuline, 358, Pour le cancer de la prostate, 358, Pour le cancer du côlon, 358, Pour le pied d'athlète, 357, Pour les allergies, 357, Pour les pellicules, 357, Pour les ulcères, 357, Prévention du cancer, 357, 358, Propriétés anti-âge, 357, Propriétés antifongiques, 357, Salade de pamplemousse grillé, 360, Vitamine A dans le, 354, Vitamine C dans le, 354
Papaye : 361-364, Acide folique dans la, 362, Arthrite, 362, Caroténoïdes dans la, 362, Cocktail de papaye au gingembre, 364, Fibres alimentaires dans la, 362, Lutéine dans la, 362, Papaïne dans la, 363, Phytochimiques dans la, 362, Potassium dans la, 363, Pour la dégénérescence maculaire, 363, Pour la guérison des blessures, 363, Pour le virus du papillome humain, 363, Pour les brûlures, 363, Pour les furoncles, 363, Pour les verrues, 363, Propriétés antiparasitiques, 363, Vitamine A dans la, 363, Vitamine C dans la, 363, Zéaxanthine dans la, 363
Pastèque : 373-377, Acides aminés dans la, 374, Bêta-carotène dans la, 374, Comme diurétique, 374, Lycopène dans la, 375, Pour la démangeaison, 375, Pour réduire le risque de cancer colorectal, 375, Pour réduire le risque de cancer de la prostate, 375, Salade à la pastèque grillée, 376
Patates douces : 365-369, Anthocyanines dans les, 366, Antioxydants dans les, 366, Bêta-carotène dans les, 366, Croustilles aux patates douces, 368-369, Fibres alimentaires dans les, 366, Manganèse dans les, 366, Poisson grillé avec patates douces au cumin, 205, Potassium dans les, 366, Pour l'amélioration de la mémoire, 366, Pour le diabète, 366, Pour prévenir le cancer colorectal, 367, Pour prévenir le cancer de la vésicule biliaire, 368, Pour réduire le risque de cancer du rein, 368, Pour réduire le risque de cancer du sein, 366, Prévention du cancer, 366, Vitamine A dans les, 366, Vitamine B6 dans les, 366

Pâtes : Nouilles asiatiques au wasabi, 412, Nouilles japonaises épicées à la menthe, 305, Pâtes aux haricots, 265, Penne rigate avec brocoli et curcuma, 210, Salade d'orge avec pâtes orzo, 347, Sauce marinara de Noni, 466, Spaghetti fromagé dElisa aux aubergines et aux tomates, 80
Pellicules : Avocat pour les, 82, Basilic pour les, 105, Chou-fleur pour les, 178, Pamplemousse pour les, 357
Performance sexuelle : Açai pour la, 38, Artichauts pour la, 70, Asperges pour la, 74-75, Céleri pour la, 154, Clous de girofle contre l'éjaculation précoce, 194, Coriandre pour la, 199, Cumin pour la, 203, Raifort pour la, 409
Persil : 369-373, Comme diurétique, 370, Comme prévention du cancer, 370, Fer dans le, 370, Flavonoïdes dans le, 370, Iode dans le, 370, Œufs verts et jambon, 372-373, Phytoestrogènes dans le, 370,Pour la mauvaise haleine, 370, Pour le diabète, 370, Vitamine C dans le, 370
Perte de poids : Amandes pour la, 50, Avoine pour la, 89, Blé pour la, 114, Arachides pour la, 66, Caroube pour la, 150, Figues pour la, 226, Fraise pour la, 229, Framboises pour la, 235, Haricots pour la, 263, Lactosérum pour la, 275, Laitue romaine pour la, 280, Millet pour la, 312, Œufs pour la, 328, Orange pour la, 340, Pamplemousse pour la, 358, Poire pour la, 383, Pomme pour la, 391, Quinoa pour la,66, Raisin pour la, 415, Sarrasin pour la, 430, Thé pour la, 459
Petit-déjeuner : Crêpes d'avoine aux grains entiers d'Ina, 90, Crêpes d'amarante aux petits fruits, 58, Flan du petit-déjeuner, 258, Frittata au brocoli préférée de la famille, 125, Smoothie au lactosérum de mes filles, 278, Mini-scones aux graines de tournesol, 252, Muesli à la cannelle et aux noix, 291, Muesli au miel pour les pompiers, 310, Omelette fromagée aux asperges et aux champignons, 329, Pain doré aux bananes et à la cannelle, 139, Parfait au yogourt et granolas avec petits fruits, 471, Sardines pour le petit-déjeuner, 428
Petits fruits : Crêpes d'amarante aux petits fruits, 58, Pain aux bananes et aux bleuets, 102-103, Parfait au yogourt et granolas avec petits fruits, 471, Pizza aux petits fruits et aux amandes, 54, Simple sauce aux petits fruits de Sharon, 44, Voir aussi *Mûres*; *Bleuets*; *Canneberges*; *Baies de sureau*; *Baies de goji*; *Fraises, Framboises*
Phosphore : Dans l'orge, 345, Dans la goyave, 246, Dans la laitue romaine, 280, Dans la menthe, 301, Dans le céleri, 154, Dans le millet, 311, Dans le raifort, 408, Dans le riz, brun, 234, Dans le saumon, 434, Dans le seigle, 438, Dans le sorgho, 446, Dans les framboises, 234, Dans les noix, 323, Dans les pistaches, 378
Phytochimiques : Acide caféique, 78, Acide caffeoylquinique, 400, Acide carnosique, 423, Acide D-glucarique, 116, 258, 228, 229, Acide maizénique, 293, Acide malique, 293, Acide oléique, 353, Acide oxalique, 293, Acide palmitique, 293, Acide P-coumarique, 65, 267, Acide phytique, 430, Acide tartrique, 293, Acide ursolique, 400, Acideoléique, 336, Acides chlorogéniques, 391, 34, 127, 78, Acides phénoliques, 345, 105, 116, 430, 158, 199, 294, 132, 258, 307, 301, 302, 446, 228, 113,

Acides phénolyques, 391, Alcaloïdes, 293, Alcool périllyque, 154, 158, Allicine, 45-46, Amygdaline, 158, Anéthol, 221-222, Anthoxyanines, 38, 74, 262-263, 116, 172, 158, 255, 396, 228, 366, Apigénine, 199, Asparagine, 75, Bêta-cryptoxanthine, 293, Bêta-cryptoxantine, 82, 158, 65, 353, Biotine, 176, Bornéol, 199, Camphre, 199, Capsaïcinoïdes, 387, Caroténoïdes, 34, 82, 190, 216, 238, 246, 280, 294, 362, 391, 396, Carvone, 199, Catéchines, 383, 228, 459, Cholécystokinine, 50, Choline, 327, Coumarines, 154, 45, Cryptoaxanthine, 294, 362, Cumaldéhyde, 203, Curcumine, 207, Cyanidine, 314, Cynarine, 70, Désoxy-3-anthocyanines, 446, Ellagitanins, 323, Entérolactone, 418, Épicatéchine, 267, Ergothionéine, 163, Falcarinol, 145, Flavanone, 340, Flavonoïdes, 70, 74, 105, 132, 167, 185, 199, 228, 246, 307, 314, 331, 336, 340, 357, 370, 383, 387, 391, 430, Gallique, 267, Géraniol, 34, 199, Glucosinolates, 172, 408, Glutathion, 274, Glyco-alkaloïdes, 78, Glycolipides, 216, Huiles essentielles, 246, Indoles et isothiocynates, 122-123, Isoflavones, 450, Isothiocyanates, 408-409, Kampférol, 50, 199, 283-284, Lactucaxanthine, 280, Lectines, 246, Lignanes, 430, 288, 383, 418, 438, 441, Limonène, 199, Lutéine, 82, 181, 190, 216, 271, 280, 293, 327, 348, 378, Lycopène, 34, 238, 240, 366, 464-464, Maslinique, 336, Myristine, 370, Oleocanthal, 336, Passiflorine, 238, Phalides, 154, Phénols, 78, 226, 246, 186, Phlorizine, 391, Polycosanols, 446, Polyphénols, 150, 96, 225, 163, 336, 238, 65, 423, 459, 463-464, 323, Proanthocyanidines, 132-133, Protodioscine, 74, Pyrazines, 203, Quercétine, 34, 50, 158, 228, 246, 383, 391, Resvératrol, 414, 65, 378, Rhamnétine, 199, Sapogénines, 42, Saponines, 42, 293, 45, 246, 404, Sésamine, 302, Sésamoline, 442, Sitostérol, 293, Squalène, 56-57, 319, Stigmastérol, 293, Sulfures de dyallyle, 331, Sulphoraphane, 172, 178, Tanins, 314, 246, Terpénoïdes, 221-222, Tocols et tocotriénols, 345, 430, Triterpènes, 246, 404, Zéaxanthine, 92, 216, 271, 280, 311, 327, 348

Phytoestrogènes : Dans le persil, 370, Dans le riz, brun, 418

Phytostérols : Dans l'açai, 38, Dans le sésame, 441, Dans le sorghol, 446, Dans les citrouilles, 190, Dans les graines de tournesol, 250, Dans les pistaches, 378, Dans les tomates, 463

Pied d'athlète : Pamplemousse pour le, 357,

Pistaches : 377-381, Acides aminés dans les, 379, Cuivre dans les, 470, Dans la prévention du cancer, 379, Lutéine dans les, 379, Pesto au basilic et aux pistaches, 107, Phosphore dans les, 378, Phytostérols dans les, 378, Potassium dans les, 379, Pour la dégénérescence maculaire, 379, Pour la vision, 379, Pour stimuler le cholestérol HDL, 379, Protéine dans les, 380, Resvératrol dans les, 380, Sole panée aux pistaches, 381, Vitamine B1 (thiamine) dans les, 378, Vitamine B6 dans les, 378, Vitamine E dans les, 378

Poires : 382-385, Antioxydants dans les, 383, Comme astringent, 383, Compote à l'orange et aux poires séchées, 343, Digestion, 383, Fibres alimentaires dans les, 382, Flavonoïdes dans les, 383, Kebabs aux fruits variés, 273, Poire farcie cuite au four, 385, Potassium dans les, 382, Pour la fièvre, 383, Pour la perte de poids, 383, Quercétine dans les, 383, Salade aux poires et canneberges avec noisettes au cari, 320, Vitamine C dans les, 382

Poivron (rouges et verts) : 386-389, Béta-carotène dans les, 387, Comme anti-inflammatoire, 387, Flavonoïdes dans les, 387, Hummus au poivron rouge sur pita de blé entier au zahtar, 389, Pour l'arthrite, 388, Pour prévenir le cancer de la prostate, 388, Pour prévenir les cancers de la peau, 387, Vitamine B complexe dans les, 387, Vitamine C dans les, 387

Polyphénols : Dans l'huile d'olive, 336, Dans la caroube, 150, Dans la grenade, 254, Dans le fruit de la passion, 238, Dans le romarin, 423, Dans le thé, 459, Dans les baies de sureau, 96, Dans les arachides, 65, Dans les champignons, 163, Dans les figues, 225, Dans les noix, 323, Dans les tomates, 464

Pommes : 390-394, Antioxydants dans les, 391, Fibres dans les, 390, 391, Flavonoïdes dans les, 392, Kebabs aux fruits variés, 273, Phytochimiques dans les, 392, Pour la constipation, 392, Pour la perte de poids, 392, Pour le diabète, 393, Pour les brûlures d'estomac, 392, Pour les maux d'estomac, 392, Prévention du cancer, 392, Salade de fruits aux pommes et canneberges, 393, Santé cardiovasculaire, 391, Santé cérébrale, 392, 393, Vitamine C dans les, 390

Pommes de terre : 394-398, Anthocyanines dans les, 396, Antioxydants dans les, 396, Bébés citrouilles rôties avec pommes de terre rouges, 192, Caroténoïdes dans les, 396, Pommes de terre à la Vesuvio, 398, Potassium dans les, 395, 396, Pour l'hypertension, 396, Pour le diabète, 396, Pour les boutons, 397, Pour réduire le risque d'AVC, 397, Prévention du cancer, 397, Santé cardiovasculaire, 397, Soupe crémeuse au chou-fleur et, 179, Vitamine C dans les, 395

Potassium : Dans l'avocat, 82, Dans l'avoine, 87, Dans la bette, 109, Dans la goyave, 246, Dans la laitue romaine, 280, Dans la menthe, 301, Dans la papaye, 362, Dans le céleri, 154, Dans le chocolat, 167, Dans le chou frisé, 180, Dans le chou, 172, Dans le curcuma, 207, Dans le fenouil, 221, Dans le fruit de la passion, 237, Dans le kiwi, 271, Dans le pamplemousse, 357, Dans le quinoa, 404, Dans le raifort, 408, Dans le riz, brun, 418, Dans le saumon, 434, Dans le seigle, 438, Dans le sorgho, 446, Dans le wasabi, 408, Dans les abricots, 34, Dans les artichauts, 70, Dans les aubergines, 78, Dans les bananes, 100, Dans les carottes, 145, Dans les cerises, 158, Dans les champignons, 163, Dans les citrons, 185, Dans les citrouilles, 190, Dans les figues, 225, Dans les fraises, 228, Dans les groseilles, 258, Dans les haricots, 261, Dans les mangues, 298, Dans les noisettes, 319, Dans les oranges, 340, Dans les patates douces, 366, Dans les pistaches, 378, Dans les poires, 382, Dans les pommes de terre, 395, Dans les prunes ou les pruneaux, 400, Dans les tomates, 366

Prééclampsie : Ail pour réduire le risque de, 46

Prévention de l'AVC : Banane pour la, 100, Bleuets pour la, 118, Grenade pour la, 255, Lime pour la, 284, Mangues pour la, 298, Oignon pour la, 332, Orange pour la, 340, Pomme de terre pour la, 396,

Saumon pour la, 434, Sésame pour la, 442
Prévention du cancer : Abricot pour la, 35, Açai pour la, 38, Agave pour la , 42, Ail pour la, 45, Amandes pour la, 50, Amarante pour la, 56-57, Ananas pour la, 60, Asperge pour la, 74, Avocat pour la, 82, Baies de sureau pour la, 96, Baies de goji pour la, 92, Banane pour la, 100, Bette pour la, 109, Blé pour la, 114, Bleuets pour la, 118, Brocoli pour la, 122-123, Bromeline pour la, 60, Canneberges pour la, 132, Carotte pour la, 145, Céleri pour la, 154, Cerise pour la, 158-159, Chou et choucroute pour la, 172-174, Chou frisé pour la, 181, Chou-fleur pour la, 178, Citron pour la, 185-186, Citrouille pour la, 190, Fenouil pour la, 221, Fraise pour la, 229, Framboises pour la, 234, Fruit de la passion pour la, 238, Gingembre pour la, 242, Graines de citrouille pour la, 250, Grenade pour la, 254, Groseilles pour la, 258, Haricots pour la, 261, Kaki pour la, 267, Kiwi pour la, 271, Lactosérum pour la, 275, Lime pour la, 284, Mangue pour la, 298, Menthe pour la, 302, Miel pour la, 308, Noisettes pour la, 318-319, Noix pour la, 324, Oignon pour la, 332, Olives (huile d'olive) pour la, 336, Orge pour la, 345, Origan pour la, 349, Pamplemousse pour la, 357-358, Patate douce pour la, 366, Persil pour la, 370, Phytochimiques pour la, 314, Pistaches pour la, 378, Pomme de terre pour la, 396, Pomme pour la, 391, Prunes ou pruneaux pour la, 400, Quinoa pour la, 404, Raifort pour la, 408-410, Raisin pour la, 414-415, Riz, brun, pour la, 418, Romarin pour la, 423-424, Seigle pour réduire le risque de tumeur, 439, Sésame pour la, 442, Thé pour la, 459, Tomate pour la, 464, Wasabi pour la, 408-409,
Probiotiques : Dans l'agave, 42, Dans le yogourt, 469, Lactobacillus acidophilus dans la choucroute, 172
Problèmes d'estomac : Artichaut pour les, 70, Gingembre pour les, 242
Problèmes de sinus : Brocoli pour les, 409, Framboises pour les, 234
Protection du poumon : Romarin pour la, 424
Protéine : Amandes, 50, Amarante, 56, Avocat, 82, Caroube, 150, Épeautre, 212, Haricots, 261, Lactorésum, 274-275, Millet, 311, Noisettes, 318, Œufs, 327, Pacanes, 353, Pistaches, 378, Quinoa, 404, Sardines, 427, Soya, 449
Prunes ou pruneaux : 399-402, Antioxydants dans les, 400, Fer dans les, 400, Fibres alimentaires dans les, 400, Flan du petit-déjeuner, 402, Potassium dans les, 400, Pour abaisser le cholestérol, 400, Pour la constipation, 401, Pour le syndrome du côlon irritable, 401, Pour prévenir le cancer du côlon, 400, Prévention du cancer, 400, Santé des os, 400, Sorbitol dans les, 400, Vitamine K dans les, 400

Quercétine : Dans l'orge, 345, Dans la coriandre, 199, Dans les abricots, 34, Dans les amandes, 50, Dans les bleuets, 315, Dans les cerises, 158, Dans les feuilles de goyave, 246, Dans les fraises, 228, Dans les oignons, 331, Dans les poires, 383, Dans les pommes, 391
Quinoa : 403-406, Acide folique dans le, 404, Acides aminés dans le, 404, Aide au vaccin, 405, Comme anti-inflammatoire, 404, Comme source de protéine, 404, Cuivre dans le, 404, Fer dans le, 56, 404, Magnésium dans le, 404, Manga-

nèse dans le, 405, Potassium dans le, 405, Pour abaisser le cholestérol, 405, Pour la perte de poids, 405, Prévention du cancer, 405, Quinoa caribéen, 405, 406, Saponines triterpéniques, 404, Vitamine B complexe dans le, 404, Vitamine B6 dans le, 404, Zinc dans le, 404

Raifort : 407-412, Calcium dans le, 408, Comme antibactérien, 408, Magnésium dans le, 408, Nouilles asiatiques au wasabi, 412, Phosphore dans le, 408, Potassium dans le, 408, Pour l'empoisonnement alimentaire, 409, Pour la colique, 409, Pour la performance sexuelle, 409, Pour la toux, 409, Pour le cancer de l'estomac, 409, Pour le cancer du côlon, 409, Pour le cancer du poumon, 409, Pour le mal de tête, 410, Pour le scorbut, 410, Pour les ulcères (bactérie H. pylori), 410, Prévention du cancer, 410, Vitamine C dans le, 408

Raisins : 413-417, Anthocyanines dans les, 262, Antioxydants dans les, 414, Caroténoïdes dans les, 414, Comme anti-inflammatoire, 414, Flavonoïdes dans les, 414, Kebabs aux fruits variés, 273, Pour abaisser le cholestérol, 414, Pour la constipation, 414, Pour la fonction cognitive, 415, Pour la leucémie, 415, Pour la perte de poids, 416, Pour le cancer de l'estomac, 416, Pour le cancer de la prostate, 415, 416, Pour le cancer du côlon, 416, Pour le cancer du sein, 414, 415, Pour les cicatrices de l'acné, 414, Prévention du cancer, 414, 415, Raisins en tortillas, 416-417, Resvératrol dans les, 414, Santé cardiovasculaire, 414, Vitamine C dans les, 414

Régularité des intestins : Artichaut pour la, 70, Baies de sureau pour la, 96, Blé pour la, 113, Café pour la, 128, Groseilles pour la, 258, Haricots pour la, 261, Mûres pour la, 315

Répulsif contre les insectes : Basilic comme, 105

Résistance à l'insuline : Baies de goji pour la, 92, Pamplemousse pour la, 358

Restauration des cheveux : Noisettes pour la, 319, Origan pour la, 349

Resvératrol : Dans les arachides, 65, Dans les pistaches, 378, Dans les raisins, 414

Rhumes et maladie des voies respiratoires : Ail pour les, 45, Baies de sureau pour les, 96, Café pour les, 128, Citron pour les, 185, Curcuma pour les, 207, Gingembre pour les, 242, Groseilles noires pour les, 258, Menthe pour les, 302-303, Noisettes pour les, 319, Orange pour les, 340

Riz brun : 417-422, Antioxydants dans le, 418, Cigares au chou polonais végétariens, 175, Fer dans le, 418, Fibres dans le, 418, Lignanes dans le, 418, Phosphore dans le, 418, Phytochimiques dans le, 419, Phytoestrogènes dans le, 419, Potassium dans le, 419, Pour abaisser le cholestérol, 419, Pour la maladie d'Alzheimer, 419, Pour les allergies, 419, Prévention du cancer, 419, Pudding au riz aux baies de goji, 94, Riz super énergisant, 421, Santé cardiovasculaire, 418, Vitamine B complexe dans le, 418, Vitamine E dans le, 418

Romarin : 422-425, Antioxydants dans le, 423, Comme chasse moustiques, 427, Comme antibactérien, 423, Tartinade au romarin, à l'ail, aux artichauts et haricots, 425, Polyphénols dans le, 423, Pour la protection du poumon, 188, Pour le mal de tête, 423, Pour prévenir la leucémie, 424, Prévention du cancer, 423, 424

Saignement des gencives : Aubergine pour les, 78, Goyave pour les, 246, Mûres pour les, 315

Salades : Salade à la pastèque grillée, 376, Salade de fruits aux pommes et aux canneberges, 393, Salade aux poires et aux canneberges avec noisettes au cari, 320, Salade d'orge avec pâtes d'orzo, 347, Salade estivale de couscous, 115-116, Salade de kamut et canneberges, 135, Salade italienne à l'oignon, aux tomates et au basilic, 334, Sauce à la lime et à la coriandre, 201, Sauce au gingembre et aux fraises, 244, Vinaigrette balsamique au miel, 339

Sandwiches : Burgers d'épeautre, 214, Raisins en tortillas, 416

Santé cardiovasculaire : Abricot pour la, 35, Ail pour la, 46, Amandes pour la, 51, Amarante pour la, 57, Artichaut pour la, 70, Asperge pour la, 74, Aubergine pour la, 78, Avocat pour la, 82, Avoine pour la, 87, Baies de goji pour la, 92, Basilic pour la, 105, Bette pour la, 109, Blé pour la, 323, Bleuets pour la, 118, Brocoli pour la, 123, Arachides pour la, 65, Café pour la, 128, Canneberges pour la, 132, Cannelle pour la, 137, Carotte pour la, 145, Caroube pour la, 150, Cerise pour la, 158-159, Chocolat pour la, 167-168, Citron pour la, 185, Clous de girofle pour la, 194, Coriandre pour la, 199, Curcuma pour la, 208, Épeautre pour la, 213, Fibres pour la, 391, Figues pour la, 226, Fraise pour la, 229, Fruit de la passion pour la, 332, Goyave pour la, 247, Graines de tournesol pour la, 250, Grains entiers et risque réduit de, 10, Grenade pour la, 254, Haricots pour la, 263, Kiwi pour la, 271, Laitue romaine pour la, 280, Lin pour la, 288, Maïs pour la, 294, Mangue pour la, 298, Menthe pour la, 302, Millet pour la, 312, Mûres pour la, 315, Noisettes pour la, 318-319, Noix pour la, 323, Oignon pour la, 332, Olives (huile d'olive) pour la, 336, Orange pour la, 340, Orge pour la, 345, Pacanes pour la, 353, Pamplemousse pour la, 357-358, Pistaches pour la, 378, Pommes pour la, 391, Pommes de terre pour la, 396, Raisin pour la, 414, Sardines pour la, 427, Sarrasin pour la, 430, Saumon pour la, 434, Seigle pour la, 439, Sésame pour la, 441, Son de riz pour la, 418, Sorgho pour la, 446, Soya pour la, 450, Thé pour la, 459, Tomate pour la, 64, Wasabi pour la, 409, Yogourt pour la, 470

Santé du cerveau : Asperge pour la, 74, Bleuets pour la, 118, Café pour la, 128, Chocolat pour la, 169, Curcuma pour la, 208, Fraise pour la, 229, Lactosérum pour la, 275, Patate douce, 366, Pommes pour la, 391-392, Raisin pour la, 227, Saumon pour la, 434

Santé du foie : Baies de goji pour la, 92, Café pour la, 128, Fenouil pour la, 221, Framboises pour la, 235, Maïs pour la, 294, Silymarine pour la, 70

Santé des ongles : Chou-fleur pour la, 178

Santé des os : Asperge pour la, 74, Grenade pour la, 255, Lactosérum pour la, 275, Oignon pour la, 332, Prunes ou pruneaux pour la 400, Soya pour la, 450, Thé pour la, 461

Sardines : 426-428, Acides gras oméga-3 dans les, 427, Calcium dans les, 427, Comme source de protéine, 427, Pour la lactation,

427, Sardines pour le petit-déjeuner, 428
Sarrasin : 429-433, Antioxydants et le, 430, Fibres dans le, 430, Flavonoïdes dans le, 430, Lignanes dans le, 430, Magnésium dans le, 430, Manganèse dans le, 430, Nouilles japonaises épicées à la menthe, 305, Pain aux bananes et au sarrasin, 431, 432, Phytochimiques dans le, 430, Pour abaisser le cholestérol, 430, Pour la perte de poids, 430, Pour le diabète, 430, Pour les calculs biliaires, 430, Pour réduire l'appétit, 430, Prévention du cancer du sein, 430, Santé cardiovasculaire, 430, Santé du système immunitaire, 430, Sélénium dans le, 430, Vitamine B complexe dans le, 430, Vitamine E dans le, 430
Sauces : Artichauts vapeur avec sauce au citron et wasabi, 187, Salsa de canneberges et cerises, 436, Sauce à la grenade et aux canneberges pour le poulet ou la dinde, 256, Sauce au citron, 121, Sauce au gingembre et aux fraises, 244, Sauce aux groseilles rouges pour les grillades, 260, Sauce marinara de Noni, 466, Simple sauce aux petits fruits de Sharon, 44, Tofu frit dans une sauce au curry, 142-143
Saumon : 433-437, Acides gras oméga-3 dans le, 434, Fer dans le, 434, Magnésium dans le, 434, Phosphore dans le, 434, Potassium dans le, 434, Pour l'asthme, 435, Pour la dépression, 435, Prévention de l'AVC, 435, Santé cardiovasculaire, 435, Santé du cerveau, 435, Saumon grillé avec salsa de canneberges et cerises, 436, Sélénium dans le, 435, Zinc dans le, 435
Scorbut : Baies de sureau pour le, 96, Bleuets pour le, 116, Chou pour le, 172, Citron pour le, 184, Groseilles pour le, 258, Lime pour le, 284, Raifort pour le, 409
Seigle : 437-441, Acide folique dans le, 438, Calcium dans le, 438, Digestion, 439, Fer dans le, 439, Fibres alimentaires dans le, 439, Lignanes dans le, 439, Magnésium dans le, 439, Pâte à pizza ou petits pains de seigle, 440, Phosphore dans le, 439, Potassium dans le, 439, Pour l'énergie, 439, Pour le cancer de la prostate, 440, Pour le cancer du côlon, 440, Pour les calculs biliaires, 440, Pour réduire le risque du cancer du sein, 439, Prévention du cancer, 440, Santé cardiovasculaire, 440, Vitamine B complexe dans le, 439, Vitamine E dans le, 439, Zinc dans le, 439
Sélénium : Dans l'avoine, 87, Dans l'orge, 345, Dans le sarrasin, 430, Dans le saumon, 434, Dans les champignons, 163, Dans les citrouilles, 190, Dans les framboises, 234, Dans les graines de tournesol, 250, Dans les œufs, 87
Sésame : 441-445, Bœuf aux champignons et aux graines de sésame, 444, Congestion pulmonaire, 442, Lignanes dans le, 442, Phystotérols dans le, 442, Phytochimiques dans le, 442, Pour l'hyperplasie prostatite bénigne, 442, Pour l'hypertension, 443, Pour la prévention du cancer, 443, Pour le cancer de la prostate, 441, Pour le cancer du sein, 442, Pour le mélanome, 443, Pour le soulagement de la douleur, 443, Prévention de l'AVC, 443, Santé cardiovasculaire, 442, Sauté à la romaine et au sésame, 282
Sorgho : 445-449, Calcium dans le, 446, Muffins au sorgho, à la marmelade d'orange et aux canneberges, 448, Phosphore dans le, 446, Phytochimiques dans le, 447,

Phytostérols dans le, 447, Potassium dans le, 447, Pour la maladie coeliaque, 447, Vitamine B complexe dans le, 447
Soulagement de la douleur : Baies de goji pour le, 92, Baies de sureau pour le, 96, Cannelle pour le, 137, Clous de girofle pour le, 193-194, Gingembre pour le, 242, Goyave pour le, 247, Groseilles pour le, 258, Origan pour le, 349, Sésame pour le, 442
Soupes : Chaudrée de maïs, 295, Gaspacho aux noix et au concombre, 325, Pâtes aux haricots, 265, Soupe aux carottes et courge grillées, 148, Soupe aux haricots noirs à la lime et au cumin, 286, Soupe crémeuse au chou-fleur, 179, Soupe réconfortante au chou frisé et aux lentilles, 183
Soya : 449-454, Avertissement au sujet du cancer du sein, 450, Comme source de protéine, 449, Phytochimiques dans les, 451, Pour abaisser le cholestérol, 449, Pour la santé des os, 450, Pour la vitamine B complexe, 450, Pour le calcium, 451, Pour le cuivre, 451, Pour le fer, 451, Pour le magnésium, 451, Pour les affections cutanées, 451, Pour les fibres alimentaires, 449, Pour les symptômes de la ménopause, 452, Pour prévenir le cancer de la prostate, 452, Quiche aux saucisses végétariennes avec légumes du printemps, 453, Santé cardiovasculaire, 452
Squalène : Dans l'amarante, 56-57, Dans les noisettes, 319, Dans l'huile d'olive, 319, Autres sources de, 319
Symptômes de la ménopause : Blé pour les, 113, Fruit de la passion pour les, 238, Soya pour les, 450
Syndrome du côlon irritable (SCI) : Artichaut pour le, 70, Menthe pour le, 302, Prunes ou pruneaux pour le, 400
Symptômes de l'herpès : Brocoli pour les, 122-123
Système immunitaire : Açai pour le, 38, Champignons pour le, 163, Lactosérum pour le, 275, Lime pour le, 284, Mangue pour le, 298, Noisettes pour le, 318, Orge pour le, 106, Sarrasin pour le, 430

Tef : 454-457, Fibres dans le, 455, Pain *injera* éthiopien, 457, Pour prévenir le cancer de l'œsophage, 456, Sans gluten, 456
THDA (Trouble d'Hyperactivité avec Déficit de l'Attention) : Huile pour, 289
Thé : 458-463, Caféine dans le, 459, Catéchines dans le, 459, Digestion, 460, EGCG dans le, 460, Flavonoïdes dans le, 460, Petits biscuits au miel, au thé et à l'abricot, 462, Pour abaisser le cholestérol, 459, Pour l'activité de l'insuline, 461, Pour l'énergie, 460, Pour l'hypertension, 460, Pour l'ostéoporose, 461, Pour la perte de poids, Pour prévenir le cancer des ovaires, 460, Prévention du cancer, 460, Santé cardiovasculaire, 460, Santé des os, 461
Tomates : 463-467, Bêta-carotène dans les, 463, Licopène dans les, 464-466, Mozzarella avec tomates, origan et ail sur crostini, 351, Tartinade sicilienne, 48, Phytostérols dans les, 463, Polyphénols, 464, Potassium dans les, 463, Pour l'antiadhésion du sang, 464, Pour les affections cutanées, 464, Pour les brûlures, 464, Pour les ulcères /boutons de la bouche, 464, Prévention du cancer, 464, Salade italienne à l'oignon, aux tomates et au basilic, 334, Santé cardiovasculaire, 464, Sauce marinara de Noni, 466, Spaghetti fromagé d'Elisa aux aubergines et

tomates, 80, Vitamine C dans les, 463
Toux : Aubergine pour la, 78, Bleuets pour la, 118, Cardamome pour la, 141, Cerise pour la, 158, Chocolat pour la, 169, Coriandre pour la, 199, Gingembre pour la, 242, Lin pour la, 288, Noisettes pour la, 319, Origan pour la, 349, Raifort pour la, 409, Sésame pour la congestion, 442
Tryptophane : Dans l'épeautre, 212, Dans les œufs, 327
Troubles du sommeil et insomnie : Cerise pour les, 159, Coriandre pour les, 199, Fruit de la passion pour les, 238, Laitue romaine pour les, 280, Noix pour les, 324

Ulcères (bactérie H. pylori) : Amandes pour les, 50, Banane pour les, 100, Bette pour les, 109, Brocoli pour les, 123, Canneberges pour les, 134, Cardamome pour les, 141, Chou pour les, 172-174, Cumin pour les, 203, Curcuma pour les, 207, Orge pour les, 345, Origan pour les, 349, Pamplemousse pour les, 357, Raifort pour les, 409, Wasabi pour les, 409
Ulcères/boutons dans la bouche : Basilic pour les, 105, Miel pour les, 308, Tomate pour les, 464

Verrues : Banane pour les, 100, Papaye pour les, 362, Pomme pour les, 391
Virus : Aubergine pour les, 78, Baies de sureau pour les, 96, Chou et choucroute pour les, 174
Virus du papillone humain : Papaye pour le, 362
Virus Epstein-Barr : Laitue romaine pour le, 273
Vision : Abricots pour la, 35, Avocat pour la, 82, Baies de goji pour la, 92, Bette pour la, 109, Carotte pour la, 147, Chou frisé pour la, 181-182, Épinard pour la, 216, Laitue romaine pour la, 280, Œufs pour prévenir les cataractes et la dégénérescence maculaire, 327-328, Pistaches pour la, 378
Vitamine A : Dans l'épinard, 216, Dans la bette, 109, Dans la caroube, 150, Dans la goyave, 246, Dans la laitue romaine, 280, Dans la menthe, 301, Dans la papaye, 362, Dans le brocoli, 122, Dans le céleri, 154, Dans le chocolat, 167, Dans le chou frisé, 180, Dans le fruit de la passion, 237, Dans le kaki, 267, Dans le pamplemousse, 357, Dans les abricots, 34-35, Dans les baies de sureau, 96, Dans les carottes, 145, Dans les cerises, 158, Dans les citrons, 185, Dans les citrouilles, 190, Dans les groseilles, 258, Dans les mangues, 298, Dans les oignons, 331, Dans les patates douces, 366
Vitamine B1 (thiamine) : Dans le céleri, 154, Dans le maïs, 293, Dans le millet, 311, Dans les haricots, 261, Dans les pacanes, 353, Dans les pistaches, 378
Vitamine B2 : Dans le céleri, 154, Dans les œufs, 327
Vitamine B3 (niacine) : Dans le millet, 311, Dans les carottes, 145
Vitamine B6 : Dans l'asperge, 74, Dans le curcuma, 207, Dans le quinoa, 404, Dans les ananas, 59, Dans les bananes, 100, Dans les carottes, 145, Dans les patates douces, 366, Dans les pistaches, 378
Vitamine B12 : Dans les œufs, 326
Vitamine B complexe : Dans l'avocat, 82, Dans l'avoine, 87, Dans l'épeautre, 212, Dans l'orge, 344, Dans la caroube, 150, Dans le chocolat, 167, Dans le quinoa, 404, Dans le riz, brun, 418, Dans le sarrasin, 430, Dans le seigle, 438, Dans le sorgho, 446, Dans les cerises, 158, Dans les champignons, 163, Dans les groseilles,

258, Dans les noix, 323, Dans les poivrons, 387, Soya pour la, 450
Vitamine C : Dans l'asperge, 70, Dans la bette, 109, Dans la goyave, 246, Dans la grenade, 254, Dans la laitue romaine, 280, Dans la papaye, 362, Dans le brocoli, 122, Dans le céleri, 154, Dans le chou frisé, 180, Dans le chou, 172, Dans le chou-fleur, 176, Dans le curcuma, 207, Dans le fenouil, 221, Dans le fruit de la passion, 237, Dans le kaki, 267, Dans le kiwi, 271, Dans le maïs, 293, Dans le pamplemousse, 357, Dans le persil, 370, Dans le raifort, 408, Dans le wasabi, 408, Dans les ananas, 59, Dans les artichauts, 34, Dans les bananes, 100, Dans les canneberges, 132, Dans les carottes, 145, Dans les cerises, 158, Dans les citrons, 185, Dans les clous de girofle, 193, Dans les fraises, 228, Dans les framboises, 234, Dans les mangues, 298, Dans les mûres, 314, Dans les oignons, 331, Dans les oranges, 340, Dans les patates douces, 366, Dans les poivrons, 387, Dans les poires, 382, Dans les pommes de terre, 395, Dans les pommes, 390, Dans les raisins, 414, Dans les tomates, 463
Vitamine D : Dans le caroube, 150, Dans les champignons, 163, Dans les œufs, 327
Vitamine E : Dans l'avocat, 82, Dans l'avoine, 87, Dans la bette, 109, Dans le blé, 113, Dans le kiwi, 271, Dans le riz brun, 418, Dans le sarrasin, 430, Dans le seigle, 438, Dans les amandes, 50, Dans les graines de tournesol, 250, Dans les noisettes, 318, Dans les noix, 323, Dans les pacanes, 353, Dans les pistaches, 378
Vitamine K : Dans l'avocat, 82, Dans l'épinard, 215, Dans la bette, 109, Dans la choucroute, 172, Dans les clous de girofle, 193, Dans les mangues, 298, Dans les prunes ou les pruneaux, 400
Virus de l'immunodéficience humaine (VIH) : Lactosérum pour le, 277

Wasabi : Artichauts vapeur avec sauce au citron et wasabi, 187-188, Calcium dans le, 408, Comme antibactérien, 408-410, Fibres dans le, 408, Magnésium dans le, 408, Nouilles asiatiques au wasabi, 412, Potassium dans le, 408, Pour l'antiadhésion du sang, 409, Pour l'empoisonnement alimentaire, 409, Pour la carie dentaire, 410, Pour le cancer de l'estomac, 410, Pour le cancer du côlon, 410, Pour le cancer du poumon, 410, Pour le cancer du sein, 410, Pour le mélanome, 410, Pour les ulcères (bactérie H. pylori), 410, Prévention du cancer, 410, Santé cardiovasculaire, 410, Vitamine C dans le, 408

Yogourt : 468-472, Calcium dans le, 469, Flan du petit-déjeuner, 402, Parfait au yogourt et granolas avec petits fruits, 471, Pour abaisser le cholestérol, 470, Pour combattre le cancer du côlon, 470, Pour l'infection aux levures, 469, Pour la santé des intestins, 470, Probiotiques dans le, 469, Santé cardiovasculaire, 470

Zéaxanthine : Dans l'épinard, 216-217, Dans l'origan, 348, Dans la bette, 109, Dans la laitue romaine, 280, Dans la papaye, 362, Dans le kiwi, 271, Dans le millet, 311, Dans les baies de goji, 92, Dans les œufs, 327-328
Zinc : Dans l'avoine, 87, Dans l'orge, 345, Dans le chocolat, 167, Dans le millet, 311, Dans le quinoa, 404, Dans le saumon, 434, Dans le seigle, 438

L'utilisation de 6 828 lb de Rolland Enviro100 Édition plutôt que du papier vierge réduit votre empreinte écologique de:

Arbres: 58
Déchets solides: 1 673 kg
Eau: 158 242 L
Matières en suspension dans l'eau: 10,6 kg
Émissions atmosphériques: 3 673 kg
Gaz naturel: 239 m^3

www.AdA-inc.com
info@AdA-inc.com